10653279

John Lescroart

Geheimhouding

VAN HOLKEMA & WARENDORF
Uitgeverij Unieboek | Het Spectrum bv, Houten – Antwerpen

Oorspronkelijke titel: *A Plague of Secrets*
Vertaling: Jaap Sietse Zuierveld
Omslagontwerp: Wil Immink
Omslagfoto: Fotolia
Opmaak: ZetSpiegel, Best

www.unieboekspectrum.nl
www.johnlescroart.com

ISBN 978 90 475 1271 4/ NUR 332

Oorspronkelijke uitgave: Dutton, a member of Penguin Group USA, inc.

Voor mijn muze, mentor, partner en ware liefde
Lisa Marie Sawyer

Mensen worden niet voor, maar door hun zonden gestraft.

– Elbert Hubbard

Deel 1

1

Vrijdag, het einde van de werkweek.

Op de kleine veranda bij zijn achterdeur zat advocaat Dismas Hardy met zijn voeten op de reling van een zeldzaam moment te genieten terwijl de zon zich in het laatste uur van de dag naar de horizon achter zijn woning liet zakken.

Het huis wierp zijn steeds langer wordende schaduw oostwaarts over de buurt – het Richmond District van San Francisco – zodat de op het westen uitkijkende gevels van de gebouwen in de stad voor hem duidelijk uitkwamen. Ergens weerkaatste een raam een sprankje zonlicht, vuurvliegjes in de groeiende schemering, glinsterend in de nazomerlucht.

Hij nipte van zijn gin met ijs, zette het glas op het gevlamde metaal van de picknicktafel die ze hierbuiten hadden neergezet, en werd zich er plotseling scherp van bewust dat hij niet tevredener kon zijn. Zijn vrouw, Frannie, van wie hij na drieëntwintig jaar nog steeds hield, was in het huis achter hem neuriënd aan het rommelen. Zijn twee kinderen waren het huis uit en behaalden goede studieresultaten – Rebecca aan de Universiteit van Boston, en Vincent aan UC San Diego. De advocatenfirma Freeman, Farrell, Hardy & Roake, waarvan hij de hoofdvennoot was, liep op rolletjes.

Knipperend tegen een golf van emotie keek Hardy even naar de blauwe lucht boven hem. Daarna vervormde zijn mond zich tot een kleine grijns om zichzelf en tilde hij zijn glas op om nog een slokje te nemen.

Binnen rinkelde de telefoon twee keer en hield toen op, wat moest betekenen dat Frannie had opgenomen. Haar stem, waarin sympathie en begrip doorklonk, zweefde naar hem toe, maar hij deed geen moeite om er iets van te verstaan. Ze was begonnen aan een aardig opbloeiende carrière voor zichzelf als huwelijks- en gezinstherapeut en vaak adviseerde ze haar cliënten vanuit huis.

Hardy gaf zich bewust over aan zijn afdwalende gedachten. Een poos was hij daar eenvoudigweg op dezelfde manier als zijn drankje of zijn stoel bestond; of het licht, of de bries van de oceaan zo'n twee kilometer ten westen van de plek waar hij zat. Waardoor hij een beetje opschrok toen de deur achter hem opengging.

Frannie legde een hand op zijn schouder en hij legde zijn hand op de hare, waarbij hij zich half omdraaide en haar gezichtsuitdrukking zag. 'Wie was dat?' vroeg hij, terwijl hij zijn voeten van de reling haalde. 'Is alles goed met de kinderen?' Altijd zijn eerste zorg.

Ze knikte ja op de tweede vraag, waarna ze de eerste beantwoordde. 'Dat was Treya.' Treya was de vrouw van Hardy's beste vriend, Abe Glitsky, het hoofd van de afdeling Moordzaken van San Francisco. Met angst in haar ogen hield ze haar adem even in. 'Het gaat om Zack,' zei ze, doelend op Glitsky's driejarige zoon. 'Hij heeft een ongeluk gehad.'

Vergezeld door haar vijfjarige dochter Rachel opende Treya Glitsky het witte hek van de Hardy's. Dismas Hardy, die in zijn woonkamer door de rolluiken van zijn voorraam naar buiten stond te kijken, riep naar zijn vrouw in de keuken dat ze er waren, waarna hij naar zijn voordeur liep en opendeed.

Treya wendde zich af en terwijl ze het hek dichtdeed, reikte ze naar een kleine rugzak. Te oordelen naar de manier waarop ze die oppakte, leek die wel vijftig kilo te wegen. Toen ze zich oprichtte, gingen haar schouders omhoog en weer omlaag, waarna ze een hand naar haar voorhoofd bracht en nog een tel of twee doodstil bleef staan. Met haar kleine handje hield Rachel zich vast aan de zak van haar moeders spijkerbroek terwijl ze met stijf opeengeklemde lippen naar haar gezicht opkeek.

Hardy liep zijn veranda over en daalde drie treden af naar het paadje dat zijn kleine gazon in tweeën deelde. De zon was achter de gebouwen aan de overkant van de straat ondergegaan, hoewel het nog twintig minuten zou duren voor de echte schemering inviel. Nu ze zich omdraaide en hem zag, dreigde Treya's legendarische zelfbeheersing het te begeven. Ze was een lange vrouw – bijna net zo lang als Hardy – en sterk gebouwd. Haar expressieve en doorgaans goedlachse mond trilde en vormde vervolgens een streep.

Hardy liep naar voren, pakte de rugzak van haar over en sloeg een arm om haar nek; hij trok haar naar zich toe en hield haar een poosje vast. Uiteindelijk stapte hij achteruit en fluisterde: 'Hoe gaat het met hem?'

Ze haalde haar schouders op en schudde haar hoofd. Daarna zei ze met even kalme stem als de zijne: 'Dat weten we nog niet.'

Frannie kwam naar hen toe, raakte zijn schouder aan en liep om hem heen om Treya te omhelzen.

Hardy stapte opzij en ging op een knie zitten om Rachel op haar eigen hoogte aan te kijken. 'En hoe gaat het met mijn liefste kleine meisje van de hele wereld?'

'Goed,' zei ze. 'Maar Zack is door een auto geraakt.'

'Dat weet ik, schat.'

'Maar hij gaat niet dood.'

Hardy keek naar de twee vrouwen. Treya knikte vlug naar hem, en hij richtte zich weer tot haar dochter. 'Nee, natuurlijk niet. Maar ik hoor dat je een paar dagen hier komt logeren terwijl hij beter wordt. Vind je dat goed?'

'Als mama dat zegt.'

'En dat zegt ze. Zitten je spullen in die rugzak? Hier, ik pak hem wel. Als jij je armen om mijn nek doet, zal je oude Ome Diz je naar binnen dragen.'

Daarop liepen ze allemaal over het pad en gingen ze het huis binnen. 'Abe is met de ambulance meegegaan,' zei Treya. 'We weten niet hoe lang we daar moeten blijven. Ik weet niet hoe ik jullie moet bedanken dat jullie op Rachel willen passen.'

'Doe niet zo raar,' zei Frannie. 'We zijn dol op Rachel.' Ze stak haar hand uit en streelde de wang van het kleine meisje, die ze op Hardy's schouder liet rusten. 'Ze is ons lieve kleine meisje.'

Hardy en Frannie lieten Treya uit nadat ze Rachel met koekjes en melk voor de televisie hadden gezet. Vlak bij het hek bleven ze weer op het pad staan. 'Was hij bij bewustzijn?' vroeg Hardy.

'Nee.' Treya wachtte even, waarna ze op gedempte toon zei: 'Hij had zijn helm niet op.'

'Wat is er precies gebeurd?' vroeg Frannie.

'Dat zullen we misschien wel nooit te weten komen,' zei ze. 'Abe had zijn driewieler net naar beneden gebracht en Zack zat erop, maar Abe zei dat hij even stil moest blijven zitten en moest wachten terwijl hij zich omdraaide en Zacks helm pakte. Die had hij maar een halve meter verder op de trap gelegd. Maar zodra hij hem de rug had toegekeerd, begon Zack te trappen of gewoon de oprit af te rollen, net op het moment dat er een auto in de straat aan kwam. Een van onze buren. Hij reed maar zo'n tien kilometer per uur, maar Zack botste tegen hem aan en werd van de fiets geslagen en op straat gesmakt.' Met een gepijnigde blik keek ze van Hardy naar Frannie. 'Zijn hoofd is geraakt.' Ze aarzelde. 'Ik moet er nu heen. Jullie zijn geweldig. Bedankt.'

'Ga maar,' zei Hardy. 'Bel maar wanneer je kunt.'

Om halfelf staarde Hardy naar het laatste glas wijn van de avond, waar hij eigenlijk helemaal geen behoefte aan had. Hij zat in zijn leesstoel tegenover de haard in de woonkamer. Rachel was ongeveer anderhalf uur geleden rustig gaan slapen. Frannie was nu in de woonkamer en had het afgelopen halfuur met hun zoon Vincent in San Diego gebeld. Ze had al met Beck in Boston gebeld; beide telefoontjes waren niet zozeer bedoeld om het slechte nieuws te delen als wel om even contact te hebben met hun eigen kroost, om er zeker van te zijn dat ze veilig waren.

Treya of Abe had nog niet gebeld met nieuws uit het ziekenhuis. Hardy, verlamd door zijn overweldigende angstgevoel, hield zijn hand om de steel van het glas, maar had het nog niet naar zijn lippen gebracht. Hij staarde domweg naar de haard.

Frannie had vast opgehangen, want nu stond ze in het portaal dat hun eet- en woonkamer van elkaar scheidde. 'Diz?'

Hij draaide zijn hoofd naar haar toe, misschien verbaasd om haar daar zomaar uit het niets te zien verschijnen. 'Hé.'

Ze legde de laatste paar stappen naar hem af en ging op de sofa bij zijn voeten zitten. 'Sinds ik in de deuropening ging staan heb jij hier alleen maar gezeten zonder een spier te vertrekken.'

'Isometrische oefening. Elke spier gespannen voor een maximaal effect.' Maar er zat geen humor in.

'Is alles goed met je?'

Terwijl hij zijn schouders ophaalde, was zijn poging om te glimlachen hoogstens halfslachtig. 'Hoe gaat het met Vinnie?'

'Goed. Hij had een negen voor zijn eerste politicologietentamen.'

'Luilak.'

'Hij wilde weten of hij naar ons toe moest komen. Hij zei dat hij dat zou doen. Ik heb hem gezegd dat dat niet hoefde.'

'Daar heb je waarschijnlijk wel gelijk in. Niets voor hem.'

'Ook niet voor jou,' zei Frannie. 'Wees er gewoon voor hen als ze ons nodig hebben.'

Zuchtend schudde Hardy zijn hoofd. 'Je denkt dat je het zo ver weg hebt gestopt, en voor je het weet word je er weer door verblind.'

Frannie aarzelde, maar ze wist waar hij het over had. 'Michael?'

Hardy's eerstgeboren zoon was vijfendertig jaar eerder op zeer jonge leeftijd overleden. Het voorlijke zeven maanden oude kind was in zijn wieg gaan staan voordat hij dat had moeten kunnen en was over de reling gevallen die ze op halve hoogte hadden ingesteld. Hij was op zijn hoofd terechtgekomen.

'Ik geloof dat ik in geen vijf jaar bewust aan hem heb gedacht, en nu is hij hier weer, levensecht.'

Frannie legde een hand op zijn knie. 'Dit loopt misschien helemaal niet hetzelfde af. Laten we het hopen.'

'Ik weet niet of Abe het kan aanvaarden, hoe iemand dat kan. Ik weet niet hoe ik het heb gedaan.'

Frannie wist het wel. De tragische dood van Hardy's zoon had het einde van zijn eerste huwelijk en zijn rechtencarrière ingeluid, waarna hij tien jaar achter de bar in de Little Shamrock had gestaan en tien tot twintig biertjes per dag dronk, om nog maar niet te spreken van de rest van zijn alcoholische inname.

Ze kneep geruststellend in zijn been. 'Laten we wachten tot we iets horen. Wil je mee naar bed?'

'Ik wil een fles gin leegdrinken.'

'Dat kun je doen, maar morgen zul je daar niet zo blij om zijn.'

'Nee. Dat weet ik. En trouwens, als Abe iets nodig heeft...' Hij schudde zijn hoofd en keek weg even weg. 'Shit, Frannie.'

'Dat vind ik ook. Maar Rachel zal vroeg op zijn. Dan moeten we uitgerust zijn. Ik moet gaan liggen. Je mag gerust bij me komen liggen.'

'Ik zou nogal beroerd gezelschap zijn.' Daarop klopte hij met zijn hand op de hare om zijn opmerking te verzachten. 'Nog een paar minuten,' zei hij.

En de telefoon rinkelde.

'Het beste nieuws,' zei Treya tegen hen beiden terwijl ze aan de twee toestellen zaten te luisteren, 'is dat hij geen twee meer is. Hoe jonger je bent, hoe slechter de prognose schijnt te zijn. Drie is veel beter dan twee. En dit is een academisch ziekenhuis, dus hadden ze een neuroloog in opleiding in huis, wat ook gunstig is omdat hij meteen aan de slag kon.' Hoewel haar stem in de verste verte niet vrolijk klonk, sprak er kracht en zelfvertrouwen uit. Terwijl ze feiten meedeelde en zich tot het draaglijke nieuws beperkte, hield ze zichzelf onder controle zoals ze altijd deed.

'Ze hebben hem afgekoeld om hem hypothermisch te maken,' vervolgde ze, 'dat schijnt de normale procedure te zijn. Ze hebben een paar scans gemaakt en ze hebben hem continu op een eeg-apparaat aangesloten. Ik begreep dat zijn ademhaling en hartslag goed zijn, dus dat is bemoedigend.'

'Maar is hij nog steeds buiten bewustzijn?' vroeg Hardy.

Frannie en Hardy hoorden Treya's snelle inademing en gebaarden hun reacties naar elkaar. 'Nou, dat is nu eigenlijk niet zo'n punt, want ze hebben een coma opgewekt. Hij zal een poos buiten bewustzijn blijven. Misschien een week of langer.'

'Ligt hij in coma?' vroeg Frannie, voordat ze zich kon inhouden.

'Het is niet zo erg als het klinkt,' zei Treya. 'Ze wekken het met een of andere drug op om zijn hersenen de kans te geven te genezen. En ze geven hem iets tegen de inwendige zwelling, maar de dokter zegt dat ze misschien toch moeten opereren. Waarschijnlijk wel, eigenlijk.'

Hardy, die zo hard in de telefoon aan zijn oor kneep dat hij er bijna deuken in achterliet, vroeg: 'Wanneer gaat dat gebeuren, de operatie?'

'Waarschijnlijk zeer binnenkort, misschien in de ochtend. Ze hebben een paar catheters via zijn hals ingebracht om zijn schedeldruk te meten. Als het boven vijftien komt, wat dat ook mag betekenen, zullen ze moeten opereren. Het was tien toen hij hier kwam en nu is het dertien, dus...'

'Kunnen we iets voor je doen?' vroeg Frannie.

'Op Rachel passen is genoeg. Ik zie geen van ons beiden hier voorlopig weggaan.'

'Neem alle tijd die je nodig hebt, Trey.' Frannies ogen waren strak op die van Hardy gericht terwijl ze samen knikten. 'Je hoeft daar niet eens over na te denken. Het is geen punt. Ze is geweldig en we hebben haar dolgraag bij ons. Wij allebei.'

'Wij allebei,' herhaalde Hardy. 'En wat volgt er nu?'

'Ik denk waarschijnlijk de operatie.'

'Wat gaan ze doen?'

'Ze halen een stuk bot uit zijn schedel om de druk te verlichten.'

'Niet permanent?' vroeg Hardy.

'Nee,' zei Treya, 'dat denk ik niet. Maar ik zal het nu voor de zekerheid vragen. Hoe dan ook, daarna maken ze een paar sneden in de *dura*.'

'Wat is dat?' vroeg Frannie.

'O, dit zul je wel leuk vinden.' Treya deed duidelijk haar uiterste best om een positieve draai aan de dingen te blijven geven. 'Het betekent harde moeder.'

'Wat?'

'*Dura mater*. Dat is de buitenste laag van de hersenen. Taai en vezelig. Daar maken ze een paar sneetjes in om de hersenen te laten uitzetten.'

De lijn viel stil toen deze huiveringwekkende, maar misschien toch goede informatie begon door te dringen. Uiteindelijk schraapte Hardy zijn keel. 'En hoe is Abe eronder?'

Treya aarzelde. 'Rustig. Zelfs voor zijn doen.'

'Het is niet zijn schuld,' zei Frannie.

'Dat weet ik. Misschien is het voor hem niet zo duidelijk.' Opnieuw een poging om optimistisch te klinken. 'Hij komt er nog wel achter.'

'Dat weet ik,' zei Frannie.

Hardy, die daar niet zo zeker van was, vooral als Zachary het niet zou redden, wendde zijn gezicht van zijn vrouw af. Met een vluchtige blik op zijn horloge maakte hij een snel rekensommetje: als het ongeluk om halfzes had plaatsgevonden, was dat nu vijfenhalf uur geleden. Nadat ze hem naar het ziekenhuis hadden gebracht, had zijn eigen zoon Michael nog zes uur geleefd.

De woorden van Treya bleven maar door de telefoon aan zijn oor tuimelen, maar niet één ervan klonk boven zijn eigen voorstellingen uit – of was het alleen zijn hartslag, die klonk als het getik van een klok die de seconden aftelde?

2

Bay Beans West had een bevoorrechte ligging op de kruising tussen Haight Street en Ashbury Street in San Francisco.

De grote, lichte koffieshop was in de zomer van 1998 geopend en leek vanaf het begin een blijver in de buurt. Bay Beans West ging iedere ochtend om zes uur open, behalve op zondag, dan waren de openingstijden van acht uur 's ochtends tot tien uur 's avonds. Tussen de medische faculteit van de UCSF een paar straten naar het oosten, de Universiteit van San Francisco een paar straten naar het noorden, de toeristen die het epicentrum van de geboorte van het hippiedom bezochten, en de levendige en wild eclectische plaatselijke buurt, had de koffieshop zelden een rustig moment, laat staan een leeg moment.

De geur van de gebrande bonen doortrok de nabije omgeving met een verlokkelijk aroma; het management verschafte gratis exemplaren van de stadskranten – de *Chronicle*, de *Free Press* en de *Bay Guardian* – in goed vertrouwen dat ze niet zouden worden meegenomen. De kranten verdwenen zelden vóór drie uur. Zelfs de daklozen hielden zich aan dit gebruik, behalve Gekke Melinda, die wanneer ze binnenkwam alle kranten opraapte en ermee probeerde weg te gaan. Totdat de bazen één exemplaar van elke krant voor haar op de toonbank opzijlegden, die ze mocht meenemen wanneer ze maar wilde.

Naast de gebruikelijke stoelen en tafels waren er comfortabele, kleurrijke banken beschikbaar; de huisregels van de zaak stonden het onbeperkt gebruik van je zitplaats toe als je die eenmaal had opgeëist, of je nu wel of niet koffie bleef drinken; de afgelopen vijf jaar konden klanten gebruikmaken van gratis draadloos internet; en wettig of niet, huisdieren waren welkom. Voor velen in de buurt was BBW een toevluchtsoord, een ontmoetingsplek, een tweede thuis.

Een paar minuten voor zeven uur op deze zaterdagochtend groeide de gebruikelijke rij van ongeveer twintig klanten die hun ochtendlijke cafeïne-infuus nodig hadden al voor de voordeur van het pand in Haight Street. Een langharige man die Wes Farrell heette, in een joggingbroek en een T-shirt met de tekst 'DAM – Mothers Against Dyslexia', stond met de hand van Sam Duncan, zijn vriendin, met wie hij samenwoonde, in zijn ene hand en de riem van Gertrude, zijn boxer, in de andere. Net als vele anderen in de stad die ochtend hadden ze het over het daklozenprobleem.

Decennialang was San Francisco een haven voor de daklozen geweest, en de stad gaf maar liefst zo'n honderdvijftig miljoen dollar per jaar uit aan opvanghuizen, gesubsidieerde huureenheden, medische en psychiatrische zorg, gaarkeukens, enzovoort. Nu kwam er plotseling, onverwacht, en kennelijk als gevolg van een serie artikelen die net in de *Chronicle* waren verschenen, een wijdverbreid protest onder de burgerij dat de welkomstmat maar eens verwijderd moest worden. Wes had het artikel van vandaag hardop aan Sam voorgelezen en terwijl hij de krant opvouwde, zei hij: 'En dat wordt ook tijd.'

Sam trok haar hand uit de zijne. 'Dat meen je niet.'

'O nee? Ik dacht van wel.'

'Wat wil je daarna doen, ik bedoel, als je ze eenmaal een bekeuring hebt gegeven, die ze trouwens niet kunnen betalen, dus dat werkt niet.'

'Op welk deel van die bewering – ik twijfel of ik het een zin kan noemen – wil je dat ik inga?'

'Maakt niet uit. Hang niet zo de wijsneus uit.'

'Dat doe ik niet. Maar ik zou niet graag gedwongen worden om een van je zinnen te ontleden.'

'Je probeert me gewoon van mijn à propos te brengen. En dat is: wat zou je doen met deze dakloze mensen die plotseling niet meer welkom zijn?'

'Eigenlijk zijn ze nog net zo welkom. Ze zullen alleen niet meer welkom zijn als ze openbare straten en trottoirs als hun kampeerterreinen en toiletten gebruiken.'

'Waar zouden ze dan anders naartoe moeten?'

'Hebben we het over toiletten? Ze kunnen naar de wc in een toilet, net als de rest van ons.'

'De rest van ons heeft een thuis, Wes. Dat is volgens mij het punt. Zij hebben geen thuis.'

'Je hebt gelijk. Maar je ziet wel dat het hier barst van de opvanghuizen en openbare toiletten.'

'Zij houden niet van de opvanghuizen. Die zijn gevaarlijk en smerig.'

'En de straten niet? Bovendien, dit klinkt misschien als een wreed cliché, lieverd, maar waar denk je dat de uitdrukking "lieverkoekjes worden hier niet gebakken" vandaan komt?'

'Ik kan niet geloven dat je dat net hebt gezegd. Dat is zo, zo...' Sam zocht naar de ergste benaming die ze zich kon voorstellen. '... zo réchts.'

Wes keek omlaag, ging op een knie zitten, knipte met zijn vingers en haalde Gertrude dicht naar zich toe om haar vlug te aaien. 'Het is in orde, meisje, je mama en ik maken geen ruzie. We praten alleen.' Hij stond op en zei: 'Ze raakt van streek.'

'Ik ook. Als je mij probeert te aaien om me te kalmeren, sla ik je neer.'

'Er is een tolerante benadering. En ondertussen zeg ik dit niet graag, maar het is hier geen kwestie van rechts en links. Het is een kwestie van gezondheid en levenskwaliteit. Poep en urine op openbare straten en speelplaatsen en in parken vormen een gezondheidsrisico en zijn een beetje vervelend, kunnen we denk ik wel toegeven. Zijn we het hierover eens?'

Sam leunde onverzettelijk met haar armen over elkaar tegen de ramen van de koffieshop.

'Sam,' vervolgde Wes, 'als ik Gertie uitlaat, neem ik een zakje mee om de boel op te ruimen. Dat geldt voor een hond. Denk je echt dat het te veel is om hetzelfde van mensen te vragen?'

'Het is niet hetzelfde.'

'Waarom niet?'

'Omdat veel van deze mensen ook geestelijke problemen hebben. Ze weten niet eens dat ze het doen, of waar.'

'En dus moeten we het gewoon maar tolereren? Je stuurt je kinderen naar buiten om te spelen en er ligt een hoop stront op je stoep? Voor je het weet heeft een halve school hepatitis. Vind je niet dat dat een probleem is?'

'Dat gebeurt niet.'

'Sam, dat is precies wat er gebeurt. Ze moeten de zandbak bij de draaimolen in het Golden Gate Park elke ochtend op stront en naalden controleren. Sommige van deze mensen denken dat het een poepdoos is.'

'Nou, ik heb niets over een hepatitisepidemie gehoord. Dat is enorm overdreven.'

'Het punt is het openluchttoiletgebeuren dat al jarenlang in de binnenstad plaatsvindt. Je herinnert je denk ik wel dat een vent onze stoep van het kantoor elke nacht een maand lang gebruikte. We moesten de treden elke ochtend schoonspuiten.'

'Kijk eens,' zei Sam. 'Dat was een oplossing.'

'Het is een belachelijke oplossing. Het is krankzinnig. Om nog maar te zwijgen van het feit dat het gebruik van de straten als toiletten onschuldige, goede burgers straft en bezit minder waard maakt.'

'Aha! Ik wist dat bezit aan de orde zou komen.'

'Bezit is geen slechte zaak, Sam.'

'Dat gelooft iedere republikein in de wereld.'

'En sommige democraten ook. De meesten, mag ik wel zeggen. En voor de zoveelste keer, Sam, het is geen republikeinse kwestie. Je kunt tegen Bush zijn en toch niet willen dat er mensen in je bloempotten schijten. Dat sluit elkaar niet uit.'

'Ik denk eigenlijk van wel.'

'Nou, met alle respect, maar je hebt ongelijk. Openbare ontlasting en daklozenkampen op de straten en in de parken zijn walgelijk en ongezond en ziekteverwekkend. Ik begrijp niet hoe je dat niet kunt zien.'

Sam schudde nogmaals haar hoofd. 'Ik zie die arme mensen lijden. Dat zie ik. We hebben een brandweerkorps met kilometers aan slangen. Die kunnen we inzetten om de straten schoon te spuiten. De stad kan een werkprogramma opstellen en mensen inhuren om schoon te maken.'

'Wat een geweldig idee! Moeten we ze betalen om hun eigen of elkaars afval op te ruimen? Maar aan de andere kant, waar komt het geld vandaan om dat te doen?'

'Daar heb je het weer, geld! Het komt altijd op geld neer.'

'Nou, eigenlijk wel, ja, soms wel.'

'Het punt is, Wes, dat deze mensen gewoon niet dezelfde opties hebben als alle anderen.'

'En die zullen ze ook nooit krijgen, Sam. Dat is misschien hard, oké, maar zo is het leven. En het leven is soms gewoon niet eerlijk. Wat niet betekent dat andere mensen hun problemen moeten oplossen. Ze worden opgepakt en naar de opvanghuizen gebracht, of ze daar nu wel of niet naartoe willen gaan, en ik zeg dat het ook tijd wordt.'

Zonder dat Sam of Wes het merkte, hadden verschillende anderen in de rij, zowel mannen als vrouwen, hen omringd om mee te luisteren. Nu sprak een jonge hippie Wes aan. 'Je hebt gelijk, gast,' zei hij. 'Het loopt uit de hand. Het wordt ook tijd.'

Er volgde een koor van gelijkgestemde gevoelens.

Sam nam het allemaal in zich op, rechtte zich en keek naar de gezichten die haar omringden. 'Ik kan gewoon niet geloven dat ik dit in San Francisco hoor,' zei ze. 'Ik schaam me zo voor jullie allemaal.'

En daarop baande ze zich een weg door de menigte en liep ze Ashbury Street in, weg van haar vriend en hun hond.

Sam was directrice van het Crisisadviescentrum voor Verkrachting van San Francisco, dat zich toevallig ook in Haight Street bevond. Deze ochtend was ze van plan geweest haar vroege ochtendwandelingetje met Wes en Gertie vanuit hun woning in Buena Vista te maken, samen een kop koffie en een croissant in BBW te nemen en daarna naar kantoor te gaan om zich ervan te vergewissen dat er geen nachtelijke crisis was geweest die hun aandacht vroeg.

Maar nu ze ziedend aan alle reactionairen wilde ontsnappen, was ze de verkeerde richting ingeslagen om bij het Centrum te komen. Gelukkig strekte de rij voor de BBW zich in Haight Street uit, en niet in Ashbury Street, en ze was ongeveer de halve straat omhoog gelopen toen ze stopte en zich omdraaide, beseffend dat ze de steeg kon nemen die achter de winkels van Haight Street liep, zodat ze de menigte omzeilde en in de volgende straat op de weg naar haar kantoor uitkwam.

Maar eerst bleef ze even staan, niet om gewoon weer op adem te komen, maar om te proberen zichzelf te kalmeren. Na een buitengewoon wankel begin van hun relatie hadden zij en Wes al zes of zeven jaar geen ruzie meer gehad. Ze was gaan geloven dat hij haar ware zielsverwant was en haar meningen over bijna alles, vooral politiek, deelde. Maar nu bleek dat niet zo te zijn.

Dat was een schok voor haar.

En oké, ze wist dat ze behoorde tot degenen die conservatieven tot de mafketels en halvegaren van Californië zouden rekenen. Ze twijfelde zeker niet te vaak aan de juistheid van haar diverse standpunten. Ze was begin veertig en had genoeg van de wereld gezien om te weten dat de dollar het basisprobleem was. Het militaire/industriële complex. Oliegiganten en bedrijfsglobalisering. Republikeinen.

Maar Wes, die zich bij de groenen had ingeschreven en de rechtsen net zo erg haatte als zij, pleitte nu voor iets waarvan ze in haar hart gewoon wist dat het fout was. Je kon deze dakloze mensen, die tenslotte juist vanwege het gunstige politieke klimaat naar San Francisco waren getrokken, niet zomaar in de steek laten. Dat zou de ergste misleidingstactiek zijn die ze zich kon voorstellen. Ze zou met hem moeten praten, maar pas nadat ze allebei waren gekalmeerd.

Ze liep de helling weer af naar een plek waar ze niet zichtbaar zou zijn voor Wes of iemand anders in de rij. Het was het soort heldere ochtend dat mensen verwachtten wanneer ze San Francisco tijdens de traditionele zomermaanden bezochten. Die mensen vertrokken vaak bitter teleurgesteld over de aanhoudende mist en de algemene guurheid van het weer. Maar vandaag gaf de vroege zon de daktoppen een gouden glans. De temperatuur was al opgelopen tot een graad of zeventien. Het zou een perfecte dag worden.

Met haar ogen half toegeknepen tegen de felle ochtendzon bereikte ze de steeg, toen ze een voorbeeld zag van precies datgene waarover ze het met Wes had gehad – bij de achterdeur van BBW stak een paar voeten uit. Omdat ze de arme slapende dakloze man niet wakker wilde maken, liep ze met een wijde boog om hem heen en wierp ze alleen een vluchtige blik op hem toen ze ter hoogte kwam van de plek waar hij lag te slapen.

Maar de houding van het lichaam had iets waardoor ze stil bleef staan. Het leek niet in een natuurlijke positie te liggen, met het hoofd tegen de hordeur gestut. Ze kon zich niet voorstellen dat zo'n houding bevorderlijk voor de slaap zou zijn. Het meeste gewicht leek op zijn linkerschouder te rusten, maar daaronder was zijn tors op een onhandige manier verdraaid, zodat beide voeten omhoog waren gericht, alsof hij op zijn rug lag.

Toen ze dichterbij kwam, zag ze een stroompje vloeistof over het beton lopen dat in de opening tussen het cement van het portaal en het asfalt van de steeg terecht kwam. In het felle ochtendzonlicht had het van een afstand water kunnen zijn. Maar toen ze nog een paar stappen dichterbij kwam, werd iedere twijfel daaromtrent weggenomen – het glinsterende natte spul was rood.

Sam boog voorover, beschermde haar ogen tegen het helle licht en zag het gezicht van de man; een gezicht dat ze herkende en verwacht had die ochtend te zien achter de toonbank van BBW, waar hij altijd was.

Haar al trillende hand ging naar haar mond.

3

Een paar minuten over halfacht parkeerde Darrel Bracco, brigadier bij de afdeling Moordzaken, dubbel in Ashbury Street. Hij haakte zijn mobilofoon los en drapeerde het snoer over de achteruitkijkspiegel, zodat een langslopende parkeerwachter zou kunnen vermoeden dat dit een politievoertuig was en als zodanig niet op de bon geslingerd moest worden. Maar voor alle zekerheid liet hij zijn visitekaartje op het dashboard van zijn Pontiac achter. Hij wist uit bittere persoonlijke ervaring dat zelfs deze voorzorgsmaatregelen misschien niet genoeg waren.

Er stond een menigte van zo'n zestig man achter het gele afzetlint dat de verantwoordelijke eenheid voor de ingang van de steeg en verder naar beneden had gespannen. Bracco zag dat het busje van de lijkschouwer nog niet was aangekomen, maar er hielpen ook twee zwart-witte patrouillewagens om de steeg voor nieuwsgierige voorbijgangers af te sluiten.

Met zijn politiepenning in de hand baande hij zich al verontschuldigend een weg door de mensenmassa en dook onder het lint door. Hij stuitte niet op echte weerstand – Bracco was een nuchtere vent van tweeënveertig, iets onder de een meter tachtig, verzorgd, licht gespierd. Hij knikte naar de twee geüniformeerde agenten die ervoor zorgden dat de plaats delict niet werd geschonden.

Bij het lijk, duidelijk genoeg op de grond bij de achterdeur van een van de plaatselijke etablissementen, stond een ander uniform met grijzend haar en een beginnend buikje, ongetwijfeld de inspecteur van Park Station, met Bracco's nieuwe partner, Debra Schiff, te praten. Debra was achtendertig, droeg haar zandkleurige haar kort, en had een knap, zij het stoer gezicht dat er zonder make-up nog stoerder uitzag – de reden dat ze zich nooit opmaakte.

Bracco liet zijn penning zien en stak zijn hand uit. 'Hoe gaat het, inspecteur? Darrel Bracco.'

'Bill Banks.'

'Aangenaam kennis te maken. Bedankt voor het bewaken van het fort. Heb ik al iets leuks gemist?'

Schiff gaf antwoord, terwijl ze nee schudde. 'We wachten op de techneuten. Altijd hetzelfde liedje, hè? Je zou denken dat deze mensen zo vriendelijk zouden zijn om zich tijdens gewone kantooruren te laten neerschieten. Maar nu gebeurt het toch weer in het weekend. Tegen de tijd dat de techneuten eenmaal bepakt en bezakt op weg kunnen, is het twaalf uur.' Ze richtte zich tot Banks. 'Maar Darrel en ik kunnen de zaken hier afhandelen, inspecteur, als u terug naar uw bureau of naar huis wilt. U zegt het maar.'

Banks maakte een klokkend geluid en haalde zijn schouders op. 'Bedankt, maar als jullie het niet erg vinden blijf ik een poosje hier. Even zien waar het toe leidt.'

'Hij vertelde me net dat hij die vent kent,' zei Schiff.

Banks knikte. 'Iedereen in de buurt kent hem. Dylan Vogler. De bedrijfsleider van deze tent.'

'En welke tent is dat?' vroeg Bracco.

'De koffieshop, Bay Beans West. Neemt de hele hoek in beslag.' Banks wees. 'Dit is de achteringang waar hij tegenaan ligt. Kijk ook eens, zoals ik rechercheur Schiff net liet zien, naar dat gat in het stucwerk op de zijmuur...'

'De kogel. Maar hmm...' Bracco liep ernaartoe om nauwkeuriger te kijken.

'Wat?' zei Schiff.

Met zijn gezicht pal tegen de muur zei Bracco: 'Geen bloed?'

Schiff, die nu naast hem ging staan, wees omlaag en zei: 'Rugzak.'

'Rugzak,' herhaalde Bracco. 'Daar ligt het vast aan.' Daarna hurkte hij neer.

'Darrel,' begon Schiff, met een waarschuwende toon in haar stem.

Maar hij stak een hand uit. 'Ik verplaats hem niet, Debra. Als mijn ogen me niet bedriegen, zit er een mobiele telefoon in die holster aan zijn riem.' Hij maakte de leren bovenkant open. 'Aha!' Hij trok het toestel uit de houder, stond weer op en zette het aan.

'*Ice?*' vroeg Schiff.

Bracco knikte, terwijl hij knopjes op de telefoon indrukte.

Banks starende blik ging van Bracco naar Schiff. 'IJs?'

'*In Case of Emergency,*' zei Schiff. 'I.C.E. Ze zeggen tegenwoordig tegen iedereen dat ze dat in hun mobiele telefoons moeten opslaan. Hebt u dat niet in de uwe?'

Banks schudde zijn hoofd. 'Ik heb mazzel als ik dat verdomde ding opgeladen kan houden.'

'Daar gaat-ie.' Darrel drukte op de verzendknop en hield de telefoon tegen zijn oor. 'Hallo,' zei hij na een kort moment, waarna hij zich bekendmaakte. 'Ik bel omdat u het noodnummer bent op een mobiele telefoon in het bezit van een man met de naam...' Hij trok zijn wenkbrauwen vragend naar Banks op en kreeg de naam nogmaals van de inspecteur.

'Dylan Vogler.' Bracco zweeg even, luisterde. 'Ja. Ja,' zei hij. 'Ik ben bang van wel. Nou, op het moment ben ik in de steeg achter zijn zaak. Jazeker. Zeg gewoon tegen de agenten wie u bent en dan laten ze u door. Nee, u kunt uw kind beter niet meenemen. Kunnen we iemand naar uw huis sturen om u op te halen? Oké, dan. Oké. Er is geen haast bij, mevrouw. Wij blijven hier.'

Hij zette de telefoon uit, haalde zijn schouders op en slaakte een diepe zucht. 'Zijn vrouw.' Daarna hield hij zijn hoofd scheef, keek op zijn horloge en richtte zich tot Schiff. 'Niet slecht voor in het weekend. Ik hoor al een sirene.'

Tegen de tijd dat de eerste agenten waren aangekomen, bestond er geen twijfel over dat Dylan Vogler absoluut morsdood was – geen hartslag, een lauwwarme huid, wijdopen ogen die niet op licht of andere prikkels reageerden. Desondanks haalden de eerste verantwoordelijke patrouilleagenten er een SEH-verpleegkundige bij om hem dood te verklaren. De fotograaf maakte tientallen foto's om het tafereel vast te leggen, voordat iemand anders het lijk aanraakte.

Achter Bracco en Schiff bleef het driekoppige forensisch onderzoeksteam onder leiding van Lennard Faro de steeg en de omgeving naar bewijsmateriaal afspeuren, hoewel ze Faro er binnen de eerste minuten al bij hadden geroepen om een .40 kaliber halfautomatisch Glock-pistool dat pasgeleden was afgevuurd en een koperen kogelhuls die er waarschijnlijk bij hoorde, te identificeren en als bewijs in te pakken. Nadat Bracco had toegekeken hoe ze rondsnuffelden en de assistent-lijkschouwer en de fotograaf hun werk had laten afmaken, ging hij eindelijk naar het lijk toe.

Het eerste wat hij deed was Voglers lichtblauwe rugzak verwijderen, zodat hij het lichaam kon omdraaien om te kijken waar het schot of de schoten was of waren binnengedrongen. Daarna draaide hij de rugzak om, om de plaats van het kogelgat vast te stellen. En daar was het, hoog in de stof in de buurt van de plek waar de kogel Voglers lichaam had verlaten, omringd door de bloem van bloed die Bracco had verwacht en niet had teruggevonden bij het gat in het stucwerk. Nadat hij de rugzak had omgedraaid en het overeenkomende gat aan de andere kant had gezien, ging hij achterover zitten en richtte zich tot zijn partner, die naast hem neerhurkte.

'Ik maak graag cadeautjes open.' Bracco maakte de gesp los, trok de flap omhoog en hield de rugzak open.

'Nou, moet je kijken,' zei Schiff.

'Dat doe ik al.' De rugzak was voor ongeveer twee derde gevuld met zakjes marihuana. Bracco haalde er een uit, opende het, rook er nog een keer aan en gaf het aan zijn partner door. 'Wat ik niet snap,' zei hij, 'is waarom ze dit niet hebben meegenomen.'

'Misschien wisten ze niet dat het daarin zat,' zei Schiff.

'Ze wisten beslíst niet dat het daarin zat,' zei Bracco. 'Als ze hadden geweten dat er zoveel wiet was, hadden ze het niet gewoon laten liggen. Dat zou mijn hele wereldbeeld op z'n kop zetten.'

Iemand tikte hem op de schouder en Bracco draaide zich half om. 'Sorry, rechercheur,' zei Banks, 'maar de vrouw van het slachtoffer is hier.'

Bracco knikte zuchtend en richtte zich op. 'Verstop die rugzak,' zei hij tegen Schiff. 'Rugzak? Welke rugzak?'

'Begrepen,' antwoordde zijn partner.

Debra Schiff dumpte de rugzak uit het zicht op het asfalt achter Banks' patrouillewagen. Toen ze zich omdraaide, zag ze dat haar partner de weduwe al was gaan begroeten, die net binnen het afzetlint naast een van de geüniformeerde agenten stond.

Vanaf Schiffs afstand zag de vrouw er jong en heel knap uit. Haar schouderlange zwarte haar, dat nog nat was – haar ochtenddouche? – omlijstte een gezicht van een bleke schoonheid, met grote donkere ogen, sterke jukbeenderen en rode lippen. Ze droeg een T-shirt met lange mouwen dat in haar spijkerbroek was gestopt, maar het wijde shirt camoufleerde haar borsten evenmin als haar dunne taille.

Toen Schiff echter dichterbij kwam, zag ze ook iets anders om de ogen – een zwelling die van het huilen zou kunnen komen, maar misschien een andere oorzaak had. En onderscheidde ze onder de zwelling een vage gelige afdruk op de huid? Een oude, of niet zo oude bloeduitstorting?

'Ik kan hiervandaan zien dat hij het is,' zei ze tegen Bracco. Haar linkerhand – zonder trouwring – hield ze nu voor haar mond. 'Ik weet niet of ik kan... of ik dichterbij moet komen.'

'Het is wel goed, mevrouw Vogler.' Schiff mengde zich in het gesprek, stelde zichzelf voor en legde een hand op Bracco's schouder.

'Ik ben mevrouw Vogler niet.' De vrouw corrigeerde haar meteen. 'Ik heet Jansey Ticknor. We zijn niet getrouwd. Waren niet getrouwd. Maar noem me maar gewoon Jansey, oké?' Haar schouders zakten. 'O god.'

Schiff wilde haar van haar onmiddellijke reactie afleiden. 'Mijn partner had het over een kind toen hij met je sprak.'

Mevrouw Ticknor knikte. 'Mijn zoon, Ben. Hij is bij onze huurder. Het gaat goed met hem.' Haar ogen gingen weer naar het lijk. 'Mijn god, hoe is dit gebeurd?'

'Dat weten we nog niet, mevrouw,' zei Bracco. 'We hebben wel een vuurwapen gevonden. Bezat uw man een vuurwapen?'

Jansey Ticknor knipperde even tegen de zon. 'Dat mocht hij niet.'

'Dat mocht hij niet? Hoezo?' vroeg Schiff.

Janseys gezicht kreeg een vlakke uitdrukking. Ze keek van de ene rechercheur naar de andere. 'Hij heeft ooit een tijdje in de bak gezeten.'

'Waarvoor?' vroeg Bracco.

Ze haalde haar schouders op. 'Hij was chauffeur bij een beroving. Het was de enige keer dat hij zoiets deed. Hoe dan ook... hij ging naar de gevangenis. Dus nee, hij mocht geen vuurwapen hebben.'

Schiff wierp een vlugge blik op Bracco. Er bestond een wezenlijk verschil, dat wisten ze allebei, tussen de bak in gaan, waarmee het stedelijke en provinciale arrestantenhok in de binnenstad werd bedoeld, en in de gevangenis zitten. De gevangenis was hard, en in San Francisco, de proeftijdhoofdstad van de westerse wereld, pleitte de bajes sterk tegen Janseys verklaring dat het de enige wandaad in Dylan Voglers leven was geweest.

'Jansey,' vroeg Schiff, 'heb je Dylan nog gezien voordat hij vanochtend naar zijn werk ging?'

'Nee, hij is vroeg opgestaan met Ben, onze zoon. Hij laat me in het weekend soms uitslapen.' Ze staarde weer naar het lijk op het asfalt.

Bracco zei: 'Weet u of Dylan vijanden had? Iemand die kwaad op hem was?'

'Niet echt, nee. Ik denk dat het wel mogelijk is, maar hij had geen enkele macht. Hij runde alleen deze koffieshop. Hij leidde een gewoon leven.'

'Misschien heeft hij pasgeleden iemand ontslagen?' opperde Schiff. 'Iets van dien aard?'

'Nee. Er is maar iets van tien man personeel of zo, en die zijn hier allemaal al heel lang.' Ze schudde haar hoofd om de gedachte te verwerpen. 'Wat het ook was, het ging niet om zijn werk, dat weet ik zeker.' Haar ogen gingen naar de deuropening. 'Misschien heeft iemand hem beroofd.'

'Hij had zijn portemonnee nog,' zei Bracco. 'Mobiele telefoon. Geen teken van beroving.'

'Misschien wilden ze zijn spullen pakken en zijn ze gestoord.'

'Dat is mogelijk,' zei Schiff.

'Welke spullen?' vroeg Bracco.

Ze deed haar mond dicht, tuitte haar lippen en ging op haar andere voet staan. 'Weet ik veel. Wat u zei, zijn portemonnee en mobiele telefoon. Dat soort dingen.'

Bracco hield het ingetogen. 'Had hij niet iets anders wat naar uw weten bijzonder de moeite waard was om te stelen, maar misschien voor ons niet zo voor de hand liggend zou zijn? Een horloge, misschien?'

'Dat denk ik niet, nee.' Ze draaide haar hoofd weer naar het lijk. 'Jullie kunnen hem daar niet zo laten liggen.'

'Dat doen we ook niet, Jansey,' zei Schiff. 'De lijkschouwer staat klaar om hem naar het mortuarium te brengen zodra we hem vrijgeven.' Ze stapte dichterbij en zei op gedempte toon: 'Het zou je een moeilijke tocht naar de binnenstad kunnen besparen als je het lichaam nu zou willen identificeren. Ik sta vlak naast je, als je denkt dat je het aankunt.'

Jansey beet op haar onderlip en knikte uiteindelijk, terwijl ze haar arm in die van Schiff haakte. 'Laat me niet los,' zei ze, 'voor het geval ik instort of flauwval of zoiets. Alsjeblieft.'

'Ik heb je vast.'

'Oké, laten we gaan.'

Omdat BBW gesloten was, zei Schiff tegen haar partner dat ze hem zou treffen in een tent in Irving Street, net ten westen van 19th Avenue, die ze geweldig vond en waar ze al zo'n tachtig jaar ontbijt serveerden. Zij en Bracco waren nog maar een halfjaar partners en hadden nog steeds favoriete tentjes die de ander niet kende.

Zoals gewoonlijk was het er stampvol; maar ook zoals gewoonlijk lieten ze de klanten heel handig doorstromen. Dus was de wachttijd voor Schiffs tafel niet meer dan tien minuten. Ze had net haar eerste slokje koffie genomen toen Bracco binnenkwam, haar blik tussen de andere klanten ving en zich een weg naar haar toe baande. Toen hij ging zitten, liet ze haar kopje zakken. 'Waar bleef je?'

Bracco's doorgaans zonnige karakter werd ergens door overschaduwd.

Hij spuwde bijna vuur, maar schudde eenvoudig zijn hoofd en zei met een duistere blik: 'Dat wil je niet weten.'

Ze nam een slokje koffie. 'Ze hebben je weer een bon gegeven.'

Bracco's schudde zijn hoofd. 'Het zijn vierentwintigkaraats idioten, Debra. Ik ga uitzoeken wie deze heeft uitgeschreven en ga achter hem aan.'

'Of haar,' zei Schiff. 'Vergeet niet "of haar" te zeggen.'

'Dat zou ik natuurlijk nooit vergeten, niet in mijn echte leven. Maar het kan me niet schelen of het een hem of een haar is. Ik ga die sukkel te grazen nemen, wie het ook is. Ben jij niet bekeurd?'

Ze haalde haar schouders op.

'Het ging zo. Ik parkeerde in de straat met mijn mobilofoon aan mijn achteruitkijkspiegel en mijn kaartje op het dashboard, verdomme. Je weet wel, Bracco, Moordzaken, met penning en al. Denk je dat het mogelijk is dat ze niet weten dat Moordzaken deel uitmaakt van de politie? Misschien denken ze dat Moordzaken de naam is van een ongediertebestrijdingsbedrijf.'

'Dat zou ik niet uitsluiten.'

Bracco ademde zwaar uit. 'Het is gewoon verkeerd, Debra. Het is gewoon om zo ongelooflijk moedeloos van te worden.'

'Ja, dat ben ik met je eens.'

'Ik schrijf niet weer een memo voor weer zo'n lullige bon als deze.'

De gang van zaken was dat als er een parkeerbon aan een ongemarkeerde dienstauto was uitgeschreven, de betreffende werknemer een formulier moest invullen met de reden waarom de parkeerovertreding onvermijdelijk was. De chef had een algemeen bevel uitgevaardigd. Iedere agent die een bon kreeg moest het formulier invullen voordat zijn dagdienst erop zat. Natuurlijk namen mensen vaak de moeite niet, waardoor ze ongeveer om het halfjaar een memo kregen die ze moesten tekenen en retourneren, een manier om stilzwijgend te erkennen dat parkeerovertredingen – officieel – in feite net zo belangrijk als moorden waren.

'Ik zou het ook niet doen, Darrel. Spreek die eikels erop aan. Waarom leg je het maandag niet aan Glitsky voor en laat je het hem niet afhandelen?'

'Hij gaat over de rooie. Hij haat dit soort dingen nog meer dan ik.'

'Ja, maar daarom betalen ze hem vet.'

'Goed punt. Wat voert hij verder nog uit, hè?' De ober kwam naast hem staan en Bracco keek op. 'Nou, wat kunt u aanbevelen?'

Twee minuten later had Bracco zijn eieren besteld, roerde hij in zijn koffie en keek hij naar zijn partner. 'Oké, hoe zit het met ons slachtoffer?'

'Ik denk dat hij Jansey sloeg.'

'Hoe kom je daarbij?'

'Haar wang zag er niet goed uit. Dat was zelfs ondanks de tranen te zien. Ze hield niet van hem, volgens mij. Hoorde je hoe ze over hem praatte? "Hij had geen enkele macht. Hij runde alleen deze koffieshop. Hij leidde een gewoon leven." Een vrouw die van haar man houdt zegt zoiets niet.'

'Wist ze dan van de wiet?'

'Natuurlijk. Hoe zou ze dat niet kunnen weten?'

'Ze heeft niets over de rugzak gezegd.'

'Misschien wist ze niet dat hij die bij zich had. Ze heeft hem niet van huis zien weggaan, weet je nog? Maar zoals je zei had de moord niets met de wiet te maken, anders had degene die hem heeft doodgeschoten het wel meegenomen.'

'Als hij het had geweten. Als het een "hij" was.'

'Nou, ja.'

Hun ober kwam met hun borden en beide rechercheurs vielen een poosje op het eten aan voordat Bracco de draad weer oppakte. 'Geloof je haar wat het vuurwapen betreft?'

'Geen moment. Jij vraagt of hij een vuurwapen bezat en zij zegt dat hij dat niet mocht. Niet dat hij er geen bezat.'

'Dat is me niet ontgaan. Hij is dus met zijn eigen wapen doodgeschoten?'

'Daar komen we gauw genoeg achter, maar ik durf te wedden van wel.'

'Kende hij de schutter?'

'Misschien.' Ze kauwde even. 'In elk geval geen teken van een worsteling. Hij gaf hem zijn eigen wapen en vervolgens schoot die vent hem ermee dood? Hoe zit dat?'

'Weet ik veel.' Bracco legde zijn vork neer. 'Nou, misschien Jansey.'

'Daar is het nog wat vroeg voor, maar misschien wel.' Ze schoof het eten over haar bord voordat ze opkeek. 'We moeten het huis doorzoeken.'

'Dat weet ik.' En Bracco voegde eraan toe: 'Net als gisteren.'

4

Joanne Ticknor zat naast haar man, met haar kleinzoon Ben op haar schoot, op de bank in de woonkamer van haar dochter.

Jansey kwam de kamer binnen achter een man en een vrouw, die allebei informeel gekleed waren maar er serieus en professioneel uitzagen. 'Mam, pap,' zei ze, 'dit zijn rechercheurs Bracco en Schiff van de politie.' Wayne Ticknor stond op en schudde hun de hand, en Ben wurmde zich uit de armen van zijn oma en liep naar voren om hetzelfde te doen.

Bracco ging op een knie zitten om Ben de hand te schudden. 'Hoe gaat-ie, grote vent?'

'Goed. Gaan jullie degene vinden die mijn papa heeft doodgeschoten?'

'We zullen ons best doen, Ben. We zullen echt ons best doen.' Daarna keek hij naar Janseys moeder. 'Maar eerst moeten we even als volwassenen praten voordat we echt aan de slag gaan.'

Ze begreep de hint en stond op. 'Kom, Ben, jij en oma gaan wat lekkers in de keuken zoeken. Hoe klinkt dat?'

Zodra ze weg waren, vroeg Wayne: 'Hebt u al aanwijzingen?'

Bracco knikte naar hem. 'Nou, eigenlijk misschien wel, of in elk geval een beginpunt.' Hij betrok Jansey er nu ook bij en vervolgde: 'Dylan had een rugzak vol marihuana bij zich. Wist u daar iets van?'

Ze deed haar mond open en vervolgens weer dicht. Uiteindelijk kwam ze ermee voor de draad. 'Ik wist niet dat hij vanmorgen iets bij zich had, maar het verbaast me niet, nee. Hij verkocht het wel eens. Ik wilde dat hij ermee ophield en heb dat ook tegen hem gezegd. Maar hij zei dat hij er niemand kwaad mee deed en dat we het geld nodig hadden.'

'Die klootzak,' zei Wayne.

'Pap.'

'Ben en jou zo in gevaar brengen? Wat een stommeling.'

Schiff richtte zich tot de vader. 'Had u andere problemen met hem, meneer Ticknor?'

'Dat kun je wel zeggen.'

'Pap!' herhaalde Jansey. 'Genoeg, oké? Hij is dood. Wat hij ook heeft gedaan, het is nu voorbij. Laten we erover ophouden, goed?'

Maar Bracco was niet van plan dat te doen. 'Wat heeft hij nog meer gedaan, meneer Ticknor?'

Wayne keek naar zijn dochter en schudde zijn hoofd. 'Waarom mogen ze niet weten wat voor iemand hij echt was? Dat hij geen goede vader voor Ben was? Of dat hij jou sloeg?'

'Hij sloeg me niet!' Ze draaide zich naar Schiff toe en keek haar aan. 'Hij sloeg me niet,' herhaalde ze zachter. 'Hij heeft me een paar keer een mep gegeven, meer niet.'

'Pasgeleden?' vroeg Bracco.

'Een paar weken geleden hadden we het over die marihuana en toen werd hij kwaad op me. Maar het was geen echte ruzie. Hij verloor maar heel even zijn zelfbeheersing. Het stelde echt niet zoveel voor.'

'Nee, het stelde helemaal niets voor,' bracht Wayne sarcastisch te berde, 'behalve toen zij en Ben een halfjaar geleden voor een paar weken bij ons introkken.'

'Toen stond hij onder veel stress,' zei Jansey. 'Oké, hij was niet perfect, maar dat is niemand, toch?'

'Klopt,' zei Debra. 'We hebben allemaal onze gebreken, maar misschien wilde iemand hem wel vermoorden vanwege een van zijn gebreken. Jij kende hem beter dan wie ook. Misschien kun jij ons helpen.'

Bracco kwam tussenbeide. 'Was er iemand kwaad op hem? Jaloers?'

Niets.

Schiff vroeg: 'Jansey, weet je waar hij die marihuana vandaan haalde? Voor wat het waard is,' vervolgde ze, 'we hebben een huiszoekingsbevel bij ons.'

Dit bracht enige reactie teweeg. 'Waarvoor?'

Bracco stapte naar voren. 'Dylan was van huis op weg naar zijn werk. Dat betekent dat die wiet zich gisteravond waarschijnlijk in dit huis bevond. Misschien is er nog meer. Hij heeft misschien ook ergens bijgehouden waar hij het vandaan haalde of aan wie hij het ging verkopen.'

Jansey keek met een besluiteloze blik naar haar vader. Uiteindelijk wendde ze zich weer tot de rechercheurs. 'Op zolder,' zei ze. 'Daar teelde hij het.'

Debra Schiff beklom de trapladder, dook door de kleine opening van een bergruimte en ging rechtop staan in een warme, vochtige kamer die in infrarood licht lag te blaken. Ze vond een lichtschakelaar naast de opening en knipte die aan, waarna ze over haar schouder naar Darrel op de treden van de ladder vlak achter haar riep: 'Dit ga je niet geloven!'

Bracco stak zijn hoofd in de opening. 'Nou nou,' zei hij.

De over het hele huis uitgestrekte zolderruimte stond vol planten in verschillende groeistadia, variërend van pas ontkiemde lootjes in kartonnen eierdozen tot volgroeide, manshoge planten in bloembakken. De lucht was doordrongen van de harsachtige geur van cannabis.

Bracco kroop door de opening en ging rechtop naast zijn partner staan, terwijl hij alles in zich opnam. Ze stonden allebei een poosje verwonderd te kijken en uiteindelijk slaakte Bracco een zucht. 'Wauw.'

'Wat je zegt,' antwoordde Schiff. 'Hoeveel is dit waard?'

'Tienduizend per pond, toch? Of iets van die strekking.' Hij draaide zich om en tuurde tot in de verste hoeken van de ruimte. 'En hij heeft er hier een heel oerwoud van.'

Hij liep naar een van de dichtstbijzijnde grote planten, pakte een van de zware, kleverige knoppen en wreef die tussen zijn duim en wijsvinger, waarna hij aan zijn hand rook. 'Niet dat ik ooit geblowd heb, Debra, en ik wil natuurlijk niet te technisch worden, maar mijn beperkte ervaring zegt me dat dit echt goed spul is.'

5

Op maandagochtend klopte Bracco al vroeg op de deur van inspecteur Glitsky op de vijfde verdieping van het Paleis van Justitie van San Francisco.

'De deur is open.'

Bracco draaide de knop om en duwde tegen de deur. 'Eigenlijk was hij niet open.'

Glitsky, een zwaargebouwde man met een opvallende scherpe neus, een oud litteken tussen zijn lippen en grijzend afrokapsel, zat in het halfdonker – kamerlichten uit, luiken dicht. Glitsky's ellebogen rustten op zijn kale bureau en zijn handen bedekten zijn mond. Ondanks het feit dat de helft van zijn intimiderende gezicht bedekt was, spraken alleen Glitsky's ogen al boekdelen – ze glansden als gloeiende kooltjes in het venster van zijn geest, en meldden iedereen die oplette dat het griezelig was daarbinnen.

Vandaag hielden die ogen Bracco tegen. 'Alles goed, Abe?'

Glitsky vertrok geen spier, maar sprak nog steeds van achter zijn handen. 'Prima. Waarmee kan ik je helpen, Darrel?'

'Mag ik binnenkomen?'

'Je bent al binnen.'

Bracco stond met de deurknop in zijn hand. 'Als het niet goed uitkomt...'

'Ik zei dat het prima is. Doe de lichten maar aan als je wilt.'

'Ja, inspecteur.' Hij stak zijn hand uit en de kamer werd verlicht.

Glitsky verroerde zich niet. Uiteindelijk bewogen zijn ogen en kruisten ze die van Bracco. 'Ga je gang,' zei hij. 'Zeg het maar.'

In het kantoor stonden twee klapstoelen tegenover Glitsky's bureau, en nog een paar tegen de muur onder het bord met Lopende Moordzaken. Bracco pakte de dichtstbijzijnde uitgeklapte stoel, ging erop zitten en trok een opgevouwen vel papier uit zijn borstzak. 'Nou, inspecteur,' begon hij, 'ik weet niet hoeveel je er al over hebt gehoord, maar we hadden zaterdagochtend een schietpartij in Haight.'

'Vogler.'

'Inderdaad. Debra en ik gingen erheen en nu ben ik daar om halfacht of zo en er is geen plek om te parkeren, dus ik parkeer dubbel in Ashbury...'

'En je werd bekeurd.'

'Ja, inspecteur. Weer.' Hij schoof op zijn stoel naar voren en legde de parkeerbon op het bureau. 'Het punt is dat iemand met hen moet praten en moet zorgen dat ze kappen met die kutzooi.'

Glitsky liet zijn handen zakken, terwijl zijn mond weerzin uitdrukte.

Bracco, die tijdens zijn eerste weken bij Moordzaken door Glitsky was begeleid, kende de minachting van de inspecteur voor schuttingtaal maar al te goed, en hij haalde zijn schouders op. 'Je weet wel wat ik bedoel.'

Glitsky's schouders gingen omhoog en weer omlaag. 'Hoeveel zijn het er?'

'Voor mij? Zes of zeven dit jaar. Andere collega's hebben er misschien wel meer. Ik vond dat ik er met je over moest praten.'

Glitsky haakte zijn vingers op het bureau voor hem in elkaar. 'Vind je dit belangrijk?'

'Ja, inspecteur. Dat vind ik. Genoeg is genoeg.'

Glitsky knikte. 'En wat wil je dat ik doe?'

'Nou, in de eerste plaats die bonnen annuleren. Ik probeer mijn werk te doen en ik moet stoppen om dat complete nepformulier in te vullen. Dat klopt gewoon niet, Abe. Dus ik dacht dat jij misschien met iemand van Verkeerszaken zou kunnen praten en er een regel van kan maken dat ze ons niet zomaar mogen bekeuren. Zeg hun dat het algauw ten koste gaat van de tijd die we nodig hebben voor onze sensitivitytraining. Dat zou moeten volstaan.'

'Goed idee, Darrel. Ze vragen mij altijd hoe ik hun functioneren kan verbeteren, en nu heb ik iets te melden.' Glitsky krabde aan zijn kaaklijn. 'Of je kunt natuurlijk ook het formulier invullen. Of zelf naar Verkeerszaken gaan en goede maatjes worden met degene die de tent nu runt, om je zaak te bepleiten. Dat werkt misschien wel.'

Bracco gaf niet toe en zei: 'Ik dacht dat als het van hogerop kwam...'

'Weet je wat, Darrel, ik zal de kwestie op de volgende vergadering met de chef ter sprake brengen, die over een uur of twee plaatsvindt. Ze zullen er vast alle tijd aan besteden die de zaak verdient. Ondertussen,' wees Glitsky, 'bewaar je deze bon. Bel een verslaggever, Jeff Elliot bijvoorbeeld, laat hem langskomen en zorg dat hij er een column aan wijdt.' Plotseling duwde de inspecteur zich van zijn bureau af en stond op. 'Je staat nog niet op het bord.'

Hij liep naar het witte bord met Lopende Moordzaken en schreef de naam VOGLER in de kolom 'slachtoffer' en vervolgens BRACCO/SCHIFF onder 'rechercheurs'. Daarna stapte hij achteruit en ging met één bil op de hoek van zijn bureau zitten. 'Nou, hoe ver zijn jullie daarmee?'

'Een paar stappen in het luchtledige, maar niet verder.' Bracco bracht Glitsky op de hoogte van een paar basisgegevens: het ontbreken van tekens van een worsteling, de rugzak vol marihuana, het vermeende moordwapen in de steeg. 'Vanwege de dope hebben we een bevel meegenomen en zaterdagmiddag zijn huis doorzocht. En raad eens? Die vent had een volledig uitgeruste cannabiskwekerij op zijn zolder.' Bracco wachtte op een reactie, een knik, iets wat zijn ontdekking zou bevestigen. Maar Glitsky staarde alleen wezenloos met zijn glazige bloeddoorlopen ogen over zijn hoofd heen.

'Abe?'

'Ja.' Hij herstelde zich. 'Wat?'

'Een zolder vol cannabisplanten.'

'Mooi,' zei Glitsky.

'Ja, dat vonden wij ook. Om nog maar te zwijgen van de computerbestanden. Die vent hield zijn klantenbestanden goed bij en zijn officieuze vrouw, Jansey, had er niet aan gedacht om ze te deleten voordat wij daar aankwamen.'

'Ze wist het dus.' Glitsky's blik zweefde weer naar het plafond.

Bracco knikte. 'Nou, ja. Ondertussen trok zij, de vriendin, Jansey, met het zoontje ongeveer een halfjaar geleden weer voor een poosje bij haar ouders in.'

'Waarom?'

'Gewoon om aan de relatie te werken, als je haar gelooft, wat Debra niet doet.' Omdat hij geen normale feedback van Glitsky kreeg, wachtte Bracco opnieuw. Na een paar seconden ging hij met zijn verslag door. 'Hij sloeg haar. Inspecteur?'

'Sloeg haar. Ja. Ga door.'

'En vanwege de wiet die daar nog steeds in de rugzak zit, neigen we daarnaast naar een ander motief, misschien persoonlijk. Misschien werd ze het zat om geslagen te worden. Jansey.'

Glitsky knikte vermoeid. 'Alibi?'

'Dat is een ander punt. Ze hebben een kostganger die in een kamer achter hun garage woont. Jonge vent, geneeskundestudent aan de UCSF.

Robert Tripp. Zegt dat hij bij haar was. De keukenafvoer zat verstopt. Hij hielp haar.'

'Oké.'

'Nou, oké, behalve dat we het over halfzeven op een zaterdagochtend hebben.'

'Behoorlijk vroeg,' zei Glitsky.

'Dat vonden wij ook. Ondertussen werkte Vogler, het slachtoffer, zes hele dagen per week.'

'Jansey en Tripp hebben dus iets met elkaar?'

'Lang niet onmogelijk.'

'Wat is de volgende stap?'

'We gaan met hem praten, kijken of het alibiverhaal standhoudt. Als dat niet zo is, ga ik terug om Jansey behoorlijk hard aan te pakken. Maar omdat het misschien op de een of andere manier om de wiet gaat, is Debra de klantenlijst aan het doorwerken.'

'Hield hij een lijst bij?'

'Hij was een georganiseerde vent. Namen, mobiele telefoonnummers, gemiddelde aankoop vermomd als koffie, data. Het zal natuurlijk niet makkelijk zijn om te bewijzen dat deze lijst zijn marihuanaklanten bevatte. Niemand zal toegeven dat ze dope kochten.'

'Hoeveel zijn het er?'

'Een stuk of zeventig. Het kan wel een paar dagen kosten.'

'Wat deed hij dan, zijn spul via de koffieshop aan de man brengen?'

'Dat is de theorie. Hij beheerde de tent en kon doen wat hij wilde, schijnt het.'

'Maar hij was niet de eigenaar?'

'Nee. De eigenaar is ene Maya Townshend. We praten vandaag met haar, kijken wat ze weet, maar het personeel daar zegt dat ze haar niet kennen, dat ze nooit in de shop kwam.'

'Als hij aan zeventig mensen dealt, is het misschien een territoriumkwestie.'

'Dat zou kunnen blijken. O, en in de laatste maar niet de minste plaats had Vogler een strafblad. Beroving in zesennegentig. Jansey zegt dat hij alleen de chauffeur was en niet eens wist waar zijn vrienden mee bezig waren, maar ik heb het dossier erbij gehaald en hij was geen koorknaapje. Ze lieten hem schuld bekennen aan een deel van de aanklacht, maar ik durf te wedden dat hij al in het leventje zat en gewoon geen geluk meer had.'

Glitsky nam die informatie zwijgend in zich op. Na een poosje keek hij, fronsend door de inspanning om bij de les te blijven, op Bracco neer: 'Hoe zit het met het vuurwapen dat op straat naast Vogler lag?'

'Geen idee, Abe, behalve dat het waarschijnlijk het moordwapen was.'

'Waarschijnlijk? Hebben ze geen ballistische proeven gedaan?'

'Tuurlijk wel. Maar het is onze oude vriend de Glock met de hexagonale loop. De kogel komt overeen met het wapen dat we hebben gevonden. Op de huls zaten niet genoeg sporen voor een positieve identificatie. Maar we hebben een Glock .40 waarmee een schot is gelost, een kogel van een Glock .40 en een huls van een Glock .40. En vandaag trekken we de registratie na. Er staat een nummer op.'

'Zijn de wonderen de wereld dan nog niet uit?'

'Nou, dat zullen we wel zien.' Bracco leunde achterover op zijn klapstoel. 'Zoals ik al zei, zal er veel van Janseys alibi afhangen, maar als het standhoudt zijn we zo'n beetje terug bij af.'

Glitsky knikte en knikte.

'Inspecteur,' vroeg Bracco, 'is alles in orde?'

Glitsky keek door hem heen en focuste vervolgens op zijn rechercheur. 'Prima,' zei hij. 'Alles is prima.'

De eenkamerstudio van de zesentwintigjarige Robert Tripp was een smalle rechthoek van ongeveer drie bij vierenhalve meter, die tegen de achterkant van de garage aan was gebouwd. Er stond een formica bar in met het messenblok van een serieuze kok, waarvan iedere gleuf gevuld was met hoogwaardig bestek – voorsnij-, uitbeen- en fileermessen in diverse formaten, een indrukwekkend hakmes en een messenslijper. Ook waren er een gootsteen en een vierpitsgasfornuis. En een badkamertje met douche, wasbak en wc in een hoek.

Hij had de wanden behangen met vergrote, kleurrijke details van menselijke lichaamsdelen uit zijn medische literatuur. Het tweepersoonsbed was opgemaakt. Er stond een flatscreen-tv op een tweedehands bureau onder een Ikea-boekenrek dat de halve wand in beslag nam en volgestouwd was met cd's, tijdschriften, paperbacks en wat opgevouwen kleren. Aan het plafond hing een veelgebruikte fiets.

Het was even na twee uur 's middags, en met de voorspelbare wispelturigheid van het weer van San Francisco was de hittegolf van dat weekend vervangen door een arctische middag, toen er een vroege mist kwam aandrijven op het moment dat Schiff en Bracco vooraan in de straat parkeerden.

Nu zaten de twee rechercheurs tegenover Tripp, in zijn medische kloffie, aan zijn tafel voor het eenzame raam dat uitkeek op een grasloos achtertuintje, begrensd door een verweerd bruin hek, met schommels van gegoten plastic en een glijbaan op een eiland van schors.

'De afvoer was verstopt,' zei Tripp. 'Dat heb ik jullie al verteld.'

'We geloven je,' antwoordde Bracco. 'We proberen duidelijkheid over het tijdstip te krijgen, meer niet. Je zei dat dit om halfzeven was?'

'Zo ongeveer. Het was nog donker buiten, dus had het niet veel later kunnen zijn.'

Schiff, die met haar benen over elkaar een stukje van de tafel zat, helde iets naar voren. 'En Jansey had er geen moeite mee om op dat tijdstip bij jou te komen aankloppen?'

De jongeman tilde zijn schouders op en liet ze weer vallen. Een stoppelbaardje van een paar dagen verduisterde zijn wangen en de bloeddoorlopen bruine ogen zeiden dat hij niet veel slaap had gekregen; die combinatie maakte een overigens jong gezicht een paar jaar ouder. 'Ik was al op en aan het studeren. Ieder uur dat ik wakker ben, doe ik niets anders dan studeren. Hoe dan ook, ze zag waarschijnlijk dat het licht aan was.'

'Kon ze de afvoer zelf niet repareren?' vroeg Bracco.

Hij haalde zijn schouders weer op. Dit scheen zijn onwetende houding te zijn. 'Ben. Kennen jullie Ben? Haar zoontje? Hij had buikpijn. Vlak nadat zijn vader naar zijn werk was gegaan maakte hij haar wakker en vertelde het haar. Hij had geprobeerd om de vaat te doen die ze in de gootsteen hadden achtergelaten of zo en toen stroomde die over en hij liet het water lopen. De keuken was een knoeiboel. Het jochie zat in de knoei.' Hij glimlachte. 'Het was een verknoeide ochtend. Jansey flipte een beetje. Dat was alles.'

'En dit gebeurde voordat ze het nieuws over Dylan hoorde?' vroeg Schiff.

'Uiteraard.'

'Wat had ze aan?' vroeg Bracco.

'Wanneer?'

'Toen ze bij je aanklopte.'

'Dat weet ik niet meer. Een spijkerbroek, denk ik, misschien een T-shirt. Hoezo?'

Bracco stelde nog een vraag. 'Ze was dus gekleed? Schoenen? Sokken? Een jas?'

Tripp fronste. 'Natuurlijk was ze gekleed. Waarom zou ze niet gekleed zijn?'

Schiff leverde het antwoord. 'Als ze net wakker was gemaakt door haar zoon en er beneden een ramp plaatsvond, had ze alleen een kamerjas of zoiets kunnen aanschieten.'

Tripp schudde ongeduldig zijn hoofd. 'Ik heb jullie net verteld dat ik niet precies meer weet wat ze droeg. Volgens mij was het een spijkerbroek en een T-shirt. Dat draagt ze meestal.'

'Zou het je niet zijn opgevallen,' vroeg Bracco, 'als ze een kamerjas aanhad? Misschien was je het gewend om haar in een kamerjas te zien.'

Tripp leunde achterover en sloeg zijn armen over elkaar. 'Wat moet dat betekenen?'

'Het betekent dat je het misschien gewend was om haar in een kamerjas te zien.' Bracco schoof naar voren op zijn stoel. 'Wat is je relatie met haar?'

'Met Jansey? We zijn vrienden.'

'Wel wat meer dan vrienden?'

'U bedoelt dat ik met haar naar bed ga? Nee, dat doe ik niet. Vond ik het leuk dat ze door Dylan werd geslagen? Ook niet. Kwam ze af en toe hierheen om over Ben of haar leven te praten? Ja.'

Schiff nam het verhoor over. 'Kende je Dylan goed?'

Door de verandering van onderwerp begon Tripp langzamer te praten. 'Ik praatte wel eens met hem. Hij was mijn huisbaas. Hij behandelde Ben of Jansey niet goed, maar daar had ik eigenlijk niets mee te maken. Ik kan niet zeggen dat ik er kapot van ben dat hij vermoord is. Hij deed zich vriendelijk voor, maar eigenlijk was hij niet zo'n leuke vent. Jansey zal beter af zijn zonder hem.'

'Dus,' vroeg Bracco met zijn ellebogen op tafel, 'je was al op toen Dylan zaterdagochtend naar zijn werk ging?'

'Ik weet niet wanneer Dylan naar zijn werk ging. Maar als het na vieren was, zat ik hier klaarwakker te studeren totdat Jansey aan de deur kwam.'

'En dat was om ongeveer halfzeven, zei je?'

'Ik zei dat ik niet zeker wist hoe laat het was. Alleen dat het nog donker was.'

Nadat de rechercheurs waren opgestapt, volgde Tripp hen naar buiten om er zeker van te zijn dat ze weggingen. Toen de auto startte en de straat in reed, liep hij naar de achterdeur, opende die en liep naar binnen. 'Jan!'

Een ogenblik later kwam ze door de hal naar hem toe en viel ze in zijn armen. Ze hielden elkaar een poos vast totdat Trip zich uiteindelijk uit de omhelzing losmaakte. 'Op zijn allerminst,' zei hij, 'vermoeden ze iets. Ze vroegen me direct over ons, maar ik zei nee, dat we alleen vrienden waren. En hoe willen ze het anders bewijzen?' Terwijl hij achter haar keek, vervolgde hij: 'Aan de oorverdovende stilte te horen vermoed ik dat ze boven ook klaar zijn.'

Ze knikte. 'Ze hebben alles meegenomen, ieder blad, iedere knop, ieder zaadje.'

'Jezus.'

'Eigenlijk is het wel goed,' zei ze. 'Ik kan altijd opnieuw beginnen wanneer dit helemaal is overgewaaid; ik zat te denken dat het misschien beter zou zijn als ik me er helemaal niet meer mee bezighield. De rechercheurs hebben alle bestanden met alle klanten meegenomen, dus zou ik helemaal van voren af aan moeten beginnen. En je weet dat ze het huis in de gaten zullen houden...'

'Dat betwijfel ik. Ze hebben wel wat beters te doen, Jan. Ik bedoel wanneer ze met deze zaak klaar zijn. Ze komen hier niet terug om je zolder nog een keer te controleren.'

Ze knikte. 'Je hebt vast gelijk, maar toch. Het is geen manier om aan de kost te komen. Misschien begin ik dat net te beseffen, de hele tijd in angst leven dat je gepakt zult worden.'

'Nou, hoeveel krijg je van de verzekering?'

'Driehonderd. Dat is genoeg voor een paar jaar. Ik zou iets anders kunnen doen.'

'Vast wel,' zei hij. 'Alles wat je maar wilt, waarschijnlijk.'

'En het zou jou niets kunnen schelen?'

Hij lachte ingetogen. 'Jan, ik word arts. Ik ga geld als water verdienen. Jij kunt alles doen wat je maar wilt.' Hij trok haar weer naar zich toe. 'En waar is onze kleine Benjamin nu?'

'Hij is nog steeds bij mijn pa en ma.'

'We zijn dus eigenlijk alleen? Waar wachten we nog op?'

6

Maya Townshend had een ver bovengemiddeld huis op een toch al zeer prestigieuze locatie. Achter een artistiek aangelegde rozentuin verrees de vier verdiepingen hoge woning op de grote noordoostelijke landhoek van Green en Divisadero. Erachter liep de helling steil af naar de Marina, wat betekende dat alle ramen aan de achterkant en de westkant van Maya Townshends huis – alle zesenveertig – adembenemend uitzicht boden op de baai, de roestrode Golden Gate Bridge en de landtong van Marin.

Bracco stond voor het vele miljoenen dollars kostende pand te fluiten. 'Er zit meer geld in koffie dan ik dacht.'

Schiff staarde hoofdschuddend naar het immense huis. 'Dit is geen koffiegeld, Darrel. Tenzij ze ook de eigenaresse van Starbucks is. Maar in dat geval zou Bay Beans West een Starbucks zijn geweest, toch? Het is onmogelijk dat ze niet voor de merknaam zou zijn gegaan.'

Het was tegen enen en de temperatuur liep weer op naar zo'n eenentwintig graden. Boven hen dreven hoge wolken in de blauwe hemel. Een grillige bries, amper krachtig genoeg om Schiffs haar in de war te maken, kondigde alweer een weersverandering aan, maar voorlopig was het lekker.

De sierlijk bewerkte deur had een achttonige bel.

'Heer, wij danken u. Wij buigen ons hoofd.'

Schiff draaide zich naar hem toe. 'Wat?'

'Die bel. Het gezang dat erbij hoort. Heer, wij danken u. Wij buigen ons hoofd. Let maar op,' zei hij. 'Ze is katholiek.'

'Misschien, maar wellicht is het je niet opgevallen dat het Veergebouw hetzelfde deuntje laat horen.'

'Misschien is het een Vaticaans complot.'

Voordat Schiff met een passende gevatte opmerking kon antwoorden, werd de deur opengedaan door een aantrekkelijke donkerharige vrouw van begin dertig, die zich kleedde alsof ze nog nooit van Haight-Ashbury of jeans had gehoord. Ze droeg een volwassen, duurdere versie van het uniform voor een katholieke meisjesschool – een geruite rok onder een wit bloesje met een wollen trui. Haar haar krulde beneden bij de schouders. Groene ogen, gave huid.

Bracco en Schiff hadden haar niet specifiek verteld wanneer, of zelfs of, ze zouden langskomen. Schiff had haar in het weekend kort over de telefoon gesproken en gezegd dat de politie haar misschien ooit eens zou willen ondervragen over Dylan Vogler en haar zaak, maar ze had opzettelijk geen afspraak gemaakt. De mogelijkheid bestond natuurlijk dat Maya niet thuis zou zijn als ze langskwamen, maar dat nadeel werd ruimschoots gecompenseerd door de kans om haar te treffen voordat ze met een advocaat had gepraat of te veel had nagedacht over wat ze tegen de rechercheurs zou willen zeggen.

'Hallo,' zei ze. 'Kan ik jullie helpen?'

Bracco haalde zijn legitimatie tevoorschijn. 'Politierechercheurs, mevrouw. Moordzaken. We vragen ons af of we even met u mogen praten. Over de zaak-Dylan Vogler.'

'Jazeker. Natuurlijk.' Ze stapte achteruit, misschien omdat ze niet meteen een excuus kon verzinnen waarom het nu niet zo goed uitkwam, en nodigde hen uit binnen te komen, in een grote vierkante hal met een plafond van zo'n tien meter hoog.

Schiff bleef nieuwsgierig staan vanwege het panorama door de enorme ramen. Kennelijk was haar reactie niet zo ongewoon.

Maya bleef eveneens staan en presenteerde het uitzicht alsof het van haar was. 'Ik weet het,' zei ze. 'Wij boffen enorm.'

'U moet wel een heleboel koffie verkopen,' zei Bracco.

Maya's diepe lach klonk ongedwongen. 'O, dit komt niet van BBW. Dit is allemaal van Joel, mijn man. Hij zit in het onroerend goed. De koffieshop is eigenlijk min of meer een hobby voor mij, om me bezig te houden.'

Schiff voelde haar op een terloopse toon aan de tand. 'Ik begrijp dat u daar niet veel was.'

Maya knikte. 'Ja, dat is waar, heel weinig. Maar ik deed het grootste deel van de boekhouding, keurde de bestellingen goed, tekende de looncheques, dat soort dingen.' Ze haalde verontschuldigend haar schouders op. 'Misschien was het niet echt waar, maar ik had het gevoel alsof ik betrokken was. Het is goed om iets te hebben wat je bezighoudt naast de kinderen en buiten het huishoudelijk werk. Misschien kennen jullie dat.'

Schiff en Bracco waren geen van beiden getrouwd, dus misschien kenden ze het niet. Maar Bracco hield het gekeuvel levendig. 'Maar de zaak speelde quitte?'

'O, veel beter. Vorig jaar verdienden we zo'n veertigduizend bruto per maand. Het was eigenlijk best wel een goudmijntje, alles welbeschouwd. De mensen komen er echt graag.' Opeens verscheen er een pruilmondje. 'Het spijt me. Wat voor gastvrouw ben ik? We staan hier allemaal maar wat. Willen jullie even gaan zitten? Kan ik jullie een kopje koffie of zo aanbieden?'

'Even zitten is prima.' Bracco liet zich op een ottomane zakken. 'Verder hoef ik niets.'

Schiff nam plaats aan het ene uiteinde van de keurig gestoffeerde bank met bloemenprint. 'Ik hoef ook niets.'

Maya bleef nog een paar tellen afwachtend staan, waarna ze haar schouders ophaalde en haar plaats aan de andere kant van de bank innam. 'Al dit zakelijk gepraat is natuurlijk interessant voor mij, maar daarom zijn jullie hier niet. Waarmee kan ik jullie helpen?'

Schiff wierp een blik op Bracco, en hij schoof een stukje naar voren. 'Nou, laten we de lastige dingen eerst afhandelen. Hoe lang heeft Dylan Vogler BBW geleid?'

Maya's lippen krulden omhoog. 'Dat is geen lastige. Hij begon praktisch toen ik openging, tien jaar geleden, en nam het ongeveer twee jaar later voltijds over.'

'Was u zich ervan bewust,' vervolgde Bracco, 'dat hij vanuit BBW marihuana verkocht?'

De glimlach verdween van haar gezicht. 'Om eerlijk te zijn had ik een paar geruchten gehoord.' Ze keek Schiff aan.

De vrouwelijke rechercheur knikte. 'Die waren blijkbaar waar. Hij kweekte hoogwaardige marihuana op zijn zolder. Hij had een volle rugzak bij zich toen hij werd neergeschoten. In zijn huis heeft hij bestanden voor ongeveer zeventig vaste klanten, en met een stuk of twintig van hen hebben we al gepraat. Hij verkocht het vanuit de winkel.'

Maya's hand ging naar haar mond. 'Ik besefte niet dat het zo...'

'Dus,' zei Bracco, die de druk op de ketel hield, 'u wist niet dat hij een strafblad had?'

Haar gezicht betrok terwijl ze zich abrupt tot Bracco wendde. 'Nou, ja. Daar wist ik van. Maar dat was lang geleden.'

Schiff weer: 'Voordat hij voor u werkte.'

'Inderdaad.'

Bracco vroeg of ze van zijn strafblad wist toen ze hem aannam.

'Natuurlijk.'

'Natuurlijk?' vroeg Schiff.

Maya knikte. 'We waren vrienden. We waren bevriend geraakt toen we aan de USF studeerden. Ik wist dat hij een fout had gemaakt, maar hij had ervoor geboet, en ik had een gelegenheid om hem weer overeind te helpen krabbelen. Er leek geen enkel soort risico aan vast te zitten. Hij was een goeie vent en iedereen mocht hem. Hij is al die tijd een ideale manager geweest.' Ze wachtte even. 'Ik kan niet geloven dat hij dope over de toonbank in de winkel verkocht.'

'Dat is nagenoeg vastgesteld, mevrouw,' zei Bracco. 'Zou u ons willen vertellen hoeveel hij verdiende toen hij voor u werkte?'

Voor het eerst toonde Maya tegenzin om te antwoorden. Haar rug rechtte zich even. 'Ik zie niet in wat dat ermee te maken heeft.'

'Niettemin,' zei Schiff, 'kan het ons tijd besparen.'

Maya, die nog steeds stijf op haar hoek van de bank zat en nu niet meer glimlachte, keek naar haar handen op haar schoot. 'Hij verdiende negentigduizend dollar per jaar. Vijfenzeventighonderd per maand.'

'Een hoop geld,' zei Schiff.

'Zoals ik al zei,' antwoordde Maya, 'maakte de winkel winst. En grotendeels vanwege Dylans management. Hij verrichtte goed werk, en ik vond het billijk om hem goed te betalen.'

'Wat verdient een manager van een Starbucks?' vroeg Schiff.

Maya schudde haar hoofd. 'Vast minder. Maar dat doet er niet toe. Ik ben geen grote multinationale onderneming. Ik heb geen aandeelhouders. Ik kan hem zoveel betalen als ik maar wil. Hij werkte hard en ik wilde hem tevreden houden, dus betaalde ik hem goed. Zoals ik al zei waren we studievrienden. Toen ik hem eenmaal had aangesteld, en vooral toen hij eenmaal een gezin begon te stichten, voelde ik me verantwoordelijk voor hem. Is daar iets mis mee?'

Schiff schudde haar hoofd. 'Niemand beweert dat, mevrouw Townshend.'

Maar Bracco was niet bereid te stoppen met het aanboren van deze ader. Hij kwam vlug tussenbeide. 'Gingen u en uw man met Dylan en zijn vrouw om?'

'Nee,' zei Maya. 'Nee. Niet heel veel. Hij is tenslotte een werknemer van mij. We hebben nu heel verschillende levens.' Maya, die opeens leek te beseffen dat ze zich op de een of andere manier had blootgegeven, leunde bewust ontspannen achterover op de bank en liet een arm over de armleuning glijden. 'Ik ben bang dat ik niet begrijp waar al deze vragen over gaan. Denken jullie dat ik iets met Dylans dood te maken heb?

Of meer van zijn marihuanahandel wist? Ik weet niet eens wat er nu met BBW gaat gebeuren. Misschien zet ik het wel te koop. Joel en ik hebben het niet nodig, en nu Dylan er niet meer is, is er geen echte reden...' Ze schudde haar hoofd en haalde haar schouders op.

'Reden waarvoor?' vroeg Schiff.

'Ik bedoel, om de zaak te houden. Ik heb zeker geen tijd om er elke dag naar terug te gaan en de boel draaiende te houden. Ik weet niet wat ik ga doen.' Inmiddels begonnen haar ogen te glanzen – ze leek bijna in tranen.

'Mevrouw Townshend.' Schiff legde een hand tussen hen op de bank. 'Wij proberen enig idee te krijgen wie een reden gehad zou kunnen hebben om Dylan te vermoorden. Het is mogelijk dat hij iets tegen u heeft gezegd, iets waar hij zich zorgen om maakte, een probleem met het personeel. Heeft hij pasgeleden iemand ontslagen, bijvoorbeeld?'

'Nee. Het personeel is heel loyaal. Over zoiets heeft hij het niet gehad. Ik heb echt geen flauw idee. Misschien was het gewoon een toevallige schietpartij.'

'Misschien,' zei Bracco, 'maar hij was niet beroofd, zodat wij dus naar een motief speuren.'

'Als het niets met de marihuana te maken heeft,' opperde Maya, 'kan ik me gewoon niet voorstellen wat het zou zijn.'

'Goed, mevrouw.' Bracco kwam overeind. 'Nog even vlug een laatste punt. Gewoon een formaliteit. Zou u ons willen vertellen waar u zaterdagochtend was?'

De vraag kwetste Maya duidelijk, maar ze herstelde zich. 'Ik ging naar de mis van halfzeven.'

'Op zaterdag?' vroeg Bracco.

'Ik ga op zaterdag meestal naar de mis. En op zondag ook. Dat is niet meer erg gangbaar, neem ik aan,' zei ze, 'maar ik word er heel rustig van.'

'Tja, rust,' zei Schiff. 'Daar kun je niet te veel van krijgen.' Ze stond van haar eigen zitplaats op en toonde een plichtmatige glimlach. 'Misschien moeten we later nog eens met u praten.'

'Dat zou prima zijn,' zei Maya, 'als het jullie zal helpen degene te vinden die Dylan heeft doodgeschoten.'

Bracco en Schiff reden terug naar de binnenstad. Ze moesten voor een stoplicht wachten, en Bracco zat op de passagiersstoel. Schiff praatte. 'Ze zijn dus studievrienden, en zij voelt zich verantwoordelijk voor hem en zijn gezin, maar ze hebben geen sociale omgang met elkaar en toch betaalt ze hem bijna een ton per jaar. Vind jij dat logisch?'

'Waarom niet?' zei Bracco. 'Kijk eens naar haar huis. Haar man doet het goed.'

'Waarom heeft ze de boel dan niet gewoon aan hem verkocht? Aan Dylan?'

'Geen idee. Misschien had ze daar niet aan gedacht. Misschien had hij er niet om gevraagd. De zaak was niet op de fles, dus hoefde ze niks te fiksen.'

Ze reden zwijgend een paar straten door. Toen zei Schiff: 'Nog iets.'

'Je zit hier echt over te piekeren, hè?'

'Zeg me eens waarom er nu geen reden is om de tent te houden. Er komt een half miljoen per jaar binnen. Als ze een andere manager aanneemt, hem de helft betaalt van wat ze Dylan betaalde, wordt er nog steeds een half miljoen verdiend. Ik ben geen zakengriet, maar ik zou niet iets verkopen waarmee ik een half miljoen dollar per jaar verdien.'

'Ze heeft het geld niet nodig.'

'Doe me een lol, Darrel. Een half miljoen dollar om eigenlijk niks te doen?'

Op de passagiersstoel haalde Bracco zijn schouders op. 'Ze zal de zaak voor vijf keer zoveel verkopen en dan is ze er voorgoed vanaf.'

'Ik zit eraan te denken dat ze hem iets verschuldigd was. Dylan.'

'Wat?'

'Als ze de zaak nou alleen openhield om hem door te betalen.'

'Je bent aan het vissen.'

'Dat klopt, maar ik heb een vergunning.' Ze reden zwijgend een halve straat door.

Toen keek Bracco naar zijn partner. 'Ik dacht dat je naar Jansey neigde.'

'Dat deed ik ook, en misschien nog steeds. Ik blijf graag overal voor openstaan. Maar iets wat Robert Tripp zei is me bijgebleven.'

Na een paar seconden zei Bracco: 'Behalve het alibi heeft hij ons niets gegeven.'

'Nee. Eigenlijk heeft hij ons wel iets gegeven. Hij zei dat Ben zijn moeder zaterdagochtend wakker ging maken, weet je nog?'

Hij knikte.

'Nou,' ging Schiff door, 'we kunnen het altijd natrekken – en dat ben ik van plan – door het jochie ernaar te vragen, maar dat soort details zie ik Tripp of iemand anders niet verzinnen. Dat is het verhaal zoals hij het kende. En als het waar is, betekent het dat Jansey niet vroeg het huis uit was gegaan om bij de koffieshop op de loer te gaan liggen voor Dylan. Ze had hem toch veel dichter bij huis kunnen neerschieten.'

'En hoe zit het dan met Tripp?'

'Als de schutter?'

Bracco knikte nogmaals. 'Hij geeft toe dat hij al op was. Misschien is hij in plaats van Jansey naar de winkel gegaan. Hij kan gedacht hebben dat hij haar beschermde, met wie hij misschien iets heeft, hoewel hij zegt van niet. Of iets wil hebben.'

'Waarom?'

'Hoezo waarom?'

'Waarom zou hij het bij de koffieshop doen?'

'Geen idee. Hij zegt dat hij naar school loopt om te studeren en ze gaan samen naar beneden. Dan weet hij misschien dat Dylan een vuurwapen bij zich heeft. En ze zijn min of meer vrienden, dus vraagt hij Dylan of hij het even mag zien. En pang.' Hij wierp een vlugge blik op Schiff. 'Dat verklaart waarom er geen worsteling was. Hij overrompelde hem, gooide het wapen weg en rende naar huis terug om de gootsteen op tijd te ontstoppen.'

'Misschien,' zei Schiff. 'Zo zou het gebeurd kunnen zijn.'

'Maar?'

'Laat maar. Zoals ik zeg, blijf ik overal voor openstaan.'

7

De volgende dag, dinsdag, zat Dismas Hardy een glas sodawater met limoen te koesteren aan een tafeltje tegen de achtermuur van Lou de Griek. Aangezien het nog ruimschoots voor twaalf uur was, was het lunchvolk nog niet tevoorschijn gekomen, en terwijl hij om zich heen keek in de groezelige, donkere, half onderaardse drink- en eetgelegenheid, verwonderde Hardy zich er opnieuw over – zoals bijna elke keer dat hij hier kwam – dat de tent überhaupt zakendeed, laat staan dat er zoveel mensen die in en rondom het Paleis van Justitie aan de overkant van de straat werkten hier kwamen eten.

Tenslotte was dit San Francisco, restaurantstad extraordinaire. In een stuk of twintig tenten binnen een straal van een kilometer kon je als een vorst eten – elegante sfeer, exotische ingrediënten, chef-koks van wereldklasse, voortreffelijke professionele bediening.

Bij Lou kon je geen van bovengenoemde kwaliteiten vinden. Naamgever Lou had een Chinese vrouw, Chiu geheten, die alle creativiteit van de gevierde koks van de stad had, een feit dat ze iedere dag bewees met het Speciale Gerecht, dat het enige onderdeel van het menu was dat er werd geserveerd. Het Speciale Gerecht toonde niet alleen Chiu's culinaire toverkunst, maar onthulde ook een opvallende blinde vlek in haar originaliteit – zij geloofde dat haar creaties altijd en alleen maar inheemse gerechten en ingrediënten uit haar eigen China en uit Lous Griekenland moesten bevatten. Bij elkaar.

Het was niet bepaald de culinaire smeltkroes die de rest van Californië at, maar binnen haar nogal beperkte universum had Chiu jarenlang de ene avontuurlijke maaltijd na de andere uitgevonden, met vaak bizarre combinaties van wontons, bapao's, druivenbladeren, tsatsiki, koriander, eend, inktvis, olijven, yoghurt – waarvan sommige smakelijk waren, vele niet. Het leek er niet toe te doen – er bleven massa's mensen lunchen, zodat het restaurant vijf dagen per week afgeladen was.

Vandaag dacht Hardy erover om het Speciale Gerecht, zoetzure spanakopita met citroenkip met vijf kruiden, aan zich voorbij te laten gaan en na zijn afspraak naar Sam's Grill te lopen, om een paar zandscharren en een lekker glas Gavi te bestellen. Had ze het zoetzuur maar weggelaten, dacht hij.

'Hé, Diz.'

Hardy, die in zijn dagdromerij werd verrast, duwde zijn stoel naar achteren en stond op om Harlen Fisk, lid van de Raad van Toezichthouders van San Francisco en neef van de burgemeester, Kathy West, de hand te schudden. Fisk, die zo'n een meter vijfentachtig lang was en rond de honderdtien kilo woog, was een indrukwekkende verschijning in zijn Italiaanse maatpak.

Hardy had hem leren kennen toen Harlen de partner van Darrel Bracco was en een tijd als tactisch rechercheur bij Moordzaken werkte. De smerisfase was gewoon een volgende stap in zijn politieke voorbereiding – hij zou Wests zorgvuldig uitgekozen opvolger worden en iedereen wist dat. Met zijn eenenveertig jaar kwam hij nu op de juiste leeftijd, maar als hij ongeduldig wachtte om burgemeester te worden, liet hij dat niet blijken.

Hij was gaan zitten, wierp een blik op de Speciale Gerechtkaart en grimaste. 'Weet je,' zei hij, 'spanakopita is op zichzelf een prima gerecht. Waarom moet het zoetzuur zijn?'

Hardy grijnsde. 'Ik dacht net precies hetzelfde. En dan is er nog iets – als het citroenkip met vijf kruiden is, maakt de citroen er dan geen zes kruiden van? En wat zijn de andere vijf?'

'Ik denk dat die vijf kruiden min of meer beschouwd worden als één kruid. Net als kerrie.'

'Ik dacht dat kerrie één kruid was.'

'Nee. Het is een mengsel. Daarom heb je kerriesoorten met verschillende smaken en pittigheden. Verschillende mengsels.'

'Verrek. Net als je denkt dat je het allemaal hebt uitgevogeld...' zei Hardy. Zijn ogen werden helderder. 'Misschien doen ze er geen zoetzuur bij als we erom vragen.'

Fisk knikte. 'We kunnen het altijd proberen, hoewel de geschiedenis anders leert.'

Tien minuten later werden ze bediend. Het bleek, zoals verwacht, dat het zoetzuur wezenlijk was voor deze specifieke versie van spinazie in filodeeg en niet kon worden weggelaten; minder verwacht was dat, toen Fisk zijn eerste hap nam, hij ontdekte dat het behoorlijk goed smaakte. Hij zei tegen een nog steeds sceptische en afkerige Hardy: 'Mijn kinderen vinden ketchup op spinazie lekker. Dit lijkt er wel wat op.'

Hardy nam zelf ook een hapje, kauwde en schudde zijn hoofd vol bewondering. 'Die vrouw is een genie.' Hij prikte een grotere portie met zijn vork op. 'Nou,' zei hij toen hij de hap had doorgeslikt, 'wat is er aan de hand?'

'Mijn zus,' zei Harlen. 'Mijn zusje, eigenlijk. Maya. Haar achternaam is nu Townshend. Ze wil met een advocaat praten en ik dacht erover om jou aan te bevelen als je geïnteresseerd bent.'

'Hoogstwaarschijnlijk wel,' zei Hardy, 'als het geen echtscheiding is. Ik doe geen echtscheidingen.'

'Ik geef je geen ongelijk,' zei Fisk. 'Dat is het niet. Waar het om gaat is dat ze de eigenaresse is van Bay Beans West, een koffieshop in Haight. Ken je die?'

'Ik ben er wel langs gereden.' Maar opeens ging er een lichtje bij Hardy branden, en hij stak een vinger op. 'In het weekend is daar iemand doodgeschoten. De manager?'

'Klopt. Dylan Vogler.'

'Is zij een verdachte?'

Fisk had een volle, tweetonige lach en die liet hij horen. 'Nee, nee, absoluut niet. Je moet Maya kennen. Voorbeeldige jongedame, moeder van twee kinderen, schat van een meid. Nee, wat er is gebeurd, is dat ze gisteren bezoek heeft gekregen van Moordzaken; het waren – wat is het toch een klein wereldje – Darrel en zijn nieuwe partner. Een vrouw.'

'Debra Schiff.'

'Dat zal wel, als jij het zegt. Hoe dan ook, ze kwamen met haar praten en nadat ze vertrokken waren belde ze en zei ze dat ze misschien een advocaat moest nemen als ze met de politie zou praten.'

'Ik ben dol op mensen die denken zoals zij. En ze heeft niet helemaal ongelijk.'

'Dat heb ik ook tegen haar gezegd. Op dat front kun je niet voorzichtig genoeg zijn, hoewel ik in haar geval, haar kennende, zou zeggen dat het nogal vergezocht is.'

'Wat hebben ze haar gevraagd? Heeft ze je dat verteld?'

Fisk haalde zijn schouders op. 'Het klonk me allemaal algemeen in de oren. Haar manager wordt buiten haar winkel doodgeschoten, en dan willen ze met haar praten, hè? Het blijkt dat Dylan dope vanuit de winkel verkocht, en zij denkt dat ze in de problemen kan komen omdat zij de eigenaresse is.'

'Ze kan gelijk hebben. Wat voor soort dope?'

'Gewoon wiet, denk ik.'
'Hoeveel wiet?'
'Geen idee. Doet dat ertoe?'
'Wel als het een groot distributiepakhuis was.'
'Dat was het volgens mij niet. Het was voornamelijk een drukke koffieshop. Maar stel dat het dat wel was.'
'Wat?'
'Een groot pakhuis of zoiets.'
Hardy fixeerde hem met een vermoeide blik. 'Weet je iets wat je me niet vertelt?'
'Nee, nee. Ik wil het alleen maar weten voor het geval Maya me ernaar vraagt. Wat als die Dylan grote hoeveelheden verhandelde? Welke gevolgen zou dat voor Maya als eigenaresse hebben?'
'Dat weet ik niet zeker,' zei Hardy. 'Ik zou het moeten opzoeken. Zo voor de vuist weg zou ik zeggen dat ze waarschijnlijk wel goed zit als ze kan bewijzen dat ze er niets van wist. Maar van huisbazen in crackbuurten – ik bedoel, waar ze vanuit iedere tweede flat verkopen – is bekend dat hun pand verbeurd wordt verklaard.'
Harlen schoot recht overeind. 'Verbeurd verklaard! Bedoel je het hele gebouw?'
Hardy stak een hand op om hem te kalmeren. 'Soms, maar meestal gaat het om slechteriken die tot hun knieën in de handel zitten. Als de FBI erbij betrokken wordt, kunnen ze het hele pand in beslag nemen.' Hardy wist dat de officier van Justitie van de stad in feite ook kon proberen het pand in beslag te nemen; maar in deze situatie zouden ze dat nooit doen. Hij nam een hap van zijn Speciale Gerecht. 'Maar dat gebeurt meestal, zoals ik zeg, als ze weten dat ze een levende figuur hebben die ze proberen dwars te zitten. En dat klinkt niet echt als de situatie van je zus.'
'Bij lange na niet, Diz. Ik weet zeker dat ze er niet veel of zelfs niets van wist. Ze is een brave meid en zou dat risico nooit genomen hebben. Haar man is Joel Townshend – Townshend Onroerend Goed, die met een paar miljoen per jaar moet rondkomen. Geloof me, ze hebben niet meer geld nodig.'
'Ik heb nu al een hekel aan hen,' zei Hardy.
'Ik ook. Maar zo zit het. Hoe dan ook, het punt is dat de smerissen haar verrasten en haar zenuwachtig maakten. Jij weet hoe dat is. Dus zou je met haar willen praten?'
Hardy zei tegen Harlen dat dat voor zich sprak en maakte vervolgens

een kleine grimas. 'Maar het is jammer dat ze al met hen heeft gepraat. Weet je hoe lang Darrel en Debra daar zijn geweest?'

'Dat heeft ze niet gezegd. Een halfuur of zo, begreep ik.'

'Nou, dan is er waarschijnlijk niet al te veel schade aangericht. Zolang ze maar niet tegen hen heeft gelogen.'

Fisk knikte gerust. 'Op dat punt hoef je je volgens mij geen zorgen te maken,' zei hij. 'Dat zou ze niet gedaan hebben. Zo is ze gewoon niet.'

Nadat hij tegen Fisk had gezegd dat zijn zus hem moest bellen om een afspraak te maken, stak Hardy de straat over en liep het indrukwekkende grijsgestucte gebouw binnen dat het Paleis van Justitie van San Francisco was. Na zijn rechtenstudie had hij daar een paar jaar als hulpofficier van Justitie gewerkt, en vervolgens nog bijna een jaar als advocaat nadat hij was ontwaakt uit zijn tien verdrietige jaren durende coma als gevolg van de dood van zijn zoon Michael en zijn daaruit voortvloeiende gestrande eerste huwelijk met Jane.

Hij dacht dat het iets over het negatieve karma van het gebouw zei dat hij het na alle tijd die hij erin had doorgebracht – hij had er als advocaat ook de grote meerderheid van zijn pleidooien gehouden – nog steeds deprimerend vond. Indertijd hadden de voordeuren het voorportaal tenminste nog een weidse uitstraling verleend. Maar sinds 11 september hadden de terrorisme-experts op één na alle deuropeningen gesloten en de rest van het glazen voorraam met triplex bedekt.

Tegenwoordig liep iedereen door deze ene deur, wachtte in de rij, ging door de aanfluiting van een tijdelijke veiligheidscontrolepost, met metaaldetector en al, en kwam uiteindelijk in het kabaal en de drukte van de begane grond terecht, waar zich niet alleen de rij voor de verkeersrechtbank bevond, die de rechtszaal uit en tot voorbij de liften kronkelde, maar ook het Zuidelijk Bureau van de politie van San Francisco.

Het krioelde er dus van de geüniformeerde smerissen, advocaten, mensen die de gevangenis boven bezochten en mensen die in het gebouw werkten. In haar wijsheid had de stad ook toestemming gegeven voor een snack- en koffiekiosk in de hal, en de vrolijke lui die in de rij stonden om iets te eten of drinken raakten vaak in de knoop met hun tegenhangers die blij op hun beurt in de verkeersrechtbank stonden te wachten. Hardy had gehoord dat het record voor meeste knokpartijen op een dag om ruimte in de ene of de andere rij zes was, hoewel dat een uitzondering was. Het gemiddelde aantal klappen was feitelijk niet meer dan één per week.

Maar omdat hij Harlen vroeg had ontmoet om de drukte bij Lou te vermijden, was het lunchtijd toen hij bij de metaaldetector kwam, en alle diverse rijen in en buiten de hal leken tot één kakofonische menigte te zijn samengesmolten. Toen hij eindelijk voor aan zijn eigen rij kwam, legde Hardy zijn sleutels en zijn Zwitserse legermes op de tafel naast de metaaldetector, liep erdoorheen en pakte ze op zonder enige reactie van de smeris die de post bemande en voortdurend omgedraaid met een andere smeris stond te kibbelen over wanneer hij zou worden afgelost zodat hij kon gaan lunchen.

Hardy had de indruk dat hij een Stinger-raket op tafel had kunnen leggen, door de metaaldetector had kunnen lopen, de raket had kunnen oppakken en vrolijk door had kunnen lopen zonder dat er een haan naar zou hebben gekraaid. Hij had smerissen in burger met vuurwapens erdoor zien lopen en hij had zichzelf altijd wijsgemaakt dat dit gebeurde omdat de smerissen bij de detector de burgerkleren kenden, maar daar was hij eigenlijk niet zo zeker van. Misschien was het gewoon een stom systeem dat niet werkte.

Zijn indruk van het surrealistische werd nog sterker toen hij de hoek om sloeg en naar de stroom mensen keek die door de totaal onbeveiligde achterdeur tussen de hal en de gevangenis kwamen. De deur had op slot moeten zitten, maar iedereen die langer dan een paar maanden in het gebouw werkte kon een kopie van de sleutel krijgen. En beleefd als ze waren, zouden velen de deur gewoon openhouden voor iedereen die tegelijkertijd naar binnen probeerde te lopen.

Misschien, dacht hij, waren de smerissen bij de metaaldetector daarom zo futloos. Ze dachten dat iedereen die een vuurwapen had waarschijnlijk zo slim was om om het gebouw heen te lopen en via de achterkant binnen te komen.

Uiteindelijk bereikte Hardy, opgevrolijkt door zijn overpeinzingen, de lift, drukte op '5' en terwijl hij door de samengepakte lichamen tegen de zijwand gedrukt opsteeg, besloot hij dat hij hier nooit meer voor een sociaal bezoek zou komen, zoals hij nu deed.

Als hij werd betaald, oké, maar dit was gekkenwerk.

In tegenstelling tot de begane grond was de vijfde verdieping een oase van serene rust. Die had ook de charme van een woningbouwproject in het Oostblok van de jaren vijftig, en was ook een steriele bedompte gang met industrieel groene tegels en fluorescerende verlichting, maar niettemin was het er vredig, op de een of andere manier – vreemd genoeg – troostend, zelfs verwelkomend na zijn inspanningen om er te komen.

Hij liep tot ongeveer halverwege de gang door en sloeg af door de deur van de afdeling Moordzaken. De twee beambten die daar waren aangesteld waren beiden niet aanwezig, dus tilde Hardy de gescharnierde balie die het vertrek verdeelde op en liep door naar de gang die naar Glitsky's kantoor leidde. Met de metaaldetector nog vers in zijn geheugen en zijn Zwitserse legermes in zijn zak, viel het hem in dat hij heel gemakkelijk nog een paar stappen richting Glitsky's kantoor kon zetten en de keel van zijn vriend kon doorsnijden en naar buiten kon lopen en hoogstwaarschijnlijk zou niemand het ooit te weten komen.

Deze gedachte bracht een halve glimlach teweeg. Het was een grappige wereld, dacht Hardy, als je wist waar je moest kijken.

Nu stond hij voor Glitsky's deur, maar die was dicht, op slot. Hij klopte een keer, wachtte heel even. Als Abe aanwezig was, zou de deur traditiegetrouw open of in elk geval niet op slot zijn. Hij draaide zich om om weg te gaan en hoorde binnen een la dichtslaan. 'Moment.'

Glitsky zag er vreselijk uit – lijkbleek en afgetobd – en even dacht Hardy dat Zachary het niet gered had en dat Abe het pas net had gehoord.

'Zeg me dat het goed met hem gaat,' zei hij.

'Hetzelfde.'

'In een kunstmatig coma?'

Een knik, en Hardy haalde opgelucht adem. Glitsky tuurde vanuit het halfdonker van zijn kantoor naar zijn beste vriend. 'Wat wil je?'

'Niks. Ik wip gewoon even aan.'

Toen Treya die ochtend bij zijn huis kwam om Rachel op te halen en haar naar school te brengen, had Hardy tot zijn stomme verbazing van haar vernomen dat Abe naar het werk was gegaan. Zoals gewoonlijk had Treya hem verdedigd – zondagochtend hadden ze de open hersenoperatie bij Zachary uitgevoerd en er kon in elk geval een paar dagen niets met hem worden gedaan; gedurende die tijd zouden ze hem in een zogenoemd pentobarbitalcoma houden. Abe kon ofwel in de wachtkamer van het ziekenhuis gek zitten worden, ofwel gaan werken en hopen dat de dag sneller voorbijging. Hij had voor het laatste gekozen.

Nadat ze elkaar nog een paar seconden hadden staan aanstaren, keerde Glitsky naar zijn bureau terug en volgde Hardy hem naar binnen. Hardy deed de deur dicht, tastte naar de lichtschakelaar, bedacht zich, pakte een stoel en ging zitten. Een diffuus licht van de hoge ramen in de muur aan Hardy's rechterkant zorgde ervoor dat het kantoor niet in volslagen duisternis was gehuld, maar het zou heel wat inspanning kosten om hier te lezen.

Glitsky zat met zijn armen over elkaar op zijn borst en met zijn ogen ergens een halve meter boven Hardy's hoofd gefocust. Van tijd tot tijd haalde hij adem, maar niet zo diep dat het een zucht werd. Er lag berusting op het geteisterde gezicht, maar geen woede, doorgaans Glitsky's standaardemotie.

De afwezigheid van woede baarde Hardy zorgen.

'Gistermorgen zei Treya dat ze hem een paar dagen buiten bewustzijn houden,' zei hij uiteindelijk. 'Weet je nog iets meer?'

'Nee.'

'Ze zei dat de operatie een succes was.'

'In de zin dat hij die heeft overleefd.'

'Ik dacht dat de hersenen daardoor ruimte kregen om te zwellen.'

'Klopt. Dat is de bedoeling.'

'En wat dan?'

'Wat bedoel je?'

'Ik bedoel, wat verwacht je? Wat is de prognose?'

Glitsky keek Hardy aan. Het leek een hele tijd te duren voordat hij zei: 'Ofwel de zwelling zal afnemen en hij wordt tot op zekere hoogte beter, hoewel we een paar maanden niet kunnen weten hoeveel beter.' Hij aarzelde. 'Ofwel dat, of een van de stolsels valt te veel uit elkaar of er gebeurt toevallig iets anders en hij gaat dood.'

De stilte groeide.

'Weet je,' zei Glitsky uiteindelijk rustig. 'Ik zit te denken dat het niet de slechtste uitkomst zou zijn geweest als hij aan die harttoestand was overleden toen hij werd geboren.' Bij Zachary's geboorte was er een hartruis ontdekt die, hoewel hij later onschuldig bleek te zijn, het schrikbeeld van zijn vroege dood door aangeboren hartfalen had opgewekt. 'Dat zou tenminste niet mijn schuld zijn geweest.'

'Dit was niet jouw schuld, Abe.'

Glitsky schudde zijn hoofd. 'Jij was er niet bij.'

'Treya heeft me verteld wat er is gebeurd.'

'Zij was er ook niet bij.'

'Vertel het me dan.'

Glitsky's starende blik ging weer naar het plafond. Hij haalde zijn armen van elkaar en legde zijn handpalmen plat op het bureau. 'Hij was vlak naast me. Ik bedoel, ik hoefde hem alleen maar tegen te houden, een voet voor een van die stomme grote klotewielen.' Glitsky's ongewone krachtterm hing in het kantoor, een grens overschreden. 'In plaats daarvan liep ik weg om zijn helm te halen, die hij meteen al op had moeten hebben.' Hij richtte zijn blik horizontaal. 'Vijf seconden, Diz. Vijf stomme seconden.'

'Weet je waarom ze ongelukken worden genoemd, Abe? Omdat ze niemands schuld zijn.'

Glitsky dacht daar even over na. Toen zei hij: 'Ik denk dat ik ermee ga kappen.'

'Waarmee?'

'Daarmee.' Glitsky gebaarde om zich heen naar het kantoor. 'Hiermee.'

'Hoe zou dat helpen?'

'Geen idee. Misschien zou het niet helpen.' Hij bracht een hand naar zijn voorhoofd, wreef over zijn neusbrug. 'Waar hadden we het over?'

'Ik heb een idee,' zei Hardy. 'Ga maar naar huis om wat te slapen. Neem een paar dagen vrij terwijl dit bezinkt.'

'En wat dan? Gewoon wachten?'

'Wat doe je hier anders dan?'

Glitsky keek ongeveer vijf seconden door hem heen. Uiteindelijk knikte hij en begon zich bij het bureau vandaan te duwen, maar hij stopte en reikte naar zijn telefoon. Hij toetste een paar nummers in en sprak even later in de hoorn. 'Hé,' zei hij. 'Nee, geen nieuws. Diz is hier. Hij vindt dat ik naar huis moet gaan om wat uit te rusten. Misschien wil jij hetzelfde doen.' Hij wachtte, luisterde nog een paar tellen en zei toen: 'Ik kom wel langs en pik je bij de uitgang op.'

8

Toen Hardy zo'n twintig minuten nadat hij bij Glitsky was weggegaan bij zijn kantoor terugkwam, begroette zijn receptioniste/secretaresse Phyllis hem in de hal met een koele glimlach en het commentaar dat het wel nuttig kon zijn als hij van tijd tot tijd zijn afsprakenschema met haar besprak, omdat zij zijn agenda bijhield.

'Maar dat doe ik ook,' zei hij. 'Heel trouw.' Hij legde zijn hand op zijn hart. 'Phyllis, ik hoop dat je absoluut zeker weet dat ik nooit, in geen enkele omstandigheid, een afspraak zou maken zonder ieder detail ervan met jou te bespreken.'

Phyllis sloeg haar ogen naar de hemel op uit eeuwige ergernis over het sarcasme van haar baas. Ze wierp een vlugge blik over haar schouder, op een jonge vrouw die een tijdschrift zat door te bladeren op de bank tegen de muur achter haar cirkelvormige werkplek.

Hardy volgde haar blik. De vrouw sloeg een bladzij van haar tijdschrift om. 'Is ze hier voor mij?' fluisterde hij enigszins theatraal. 'Dat is vast een truc om mij in jouw bijzijn voor schut te zetten. Ik zweer dat ik haar nooit eerder heb gezien.'

Phyllis tuitte haar lippen. 'Ze zegt dat ze een afspraak heeft en doorverwezen is door Harlen Fisk. Ene mevrouw Townshend.'

'Aha! Ze zou bellen om een afspraak te maken, Phyllis. Misschien heeft ze het verkeerd begrepen. Maar het echte goede nieuws is dat dit niet mijn schuld was.' Op haar sceptische blik voegde hij eraan toe: 'Hé, zoiets kan gebeuren.'

Hij gaf zijn receptioniste een verzoenend klopje op de arm, liep kordaat om haar heen en stond met een paar stappen voor zijn wachtende gast. 'Mevrouw Townshend? Dismas Hardy. Sorry dat ik u heb laten wachten.'

Ze sloeg het tijdschrift dicht en met een stijf samengetrokken mond en een door zorgen gerimpeld voorhoofd schoot ze overeind. Ze gaf Hardy een stevige hand, alsof ze hem niet wilde kwijtraken nu hij eindelijk was gekomen.

'Ik had Harlen gevraagd aan u door te geven dat u mij moest bellen om een afspraak te maken. Ik ben bang dat ik niet verwachtte dat u meteen zou langskomen.'

Ze liet zijn hand los en bracht haar vingers naar haar mond. 'O, het spijt me. Ik dacht gewoon... Ik bedoel, hij heeft me verteld waar u werkt en dat hij met u had gepraat en ik was vrij en nam gewoon aan...'

Hardy onderbrak haar met een handgebaar. 'Het is wel goed,' zei hij. 'Alles draait om timing en die van u had niet beter kunnen zijn. Ik verwachtte een lange saaie middag met administratieve rompslomp, maar in plaats daarvan sta ik nu met Harlens zus te babbelen.' Hij toonde een verwelkomende grijns en leidde haar met een hand onder haar elleboog naar zijn kantoor. 'Bent u dan ook de nicht van de burgemeester?'

'Ja.'

'Nou,' zei Hardy terwijl hij haar zijn kantoor binnenleidde, 'ik ben ook een grote fan van Kathy. Al sinds ze zelf toezichthouder was.' Hij deed de deur achter zich dicht en gebaarde naar de meest informele van de twee zithoeken, waar twee vleugelstoelen bij een tijdschriftentafel stonden. 'Wilt u iets te drinken? Koffie? Wijn? Iets sterkers?'

'Eigenlijk... nou, het is nog wat vroeg, maar ik... ik denk dat ik een beetje zenuwachtig ben. Misschien zou een glas wijn zo slecht nog niet zijn.'

'U hoeft niet zenuwachtig te zijn,' zei Hardy. 'Niets van wat we in deze kamer zeggen lekt naar buiten als u dat niet wilt. Rood of wit?'

'Wit.'

'Wit dus.' Hardy liep naar de bar met spiegelwand en granieten blad, die het grootste deel van een van zijn muren in beslag nam. De bar was nogal een pronkstuk, met een gouden ingelegde gootsteen en een gouden kraan, een open plank voor de grote wijnglazen en nog een voor de porseleinen koppen, een grote espressomachine, en een uitgebreide selectie van theesoorten, non-alcoholische dranken en sterkedrank langs de rest van de vrije muurruimte. Hij opende de tafelkoelkast, stopte en draaide zich weer naar haar om. 'Chardonnay of een andere?'

'Een andere, denk ik.'

'Dat vind ik ook. Misschien drink ik wel met u mee.' Hij haalde een fles Groth Sauvignon Blanc tevoorschijn. Terwijl hij haar inschonk, zei hij: 'Als u de barbediening hier goed vindt, moet u maar wachten tot u ons juridische werk ziet.' Hij toonde bewust zijn professionele ontwapenende glimlach, ging tegenover haar zitten en nam een slokje van zijn wijn, waarbij hij haar stilzwijgend aanspoorde hetzelfde te doen. 'Nou, hoe kan ik u helpen?'

Na haar eerste slokje hield ze haar wijnglas met beide handen op haar schoot. 'Ik denk dat ik in de problemen zit,' begon ze. 'Ik weet niet wat ik moet doen.'

'Laten we eerst zien of het eerste gedeelte waar is, en daarna bekijken we waar dat ons brengt. Waarom denkt u dat u in de problemen zit? Omdat de politie u kwam ondervragen over de dood van uw manager?'

'Gedeeltelijk. Ik weet niet hoeveel Harlen u heeft verteld, maar Dylan verkocht dope – alleen marihuana, hoop ik – vanuit mijn winkel.'

'Harlen heeft me verteld dat u daar niet veel van afwist.'

'Ik wist ook niet veel. Niet echt.'

'Dan hoeft u ook niet in de problemen te zitten.' Hij glimlachte. 'Dat was gemakkelijk. Volgende probleem?'

'Echt?'

'U bedoelt dat u echt niet in de problemen hoeft te zitten?' Hij vond niet dat hij op het vrij onwaarschijnlijke scenario van een verbeurdverklaring hoefde in te gaan. 'Ja, echt.'

'Maar... nou ja, ik bedoel, de zaak is van mij. Ik ben de wettige eigenaar. Als iemand daar struikelt en valt, ben ik degene die vervolgd wordt.'

Hardy ging achterover zitten, legde een enkel op een knie en nam nog een slokje van zijn wijn. 'Dat is niet dezelfde situatie. Niemand lijdt vergoedbare schade omdat ze marihuana in uw zaak kochten. Wie zal u vervolgen?'

Maar ze schudde haar hoofd opnieuw. 'Ik maak me er eigenlijk niet zoveel zorgen over dat ik vervolgd word. Ik maak me er zorgen over dat... dat de politie nog eens met me komt praten.'

Ondanks al zijn training, en mogelijk vanwege de terloopse aard van Harlens verzoek aan Hardy om een praatje met zijn zus te maken, werd Hardy even in de verleiding gebracht om haar recht voor z'n raap te vragen of ze haar manager had vermoord. Hoewel hij geen moment dacht dat dit waarschijnlijk was, was het een vraag die je normaal niet stelde, een onuitgesproken regel in de verdedigingswereld. Want als jij, de advocaat, het niet wist, zou je technisch gesproken altijd te goeder trouw handelen bij de verdediging van je cliënt. En natuurlijk zou het er in theorie hoe dan ook niet toe moeten doen. Je besprak het bewijs dat in de rechtszaal aangetoond kon worden. Niet noodzakelijkerwijs de feiten.

Dus zei hij: 'Ik denk dat u zich echt nergens zorgen over hoeft te maken.'

'Ik weet niet of dat waar is.' Ze zag haar wijn op haar schoot staan en bracht het glas naar haar lippen. 'Waarom zou dat waar zijn?'

'Omdat uw rechercheur, Bracco, vroeger Harlens partner bij Moordzaken was. Wist u dat?'

'Oké, maar wat betekent dat?'

'Nou, in de eerste plaats betekent dat in de echte wereld dat Bracco erachter zal komen dat u Harlens zus bent. Harlens aangeboren verlegenheid kennende,' zei hij met ironie, 'weet hij het misschien zelfs nu al. Dus tenzij Bracco zoiets als een rokend pistool in uw hand aantreft, zal hij geneigd zijn om eerst de teugels wat te laten vieren. U bent degene die uw manager heeft verloren, dus bent u ook slachtoffer van deze moord. Bovendien zal Darrel Bracco u vanwege uw connectie met de burgemeester geen problemen willen bezorgen. Deed hij een beetje onaardig tegen u?'

'Een klein beetje.' Ze aarzelde. 'Hij scheen te vinden dat er iets raars was aan het salaris dat ik Dylan betaalde, of iets aan onze relatie, ik weet niet wat. Maar ik voelde me er ongemakkelijk door.'

'Dat hoort zo. Het is een van de dingen die smerissen doen als ze mensen ondervragen. Ze zoeken een zwakke plek en gaan ertegenaan.'

'Maar waarom dacht hij dat het een zwakke plek was?'

'Geen idee. Hoeveel betaalde u hem? Dylan?'

Toen hij het bedrag hoorde, hield Hardy zijn gezicht strak en ademde snel in om zijn verbazing te verbergen. 'Dat is een echt salaris.'

'Ik weet het. Maar hij deed ook echt werk. Hij was goed met de klanten. Ik hoefde er nauwelijks te zijn. Eigenlijk nooit. Ik vond dat hij het waard was.'

'Nou dan, wie bepaalt dat? De zaak is van u.'

'Inderdaad. Maar rechercheur Bracco wilde weten of Dylan en ik sociale omgang met elkaar hadden.'

'En?'

'En ik zei van niet, wat waar is. Maar hij leek dat op de een of andere manier raar te vinden. Ondanks het feit dat Dylan en Jansey hun eigen leven hadden en dat is totaal anders dan dat van Joel en mij.'

'Een heleboel bedrijfseigenaren hebben geen sociale omgang met hun werknemers,' zei Hardy. 'Ik zie niet in waarom Bracco het in uw geval vreemd zou vinden.'

'Misschien omdat ik hem verteld heb dat Dylan en ik studievrienden waren. Dit was natuurlijk in de tijd voordat hij in de gevangenis zat.'

Hardy liet dat even bezinken. 'Ik geloof niet dat ik daar al over heb gehoord.'

Ze schudde haar hoofd. 'Het was een misverstand, een stomme jeugdzonde, noem het zoals u wilt. Hij raakte op de een of andere manier bij een beroving betrokken en werd gepakt. Maar om een lang verhaal kort te maken, toen hij vrijkwam, hoopte ik de winkel op poten te zetten en… hoe dan ook, hij ging voor me werken.'

'Waren jullie goede studievrienden?'

Aarzelend kneep ze haar lippen opeen en keek naar de ramen achter Hardy. 'We waren niet intiem, als u dat bedoelt. We waren vrienden.'

Hardy bracht zijn glas naar zijn mond, nipte en wachtte. Ze had hem nog meer te vertellen en hij wilde haar de ruimte geven. Ze speurde de hoeken van de kamer af, terwijl ze de wirwar van haar gedachten naar Hardy doorseinde. Roerloos gaf hij haar de tijd.

Uiteindelijk ademde ze in en keek ze hem aan. 'Ik neem aan dat ik toen niet precies dezelfde persoon was als ik nu ben.'

'Ik zou denken van niet,' zei Hardy. 'Wanneer was dat? Zo'n tien jaar geleden?'

'Zo ongeveer.'

'U bedoelt dus dat u en Dylan geen vrienden zouden zijn geworden als u hem nu leerde kennen?'

Ze schudde haar hoofd. 'Zeker niet hetzelfde type vrienden.'

'En wat voor type was dat?'

'Nou,' zei ze, 'wij waren een beetje wild, denk ik. Die kliek van ons die elkaar eigenlijk zomaar vond en samen dingen ging doen, feesten. Drinken, lol trappen, u kent het wel.'

Hardy had wel een idee waar ze het over had. 'Dope?'

'Voornamelijk gewoon wiet,' zei ze, 'maar inderdaad. Ook wel eens wat cocaïne, als we dat konden krijgen.' Ze pakte haar wijnglas op en dronk het voor de helft leeg. 'Verdomme, waarom verbloem ik dit voor u, meneer Hardy?'

'Dismas, graag.'

'Goed, Dismas. We probeerden alles wat we te pakken konden krijgen. Wiet, coke, ecstasy, alcohol, paddo's, pillen – uppers of downers of wat dan ook. Het was gek,' ging ze door, 'het was niet zo dat we allemaal de hele tijd stoned waren. Ik bedoel, we hadden colleges en de meesten van ons deden het daar meestal wel goed, denk ik, maar dan kwamen we in de weekends bij elkaar en verknalden we alles min of meer. Het was echt dom.'

'En je bent bang, nu de politie deze dopeconnectie met Dylan heeft, dat alles wat je een hele tijd geleden hebt gedaan weer bovenkomt en je last zal bezorgen?'

Haar dankbare en opgeluchte blik voor zijn begrip deed Hardy beseffen hoe serieus ze dit alles nam. 'Ik wilde echt niet weten dat hij dope via de winkel verkocht, maar als ze erachter komen hoe we in onze studietijd waren, zullen ze mij niet geloven, wat ik ook zeg. Ik weet niet of ik mezélf zou geloven.'

'Het gaat niet om geloof,' zei Hardy. 'Staat er iets in de boeken van de winkel wat de indruk zou kunnen wekken dat je op de een of andere manier van zijn dopehandel profiteerde?'

'Nee. Dat kan niet. Dat deed ik niet.'

Hardy leunde achterover en zweeg bewust even. Het was niet zijn bedoeling feitelijke antwoorden van zijn nieuwe cliënt te krijgen die verband hielden met de feiten van haar schuld of onschuld, maar daar leek deze discussie hen wel naartoe te leiden. Hij trok een – naar hij hoopte – neutraal gezicht. 'Nou, zoals ik eerder al zei, zal Bracco, gezien je connectie met Harlen en de burgemeester, geen diepgaand onderzoek naar je instellen.' En ondanks zichzelf, in een poging haar een greintje troost te geven, brak hij zijn eigen advocatenregel en voegde eraan toe: 'Alleen als hij iets heeft wat jou met de moord op Dylan in verband brengt.'

Ze vatte dit als een vraag op, die ze ontweek, slikte, probeerde te glimlachen, keek hem aan en sloeg vlug haar ogen neer.

Hardy, die wilde opstaan om haar met een figuurlijk klopje op de schouder uit te laten, hield zich plotseling in en ging weer in zijn stoel zitten. 'Is er verder nog iets?'

'Niet echt. Maar ik ben alleen bang dat het zou lijken... Ik zou echt liever niet weer met de politie willen praten. Ook vanwege Joel.'

'Je man?'

Ze knikte. 'Hij kende me toen nog niet. Ik heb hem na die tijd ontmoet. Ik heb me er niet toe kunnen zetten hem er erg veel over te vertellen. Hij denkt... Nou ja, hij zou nooit denken dat ik zo geweest kon zijn als ik vroeger was. Ik denk niet dat hij het gemakkelijk zou accepteren. Wij zijn tenslotte de Townshends. Hij heeft investeerders die daarop rekenen. Er is dus een zeker' – ze zuchtte – 'verwachtingspatroon. Hij heeft altijd gewild dat ik de winkel verkocht, weet je.'

'Waarom?'

'Het was gewoon niet het soort handel waarbij hij zich op zijn gemak voelde. Ik denk dat de hoofdzaak was dat hij Dylan gewoon echt niet mocht, hem niet vertrouwde, niet begreep waarom ik hem aanhield en de zaak niet van de hand wilde doen.'

'Waarom wilde je dat niet? Als je het geld niet nodig had, en ik neem aan dat je dat niet nodig had.'

'Nee. Het ging niet om het geld.' Ze aarzelde, waarna ze er eindelijk mee voor de draad kwam. 'Maar het was mijn eigen winkel. Die gaf me het gevoel dat ik iets bijdroeg. Ik kon mezelf er gewoon nooit van overtuigen dat er een goede reden bestond om de zaak op te geven.' Ze slaakte een zucht van opgekropte frustratie. 'Hoe dan ook, Harlen heeft me verteld dat jij aanwezig kunt zijn als de politie weer met me wil praten, om ervoor te zorgen dat ik niets verkeerds zeg.'

'Dat kan ik doen,' zei Hardy, 'en natuurlijk zal ik dat doen.' Hij boog voorover in zijn stoel en keek haar aan. 'Maar wij weten allebei dat je geen advocaat nodig hebt om de politie te beletten je vragen te stellen over de dolle pret van jou en je studievrienden. En praktisch gesproken zal niemand echt denken dat je een graantje meepikte van Dylans dopehandel. Hoogstens zullen de mensen medelijden met je hebben omdat hij misbruik maakte van je vertrouwen.'

'Je vraagt je dus af waarom ik tegen Harlen heb gezegd dat ik een advocaat nodig had.'

'Dat nooit,' zei Hardy met een glimlachje. 'Iedereen heeft voortdurend een advocaat nodig. Dat is mijn motto. Maar in dit geval, uitgaande van wat je me hebt verteld, misschien niet zozeer.'

'Je denkt niet dat ik je de waarheid vertel,' zei ze.

'Het gaat niet om wat je hebt gezegd, maar misschien om wat je niet hebt gezegd.' Hij wees naar haar handen en zei vriendelijk: 'Dat is een breekbaar glas. Als je nog harder knijpt, moet ik je waarschuwen, zal het breken.'

Ze bleef een poos doodstil zitten terwijl haar ogen glazig werden. Uiteindelijk trok er een lichte huivering door haar lichaam, knipperde ze met haar ogen en viel er een traan op haar wang. 'Dylan belde me de avond ervoor op en zei dat hij me meteen de volgende ochtend moest zien. Dat het een noodgeval was. Dus ging ik erheen.'

'Je bedoelt zaterdagochtend?'

'Ja.' Ze deed haar beide ogen dicht, in een poging haar zelfbeheersing terug te krijgen. 'Ik ging de steeg in en zag hem. Hij was al dood.' Terwijl ze Hardy aankeek, ging ze haastig door. 'Ik wist niet wat ik moest doen, behalve dat ik wist dat ik daar niet wilde zijn. Ik stapte weer in de auto en vertrok. Ik bedoel, ik kon niets voor Dylan doen. Dat was duidelijk. Maar toen de politie mij thuis kwam ondervragen, heb ik hun verteld dat ik naar de mis was geweest, waar ik naderhand ook echt naartoe ben gegaan, behalve dat ik heel laat was, na de communie, en misschien herinnert iemand zich dat. En toen dacht ik: wat als iemand me heeft gezien en mij of mijn auto aan de politie heeft beschreven?'

Hardy liet haar even met haar woorden zitten. Daarna zei hij: 'Wat was het noodgeval?'

'Dat heeft hij niet gezegd. Alleen dat hij me moest zien.'

'En hij kon het niet over de telefoon zeggen?'

'Ik weet het. Ik wist niet wat ik daarmee aan moest – het leek niet echt zinnig – maar het was voor het eerst dat hij me met zo'n bericht opbelde, en ik vond dat ik moest gaan.'

Hardy zette zijn wijnglas op het tafeltje voor hem. Opeens was de situatie serieus geworden. Ze had tegen de politie gelogen over haar alibi voor het tijdstip van een moord. Haar reden om te willen dat hij haar zou vertegenwoordigen in het geval van een tweede ondervraging was niet alleen rationeel meer, maar ook sterk. Gezien het gebrek aan andere waardevolle verdachten, kon dat feit alleen al genoeg zijn om haar voorrang te geven in het politieonderzoek.

Of ze nu politieke connecties had of niet.

'Bovendien...' ging ze door.

Hij wachtte.

'Als ze zijn telefoonregistraties natrekken – en ik denk dat ze dat doen, toch? – zullen ze ontdekken dat hij me heeft gebeld, en daar zullen ze meer over willen weten, toch?'

Hardy haalde zijn schouders op. 'Hij beheerde je winkel. Dat hoeft niet per se bezwarend te zijn.' Hij leunde weer achterover. 'Wat zeg je hiervan? Laat het me meteen weten als Bracco weer belt en dan zullen we zien waar hij over wil praten en beslissen we of we er baat bij zouden hebben als we hem vertelden dat je daar was. Als hij niet belt, vertellen we het niet. Hoe klinkt dat?'

Ze glimlachte beverig. 'Een beetje eng, eigenlijk. Ik wil hier gewoon vanaf zijn. En dat Joel en de kinderen er niet achter hoeven komen hoe ik vroeger was.'

'Ik weet het niet,' zei Hardy, die eindelijk opstond, een van zijn visitekaartjes uit zijn portemonnee haalde en het aan haar overhandigde. 'Mensen verbazen je nu eenmaal. Misschien begrijpen ze het allemaal en dan hoef je je er nooit meer zorgen over te maken. En weet je,' voegde hij eraan toe, 'we hebben allemaal gestudeerd en we waren niet allemaal heiligen. Misschien zelfs Joel niet.'

Hoofdschuddend zei ze: 'Je kent hem niet.' Ze was ook opgestaan en liep nu naar zijn bureau, terwijl ze haar eigen portemonnee uit haar tasje haalde. 'Ik ben bang dat Harlen niet gezegd heeft wat dit zou kosten. Stuur je me een rekening of betaal ik nu?'

'Wat je maar wilt,' zei Hardy, die in dit geval bereid was een van de hoofdregels van het verdedigingsrecht te breken, namelijk je geld vooraf krijgen. Maar Maya was Harlens zus en hij dacht dat enige professionele hoffelijkheid niet ongeoorloofd zou zijn. Hij liep naar de dossierla achter zijn bureau, haalde zijn standaardcontract eruit en overhandigde het aan haar.

Ze las het snel door. 'Hoe klinkt drieduizend als voorschot?' vroeg ze, terwijl ze haar chequeboekje opende.

'Dan krijg je waarschijnlijk een deel terug als dit voorbij is,' zei hij.

Ze gaf hem de cheque, en daarna stonden ze tegenover elkaar bij de deur van het kantoor. 'Het is dus in orde. Mag ik je bellen?' vroeg ze.

'Op elk tijdstip van de dag of nacht.' Hij wees op het kaartje. 'Alle nummers die ik heb.'

Er verscheen opnieuw een dankbare blik in haar ogen. 'Bedankt,' zei ze.

En hij deed de deur open om haar uit te laten.

Zo'n twintig minuten later nam Hardy de telefoon op zijn bureau op. 'Yo.'

'Ook yo.' De stem van zijn partner Wes Farrell. 'Wat doe je?'

'Wanneer?'

'Op dit moment.'

'Vele dingen tegelijk,' zei Hardy. 'Ademen, met jou praten, de cijfers van onze getalenteerde pool van vennoten voor het derde kwartaal uitrekenen. Hoezo?'

'Omdat ik me afvroeg of je misschien even tijd hebt.'

'Ben je boven?' Wes werkte in zijn eentje op de derde verdieping, één etage hoger, in een kantoor dat ooit in een andere wereld van Hardy was geweest. 'Je kunt altijd gewoon naar beneden komen zoals je meestal doet.'

'Dat kan, maar dan zou ik door de Phyllis-test moeten komen en ik weet niet of ik dat aankan.' Hardy hoorde iets in zijn stem. Wes was bijna altijd opgewekt, maar nu niet. 'Als ik je echt niet stoor bij iets belangrijks, wil je dan even bovenkomen?'

'Tuurlijk,' zei Hardy. 'Ik kom eraan.'

Toen hij langs de receptie liep, trok Phyllis haar wenkbrauwen op en probeerde een glimlach te tonen, die niettemin op de een of andere manier beschuldigend leek. Hardy wees omhoog. 'Ik ga gewoon even naar Wes,' legde hij uit. 'Firmazaken.'

Dit was het wachtwoord, wist hij. Hardy deed wat zij vond dat hij hoorde te doen, namelijk de firma leiden. Phyllis vereerde hem met een goedkeurende knik en draaide zich weer naar haar schakelbord om. In de loop der jaren had Hardy een vage, zuinige genegenheid voor zijn receptioniste/secretaresse ontwikkeld, maar terwijl hij de trap aan het einde van de hal op liep, vroeg hij zich af hoe bedroefd hij eigenlijk zou zijn als ze, laten we zeggen, genadig en snel werd geëxecuteerd door een grote vrachtwagen die door een rood stoplicht reed.

Farrells deur, versierd met linkse bumperstickers, stond wijd open en Hardy klopte één keer voordat hij over de drempel stapte. In het kantoor was maar heel weinig te merken van het juridische werk dat Farrell daar vermoedelijk verrichtte. Geen bureau, geen dossiers, alleen twee banken, een koffietafel, een paar willekeurige gemakkelijke stoelen, een flatscreen-tv aan een zijmuur, een schuimrubberen basketbalring aan een andere zijmuur, een bibliotheektafel met nog meer functionele houten stoelen die er slordig omheen stonden. Een van de stoelen lag op dat moment op zijn kant.

Gert, zijn hond, lag in een hoek te slapen.

In een andere hoek bij een van de ramen had Farrell een moderne computer die hij nooit uitzette, en daar zat hij nu bij, hoewel hij de andere kant op keek, in de richting van Hardy toen hij binnenkwam. Zoals gewoonlijk wanneer hij niet naar de rechtszaal ging, was Wes niet echt succesvol gekleed. Vandaag droeg hij een gekreukte taankleurige Docker-broek en brogues die sinds Watergate niet meer gepoetst waren. En natuurlijk droeg hij een T-shirt, waarvoor Hardy vandaag meer dan de gebruikelijke vluchtige blik nodig had: 'Haiku's zijn simpel. / Maar soms slaan ze nergens op. / Koelkast diepvriezer.'

Hardy moest glimlachen, terwijl hij ernaar wees en zei: 'Dat is misschien wel een van de beste.'

Farrell keek omlaag. 'Ja. Ik dacht dat ik Sam aan het lachen zou maken, maar nee.'

'Alles goed met jullie?'

De schouders gingen omhoog en weer omlaag. 'We zullen het waarschijnlijk wel bijleggen. Dat hoop ik.'

'Wat?'

'Die stomme ruzie. Of misschien niet zo stom als we daardoor echt uit elkaar gaan. Waar wel een kans op bestaat, begin ik zo te denken.'

'Waarover?'

Farrell rolde met zijn ogen. Hij zakte in elkaar in zijn ergonomische stoel. Zijn dikke bruinachtig-grijze haar viel op zijn schouders. Hardy vond dat hij er zo'n twintig jaar ouder uitzag dan hij was. 'Ze vindt dat ik me niet genoeg om de daklozen bekommer.'

'Wat is er met de daklozen?'

'We mogen ze niet vertellen dat het goed is om hier te komen en ze dan naar opvanghuizen en dat soort dingen beginnen te sturen. We moeten ze als individuen respecteren. Jezus. Zo is het in elk geval begonnen. Nu gaat het er alleen maar om dat ze niet zeker weet of ze mij echt kent en of ze nog steeds bij me wil zijn.'

Normaal gesproken zou Hardy gevraagd hebben waarom ze sowieso bij hem wilde zijn, maar dit was niet het juiste moment. Dus vroeg hij: 'Waarom, precies?'

'Ik denk dat ik in de laatste ruzie het woord "zwerver" of misschien "schooier" heb gebruikt. Of misschien allebei. Waarschijnlijk allebei, mij kennende wanneer ik ruziemaak. Hoe dan ook, op de een of andere manier heb ik blijk gegeven van mijn ongeneeslijke ongevoeligheid voor de toestand van...' Hij maakte kleine cirkelende handgebaren. 'Et cetera, et cetera.' Farrell slaakte een lange zucht. 'Ik weet niet waar ik het over heb, Diz. En dat is het trouwens niet waar ik je over wilde spreken.'

Hardy zette de gevallen houten stoel overeind en ging erop zitten. 'Ik luister, maar ik hoop dat je me niet gaat vertellen dat je ermee kapt, omdat Glitsky me net heeft verteld dat hij ermee kapt en als jullie er allebei op dezelfde dag mee stoppen, zal ik het gevoel krijgen dat al mijn vrienden oud zijn, wat zou betekenen dat ik oud ben, en dat zou deprimerend zijn.'

Farrells hoofd richtte zich op. 'Kapt Glitsky ermee?'

'Misschien niet,' zei Hardy. 'Misschien heb ik het hem uit z'n hoofd gepraat. Waarschijnlijk meende hij het niet eens. Hij maakt een slechte periode door.'

'Misschien moeten we een club oprichten.'

'Je wilt niet bij zijn club horen. Zijn zoon ligt met hoofdletsel in het ziekenhuis.'

'Shit. Hoe erg?'

'Behoorlijk erg, maar hij leeft tenminste nog. Voorlopig.' Hardy slaakte ook een zucht en staarde zijn partner aan. 'Dus. Waar wil je over praten?'

Farrell boog voorover, met zijn ellebogen op zijn knieën en zijn handen stijf ineengeslagen. 'Vlak bij mijn huis staat een koffiezaak,' zei hij. 'Bay Beans West, misschien heb je er dit weekend over gelezen. De manager, ene Dylan Vogler, werd zaterdag doodgeschoten. Sam heeft het lijk gevonden. Nou, ik werd net op mijn mobieltje gebeld door Debra Schiff, ken je haar?'

'Zeker.' Hardy knikte. 'Moordzaken. Waarom belde ze jou?'

Farrell liet zijn hoofd even hangen. 'Omdat Vogler wiet vanuit de winkel verkocht, en hij had kennelijk een lijst van zijn vaste klanten in zijn computer thuis.' Hij sloeg zijn gekwelde ogen op. 'Het zal uitlekken, Diz. Verdomme, het is vast al uitgelekt. Wat ik me afvraag is of jij het in het belang van de firma beter zou vinden als ik ontslag nam.'

9

Schiff kon de voor haar gevoel cruciale verspreking van Maya Townshend niet loslaten: 'er is geen echte reden om de zaak te houden'. Hoewel het weinig om het lijf had, vond ze het de moeite waard om zich ermee bezig te houden. Bracco en zij spraken echter af dat ze eerst ergens anders konden gaan hengelen, voordat ze desnoods terugkwamen en Maya nader aan de tand voelden.

Met dit doel zaten ze halverwege de middag, met een stuk of tien andere mensen in de winkel, in de buurt van het bakkersproductengedeelte van BBW bij Eugenio Ruiz, die een van de assistent-managers onder Vogler was geweest, en die de zaak deze dinsdagochtend had geopend en momenteel als manager fungeerde.

Eugenio was begin twintig, klein, pezig en fijnbesnaard. Hij droeg zijn dikke zwarte haar in een paardenstaart en had een donkere baardgroei van een paar dagen die de acnelittekens bedekte. Vandaag droeg hij een zwarte sportpantalon, sandalen, een detonerend roze overhemd en een vest dat eruitzag alsof het uit Zuid-Amerika kwam. In zijn rechteroorlel glinsterde een diamant. Hoewel hij niet knap was – niet met de vooruitstekende, kromme neus en de gouden voortand – had hij een zelfvertrouwen en een oprechte warmte waardoor hij volgens Schiff enige aantrekkingskracht kreeg.

Ze moest dat feit op de een of andere manier onbedoeld kenbaar hebben gemaakt, want hoewel ze minstens tien jaar ouder was dan hij, was hij haar beslist aan het verleiden. 'Ze is oké,' zei hij over zijn bazin Maya Townshend, 'best aardig, maar niet zo knap, laten we zeggen, als u.'

Schiff deed haar best om niet alleen het commentaar, maar ook Bracco's spottende lachje te negeren. 'Maar eigenlijk heb je niet zo vaak met haar gepraat?' vroeg ze.

'Nee. Het langste gesprek dat ik ooit met haar heb gevoerd, eigenlijk, was gisteren toen ze me vroeg of ik de zaak een tijdje wilde overnemen totdat ze een nieuwe manager kon krijgen. Ik zei tegen haar dat ik de eerste wilde zijn die officieel zou solliciteren, en ze zei dat ze dat waardeerde, dat ze het in gedachten zou houden.'

'Ze is dus van plan om de zaak open te houden?' vroeg Bracco.

'Dat hoop ik. Ik heb niet gehoord van niet. Hoezo? U wel?'

Maar Schiff de smeris was er om vragen te stellen, niet om ze te beantwoorden. 'Hoe zou je de relatie van mevrouw Townshend met Dylan typeren?'

'Hoe bedoelt u?'

'Ik bedoel, hoe gingen ze met elkaar om? Als vrienden? Of meer als baas en werknemer?'

Eugenio krabde aan zijn mondhoek, terwijl er een glimlach om zijn lippen speelde. 'Baas en werknemer, maar misschien niet op de manier zoals u denkt.'

'Wij denken op geen enkele manier,' zei Bracco. 'Daarom vragen we het jou.'

Schiff wierp haar partner een afkeurende blik toe en richtte zich met een zachtere aanpak weer tot de getuige. 'Wat probeer je te zeggen, Eugenio?'

'Nou, alleen dat als je het niet wist en je ze samen zag, je niet zou denken dat zij de baas was.'

'Zou je denken dat hij dat was?'

'De meeste mensen, denk ik, ja.' Hij haalde vlug even zijn schouders op. 'Toen ik hier begon, was ze de eerste keer dat ik haar zag in het kantoor bezig met de boekhouding of zo en buiten was het een heksenketel – ik bedoel, we hadden een rij tot buiten de deur en iedereen werkte in de hoogste versnelling. Dus ze komt naar de kantoordeur en roept Dylan en hij neemt de bestellingen op en doet zijn dingen en hij wuift haar gewoon weg, hij heeft geen tijd. Maakt een grapje over accountants terwijl wij onze eigen bonen moeten doppen – vat u 'm, koffiebonen...'

'Ik vat 'm,' antwoordde Schiff met een stalen gezicht.

'Ja, dus, hoe dan ook, de hele tijd zit ze in het kantoor en als ze dan eindelijk klaar is gaat ze gewoon weg zonder een woord tegen iemand anders te zeggen. En als het eindelijk rustiger wordt, vraag ik: "Wie was dat, onze accountant?" en Dylan lacht zich haast een breuk. "Dat," zegt hij, "is de eigenaar. Maar ik," zegt hij met die Godfather-stem die hij kon nadoen, "ik ben de baas, vergeet dat niet." Maar niet echt serieus. Zo praatte hij nu eenmaal, meer niet. Hij kon grappig zijn wanneer hij die stem opzette.'

'Hij was dus een goede baas?'

'Absoluut.'

'Wist je dat hij van hieruit marihuana verkocht?'

Ruiz keek vlug van Schiff naar Bracco en terug. 'Nee,' zei hij. 'Geen idee.'

'Heb je ooit iets van hem gekocht?' vroeg Bracco.

'Geen sprake van, man. Ik doe niet aan drugs.' Een glimlach naar Schiff. 'Behalve cafeïne, natuurlijk.'

Omdat Ruiz' naam niet in Voglers computer voorkwam, was Schiff bereid niet verder op dit antwoord door te gaan. Het kon zelfs wel waar zijn. 'Laten we teruggaan naar Dylan en mevrouw Townshend, als dat kan. Behandelde hij haar altijd alsof hij de baas was, en niet andersom?'

'Meestal wel.'

'En hoe vatte ze dat op?'

'Ik denk voornamelijk... ik bedoel, ik weet het niet zeker... maar als u het mij vraagt kwam ze daarom niet zo vaak op de zaak. Ze was nogal zenuwachtig. Ik denk niet dat ze elkaar echt mochten.'

Schiff zei tegen hem dat Maya hun had verteld dat zij en Dylan goed met elkaar konden opschieten.

Zijn ogen gingen beurtelings naar beide rechercheurs. 'Nou, ik wil haar niet in de problemen brengen. Ze lijkt best wel een aardige dame. Misschien zagen ze elkaar buiten het werk.'

'Nee,' zei Bracco. 'Maar ze heeft ons wel verteld dat nu Dylan dood is, er geen reden meer voor haar is om de winkel open te houden. Heb je enig idee wat ze daarmee bedoelde?'

De jongeman schudde zijn hoofd. 'Ze heeft mij niet verteld dat ze de winkel ging sluiten. Ik weet niet waarom ze dat zou doen. De zaken gaan geweldig. Dat slaat gewoon nergens op.'

Op de passagiersstoel van hun auto, vlak na het gesprek met Eugenio Ruiz, hing Bracco zijn mobiele telefoon op. 'Nou, dat is interessant.'

'Wat?'

'Raad eens wie de geregistreerde eigenaar van ons vermoedelijke moordwapen is? Ik zal je een hint geven. Het schijnt dat ze niet zo knap is als sommige mannen jou vinden.'

'Heb je dat opgevangen?'

'Ik ben een getrainde speurder. Er ontgaat me niets.'

'Wil je weer langsgaan om gedag te zeggen?'

'Ik zat te denken dat we dat misschien maar moeten doen.'

Ontzet door de bekentenis van Wes Farrell dat hij een van Dylan Voglers marihuanaklanten was, en nog steeds dodelijk ongerust over de Glitsky's en het lot van Zachary, kon Hardy zich niet concentreren op de cijfers van zijn ondergeschikte vennoten. Dus besloot hij vroeg te stoppen met werken en onderweg naar huis een uurtje vertroosting te zoeken in het gezelschap van zijn zwager Moses McGuire, die achter de toog van de Little Shamrock zou staan, de bar waarvan ze samen eigenaar waren in Lincoln Street bij 9th Avenue.

Hij had net een fantastische parkeerplaats om de hoek op 10th Avenue gevonden en reed deze in toen zijn mobiele telefoon rinkelde – zijn meest recente cliënt belde in paniek om hem te vertellen dat de politie weer voor haar deur stond en ze wist niet wat ze moest doen. Het werd al laat en de kinderen liepen haar voor de voeten en Joel zou ook gauw thuiskomen.

'Waar zijn ze nu?' vroeg Hardy. 'De smerissen?'

'Nog steeds buiten op de veranda. Ik heb tegen hen gezegd dat ik met mijn advocaat moest praten voordat ik hen kon binnenlaten en ze weer met me konden praten, en rechercheur Bracco zei dat dat prima was, maar dat ik moest weten dat ze het vermeende moordwapen hebben geïndentificeerd en erachter zijn gekomen dat het van mij was. Ik bedoel, geregistreerd op mijn naam.'

'Is dat waar?'

'Dat weet ik niet. Het zou kunnen, denk ik. Ik heb een vuurwapen dat ik een hele tijd geleden heb gekocht in de winkel achtergelaten, maar ik heb het in geen jaren meer gezien. Ik wist niet meer dat het daar lag, maar het zal dan wel. Hoe dan ook, ze zeiden dat ik misschien maar meteen ter plekke met hen moest praten als ik niet wilde dat ik naar het bureau moest komen.'

'Dat is bluf,' zei Hardy. 'Zonder een bevel kunnen ze je nergens mee naartoe nemen waar je niet naartoe wilt gaan. En ze kunnen je in geen enkel geval dwingen met hen te praten. Hebben ze een bevel?'

'Dat denk ik niet. Dat hebben ze niet gezegd.'

'Staan ze nog steeds buiten?'

'Ja. Ik bedoel, het is maar...' Hij hoorde haar op een afstandje van de telefoon praten. 'Dat is goed, schat, mammie is alleen maar...' Hij miste de rest ervan, en opeens praatte ze weer met hem. 'Het spijt me, waar waren we?'

'Zijn Bracco en Schiff er nog?'

'Dat denk ik wel.' Een korte stilte. 'Ja, ze staan buiten te praten.'

'Kan ik rechercheur Bracco even spreken, alsjeblieft?'

'Tuurlijk, als je denkt... Wacht even.'
'Met Darrel Bracco. Met wie spreek ik?'
'Darrel, met Dismas Hardy. Hoe gaat het?'
'Prima, misschien een beetje koud buiten in de mist, maar oké. Misschien kan ik gedachten lezen, maar is mevrouw Townshend uw cliënt?'
'Inderdaad. Ik kan daar over een kwartier zijn. Hoe klinkt dat?'
'Eerlijk gezegd, meneer, klinkt het alsof ze een advocaat in de arm heeft genomen.'
'Het recht van iedere burger, Darrel.'
'Zonder twijfel, meneer, zonder twijfel. Hoewel een smeris soms aarzelt, zoals u weet.'
Hardy wist het maar al te goed. 'Een enkele keer moet dat,' zei hij. 'Maar ik denk niet dat dit een van die keren is. Hoewel ik je eerlijk zal zeggen dat ik niet weet hoeveel ik mijn cliënt tegen je zal laten zeggen totdat ik een kans heb gekregen om nog wat meer met haar te praten. Misschien niet veel.'
'Waarom ben ik niet geschokt?'
'Ervaring, Darrel. Dat is iets moois. Mag ik weer met mevrouw Townshend praten?'
'Klinkt alsof u op dit moment de touwtjes hier in handen hebt. Hier is ze.'
'Maya,' zei Hardy, 'vraag de rechercheurs maar om binnen te komen. Ik kom eraan. Denk erom: beantwoord geen vragen totdat ik er ben. Is het wapen echt van jou?'
'Zou kunnen. Als ze dat zeggen, hebben ze vast gelijk.'
Hardy vroeg zich af waarom ze zich dat detail niet in hun eerdere gesprek had kunnen herinneren, maar dit was niet het moment om dat ter sprake te brengen.
'Maar hoe zit het met Joel?' vroeg ze.
'Hoezo?'
'Hij komt straks thuis. Ik bedoel, misschien kunnen we elkaar later ergens anders treffen. Jij en ik en die lui.'
'Dat kunnen we doen,' zei Hardy op vlakke toon. 'Hoe laat komt je man thuis?'
'Een uur of zes. Halfzeven. Meestal. Maar soms niet. Het is moeilijk te voorspellen.'
Hardy wachtte even, keek op zijn horloge. 'Het is nu even over vieren. Ik weet zeker dat we dit om vijf uur helemaal opgehelderd kunnen hebben als ik meteen langskom.'

'Maar als Joel vroeg thuiskomt...'

'Het zal je hoe dan ook veel moeite kosten om dit voor hem te verbergen. Misschien wil je er nu al vanaf zijn. Maar ondertussen zal ik er in een wip zijn.'

'Of nog vlugger als dat kan,' zei ze.

Toen Joel Townshend de woonkamer binnenkwam en de twee onbekende gasten zag – een man en een vrouw – bleef hij staan. Hij keek zijn vrouw, die met hen zat te babbelen, vragend aan.

Ze had zich omgedraaid en nu stond ze op, terwijl ze haar handen zenuwachtig aan haar rok afveegde. 'O, Joel. Je bent vroeg.' Met een gezicht waarop de zorgen stonden te lezen liep ze naar hem toe, kuste hem op de wang en draaide zich om om het duo voor te stellen, dat samen van de bank opstond. 'Dit zijn rechercheurs Bracco en Schiff. Zij hebben een paar vragen over Dylan en BBW.'

Joel toonde een verwelkomende glimlach, deed een paar stappen naar voren en schudde hun de hand. Hij was vijfendertig, lang en slank, had gemillimeterd bruin haar en etaleerde een ongedwongen, nonchalante stijl die slechts lichtjes werd gelogenstraft door het perfect op maat gesneden bruine pak, het lichtgele overhemd en de bruin-goudkleurige das.

Eigenlijk gaf hij geen signaal dat deze onverwachte gasten hem op enige manier irriteerden. Ze waren gasten in zijn huis, en hij was hun gastheer. Punt uit. 'Gaat u alstublieft weer zitten,' zei hij. 'Ik wilde u niet storen.'

'Dat zit wel goed,' antwoordde Debra Schiff. 'U stoort helemaal niet. We zitten toch op uw advocaat te wachten.'

Joels gezicht betrok van verwarring. 'Mijn advocaat?'

'Eigenlijk de mijne.' Maya pakte de hand van haar man, keek hem nu aan en kapte elke verdere respons af. Ze voegde eraan toe: 'Een vriend van Harlen. Hij vond dat we een advocaat moesten hebben als we met de politie over een moord gaan praten.'

Joel maakte een afwijzend gebaar en schudde zijn hoofd op een verbaasd komische manier. 'Dat is belachelijk. Je weet dat ik dol ben op je broer, My, maar soms heeft hij iets te veel gevoel voor drama, vind je niet? Ik geloof nauwelijks dat we een advocaat nodig hebben om deze mensen de eenvoudige waarheid te vertellen, toch? Jij had helemaal niets met Dylans dood te maken.'

'Nee, maar...'

'Nou dan? En nu laten we hen hier wachten op hun drukke dag. En waarvoor?'

'Nou, Harlen dacht...' Ze probeerde een verzoenende glimlach te tonen. 'Meneer Hardy komt hier toch zo meteen. Hij vond het de moeite waard dat ik hem belde en hem vroeg om langs te komen.'

Enigszins theatraal sloeg Joel zijn ogen naar het plafond op. 'Ja, natuurlijk vond hij dat. Je vraagt een monteur of hij vindt dat je remmen nagekeken moeten worden. Raad eens wat er negenennegentig van de honderd keer gebeurt? Je remmen worden nagekeken. Overal nieuwe remblokken, meer remvloeistof en niet te zuinig ook, misschien de banden balanceren als hij toch bezig is. O, en tussen haakjes, dat wordt dan vijfhonderd dollar.' Hij keek naar de rechercheurs. 'Heb ik gelijk?'

Bracco verborg zijn waardering voor deze respons niet helemaal succesvol. Maar hij hield zich op de vlakte. 'Wij worden niet aangemoedigd om tegen te spreken wanneer burgers zeggen dat ze hun advocaat willen, meneer,' zei hij. 'Maar ik denk dat het redelijk is te zeggen dat er waarschijnlijk te vaak een beroep op hen wordt gedaan, vooral in situaties als deze, waarin uw vrouw geen verdachte is.'

'Nou,' zei Joel, 'haar broer is nu een belangrijke stadstoezichthouder en als hij domme ideeën krijgt, zegt niemand daar ooit wat van.'

'Ik ken Harlen behoorlijk goed, meneer,' zei Bracco. 'Ik was zijn partner toen hij nog smeris was.' Nu toonde hij een brede grijns. 'De ambitie maakt hem een beetje voorzichtig.'

'Ziet u wel,' zei Joel. 'Buitensporige voorzichtheid. Soms is het gewoon onnodig.' Hij gaf een zelfverzekerd kneepje in Maya's hand, die hij nog steeds vasthield. 'Mijn vrouw zal vast graag met u willen praten. Wat wilt u weten?'

'Joel.' Maya kneep nu hard, afwerend, in zijn hand.

'My, toch! Kom op. Dit is dwaas.'

En de deurbel ging.

'Daar is hij.' Met een sprong liet Maya de hand van haar man los en rende naar de deur.

Townshend keek haar even na, waarna hij zich weer naar de rechercheurs omdraaide en zijn schouders met enige overdrijving ophaalde. 'Fantastisch,' zei hij.

Hardy, die hooguit koel werd ontvangen door zowel de rechercheurs als de echtgenoot, maakte de zaken er niet beter op toen hij, meteen nadat ze aan elkaar waren voorgeteld, Maya vroeg of hij haar alleen kon spreken, of met haar man erbij als ze dat wilde.

'Ik denk niet dat we dat hoeven te doen,' zei Joel. 'Maya heeft niets te verbergen. Ze kan alles zeggen waar ze behoefte aan heeft in het bijzijn van mij en deze rechercheurs.'

'Absoluut,' zei Hardy. 'Als ze wil, kan ze dat natuurlijk. Maya? Jij beslist.'

Ze bleven een poosje roerloos staan, totdat zij zich eindelijk naar Hardy omdraaide en zei: 'Misschien moet Joel maar met ons meekomen.'

Na zijn aanvankelijk verbaasde blik keek Joel de smerissen weer aan met een verontschuldigend schouderophalen en zei vervolgens kortaf tegen Hardy en Maya: 'Goed. Laten we dan maar gaan.'

Maya leidde het groepje van drie naar een werkkamer aan de voorkant van het huis – flatscreen-tv, boekenplanken, open haard. Nadat de deur dicht was gedaan, bleven ze staan omdat Joel niemand tijd gunde om te gaan zitten voordat hij min of meer ontplofte, hoewel hij zijn stem onder controle hield. 'Maya, wil je mij vertellen waar dit over gaat?'

Ze wierp een blik op Hardy – en weer leverde dit haar duidelijk geen punten op bij haar man – knikte en ademde in. 'Meneer Hardy weet dat ik zaterdagochtend naar BBW ben gegaan en het lijk zag, en toen bang werd en wegreed zonder de politie te bellen.'

Joels mond verstrakte. 'Ben je zaterdagochtend naar BBW gegaan? Waarom?'

'Omdat Dylan me vrijdagavond belde en zei dat hij me meteen moest zien, dat het een noodgeval was.'

'Wat voor soort noodgeval?'

'Dat heeft hij niet gezegd.'

'Maar je bent gegaan?'

'Ja. Ik ben gegaan. Maar het echte probleem, vraag meneer Hardy maar, is dat ik de eerste keer dat ik met die mensen praatte daar niets over heb gezegd. Ik heb hun verteld dat ik naar de mis ben gegaan.'

'De eerste keer dat je met wie praatte? Die rechercheurs daar? Is dit niet de eerste keer?'

Hardy kreeg eindelijk het gevoel dat hij zich in het gesprek kon mengen. 'Ze hebben gisterochtend met uw vrouw gepraat.'

Joel kon zijn ogen niet van zijn vrouw afhouden. 'Waarom heb je me niet verteld dat je met hen hebt gepraat? En hun niet de waarheid hebt verteld?'

'Dat weet ik niet, Joel. Dat weet ik niet. Ik raakte in paniek. Ik was bang, of voelde me opgelaten, of zoiets. Ik dacht dat je kwaad op mij zou zijn omdat ik hierin verzeild ben geraakt, omdat ik jou erbij betrokken heb.' Ze had haar armen op haar boezem over elkaar geslagen, zodat ze uitdagender overkwam dan haar woorden aangaven. 'Waar het om gaat is dat ik het je nu vertel. Ik weet niet wat ik op dít moment zou moeten doen. En je moet trouwens weten, Joel, dat het vuurwapen waarvan ze denken dat het waarschijnlijk het moordwapen is, het pistool is dat ik daar heb achtergelaten toen ik de zaak opende, zo'n tien jaar geleden, en op mijn naam geregistreerd staat.' Ze keek van de ene man naar de andere. 'En voor het geval jullie dat denken, als ik Dylan zou hebben doodgeschoten, wat ik nooit zou doen, punt uit, zou ik nooit zo stom zijn geweest om het ergens neer te gooien waar de politie het kon vinden.'

Een poosje zei niemand iets. Tussen man en vrouw werden blikken gewisseld. Hardy, die het zag, hield zich erbuiten totdat hij weer het gevoel kreeg dat hij gehoord zou worden. 'Wat je nu meteen moet doen, naar mijn mening, Maya, is naar buiten gaan en de rechercheurs de waarheid vertellen. Zoals je man heeft gezegd. Als je dat niet doet, en als iemand jou zaterdagochtend in de steeg heeft gezien, zal het er veel slechter uitzien en veel moeilijker uit te leggen zijn. Wat het vuurwapen betreft, dat was van jou. Nou en? Als je het in de winkel bewaarde, wist Dylan er ongetwijfeld van en had hij het waarschijnlijk illegaal bij zich ter bescherming wanneer hij de wiet verhandelde.'

'Welke wiet?'

Maya schudde haar hoofd uit woede en frustratie. Binnensmonds zei ze: 'O, jezus!'

'Dylan verkocht marihuana vanuit de winkel van uw vrouw,' zei Hardy op zo neutraal mogelijke toon. 'Ik weet niet waarom het nog niet in de kranten heeft gestaan. De politie weet dit de hele tijd al.'

'Wat bijzonder voor hen,' zei Joel. Hij was nu duidelijk ziedend en zei bijna fluisterend: 'Hoe lang wilde je dit allemaal voor me verborgen houden, Maya? Wat betekent dit? Ik dacht dat we met elkaar praatten?'

'Dat doen we ook.'

'Maar niet zoveel, zoals blijkt.' Eindelijk richtte Joel zijn aandacht op Hardy. 'U stelt dus voor dat wij naar buiten gaan en deze mensen vertellen dat mijn vrouw tegen hen heeft gelogen, is dat het?'

'Iets achterwege gelaten,' zei Hardy. 'Niet gelogen. Dan beginnen we tenminste met een schone lei.'

'Maar Maya was kennelijk een paar minuten na de moord op de plaats delict.'

'Dat klopt. Feitelijk was ze daar.'

Nu wendde Joel zich weer tot haar. 'En je weet niet wat het noodgeval was?'

'Nee.'

'Geen idee?'

'Nee, Joel, echt niet.'

Hier nam haar steeds woedender wordende man geen genoegen mee. Hij bleef haar bestoken. 'Dus de situatie hier, verbeter me als ik het fout heb, is dat Dylan jou vrijdagavond belde en zei dat hij je meteen de volgende ochtend moest zien, en jij liet alles schieten en stond om halfzes op, loog tegen mij en de kinderen over de mis...'

'Maar ik ben echt naar de mis gegaan, na...'

Joel wuifde dat weg. 'Nadat je eerst naar Dylan toe was gegaan, om een of andere reden die hij je niet eens wilde vertellen. Verwacht je dat ik dat geloof?'

Er glinsterden tranen in Maya's ogen. 'Dat is er gebeurd, Joel. Dat is precies wat er is gebeurd.'

'Die etter belt jou, geeft je niet eens een reden, en jij rent erheen, en nu zitten er smerissen in onze woonkamer en je advocaat hier zegt dat we hun de waarheid moeten vertellen, alleen de waarheid houdt in dat jij de vermoorde man gaat bezoeken op zo ongeveer het tijdstip dat hij werd vermoord, en in wezen zonder reden.' Hij richtte zich tot Hardy. 'Hoe kunnen we hun vertellen dat ze daarheen ging als we hun niet kunnen vertellen waarom? Kunt u mij daar een antwoord op geven?'

'Hou het simpel. Hij vroeg het haar, dat is alles. Een probleem met de zaak, een beslissing die ze persoonlijk moest nemen.' Hardy hield zich kalm. 'Maya dacht vast dat het een kort onderhoud zou worden en dat ze daarna tijd zou hebben om naar de mis te gaan. Is het niet zo, Maya?'

Hardy had haar het antwoord gegeven en was blij dat ze het aanvaardde. 'Zo is het precies, Joel. Ik dacht niet dat het iets heel belangrijks was. Ik hield niets voor jou verborgen. Het was gewoon een zakelijk probleempje waarvan ik dacht dat ik het net als een miljoen andere problemen kon oplossen.'

Er viel opnieuw een stilte, die uiteindelijk werd doorbroken toen Joel aan Hardy vroeg: 'Denkt u echt dat dit zal lukken?'

'Het is de waarheid,' zei Hardy. 'Tenslotte duurt eerlijk nog steeds het langst.'

Man en vrouw staarden elkaar een poosje aan. Maya pakte Joels hand. 'Daarmee zou de kous af moeten zijn,' zei ze.

'Eigenlijk niet,' zei Joel, terwijl hij zijn hand uit die van zijn vrouw losmaakte. 'Jij en ik gaan een gesprek voeren.'

'Dat kunnen we doen.' Ze keek naar Hardy. 'Laten we het hun ondertussen gaan vertellen,' zei ze.

Hij knikte nuchter. 'Goed,' zei hij. 'Maar laat mij het woord voeren.'

Om halfelf die avond wierp Hardy de op een na laatste pijl van zijn beurt in de bar Little Shamrock en die belandde buiten de dubbel elf. Hij beëindigde het spel met een worp die midden in de roos terechtkwam. Hij speelde '301' en was uitgelopen op zijn tegenstander, Wyatt Hunt, door zijn laatste acht worpen achter elkaar raak te gooien, een heel aardige reeks.

En dit werd niet echt gewaardeerd door Hunt, de privédetective van zijn firma, die hem nu niet alleen de rekening voor de drie biertjes die ze elk tijdens het minitoernooi hadden geconsumeerd verschuldigd was, maar ook de extra honderd dollar die ze in de pot hadden gedaan. Meteen na Hardy's winnende worp overhandigde Hunt hem het geld en stelde voor om voor dubbel of niets te gaan.

'Dat levert minder op dan de inzet, Wyatt, zoals je heel goed weet.' Hardy pakte het biljet aan en stopte het in zijn portemonnee. 'Maar ik trakteer je op een troostdrankje om de pijn van de nederlaag te lenigen.'

'"Lenigen" is een mooi advocatenwoord,' zei Hunt. 'Je hoort mensen niet iedere dag "lenigen" zeggen.'

'Nee, inderdaad, dat is zo,' antwoordde Hardy. 'En toch is het soms de perfecte keuze, *le mot juste*, zoals Hemingway zou hebben gezegd.'

'Of ik als ik Frans sprak.'

De privédetective was zo'n een meter achtentachtig lang en vijfennegentig kilo zwaar, een atletische hengst die uit ongeveer evenveel kraakbeen als testosteron bestond. Als je op een lelijke manier knap kon zijn, was hij dat volgens Hardy. Hij was in pleeggezinnen opgegroeid, had in Irak I gediend en had vervolgens een jaar of tien bij de Kinderbescherming gewerkt, waar hij kinderen uit een verkeerde omgeving bij hun ouder of ouders weghaalde; nogal ondankbaar werk. Nu leidde hij sinds zeven of acht jaar een privédetectivebureau dat de Hunt Club heette, en Hardy's firma maakte daar bijna uitsluitend gebruik van.

Wyatt liep voorop toen de twee mannen van het dartgedeelte naar de nauwe ruimte van de eigenlijke bar verkasten, waar het die avond betrekkelijk rustig was. Er stonden twee vrije krukken voor de tappen, en daar namen ze plaats. 'Dat was een ongehoorde serie worpen, weet je.'

'Dat geef ik toe. Ik zou het vast niet nog een keer kunnen. Hoewel je moet bedenken dat een vent die een bord aan de muur van zijn kantoor en zijn eigen, speciaal voor hem gemaakte pijlen heeft, het spel waarschijnlijk wel regelmatig een paar minuten speelt. Van tijd tot tijd scoort hij dan een gelukkige serie.'

Hunt grijnsde. 'Dat zal ik in gedachten proberen te houden.'

Moses McGuire verscheen voor hen en ze bestelden elk een glas sodawater. McGuire, die de afgelopen paar jaar zelf op een sodawaterdieet was, kon het nog steeds niet laten. 'Wauw,' zei hij. 'Maak je borst maar nat. Willen jullie die rakkers op volle sterkte of met ijsblokjes?'

'Het geweldige als je hier iets drinkt,' – Hardy negeerde zijn zwager en praatte rechtstreeks tegen Hunt – 'is het commentaar.'

'Ik wist dat er iets was,' antwoordde Hunt.

'IJsblokjes,' zei Hardy nu tegen Moses, 'en hou die scherpe observaties voor je, graag.'

McGuire tapte de drankjes, en Hardy hield zijn glas omhoog om met Hunt te klinken. 'Ik voel me er een beetje schuldig over dat ik jou hier uitnodig en vervolgens je geld afpak, maar bedankt dat je gekomen bent.'

Hunt nipte van zijn sodawater. 'Lange dag?'

'Eigenlijk nogal zwaar.' Hardy bracht hem op de hoogte van de drama's rondom Glitsky en Wes Farrell, die 's avonds waren doorgegaan toen Hardy na het eten thuis naar het ziekenhuis was gegaan om te kijken hoe het met Abe en Zachary was – Abe nog steeds een zombie, Zachary onveranderd.

Hij was ruim een halfuur gebleven, waarna hij een klopje op de knie van zijn vriend had gegeven en gezegd dat hij moest volhouden, moest bellen als hij iets nodig had, en was weggegaan. Omdat hij zich er niet toe kon zetten naar Frannie, Treya en Rachel terug te gaan, was hij hier in de Shamrock neergestreken en had hij Farrell gebeld, die zijn telefoons kennelijk had uitgezet. Vervolgens was hij op het idee gekomen om Hunt te bellen. 'Hoe dan ook, tussen Abe en Wes ben ik de kluts kwijtgeraakt. Ik kan die situatie met Dylan Vogler niet overzien. Niet alleen wat het met Wes heeft gedaan, of zou kunnen doen.'

'Maak jij je daar echt zorgen over?'

'Een beetje wel, ja.'

'Nou, laat mij je last verlichten, Diz. Dat kun je van je afzetten. Niemand buiten Singapore maakt zich er druk over wie er wiet rookt. En zeker niemand van de ordehandhaving in deze stad. Natuurlijk is het slechte nieuws dat ze je er in Singapore voor ophangen. Maar het goede nieuws is dat wij daar niet zijn. Zelfs Wes niet. Maar ik zou hem waarschuwen als hij erover denkt daarheen te reizen.'

'Dat zal ik doen,' zei Hardy op een geforceerd verdraagzame toon. 'Maar in feite is Wes een agent van de rechtbank. Hij is een goudhaantje voor de firma, hij is...'

Hunt stak een hand omhoog. 'Dat vergroot alleen maar zijn geloofwaardigheid onder zijn potentiële cliënten, Diz, die waarschijnlijk allemaal met enige regelmaat een joint opsteken. Hij is een van hen.'

'Rechters zullen dat geen pluspunt vinden als het uitlekt. Dat verzeker ik je.'

'Hoe kunnen ze het bewijzen? Zijn naam staat dus op een lijst. Nou en?' Hunt nam een slok. 'Hij denkt er toch niet echt over om ermee te kappen?'

'Dat zei hij.' Hardy haalde zijn schouders op. 'Ik heb tegen hem gezegd dat hij er nog even over moest nadenken.'

'Nou, voordat hij iets doms doet, zou hij in elk geval met Craig moeten praten.' Dit was Craig Chiurco, een van Hunts privédetectives, die naar een eigen vergunning toewerkte. Toen Hardy hem aankeek, ging Hunt door. 'Die Vogler had een goede boekhouding, dat moet ik hem nageven.'

Hardy's wenkbrauwen gingen van verbazing omhoog. 'Stond Craig ook op zijn lijst?'

Hunt knikte. 'Ja, en eigenlijk is hij een behoorlijk grote afnemer. Hij kwam gisteren langs en vertelde me erover. Ik bedoel dat de politie hem erover had gebeld. Hij maakte zich zorgen dat het invloed op zijn vergunning zou kunnen hebben.'

'Hetzelfde verhaal. Als ze het kunnen bewijzen, is dat mogelijk, maar zonder een bekentenis kun je het wel vergeten.'

'Juist,' zei Wyatt. 'En ik zie niet echt iemand de moeite nemen om die lui te arresteren, zelfs als ze iets konden bewijzen. Hooguit is het toevallig gebruik, en dan alleen als ze in feite op heterdaad worden betrapt. Honderd dollar als iemand daadwerkelijk de moeite neemt om je op te schrijven, wat ze niet zullen doen. Niet in deze stad.'

'Wat heb je dan tegen Craig gezegd?'

'Ik heb gezegd dat hij zijn voorraad moest dumpen en ermee moest stoppen. Maar echt, Diz, het stelt allemaal niks voor. Vogler misschien wel. Maar Wes en Craig en de rest helemaal niets.'

Hardy keek even naar zijn kameraad en tilde zijn glas op. 'Oké, aangezien jij vanavond alle antwoorden hebt, zal ik je nog een vraag stellen. Er ontbreekt ergens een stukje en dat kan ik niet plaatsen.' Hij somde alles op wat hij tot nog toe over Maya wist – het geheimzinnige telefoontje van Vogler op vrijdagavond, het vroege ochtendritje naar BBW,

Maya die wegreed van het lijk, haar bezorgdheid over haar zogenaamd losbandige studietijd, en daarna ging het verhaal over Dylans buitensporige salaris, het vuurwapen, enzovoort.

Toen hij was uitgepraat, knikte Wyatt. 'Kun je van chantage spreken?'

'Oké. Waarvoor?'

'Geen idee. Iets waar ze zich voor schaamt of zich zorgen over maakt. Waarschijnlijk haar wilde studietijd.'

'Daar was ik ook min of meer op uitgekomen. Maar ik wilde het niet geloven.'

'Waarom niet?'

'Omdat chantage implicaties met zich meebrengt.'

'Heeft ze iets verkeerds gedaan?'

'In het verleden, ja. Maar de echte zorgen liggen dichter bij het heden.'

'Denk je dat zij het gedaan heeft?'

Hardy aarzelde een paar seconden. 'Als hij haar chanteerde en zij daar zaterdagochtend naartoe ging? De chantage was het ontbrekende stukje. Als het daar ligt, wordt het beeld een stuk duidelijker en misschien algauw heel lelijk.'

'Denk je dat Bracco en Schiff de link hebben gelegd?'

'Als ze dat nog niet gedaan hebben, zullen ze het binnenkort wel doen.'

'Wat wil je nu dan doen?'

'Ik wilde jou vragen te kijken wat je kunt ontdekken.'

'Over haar studiejaren?'

Toen Hardy knikte, vervolgde Hunt: 'Niet dat ik het werk niet kan gebruiken, maar waarom vraag je het haar niet gewoon? Vertel haar dat je hebt uitgepuzzeld dat ze gechanteerd werd, en dan kijken wat ze doet.'

'Nou, dat kan ik doen. Maar een paar dingen. Ten eerste maakte haar man duidelijk dat hij niet wilde dat zij met mij sprak zonder dat hij er ook bij was. Dus als hij degene is die iets niet mag weten, wat het ook is – en daar bestaat een redelijke kans op – vertelt ze me helemaal niets. Ten tweede kan ik me vergissen en maakt de beschuldiging haar misschien kwaad. Misschien zelfs zo kwaad dat ze mij wil ontslaan, zodat er een potentieel grote cliënt aan mijn neus voorbij zou gaan. En ten slotte, als wat ze gedaan heeft zo verkeerd was dat ze Vogler vermoordde om te verhinderen dat het uit zou komen, zal ze het beslist niet zomaar onthullen, ondanks het geheimhoudingsrecht, aan een advocaat die ze amper kent. Het zou verspilde moeite zijn om het te vragen. Ik kan beter op eigen houtje uitzoeken wat het is, en het vervolgens vasthouden en gebruiken als de situatie zich ontwikkelt.'

'Kennis is macht en zo.'

'Zo is het,' zei Hardy.

'En waarom precies wil je dit allemaal weten?'

Deze vraag leek Hardy even van zijn stuk te brengen. 'Als ik haar ga verdedigen, zou het helpen als ik weet wie ze is.'

'Maar je gaat haar een rekening sturen om iets uit te zoeken waarvan ze niet wil dat jij het weet?'

'Als dat haar op de lange duur zal helpen. Als blijkt dat ik haar geschiedenis nodig heb, en nu denk ik misschien van wel. Anders kom ik onbeslagen ten ijs. En dan is zij de klos.' Hij hield zijn glas schuin en liet het langzaam zakken. 'Nou, wat zeg je ervan?'

Hunt knikte. 'Ik kan er een paar dagen aan besteden. Kijken wat er opduikt.'

'Meer vraag ik niet. Ze heeft me drieduizend als voorschot gegeven. Jij mag daar vijfentwintighonderd van uitgeven. Hoe klinkt dat?'

'Doe ik het voor,' zei Hunt. 'Ik zal een poging wagen.'

10

Hardy zat er niet naast toen hij zei dat Schiff en Bracco algauw na hem tot de conclusie zouden komen dat Dylan Vogler Maya Townshend chanteerde.

Dat was de volgende ochtend als door osmose tot hen doorgedrongen. Om een paar minuten na negen uur klopten ze op de voordeur van Janseys huis, met de gedachte dat ze hoogstwaarschijnlijk wel geweten zou hebben welk belastend materiaal haar man tegen zijn bazin had gehad, dat hij niet alleen had gebruikt om lucratief in dienst te blijven, maar dat het hem ook mogelijk maakte haar als een ondergeschikte te behandelen wanneer ze in haar eigen winkel kwam.

De vorige avond waren de rechercheurs, ondanks hun grote frustratie dat Dismas Hardy bij de Townshends was verschenen om de vrije informatiestroom te beperken, veel te weten gekomen. Het belangrijkste was dat Maya tegen hen had gelogen over haar alibi op zaterdagochtend. Daarnaast had ze toegegeven dat ze door het slachtoffer was opgebeld en zijn lijk op de plaats delict had aangetroffen en er vervolgens niet voor had gekozen de politie te bellen om het te melden. In de ogen van de rechercheurs verhieven deze twee onthullingen Maya al heel gauw tot mogelijke verdachte in de moordzaak.

Zij had zowel de middelen als de gelegenheid gehad om Dylan Vogler te vermoorden. Als Bracco en Schiff een dwingend motief konden vaststellen, zouden ze een heel eind op weg zijn om haar als hun hoofdverdachte aan te merken. En het feit dat Maya Vogler kennelijk op zijn wenken had bediend – op een zaterdagochtend voor zonsopgang naar de winkel komen? – wees er sterk op, ondanks Hardy's ontkenningen, dat hun relatie geen gewone zakenrelatie was.

Vogler moest iets van Maya hebben geweten waarvan ze niet wilde dat het werd onthuld. En misschien had hij haar alleen daarmee gedreigd – het salaris verhoogd dat ze hem betaalde, nieuwe eisen gesteld. Misschien had ze er gewoon genoeg van en had ze er een eind aan gemaakt.

Het kostte geen van beiden veel moeite zich voor te stellen dat zij hem vermoord had. En het waarom daarvan bracht hen deze ochtend naar Janseys deur.

Ze was blootsvoets en droeg een afgeknipte spijkerbroek en haar gebruikelijke T-shirt. 'Jullie draaien nogal wat uren, weten jullie dat? Hebben jullie weer een bevel meegenomen?'

'Ditmaal niet,' zei Schiff. 'We hoopten dat je met ons over Maya zou willen praten.'

Haar voorhoofd rimpelde. 'Waarom? Ik ken haar niet eens.'

'Je weet wel wie ze is,' zei Bracco.

'Nou, ja, natuurlijk weet ik wie ze is. De winkel is van haar. Gaan jullie met de politiechef om?'

'Ik begrijp wat je bedoelt.' Schiff wilde Jansey, die op dat moment hun grootste hoop was, niet tegen zich in het harnas jagen. 'Mogen we binnenkomen en even praten?'

'Over Maya? Hoor eens, ik weet echt niets over Maya.' Maar de smerissen knikten simpelweg totdat Jansey aarzelde, achter zich keek en vervolgens haar schouders ophaalde, waarmee ze aangaf dat ze haar moesten volgen. 'Robert is bij me op de koffie,' legde ze bij voorbaat uit.

Toen Jansey zich omdraaide om hun de weg in het huis te wijzen, wierp Bracco zijn partner een veelbetekenende blik toe, en Schiff beantwoordde die met een knik terwijl ze achter hun getuige aan liepen.

Robert Tripp zat, weer in zijn groene medische kloffie, aan de keukentafel. Hij had de deurbel gehoord en vervolgens de discussie aan de deur en hij leek dan wel niet bijster enthousiast over de aanwezigheid van de politie, maar toch betrokken. 'Hé.' Hij stond op, liep om de tafel heen en schudde hun allebei de hand. 'Jansey en ik zitten net een kopje te drinken,' zei hij. 'Het is pittig en vers. De beste koffie van Bay Beans.'

'Klinkt goed. Zwart.' Schiff zou alles slikken wat haar en Bracco meer tijd zou geven om met Jansey en Robert te kletsen. 'Waar is Ben vanochtend?' vroeg ze.

'Kleuterschool. Acht tot twaalf.' Jansey keek naar Bracco. 'Rechercheur? Koffie?'

'Tuurlijk,' zei hij. 'Waarom niet? Twee suikerklontjes, graag.'

Jansey pakte mokken en zette ze op de bar toen Tripp verklaarde: 'Van witte suiker ga je dood.'

Bracco gniffelde halfslachtig. 'Daarvan,' zei hij, 'of van iets anders. Ik verzeker je dat suiker mijn minste zorg is.' Hij trok een stoel bij en ging er achterstevoren op zitten. 'Nou, Robert, ik wil je dit vragen. Wanneer ga je naar college?'

De vraag, die misschien bedoeld was om hem op de kast te jagen, ontlokte slechts een vaag antwoord. 'Ik was om middernacht klaar. Om twaalf uur vanmiddag begin ik weer. Van twaalf tot twaalf deze week. O ja, en om de twee dagen ben ik op de rustige uren oproepbaar, voor het geval dat we slaap beginnen in te halen. Dat zou verkeerd zijn.'

'Willen ze niet dat jullie slapen?' vroeg Schiff. 'Is dat niet gevaarlijk voor de patiënten?'

'Als dat zo blijkt te zijn,' zei Tripp, 'lig je uit het programma. Als slaap belangrijker voor je is dan geneeskunde, wil je sowieso niet graag genoeg arts worden. Als slaapgebrek je prestaties beïnvloedt, ben je er niet geschikt voor. Ik denk niet dat er ergens ter wereld een in Amerika opgeleide arts is die niet vijf jaar lang ernstig slaapgebrek heeft doorstaan. Het hoort bij de cultuur. Als je het niet aankunt, moet je een ander vak zoeken.'

Jansey zette de mokken voor de rechercheurs neer. Ze legde vlug even een hand op Tripps schouder. 'Roberts record is vier dagen zonder ook maar één minuut slaap.'

'Dat zijn vier lange dagen,' zei Bracco.

Tripp glimlachte vermoeid. 'Dat was een lange maand, rechercheur, dat kan ik u wel zeggen. Uiteindelijk ben ik staande in de gang buiten een operatiekamer in slaap gevallen, wat ik tot dan toe niet voor mogelijk hield. Gelukkig merkte een van de verpleegsters het; ze legde me op een brancard en duwde me een lege kamer in.'

Schiff blies in haar koffie. Bracco nam zijn eerste slurpende slok, haalde zijn draagbare bandrecordertje tevoorschijn en zette het op de tafel.

Jansey ging op de stoel naast Tripp zitten, raakte zijn hand op de tafel aan, trok haar handen vervolgens terug en klemde ze ineen. 'Nou, om terug te komen op het doel van jullie komst, ik weet echt niet wat ik jullie over Maya kan vertellen. Ik heb haar maar een paar keer ontmoet.'

Bracco en Schiff wisselden een blik en Bracco nam het voortouw. 'We bekijken de mogelijkheid dat Dylan haar heeft gechanteerd.'

Dit nieuws leek Jansey niet te verbazen. Toch vroeg ze: 'Waarom zegt u dat?'

'Om twee redenen,' ging Bracco door. 'Ten eerste, zijn salaris. Ze betaalde hem negentig mille per jaar. Ter vergelijking, dezelfde baan bij Starbucks betaalt rond de veertig.'

'Ja, maar hij werkte daar al negen jaar.'

'Oké, laten we zeggen dat hij elk jaar opslag kreeg en met vijftig, of zelfs zestig begon. Negentig is nog steeds erg aan de royale kant. Ten tweede hebben enkele werknemers van de winkel ons verteld dat als Maya binnenkwam, wat niet zo vaak gebeurde, Dylan haar behandelde alsof ze de assistente was, alsof hij iets belastends tegen haar had. En als dat zo was, is het moeilijk te geloven dat hij er nooit ook maar iets tegen jou over heeft gezegd.'

De jonge vrouw staarde naar de tafel.

'Jansey,' bracht Schiff in, 'als hij haar chanteerde, kan dat meegespeeld hebben bij de reden waarom hij werd vermoord.'

Deze opmerking deed haar opkijken. 'Bedoelt u dat ze hem vermoord kan hebben?'

'Dat weten we niet,' zei Bracco. 'Als we een chantagesituatie hebben, zou dat iets zijn wat we moeten overwegen.'

Schiff weidde over het thema uit. 'Het kan gewoon een doorlopende betaling zijn geweest die in zijn salaris was opgenomen. Het was dus niet zo dat ze hem elke maand met haar eigen geld betaalde.'

'Zelfs die negentig was niet genoeg,' zei Jansey. 'Het was maar zestig na belastingaftrek, weet u. Waarom denkt u dat hij wiet moest verkopen? Als hij haar chanteerde, had hij gewoon om opslag kunnen vragen, en dan had zij hem die moeten geven, toch?'

'Misschien,' zei Bracco. 'Maar misschien had ze hem ook verteld dat ze aan de limiet zat, dat ze niet hoger kon of wilde gaan. Dat mocht niet van haar man, weet ik veel, of zoiets. Heeft hij je onlangs verteld dat hij meer geld van haar wilde vragen? Iets waardoor hij weer een gevaar voor haar zou zijn geworden?'

'Hij wilde altijd meer geld.' Ze keek van de een naar de ander. 'Maar u hebt gelijk dat hij niet bang voor haar was, of om de baan te verliezen.'

'Maar zei hij nooit waarom?' vroeg Schiff.

'Het meeste wat hij ooit heeft gezegd is dat ze bij hem in het krijt stond.'

'Daar heb je het al.' Bracco boog voorover. 'Heeft hij gezegd waarom ze bij hem in het krijt stond?'

Even leek ze erover na te denken. 'Daar hebben we eigenlijk nooit over gepraat,' zei ze. 'Een of twee keer heeft hij misschien iets gezegd in de trant van: "Ze zal me niet ontslaan. Ze heeft haar leven aan mij te danken." Maar dat was gewoon Dylan die dramatisch deed. Ze had haar leven aan hem te danken. Vast.'

'Als dat een treurende vrouw is,' zei Bracco zodra ze weer in hun auto reden, 'ben ik de sjah van Iran.'

'Ik denk niet dat er de laatste jaren een sjah in Iran is geweest, Darrel.'

'Gelukkig voor mij,' antwoordde Bracco. 'En ik wil eigenlijk sowieso geen leidersrol in Iran. Denk je eens in, geen drank, geen vrouwen. Over saaie feestjes praten. Ik kan me niet eens voorstellen hoe het inwijdingsbal moet zijn. Maar ik had het niet zozeer over Iran als wel over de treurende vrouw. Als die twee niets met elkaar hebben, zal dat binnenkort wel gebeuren, denk je niet?'

'Volgens de lichaamstaal gebeurt het al. En het jochie is elke ochtend urenlang weg als Tripp thuis is. Wedden dat we ze als we over een kwartier teruggaan op heterdaad betrappen? Dan zullen we de toekomstige dokter Tripp in elk geval op een leugen hebben betrapt, en dat leidt misschien wel tot iets anders, zoals hun op elkaar aansluitende alibi's.'

'Denk je dat zij het samen gedaan kunnen hebben?'

'Ik denk dat als ze een stelletje zijn, en laten we doen alsof dat zo is, ze het allebei niet erg zouden vinden om Dylan dood te zien.'

'Waarom zou ze niet gewoon bij hem weg zijn gegaan?'

Schiff, die reed, dacht even na. 'Dit is geen complete lijst, maar zo voor de vuist weg zijn hier de eerste redenen die bij me opkomen. Vanwege de pakken slaag had hij macht over haar. Ten tweede was Ben het kind van Jansey en Dylan samen. Of misschien was Tripp niet zo serieus, alleen wat recreatieve seks terwijl vaders aan het werk was. En ten slotte bracht Dylan hopen geld binnen, terwijl Tripp een berooide student is. Is dat genoeg?'

'Daarmee kunnen we aan de gang, Debra. Als we aannemen dat het serieus is tussen Tripp en haar, is het vermoorden van Dylan een oplossing voor drie van hun problemen, misschien zelfs alle vier als Tripp geschikt is om de vaderrol over te nemen. Maar ik zal je wat anders vertellen.'

'Wat dan?'

'Ik word niet goed van al dit getheoretiseer. Word jij nooit moe van mensen die tegen je liegen?'

'Nee. Dat heb ik het liefst. Maar wie ditmaal?'

'Jansey.'

'Denk je dat ze weet waar de chantage over gaat?'

'Jij niet dan? Ze heeft vijf of zes jaar met die vent samengeleefd en heeft geen weet van zoiets fundamenteels voor Dylans werk? Voor hun hele situatie? Als Dylan Maya chanteerde, wist ze er misschien van, deed ze er misschien zelfs wel aan mee.'

'Misschien misschien misschien.'

‘Ik weet het. Ik ben het met je eens. En als zij – Jansey – en Dylan onder één hoedje speelden, waar komen wij dan op uit?’

‘Het verschaft haar een minder sterk motief om hem dood te schieten, als ze samenwerkten. En daardoor komt Maya weer volledig in beeld.’

‘Behalve als Jansey echt verliefd is op Tripp en van Dylan af wil.’

‘Hebben we dan Maya in haar eentje? Of Jansey in haar eentje? Of Jansey en Tripp samen? Of een toevallige schutter die een ommetje maakte?’

‘Ik neig niet naar een toevallige schutter.’

‘Nee, ik ook niet.’

De twee rechercheurs reden zwijgend een paar straten door, totdat Schiff uiteindelijk zei: ‘We moeten een manier bedenken om de druk op te voeren.’

11

Hardy verscheen onverwacht met sandwiches en suikervrije cola in Farrells kantoor, maar ze hadden de lunch amper uitgepakt toen Hardy een telefoontje van Frannie kreeg. De partners zaten allebei op de versleten bank, met hun eten, servetten, zakken chips en blikjes cola onaangeroerd op de lage tafel voor hen.

Frannie vertelde hem dat ze net met Treya had gebeld en dat ze Zachary uit zijn kunstmatige coma hadden gehaald en een zogenoemde 'knijptest' hadden gedaan en dat hij gereageerd had, wat kennelijk heel goed nieuws was. De zwelling was aanzienlijk afgenomen en ze hadden het er nu over om binnen de komende paar dagen de dura mater terug te planten en de hersenen weer af te dichten.

De artsen hadden tegen Treya en Abe gezegd dat hun zoon buiten direct levensgevaar en aan de beterende hand leek te zijn, en dat hij misschien wel volledig zou herstellen. Hoewel er met deze letseltypes een lange periode van 'waakzaam wachten' zou volgen om vast te stellen of er doorlopende problemen met ontwikkeling, cognitie of motorische vaardigheden zouden zijn. Hardy vond dit nog steeds behoorlijk ernstig klinken, en Frannie was het met hem eens, maar vergeleken met hun vooruitzichten van de afgelopen vier dagen was dit het best mogelijke nieuws.

Toen Hardy ophing, pakte hij met een groot gevoel van opluchting zijn drankje en leunde hij achterover op de bank. 'Zie je?' Hij gaf de essentie van het gesprek weer en concludeerde: 'Soms veranderen dingen ten goede.'

Farrell was nog steeds niet erg in de stemming om het met hem eens te zijn. In feite waren zijn zelfvertrouwen en gemoedsgesteldheid zo ver gedaald dat hij vandaag een gewoon pak droeg, en zonder een grappig T-shirt eronder. Hij was eerder op de ochtend weggegaan en had zijn dikke grijsbruine haar tot een betrekkelijk normale lengte laten knippen. Nu zat Wes gekromd op de bank en hield hij zijn sandwich boven de tafel voor hem, waaruit versnipperde sla viel en kruidensaus neerdroop.

'Soms gebeurt dat inderdaad, en ik ben verdomd blij voor Abes zoon, en voor hem. Maar ik heb je nog niet eens verteld over Jeff Elliots telefoontje vanmorgen.'

'Wat had de hooggewaardeerde columnist van onze krant te melden?'

'Hij wilde me gewoon informatie geven omdat we vrienden zijn. De *Chronicle* is van plan het wietverhaal te publiceren en de hele lijst van ons, vermeende doperokende rakkers, op te nemen.'

Hardy schudde zijn hoofd. 'Kan niet gebeuren. Zal niet gebeuren. Van zijn lang zal je leven niet.'

'Waarom niet?'

'Omdat je naam op een lijst op iemands computer niets betekent. Je hebt toch niets toegegeven aan Schiff toen ze belde en jou erover vroeg?'

'Zeker weten.' Farrell rolde met zijn ogen. 'Ben ik soms achterlijk?'

'Dat is mijn punt. Je bent niet achterlijk. Je hebt dus niets toegegeven. Zij heeft dus niets wat ze kan bewijzen. Punt uit. Bovendien is dit absoluut niets voor *CityTalk*. Dat klinkt niet als Jeff.'

Farrell kauwde, slikte en spoelde met cola door. 'Nee. Hij had het over echt nieuws. En misschien heb je wel gelijk over het smaadprobleem, maar de *Chronicle* is vast in de verleiding gebracht. Het is een geweldig verhaal.'

'Het is een flutverhaal. Ze kunnen het echt niet publiceren.'

'Oké, goed. Maar kennelijk staan er meer dan een paar semipublieke figuren op de lijst, ondergetekende en Wyatts mannetje niet meegerekend. En het publiek zou het graag willen weten.'

'Wie bijvoorbeeld?' vroeg Hardy.

'Jeff, God zegene hem, wilde mij geen namen noemen. Maar in elk geval één rechter, meer dan twee stadsafdelingshoofden, diverse vooraanstaande opvoeders, twee toezichthouders, een paar acteurs en dergelijke, publieke persoonlijkheden, en o ja, enkele officieren van Justitie...'

'Over bokken gesproken,' zei Hardy. 'Alleen al door de toespeling zijn die officieren van Justitie de bok. In elk geval degenen die niet zo verstandig waren om marihuana op recept aan te schaffen.'

'Ja, er gaan zeker koppen rollen. Als ik hier nog werkte, zou ik ze goedkoop binnenhalen en op onze loonlijst zetten.'

'Je werkt hier nog steeds, Wes. Maak je daar maar geen zorgen over.'

'Ik maak me geen zorgen dat ik ontslagen word, Diz.' Hij keek zijdelings naar de bank. 'Om je de waarheid te zeggen schaam ik me gewoon kapot dat ik de firma zo te kijk heb gezet. Jij en Gina verdienen het niet.'

Hardy wuifde die opmerking weg. 'Wes, het gaat om marihuana in San Francisco in de eenentwintigste eeuw. Over een week, misschien twee, zal het wel overwaaien. Ik waardeer je gevoelens, maar echt, eerlijk waar, het kan niemand echt iets schelen.'

'Wel als deze moord om een beetje goedaardige wiet blijkt te draaien.'

'Zo zit het niet. Degene die Dylan heeft doodgeschoten, heeft er niets van gestolen.'

'Hoe weet je dat?'

'Hij droeg zijn rugzak nog, die er vol mee zat. Wat zeg je daarvan?'

'Wat zeg je ervan als hij toevallig ook een winkelwagentje vol met het spul voortduwde en de schutter ermee vandoor ging?'

Hardy stond even stil bij deze suggestie, maar vervolgens schudde hij zijn hoofd om de onwelkome gedachte te verjagen. 'Dat is niet gebeurd, Wes. Kijk, in het ergste geval zullen er een paar kranten verkocht worden als de *Chronicle* het verhaal publiceert, maar alle anderen kan het niets schelen.'

Ten minste één functionaris uit San Francisco kon het in feite wél wat schelen – de pas benoemde speciale assistent-aanklager voor de Verenigde Staten, Jerry Haines.

De vorige federale aanklager in San Francisco, die door het ministerie van Justitie te liberaal werd verklaard, was een van de ontslagen mensen in de zaak-Alberto Gonzalez. Bij zijn ambtsaanvaarding wilde zijn vervanger zonder tijdverspilling zijn reputatie als keiharde aanklager vestigen, vierkant tegen de toegeeflijke cultuur van de stad die Herb Caen, de legendarische columnist van de *Chronicle*, tot Bagdad aan de Baai had gedoopt. Na zijn rechtenstudie was hij enkele jaren hulpofficier van Justitie in Orange County geweest, volgde hij zijn baas de officier van Justitie naar Sacramento als speechschrijver tijdens de eerste aanstellingen van het Schwarzenegger-tijdperk, en werd hij uiteindelijk adjunct-directeur van een van de tientallen bureaucratieën van Californië, de Afdeling Alcoholische Drankcontrole.

Haines, vijfendertig inmiddels, was een goedgebouwde, zij het iets te zware, gewoontjes ogende vent met de bleke teint van een kantoorklerk. Hij schoor zich grondig en droeg zijn lichtbruine haar kort, met een lage scheiding aan de rechterkant. Hij snoeide zijn bakkebaarden tot boven zijn oren. Hij was ook ambitieus, en had zijn bestemming bij de Alcoholische Drankcontrole – nauwkeurig – als een doodlopende weg gezien. Hij had cv's verstuurd zonder een stap vooruit te komen toen zijn ex-baas, nu assistent-procureur-generaal in Washington DC, hem voor de baan in San Francisco vroeg, en die greep hij met beide handen aan. Nu deze moordbaan hem in de schoot was geworpen, was Jerry niet van plan in de voetsporen van zijn voorganger te treden, en als een van de prioriteiten begon hij zich onmiddellijk in te spannen om de medische marihuanasalons van de stad, waarvan er tientallen waren, te sluiten. Dit was altijd een enigszins hachelijke onderneming, omdat zowel de staat Californië als de stad en de county San Francisco deze zogenaamde 'medelevende gebruiksvoorzieningen' goedkeurden of op zijn allerminst oogluikend toestonden.

Maar Jerry moest niet de lokale, maar de nationale wet handhaven, en het gebruik van marihuana was een federaal misdrijf. Tijdens zijn eerste ambtsjaar stond hij diverse keren met zijn naam in de krant omdat hij een aantal medische marihuanagebruikers had gearresteerd, maar behalve dat ze zijn conservatieve geloofsbrieven oppoetsten – niet bepaald een pluspunt in de culturele omgeving van San Francisco – hielpen deze acties weinig of niets om zijn profiel te versterken.

En plotseling was Debra Schiff hier, helemaal in haar eentje, in zijn kantoor op deze koele woensdagmiddag. Hij was de zeer aantrekkelijke rechercheur van Moordzaken een paar keer tegen het lijf gelopen in de bar van Lou de Griek en hij was van plan om haar daar nog wat vaker te ontmoeten als hij kon, maar nu was ze hier en vertelde ze hem over de moord op een koffieshopmanager in het godvergeten Haight-Ashbury.

Tot op heden had Haines alleen geruchten over deze bewuste moord gehoord en erover in de kranten gelezen. Verbazingwekkend genoeg, dacht hij, vertelde Schiff hem met een strak gezicht dat zij en haar partner Bracco de dopeconnectie niet eerder in de nieuwsmedia hadden gebracht omdat het domweg *niet bij hen opkwam* dat het wel eens van bijzonder belang kon zijn – aangezien er kennelijk geen marihuana was gestolen, kon het geen deel van een motief in de zaak hebben uitgemaakt.

Ze wuifde zijn bezwaar weg. 'Nee, luister, Jerry, er is *altijd* wel ergens dope in een moordscenario. Een jointpeuk in de vluchtauto, enkele parafernalia rond een geval van huiselijk geweld, bendeleden met een lading coke of heroïne. Het is dus altijd wel ergens. Je geeft er niet meer commentaar op dan op het weer. "In ander nieuws vanavond,"' zei ze met haar beste nieuwslezersstem, '"werd Shawahn Johnson zeventien keer beschoten in een kennelijke schietpartij vanuit een rijdende auto in Hunter's Point toen het mistig was." Over het algemeen maken we geen melding van mist.'

'Maar die vent, Vogler, die had toch een hele marihuanatuin op zijn zolder? Met een waarde van duizenden dollars, klopt dat?'

'Dat klopt. Maar weer hadden wij geen enkele reden om te geloven dat dat in het begin deel van onze zaak uitmaakte. We hebben de dope aan de narcoticabrigade overgedragen en daarmee is dat gedeelte misschien afgedaan.'

'Maar waarvoor?' Haines zette zijn bril recht.

De volgende paar minuten vatte Schiff hun onderzoek samen. 'De hoofdzaak,' besloot ze, 'is dat we denken… eigenlijk zijn we er zo goed als zeker van dat Maya, Jansey en Robert Tripp tegen ons hebben gelogen, in enkele gevallen meer dan eens. We hebben motieven voor ieder van hen, alleen of mogelijk samen in het geval van Jansey en Tripp, maar bijna geen bewijs en zeker niets wat we kunnen gebruiken om enige druk uit te oefenen om iemand aan de praat te krijgen. We zijn er bijvoorbeeld vrij zeker van dat Vogler Maya chanteerde, en dat Jansey daar misschien van op de hoogte was, maar als ze allebei zeggen: "Nee, dat deed hij niet," zitten we vast.'

'Kunnen jullie hen niet gewoon sterker onder druk zetten?'

'Dat kunnen we wel doen, maar zoals ik zeg is dat nogal zinloos zonder een of ander nieuw pressiemiddel, een of andere verandering in de status-quo. Er is geen materieel bewijs dat heel dwingend is.' Ze schudde haar hoofd. 'Bovendien hebben we al minstens twee keer met ieder van hen gesproken, maar Jansey en Tripp zijn op zijn allerminst goed voorbereid, en Maya heeft een advocaat in de arm genomen. En verder, weet je, moeten we haar een beetje voorzichtig benaderen.'

'Waarom dan?'

'Vanwege dat hele politieke gebeuren, waar ik een hekel aan heb, en Darrel ook, maar wat doe je eraan. Het simpele feit is dat Darrel en Harlen Fisk vroeger partners waren, en zij is Harlens zus.'

Jerry's ogen begonnen te schitteren. 'Heb je het over toezichthouder Fisk?'

'Klopt.'

'Waardoor ze ook de nicht van burgemeester West is?'

'Dat denk ik wel, ja.'

Jerry Haines hees zich nu vol aandacht recht overeind in zijn stoel. 'Bemoeit meneer Fisk zich met jullie onderzoek? Praat hij met je partner?'

'Niet dat ik weet, nee. Dat zou een beetje gênant zijn, zelfs als…' Ze stopte.

'Wat?'

'Nou,' zei ze, 'Harlen was, tussen veel andere namen die je misschien herkent, een van Voglers vaste klanten.'

Haines bleef stokstijf zitten. Hij gluurde door zijn bril naar haar. 'Marihuanaklanten? Ben je daar zeker van?'

'Absoluut. Hij staat op de lijst.'

'De lijst?'

'Het spijt me. Heb ik je nog niet over de lijst verteld?' Ze gaf hem dat nieuws, de bezwarende computerbestanden. 'Hoe dan ook, in het kort lijkt het erop dat er een heleboel connecties tussen al die mensen zijn, en wij willen graag een excuus om hen onder druk te zetten en zo mogelijk uit te zoeken wat die connecties zijn. De chantage, bijvoorbeeld. Waar draaide die om? Was die zo ernstig dat Maya misschien een moord gepleegd heeft om het geheim te houden? Of, aan de andere kant...'

'Nee.' Haines stak zijn handpalm naar haar op. 'Wacht even. Laten we teruggaan naar wat echt een verschil kan uitmaken. Je hebt me verteld dat Maya zegt dat ze niet wist dat die wiet vanuit haar winkel werd verkocht, toch? Hoe geloofwaardig is dat voor jou? Vooral als haar broer een van de klanten was.' Hij wachtte even, terwijl er een glimlach om zijn mondhoeken begon te spelen. 'Dat dacht ik al. En daarnaast, als de burgemeester – ik ben min of meer nieuw in de stad, maar Harlen is haar protegé als ik me niet vergis – ik bedoel, zij zou het ook weten, of kunnen weten. Hoeveel betaalde Maya Vogler ook alweer?'

'Negentigduizend,' zei Schiff.

'Nou, dat is genoeg, of bijna genoeg, om van te leven, toch? Denk je dat het echt mogelijk is dat hij níét een percentage van dat drugsgeld aan Maya afstond, die hem per slot van rekening in haar zaak had gezet?'

Schiff bleef knikken. 'Je bedoelt dat Vogler...'

'Ik bedoel dat het me lijkt dat hij ook haar partner in de dopehandel was. Wat zijn onhoffelijke houding jegens haar als chantage zou verklaren, nietwaar? Hij kan haar behandelen op welke manier hij maar wil en zij kan hem niet ontslaan, hè? Aangezien hij haar leverancier is. Ze zitten er samen tot hun nek in.'

Het was logisch wat Haines zei, hoewel zij en Bracco allebei de mogelijkheid nog niet hadden overwogen dat deze hele zaak in feite om de dope draaide. Schiffs hoop, en de reden waarom ze Jerry Haines vandaag was komen bezoeken, was dat hij een soort van nationale vervolging inzake de marihuanakwesties kon beginnen die de belangrijkste getuigen zo zenuwachtig zou maken dat ze misschien bereid zouden zijn informatie over de dopehandel te ruilen voor iets wat op de een of andere manier met de moord in verband stond.

Maar nu bracht Jerry's kijk de zaak naar een ander niveau: Maya was misschien zelf de aanstichtster, en gewapend met politieke connecties en mogelijk zelfs politiebescherming zou ze nagenoeg boven alle verdenking verheven staan, laat staan dat ze vervolgd zou worden.

En dan – in plaats van die veronderstelde chantage vanwege iets wat ze misschien wel of misschien niet in haar verleden had gedaan – was de moord simpelweg het gevolg geweest van een mislukte dopedeal, zoals gewoonlijk. Maya had haar werknemer vermoord om een of andere ordinaire reden – hij wilde een groter aandeel, hij verkocht aan zijn eigen klanten en liet haar erbuiten, hij werd slordig of moeilijk onder controle te houden.

Nu leunde Jerry Haines achterover in zijn stoel, met zijn handen ineengevouwen op het bureau voor hem en een verstrooide glinstering in zijn ogen boven een strakke glimlach. 'Ik weet hoe we die mensen aan de praat kunnen krijgen,' zei hij.

Glitsky was terug op zijn kantoor en zat onderuitgezakt met zijn ellebogen op de armleuningen van zijn stoel en met zijn handen voor zijn mond gevouwen. Hij was weer aan het werk gegaan, want wat moest hij anders doen? Zachary kwam uit zijn coma, hoewel ze hem morgen opnieuw gingen opereren om zijn schedel dicht te maken. Rationeel wist hij dat er reden tot hoop was, en toch was het enige wat hij kon voelen een diepe zelfverachting. Ongeacht wat Treya of Hardy of iemand anders ook zei, wist hij dat dit allemaal zijn schuld was.

Door zijn onoplettendheid was zijn zoon door een auto aangereden – er bestond nog steeds een redelijke kans dat zijn zoon doodging. Zelfs als hij niet doodging, zou hij misschien nooit meer helemaal goed bij zijn hoofd zijn. En misschien zouden ze de omvang van die verwondingen, als die er waren, jarenlang niet weten.

Bij de deur had hij de lichten uit gelaten, zodat de hoge ramen weer voor de enige verlichting zorgden, en ook nog niet veel.

Hij verwachtte duidelijk geen gasten.

Toch klopte er iemand aan en hij ging rechtop zitten en zei monotoon: 'Kom binnen.'

Bracco stak zijn hoofd naar binnen. 'Inspecteur? Lichten?'

'Best.'

Glitsky bedekte zijn gezicht met één hand tegen de plotselinge lichtgloed, waarna hij de hand liet zakken en zijn beide rechercheurs met een matte blik aankeek. 'Kom verder. Ga zitten.'

Bracco liep naar een stoel toe, maar Schiff zag hem, merkte iets en bleef in de deuropening staan. 'Gaat het wel, inspecteur?'

Hij draaide zich naar haar toe en zei tot zijn eigen verbazing: 'Mijn zoon ligt in het ziekenhuis. Hij is door een auto aangereden. Hij is vanochtend uit een coma gekomen, maar hij wordt morgen weer geopereerd. Het spijt me dat ik weg ben geweest. Wat kan ik voor jullie doen?'

Beide rechercheurs betuigden hun medeleven en stelden vragen, en hij reageerde en antwoordde plichtsgetrouw zonder veel van de afzonderlijke woorden echt te horen. Die waren alleen maar ruis tegen het constante gedreun van het schuldgevoel in zijn hoofd.

En eindelijk werd hij zich er vaag bewust van dat ze het over iets anders hadden, iets wat met hun zaak te maken had, en toen dat – voornamelijk nog meer ruis – een paar minuten was doorgegaan, stak hij een hand omhoog. 'Ho even,' zei hij tegen Schiff, die als woordvoerder leek op te treden. 'Kun je dat laatste gedeelte herhalen? Heb je het over Jerry Haines? De federale jurist Jerry Haines?'

'Ja, inspecteur, maar dat maakt dit juist zo goed, in elk geval in potentie. Hij zegt dat de dope voldoende is, vooral in de hoeveelheid die we bij Vogler thuis hebben gevonden, om een verbeurdverklaring in gang te zetten.'

'Verbeurdverklaring?'

Schiff knikte enthousiast. 'Hun eigendom in beslag nemen.'

Glitsky zei: 'Ik weet wat een verbeurdverklaring is, Debra. Maar wiens eigendom?'

'Misschien dat van Vogler, als we bijvoorbeeld kunnen bewijzen dat hij een deel van de winst uit de drugsverkopen gebruikte om zijn huis af te betalen. Maar ook dat van Maya Townshend, en zelfs nog beter, misschien dat van haar man Joel.'

'Townshend Onroerend Goed?' vroeg Glitsky.

Bracco zei eindelijk iets. 'Het kan enorm zijn, Abe. Miljoenen en miljoenen.'

'Zaten ze in de drugshandel? Ik dacht dat zij daar niets van wist.'

'Nou, dat is haar verhaal,' zei Schiff. 'Maar Darrel en ik geloven het niet echt. En Jerry Haines gelooft het niet. En hij denkt dat hij een federale onderzoeksjury kan motiveren om het te bewijzen.'

'Nou, dat is allemaal goed en wel, maar welk verband is er met de moordzaak die jullie voor het gerecht proberen te brengen? We doen hier nog steeds moordzaken, toch? Is dat niet veranderd gedurende mijn korte afwezigheid?'

'Jerry denkt dat er veel meer aan de hand is, en dat alles om de moord op Vogler draait. Hij brengt die mensen op het civiele vlak in een verbeurdverklaringstoestand, en vervolgens vraagt hij hun op het strafrechtelijke vlak van alles in het geheim met de onderzoeksjury, ze bekijken hun vermogen en kunnen verbanden leggen waar wij geen kans voor zouden krijgen.'

'Plus,' voegde Bracco eraan toe, 'de dreiging alleen al. Het is een behoorlijk machtig pressiemiddel. Ze vertellen ons de waarheid of...'

Glitsky onderbrak hem. 'Het idee is me duidelijk,' zei hij, 'maar ik kan niet zeggen dat het me echt bevalt.'

'Wat bevalt er niet?' vroeg Schiff.

'Nou, om te beginnen, als je geen enkel bewijs hebt, hoe beslis je dan dat die mensen je verdachten zijn? Of dat een van hen dat is. Hebben jullie een van hen op het oog?'

'Maya is geen slechte kandidaat, inspecteur,' zei Schiff. 'Zij was daar, het was haar wapen. We weten dat haar relatie met Vogler op zijn best grillig was.'

'Breng haar dan naar het bureau en laat haar zweten.'

'Dat is niet zo makkelijk,' zei Schiff. 'Ze heeft al een advocaat in de arm genomen. Jouw vriend Diz Hardy.'

'Geweldig.' Glitsky bestudeerde het plafond even en zei vervolgens: 'Hoe zit het met die lijst van Voglers klanten? Vinden jullie het niet aannemelijk dat hij door een van hen werd vermoord?'

'Waarom?' vroeg Bracco.

Glitsky haalde zijn schouders op. 'Om de gebruikelijke stomme redenen, Darrel. Hij mengde de dope met peterselie en iemand hield daar niet van. Of een van hen ging op crack over en flipte gewoon. Of hij maakte iemand koud voor vijf dollar. Of een van de honderd andere redenen. Hebben jullie met een van die mensen gesproken?'

'Met een paar,' zei Schiff. 'Er zijn er tweeënzeventig, Abe.'

Hij knikte ingetogen. 'Dat spijt me, echt waar. Maar het lijkt me dat jullie in elk geval met hen moeten praten, al is het maar om er een aantal uit te sluiten. Uitzoeken wie waar was op die zaterdagochtend. Ik weet dat het saai is, maar dat hoort nu eenmaal bij het werk. Soms moeten we gewoon even op onze tanden bijten.'

'Hoe zit het met Jerry Haines?' vroeg Schiff.

'Dat weet ik niet,' zei Glitsky. 'Als ik hier zou zijn geweest, had ik jullie misschien voorgesteld om die route een poosje niet te volgen, in elk geval totdat er iemand als bonafide verdachte opduikt die door de verbeurdverklaring of de onderzoeksjury onder druk kan worden gezet. Nu denk ik dat we alleen moeten hopen dat hij niet te veel in de weg gaat staan.'

12

Zoals vaak het geval was op een werkdag, zat Craig Chiurco in de kleine receptieruimte van de Hunt Club, Wyatts kantoor in het hartje van Chinatown, te kletsen met zijn vriendin, Tamara Dade, die de telefoons opnam en af en toe veldwerk deed – foto's nemen, vrouwelijke getuigen schaduwen. Tamara, die zesentwintig was, ging graag in felgekleurde minirokjes met strakgespannen topjes naar kantoor, en er was rijkelijk veel spannends te zien boven de strakke en vaak blote buik met zijn smaakvolle gouden navelringetje. Vandaag was alleen de vorm van het ringetje onder het oranje tricot te zien voordat het zo'n vijf centimeter lager in haar zwarte rok verdween – het was bijna Halloween.

Craig, die een jaar of vijf ouder dan zij was, had nu ongeveer drie jaar verkering met haar, hoewel ze nog steeds apart woonden. Na vier jaar met Hunt te hebben gewerkt en alles te hebben gedaan wat hem werd gevraagd, maar voornamelijk dagvaardingen en surveillancewerk, had Craig genoeg uren in het vak gedraaid om het aanvraagproces voor zijn eigen vergunning als privédetective te starten. Maar nu hij op Voglers lijst stond, waren zijn carrièreplannen natuurlijk in gevaar. En dat zei hij tegen Tamara.

Die het idee wegwuifde. 'Wyatt heeft al gezegd dat jij je daar geen zorgen over moet maken.'

'O. Oké, dat zal ik dan niet doen.'

'Craig. Kom op, zeg. Hij betaalt jou, dus als hij er niet mee zit, wat voor last zul jij er dan mee krijgen?'

'Het komt op mijn strafblad en dat moet ik in mijn aanvraag vermelden...'

Tamara schudde haar hoofd. 'Het is hooguit een misdrijf, Craig.'

'Maar dat zou me de das omdoen, Tam, wat nou juist het punt is.'

'Maar zover komt het niet eens. Dat gebeurt alleen als ze je echt met de wiet betrappen. Dat je op die lijst staat bewijst niets. En je hebt al je spul weggedaan, dus zelfs als ze je huis komen doorzoeken – alsof ze dat zouden doen – nou en?' Ze keek hem met een tolerante blik aan. 'Je bent gewoon van streek omdat je gepakt bent. En omdat Wyatt het nu weet.'

'Misschien een beetje.'

'Behalve dat het hem niets kan schelen. Denk je niet dat hij wel eens wat wiet heeft gerookt in zijn tijd?'

'Niet veel, durf ik te wedden.'

'Nou, daar heb je misschien wel gelijk in. Maar denk je niet dat hij aanneemt dat jij en ik misschien een paar keer samen waren toen jouw vermeende doperokerij plaatsvond?'

Craig, die zijdelings met zijn knieën over de rand van de kleine bank zat, die de enige zitplaats voor een gast of een cliënt was, toonde een glimlachje. 'Ik heb je niet verlinkt, Tam. Dat beloof ik.'

Ze schonk hem haar eigen glimlach. 'Ik heb niet gezegd van wel, nobele ridder, en ik weet dat je dat niet zou doen. Maar dat betekent niet dat Wyatt niet twee en twee bij elkaar zou hebben opgeteld – of in ons geval, een en een.' Ze pakte een vijl van haar bureaulegger en begon een van haar vingernagels te bewerken. 'Ik denk dat wij er verstandig aan zouden doen, wat we al hebben gedaan, om het gewoon als een seintje op te vatten om iets verstandiger te zijn en er helemaal mee op te houden.'

Chiurco, die zijn armen over elkaar had geslagen, reageerde met getuite lippen op dit verzoek.

'Wat?' vroeg Tamara. 'Zou dat echt zo moeilijk zijn?'

'Niet echt moeilijk. Eigenlijk meer onnodig. Ik hou van dat spul. Jíj houdt van dat spul. Iedereen is het erover eens dat het niet illegaal zou moeten zijn. Dus waarom zou ik gedwongen worden om er helemaal mee op te houden?'

Tamara stak een vinger omhoog. 'Mag ik het zeggen? Omdat het illegaal ís. Of het nu zou moeten of niet. En jij wilt meewerken aan de ordehandhaving. Als je ermee betrapt wordt – je zei het al – komt het op je strafblad. Het kan invloed hebben op bijvoorbeeld je aanvraag. Er is dus een reden om er meteen mee op te houden.' Ze schoof haar stoel naar achteren en draaide zich naar hem toe. 'Maar het gaat erom dat er in het echte leven niets mee zal gebeuren. Je naam staat op een lijst met mogelijke klanten van die Vogler. Misschien waren het gewoon mensen die hem geld schuldig waren.'

Hij lachte even. 'Dat ook.'

'Nou, dat is prima. Jij weet dat misschien. Maar de politie kan gewoon niets weten of bewijzen over iemand op die lijst. Zelfs als iemand anders opbiechtte dat het zijn klanten waren, zou dat nog steeds niet bewijzen dat jij een klant was. En maak je er maar geen zorgen over dat het in de krant zou komen. Ze zouden van hier tot Tokio vervolgd worden. Het zal niet gebeuren.'

'Oké,' zei hij. 'Ik ben overtuigd.'

'Mooi. Ik bedoel, de hoofdzaak is dat we het gewoon niet meer doen. Makkelijk genoeg, toch?'

'Dat zou het moeten zijn,' zei Chiurco.

'Nou, kijk eens aan. Afgesproken.'

Wyatt Hunt keek even door het enige raam tegenover Tamara in de receptieruimte naar Grant Street, waarna hij zich weer tot zijn werknemers wendde. 'Ik zal zelfs het kleinste ideetje met open armen ontvangen.'

'Hebben we een aanwijzing,' vroeg Chiurco, 'voor wat we zoeken? Voor een soort tijdslijn?'

'Volgens Hardy toen ze studeerde, dus tien tot veertien jaar geleden. Hier in de stad. Iets wat haar in verlegenheid bracht, of nog erger. Kennelijk, denkt hij, iets wat haar nog steeds in de problemen kan brengen als het uitlekt.'

'Nou,' zei Tamara, die zelf ook de nodige colleges criminologie had gevolgd, 'bijna alles wat ze destijds heeft gedaan zou onder de verjaringswet vallen, behalve als ze iemand heeft vermoord. Waardoor is Vogler in de gevangenis gekomen? Kan zij daarbij betrokken zijn geweest?'

Hunt stak een vinger naar zijn secretaresse uit. 'Kijk eens aan. Dat is een beginpunt. Als zij daar op de een of andere manier aan deelnam, en Vogler ervoor opdraaide... Hoe goed kende je hem, Craig? Heeft hij daar ooit over gepraat?'

'Niet tegen mij. Ik kende hem nauwelijks, alleen via de koffieshop. Misschien kunnen we die lijst in handen krijgen en een aantal van die mensen vragen wat ze weten?'

'Daar zou ik niet zo op vertrouwen. Bovendien denk ik dat wat Tam oppert waarschijnlijk meer zal opleveren. Kijken of hij een of twee handlangers had en met hen gaan praten.'

'Hardy moet het haar gewoon vragen,' zei Chiurco. 'Alles wat ze hem vertelt valt onder het geheimhoudingsrecht, toch? Niemand anders zou het hoeven te weten. Ik zie het probleem niet.'

'Nou, één probleem, Craig, hoewel ik niet geldbelust wil klinken, is dat als hij het haar vraagt en zij het hem vertelt, mijn bureau geen tweeenhalfduizend dollar verdient. Maar het andere is dat zij kennelijk een deal met haar man heeft gemaakt – hij heet Joel – dat ze niet met Diz zal praten behalve als hij er ook bij is. Wat blijft er dus over?'

Tamara stak haar hand als een goede student op en zei meteen: 'Ze wil niet dat Joel erachter komt.'

'Tien punten.' Hunt knikte. 'Dat denk ik ook. Wat natuurlijk kan betekenen dat het helemaal niets misdadigs is. Gewoon iets waarvan ze liever niet heeft dat hij er ooit wat van te weten komt.'

'Ze heeft een abortus gehad,' zei Tamara.

Hunt knikte opnieuw. 'Niet onmogelijk. Vooral omdat ze een goede katholiek is, omdat zij goede katholieken zijn.'

'Wacht even.' Chiurco draaide zijn lichaam om en ging rechtop zitten. 'Zij betaalt Vogler alleen negentigduizend dollar per jaar zodat hij haar man niet zal vertellen dat ze een abortus heeft gehad? En Vogler is de enige die het weet? Dat lijkt me sterk.'

'Ik weet het niet, Craig. Er zijn wel vreemdere dingen gebeurd. Misschien was Vogler de vader.' Hunt duwde zich van de vensterbank af. 'Maar waarom kijken we niet wat we over zijn tijd in de gevangenis kunnen ontdekken, met wie hij misschien omging, om te zien of het ons op de een of andere manier naar Maya terugleidt?'

'Dat doe ik wel,' zei Chiurco.

'Prima. Ondertussen zal ik rondspeuren en kijken of ik met iemand kan praten die zich haar van school herinnert. Ik heb gisteren met Diz hierover gepraat en hij maakt zich een beetje zorgen, naast al het andere dat we besproken hebben, dat als Vogler haar chanteerde, ze misschien iets gevaarlijks weet waarvan ze niet weet dat ze het weet. Het is dus nogal dringend.'

Chiurco sprong overeind. 'Ik stort me er helemaal op,' zei hij.

Even voor het middaguur van een steeds stormachtiger wordende herfstdag waren Bracco en Schiff weer in Haight-Ashbury, waar ze ditmaal aan het praten waren met een oudere vrouw die Edith Larsen heette. Ze zaten alle drie om een houten tafeltje met een kanten tafelkleed in een hoekje van haar keuken. Ze woonde op de eerste verdieping van een flatgebouw dat over Ashbury uitkeek, schuin tegenover de straat met de steeg waar Vogler was overleden.

Afgelopen zaterdag had ze natuurlijk de politie en de menigte gezien en sindsdien had ze het verhaal van de moord vrij nauwlettend in de krant gevolgd. De laatste paar dagen had ze geprobeerd te beslissen óf het de moeite waard zou zijn om iemand te bellen over een mogelijk verschil dat haar was opgevallen, en uiteindelijk dacht ze van wel, en nu waren ze allemaal hier.

'Bent u hier zeker van?' vroeg Schiff.

'Ja. Absoluut. Er waren twee schoten, niet maar één.' Mevrouw Larsen, die achter in de zestig was, had zich voor haar afspraak met deze rechercheurs gekleed in een paarse lange broek, praktische zwarte schoenen en een zwarte coltrui. 'Op het moment dat ik ze hoorde, dacht ik dat ik het alarmnummer moest bellen, maar daarna was er geen geluid meer, en geen gegil of iets dergelijks, dus nam ik gewoon aan dat het een knallende uitlaat of vuurwerk of zoiets moest zijn geweest. Als het een echt noodgeval was, zou iemand anders het alarmnummer wel hebben gebeld, dacht ik. Het was niet zo dat ik er niet bij betrokken wilde worden. Mensen zeggen dat altijd, weet ik, dat ze er niet bij betrokken willen worden, maar ik heb daar geen probleem mee. Maar ik denk dat ik mezelf er gewoon van overtuigde dat het waarschijnlijk niets was. Ik keek uit het raam daar – u ziet wel dat u een duidelijk zicht op de eerste vijf of tien meter van de steeg hebt – en zag niets bewegen. Ook niet op straat. En toen wilde ik geen vals alarm geven, wat erger zou zijn geweest dan helemaal niet bellen. Toch? Hoe dan ook,' zei ze. En haar stem stierf weg.

'Nou, het is goed dat u alsnog gebeld hebt, mevrouw,' zei Bracco. 'Maar wij hebben niemand anders over meer dan één schot horen praten.' Bracco's gezicht gaf zijn frustratie over de laissez faire-mentaliteit van San Francisco weer. Dit was niet bepaald Hunter's Point, in termen van schoten per minuut, en Bracco dacht niet dat een paar schoten een volkomen normale gebeurtenis zouden zijn. En toch had niemand van de burgerij het gepast geacht om ze te melden. Als het geen napalm was, dacht hij, lette niemand op.

Mevrouw Larsen keek van de ene rechercheur naar de andere, alsof ze hen om vergiffenis vroeg. 'Heeft niemand anders dan het alarmnummer gebeld?'

'Nee, mevrouw.'

'O, dan had ik dat echt moeten doen, toch?'

'Daar zou ik me geen zorgen over maken, mevrouw Larsen,' zei Schiff. 'Het gaat erom dat u nu hebt gebeld en dat wij hier zijn. Rechercheur Bracco en ik zullen bij de berichtencentrale nagaan of er zaterdagochtend iemand heeft gebeld om die schoten te melden of een klacht wegens geluidsoverlast in te dienen. Misschien vonden ze het geen noodgeval, en dan zou het niet via de berichtencentrale bij ons terecht zijn gekomen.'

Bracco boog met zijn ellebogen op de tafel voorover. 'Kunt u ons iets meer over die schoten vertellen, mevrouw? Hoeveel tijd zat ertussen, bijvoorbeeld?'

Mevrouw Larsen leunde achterover en staarde een paar tellen in het niets. 'Ongeveer een minuut, zou ik zeggen. Een behoorlijk lange tijd, in elk geval. Ze klonken niet meteen tegelijk, achter elkaar. Ik was wakker, herinner ik me, maar ik lag nog in bed, toen ik het eerste schot hoorde, en ik lag me daar een poosje af te vragen wat dat was, en of ik het echt had gehoord. Weet u wel? Zoals je bent wanneer je half wakker bent. En toen besloot ik dat ik echt iets had gehoord en stond ik op om te kijken of ik kon zien wat het geweest was en ik stond net in de gang daar toen het tweede schot afging.'

'En wat deed u toen?' vroeg Schiff.

'Nou.' Het gezicht van mevrouw Larsen werd levendig door de herinnering. 'Nou, toen ging ik natuurlijk zo snel als ik kon naar het raam en keek naar de straat hier, en ik kon de steeg ook zien, maar ik wist niet dat de schoten daarvandaan moesten zijn gekomen. Ik wist eigenlijk niets. Hoe dan ook, toen ik daarbeneden niemand zag bewegen en niets anders hoorde, besloot ik dus dat het waarschijnlijk niets was en het alarmnummer niet te bellen.'

'Mevrouw Larsen,' vroeg Schiff, 'hebt u toevallig op het exacte tijdstip van deze schoten gelet?'

'Ja,' zei ze. 'Het was tien minuten over zes. Het tweede schot, bedoel ik. Het eerste, even daarvoor. Zes uur acht of negen.' Ze wees. 'Daar is de digitale klok van de oven.'

'En hoe zeker bent u ervan,' vroeg Bracco, 'dat het hetzelfde soort geluid was?'

'O, hetzelfde, beslist. Als het tweede geluid een schot was, was het eerste een schot, en vice versa. Luid, en doordringend. Luider dan de tv.' Ze keerde terug naar het onderwerp. 'Ik had echt het alarmnummer moeten bellen. Dan was iemand hier misschien op tijd gekomen om de moordenaar te pakken.'

'Toe nou, mevrouw Larsen.' Schiff klopte met haar hand op de tafel. 'Daar zou ik geen minuut minder om slapen. U hebt er goed aan gedaan om ons nu te bellen, en dit is een heel belangrijk stukje informatie dat we nog niet hadden.' Ze wierp een blik op Bracco. 'Hierdoor kan onze hele theorie over de zaak veranderen, en dit allemaal omdat u een goede burger bent. Wij danken u zeer.'

Op de tweede trap naar beneden, buiten gehoorsafstand, begon Schiff erover. 'Geloof je haar?'

'Ik denk wel dat ze iets gehoord heeft.'

'Er ontbrak maar één kogel uit het moordwapen.'

'Misschién het moordwapen. Overeenkomend met het moordwapen. Ik herinner het me nogal vaag, Debra.'

'Vogler heeft niemand in die steeg beschoten.'

'Nee.'

'En er was maar één huls.'

'Ja.'

'En dat betekent?'

'Het betekent dat die vrouw oud is. Ze verveelt zich in haar eentje. Ze heeft misschien op dezelfde ochtend dat Vogler werd doodgeschoten een paar geluiden gehoord.'

Ze kwamen buiten in het bewolkte en winderige weer en liepen de helling af naar Haight, waar Darrel, hoewel ze de auto legaal op een plaats met parkeermeter hadden geparkeerd, routineus zijn radio over de achteruitkijkspiegel had gehangen en zijn visitekaartje op het dashboard had gelegd. Ze liepen aan de overkant van Bay Beans West over straat, en toen ze ter hoogte van de zaak kwamen, sloeg Schiff Bracco op de arm. 'Darrel,' zei ze. 'Wacht even. Moet je dat zien.'

Ze stopten allebei.

'Wat?' vroeg Bracco.

'Op de deur.'

Bracco tuurde, waarna hij van de stoeprand stapte en de straat overstak. 'Wat is dat?'

Toen ze dichterbij kwamen, diende het antwoord zichzelf aan. Op de voordeur was een officieel geelkleurig vel van een overheidsdocument geplakt, met het opschrift 'Beslag op onroerend goed' en de verklaring dat het etablissement onderworpen was aan verbeurdverklaring door de federale overheid, als opbrengst van handel in verboden substanties.

'Jerry Haines,' zei Schiff. 'Dat is verdomme een man naar mijn hart.'

13

Dismas Hardy had er deze ochtend niet aan gedacht om zijn regenjas mee te nemen naar het werk, en uit principe verdomde hij het om een taxi te nemen voor de stuk of tien straten vanaf zijn kantoor naar het Federale Gebouw in Golden Gate Avenue. Maar zijn koppigheid kwam hem duur te staan, nu hij met zijn jasje dichtgeknoopt en zijn handen in zijn broekzakken tegen een ministorm in liep.

Na de noodkreten om hulp, eerst om halfelf van Maya en een paar minuten later van Joel Townshend, had Hardy onmiddellijk een eigen spoedtelefoontje naar Jerry Haines gepleegd, die niet erg bereid leek om de verbeurdverklaringstoestand over de telefoon te bespreken – 'Het spreekt vrijwel voor zich,' luidde de enige uitleg die hij wilde geven. Maar Hardy had nog een paar troeven achter de hand, in de persoon van zijn vriend en mentor Art Drysdale, een voormalige officier van Justitie die nu een van de nestors van het federale aanklagerskantoor was, en tien minuten na Hardy's telefoontje met Art belde Haines hem om te zeggen dat hij wel een halfuur voor hem kon vrijmaken.

Vandaar de wandeling naar Haines' kantoor.

Maar de lichaamsbeweging diende ook een paar kleinere doelen: Hardy kreeg tijd om na te denken, en van het lopen in de windstoten en het stof werd hij echt pissig.

Nu hij door de eeuwig steriele gang op de elfde verdieping liep, werd hij sterk herinnerd aan de laatste keer dat hij voor zaken naar deze wijk was gegaan. Toen had hij het Federal Building pal aan de overkant van de straat bezocht. Zes jaar geleden was hij er in wezen van beschuldigd zijn eigen huis in brand te hebben gestoken voor de verzekering. Een brandstichtingsinspecteur en twee rechercheurs hadden gedreigd hem te arresteren, totdat hij hen uitdaagde hun beschuldiging waar te maken en midden in het verhoor wegliep.

Hij vroeg zich niet voor het eerst af of er in deze twee gebouwen – een federaal en een staatsgebouw – een of ander koel maar krachtig psychisch karma school, dat harteloze, onoprechte, zelfingenomen bureaucraten aantrok. Ondanks zijn afkeer van het materiële ontwerp en de algemene sfeer van het Paleis van Justitie op de hoek van 7th en Bryant – waar hij normaal zijn zaken deed – kon niemand zeggen dat je de hartslag van de menselijkheid niet in alle gebreken en grootsheid van het gebouw kon horen doordreunen. In tegenstelling daarmee leken die dikke, gezichtloze rechthoeken van glas en graniet – de gangen waren stil – de belichaming van de anonieme macht van de staat om schade aan te richten en zich te bemoeien met alles wat onder de rubriek van de regeluitvoering kon worden ingedeeld.

Er schoot hem een aforisme te binnen van iemand die hij ooit had gekend: de essentie van het fascisme is wetten te maken die alles verbieden, en ze vervolgens selectief tegen je vijanden uit te voeren.

Zo erg was het natuurlijk niet. Hardy had diverse vrienden, onder wie Art Drysdale, die in een van deze gebouwen werkten. Maar hijzelf meed ze zo vaak mogelijk, nagenoeg onbewust. En terwijl hij naar het kantoor van Haines liep, kon hij de gal die in zijn ingewanden was opgekomen niet negeren, evenmin als het prikkelende angstgevoel in zijn hersenen dat hem een huivering bezorgde.

Haines was zo'n tien kilo zwaarder dan Hardy, hoewel ze ongeveer hetzelfde postuur hadden. Vandaag droeg hij een grijs pak, een wit overhemd dat strak om de hals was geknoopt en een lichtblauwe das. Met enige moeite schudde hij Hardy's hand over zijn bureau heen, waarna hij weer ging zitten en naar beide beige kunstleren stoelen tegenover hem gebaarde.

Hardy vond het over het algemeen het best om beleefd te beginnen. 'Ik waardeer dat u de tijd neemt om mij te ontvangen.'

Haines stak een hand omhoog. 'Art Drysdale is een legende, meneer Hardy. Hij raadt mij aan om met u te praten, en dat doe ik. Hoewel ik er niet zeker van ben hoe ik u zal kunnen helpen.'

'Nou, dan zitten we zo'n beetje in hetzelfde schuitje.'

'Hoezo?'

'Ik denk dat dit verbeurdverklaringsproces dat u overweegt een gênante vergissing zal blijken te zijn. Ik weet niet hoe ik u kan helpen die te vermijden.'

Haines' mond verstrakte en de lippen drukten een lichte afkeer uit. 'Ik overweeg niet alleen om met het verbeurdverklaringsproces voort te gaan, meneer Hardy. Ik heb meer dan genoeg gronden en het is een behoorlijk geijkt precedent. Als je in drugs handelt, komen je winst en alles wat je met je winst koopt in aanmerking voor verbeurdverklaring.'

'Dat is niet onredelijk,' zei Hardy. 'Maar mijn cliënt heeft niet in drugs gehandeld. Een van de werknemers van Maya Townshend verkocht kennelijk marihuana vanuit haar koffieshop, maar zij wist daar niets van.'

'Nee?'

'Nee.'

'En bent u daar zeker van?'

'De kwestie is niet of ik er zeker van ben, wat wel zo is. De kwestie is of u het kunt bewijzen, en ik zie niet hoe u dat kunt doen.'

'Nou, dat is een andere zaak en daarover heb ik de onderzoeksjury al bijeengeroepen. Maar zoals u vast wel weet, kan ik helemaal niets zeggen over wat er in die procedure gebeurt. Maar wat betreft de vraag of uw cliënt op de hoogte was van het gebeuren – en laten we even afstappen van de vraag of zijzelf profiteerde van de verkoop van deze marihuana – zou het moeilijk voor te stellen zijn dat ze dat niet was.'

'En waarom dan?'

'Omdat er in de afgelopen vijf jaar niet minder dan drieëntwintig overlastmeldingen over Bay Beans West zijn gedaan door buren. Veruit de meeste daarvan betroffen zichtbaar marihuanagebruik, vaak in het bijzijn van kinderen en pubers. De overlastklachten werden natuurlijk niet aan de manager van de zaak doorgegeven, maar aan de eigenaar van het etablissement, die toevallig ook het gebouw bezit. Zou u, afgezien hiervan en van de steekpartij die twee jaar geleden in de steeg achter de zaak heeft plaatsgevonden, om nog maar te zwijgen over de moord van vorige week, willen raden hoeveel dagvaardingen wegens het roken van marihuana er in de afgelopen vierentwintig maanden op de straat recht tegenover de koffieshop zijn afgegeven?'

'*Tegenover* is niet *in*.'

Haines wuifde die tegenwerping weg. 'Drieënveertig. Drieënveertig bonnen. Die zaak is een bekend dopehol, meneer Hardy.'

'Hoe het ook zij, meneer, en ik zeg niet dat het niet zo is, het feit blijft dat mijn cliënt er niet veel van wist. Ze ging er zelden naartoe. Ze was een stille vennoot in de leiding van de zaak, meer niet.'

'Ze wist het goed genoeg om met haar civiele advocaten naar de Commissie Ruimtelijke Ordening te stappen toen een paar buren drie jaar geleden haar bedrijfsvergunning probeerden in te trekken. Dat is helemaal naar de Raad van Toezichthouders gegaan, meneer Hardy, en sommigen zeggen dat als haar broer er niet was geweest, ze haar zaak gesloten zouden hebben.'

Dit was totaal onverwacht en slecht nieuws voor Hardy. Maya en Joel hadden hem daar geen van beiden iets over verteld. 'Oké,' gaf Hardy toe, 'maar het gaat hier om marihuana in Haight Street. Die kun je in elke deuropening krijgen. Je kunt niet serieus beweren dat BBW de bron van al die bonnen was of er zelfs grotendeels aan bijdroeg.'

Haines snoof van ongenoegen. 'Uw cliënt is de zus van een van onze toezichthouders en de nicht van de burgemeester. Is dat niet leuk?' Zijn lippen krulden op, maar niemand zou dat een glimlach hebben genoemd. 'Uw cliënten wisten beslist wat voor soort zaak ze runden, geloof me. Het is een doodgewone en simpele narcoticaoperatie, compleet met het wapen dat het vermeende moordwapen is voor het laatste probleem daar, enorme hoeveelheden contanten – veel meer dan je in een koffieshop zou verwachten – en aanzienlijke hoeveelheden marihuana in het pand.'

Hardy nam deze informatie zwijgend in zich op, terwijl hij zijn bezorgdheid met een nonchalante houding maskeerde – hij leunde nu achterover, met zijn armen op de stoelleuningen en zijn voet over de andere knie. 'Meneer Haines,' zei hij, 'ik ben hier niet om erover te discussiëren of de zaak een bron voor marihuana was. Dat was kennelijk het geval. Maar het zal lastig worden – zelfs als mijn cliënten ervan wisten, of er een vaag idee van hadden, of iets dergelijks – het zal verdomd lastig worden om te bewijzen dat ze überhaupt van de dope profiteerden. Weet u wie Joel Townshend is? Hij heeft geen dopegeld nodig, geloof me.'

'U bedoelt de theorie, meneer Hardy, dat mensen die veel geld hebben niet nog meer willen?'

'Hij hoeft dat soort risico's niet te nemen om aan meer geld te komen. Hij zou dat risico niet nemen. En zij ook niet.'

'Wat kwam er het eerst, vraag ik me af, het onroerend goed of de drugs? Meneer Townshend mag dan een fortuin hebben, meneer Hardy, maar wij zijn van plan om iedere dollar ervan die uit de narcoticahandel is gekomen op te eisen. Dan zullen we eens zien hoeveel hij nog overhoudt.'

'Waarom zouden ze het risico nemen?' herhaalde Hardy.

Haines had zijn hand losjes voor zich uitgestrekt en krabbelde aan zijn bureaulegger. 'Je kunt met het argument komen, en ik denk dat u het daarmee eens zult zijn, dat er, gezien de laten we zeggen persoonlijke relaties tussen uw cliënten en het kantoor van de burgemeester, hier in deze stad geen risico was om welk soort illegale handel dan ook te leiden.' Nu schoof hij naar voren, terwijl zijn ogen zich samenknepen en een vleugje echte woede het bleke vlees van zijn gezicht rood kleurde.

Zijn stem bleef echter beheerst. 'Zij betaalde de man negentigduizend dollar per jaar, godsamme.'

'Dat klopt.'

'Om een koffieshop te leiden.'

'Correct. De laatste keer dat ik dat natrok, was dat geen misdrijf.'

'Nee, maar witwasserij wel. Hij geeft haar zijn dopegeld, zij zet het op haar rekening of op die van haar man, en zij betalen het hem terug.'

'Zo ging het niet,' zei Hardy botweg.

'Ik ben van plan aan te tonen dat het wel zo ging. Als je ervoor zorgt dat mensen zich zorgen maken over hun vermogen, zou het u verbazen wat er tevoorschijn komt.'

Hardy haalde zijn benen van elkaar en schoof in zijn stoel naar voren. 'Meneer Haines, hebt u deze mensen al eens ontmoet? Zij hebben helemaal niets gedaan.'

'Nee? Nou, dat zullen we nog wel zien. Maar wat is uw punt? Dat ik hen aardig zou vinden als ik een sociale ontmoeting met hen had? Dat het mij iets zou uitmaken? Ze zijn vast charmant. Dat zijn oplichters vaak.'

'U zit er volledig naast,' zei Hardy. 'U hebt helemaal geen feiten die aantonen dat mijn cliënten hierin verwikkeld zijn. En ondertussen hebt u hen met die verbeurdverklaring gedreigd. Op dit moment is dat alleen maar een bot instrument.'

'Nou.' Haines vouwde zijn zware handen op het bureau. 'Het zal ons op weg helpen om te ontdekken wat we moeten weten. En soms moet je gewoon het gereedschap gebruiken dat je hebt.'

'Kun je dat nog steeds?' vroeg Hardy vanuit de deuropening van het kantoor.

'Het is net als fietsen,' antwoordde Art Drysdale, 'als je het eenmaal kunt...' Hij ving de laatste van de drie honkballen waarmee hij bij zijn bureau had gejongleerd, stopte ze in een enorme hand en sprong, met veel meer enthousiasme dan Haines had getoond, van zijn stoel op om Hardy de hand te schudden. 'Je ziet er geweldig uit, zeg. Hoe gaat het?'

'Als het nog beter met me ging zouden ze mijn medicatie moeten veranderen,' zei Hardy. Hij keek vlug het kantoor rond, dat veel meer persoonlijkheid vertoonde dan het honk van Jerry Haines. Natuurlijk had de reden daarvoor kunnen zijn dat Drysdale zelf veel meer persoonlijkheid had dan zijn uitsloverige nieuwe collega. Drysdale – geen familie van ex-Dodger Don – was in zijn jeugd beroepshonkballer geweest en was halverwege de jaren zestig voor een hongerloon bij de Giants gekomen, voordat hij besloot de rechtswereld in te gaan. De boekenplank die zijn linkermuur bedekte was volgestouwd met sportmemorabilia, trofeeën uit de tijd dat hij coach was voor de PAL, foto's met de groten – McCovey, Cepeda, Mays!!! – en met zijn gezin, vier jongens, hijzelf, en zelfs zijn vrouw, meestal in een of ander sportuniform.

'Als ik niet net bij Jerry Haines vandaan was gekomen,' voegde Hardy eraan toe, 'zou ik misschien zelfs wel een gezonde uitstraling hebben.'

Drysdale duwde zichzelf weer op zijn bureau en gebaarde of Hardy de deur misschien achter zich dicht zou willen doen. Toen dat gebeurd was, klikte Drysdale met zijn tong. 'Meneer Haines heeft je niet veel voldoening gegeven, wel?'

'O nee. Hij was juist heel informatief. Het probleem was dat de informatie waardeloos was. Kunnen jullie echt zomaar bezit afpakken?'

Drysdale grimaste. 'Wij zijn de federale overheid, Diz. Wij kunnen alles doen wat we maar willen. Waarom? Omdat niemand ons zal tegenhouden.' Hij vervolgde op een andere toon: 'Ik geef toe dat het enigszins een probleem is voor sommigen van ons. Aan beide kanten. Die piepkleine mogelijkheid om het systeem te misbruiken, want als je het gedreven genoeg speelt, word je eigenlijk nergens serieus op aangesproken.' Hij knikte. 'Naar wat ik hoor, is hij behoorlijk op dreef, om het zo maar te zeggen.'

'Wat moet ik dan doen?'

'Wat bedoel je?'

'Ik bedoel dat ik een cliënt heb die hierbij betrokken is, Art. In theorie moet ik haar en misschien zelfs haar familie uit deze narigheid houden.'

Drysdale gniffelde droogjes. 'Nou, dat is jouw probleem. Het systeem is min of meer opgezet om je eruit te houden. Vooral als hij de onderzoeksjury gebruikt, en ik weet toevallig dat hij dat doet.'

'Ja. Dat heeft hij me ook verteld.'

'Oké. Je zult er dus nooit achter komen wat daar gebeurt. Je hoeft het niet eens te proberen, Diz. Geen advocaten toegestaan. Geen getuigen. Nóóit praten over dingen die daar worden gezegd. Maar dat weet je wel.'

'Oké, maar hoe pakt hij de verbeurdverklaring aan?'

'Nou, dat is eigenlijk behoorlijk gehaaid. Hij vraagt alleen om een civiele verbeurdverklaring.'

'In tegenstelling tot strafrechtelijk, neem ik aan. Maar wat betekent dat?'

'Het betekent in wezen dat hij beslag legt op het perceel... Weet je hier überhaupt iets van?'

'Niet echt. Het komt niet elke dag voor.'

'Nee. Vast niet. Daarom vindt Haines het zo leuk. Wil je eerst eens raden waar de verbeurdverklaringsregels onder vallen?'

'De Juniorencompetitie?'

Drysdale glimlachte. 'Dichter in de buurt dan je zou denken, eigenlijk. De Admiraliteitswet.'

'Dat wilde ik als tweede zeggen.'

'Daar geef ik je dan gedeeltelijk punten voor. En weet je waarom het de Admiraliteitswet was? Omdat er vroeger, traditiegetrouw, doorgaans smokkel bij het hele dopegebeuren in het spel was, en de meeste smokkelwaar kwam per boot binnen – dat gebeurt nog steeds veel, natuurlijk – dus vaak moesten we het schip haastig in beslag nemen wanneer het in het dok lag – ze noemden het zelfs het arresteren van het bezit – en dan moesten de eigenaren een schuldbekentenis overleggen voordat ze weer konden uitzeilen. Hoe dan ook, het punt was dat het allemaal verdomd snel kan gebeuren. En dan moet er een civiele rechtszaak komen om het allemaal voor de rechter uit te vechten en voorgoed af te handelen. Dus in wezen moeten jouw cliënten een proces aanspannen om hun winkel uit deze onzekere toestand te halen, en verrassing, de bewijslast ligt nu bij hen. Het goede nieuws is dat ze tot de definitieve uitspraak hun handel – hun legitieme handel – kunnen voortzetten.'

Hardy liep naar een schommelstoel in de hoek bij de boekenplank en ging daarin zitten. 'Wat is het punt dan? Wat schiet Haines ermee op om alleen beslag op de winkel te leggen?'

'Niet veel, als dat het enige is wat hij doet. Misschien wint hij, misschien niet. Maar in beide gevallen krijgt hij hun aandacht.'

'Nou en?'

'Aha!' Drysdale stak een vinger omhoog. 'Hij mag over een civiele zaak praten. Met de kranten, de tv, met jouw cliënten, met de politie, met iedereen. Door erover te praten bewijst hij het publiek een dienst. Ondertussen roert hij in de pot om te zien wat er bovenkomt.'

'In tegenstelling tot...?'

'Dat kan ik je wel vertellen, maar ik weet dat je het al weet.'

Hardy wachtte even, en natuurlijk vertelde hij het toen. 'De onderzoeksjury.'

'Ta da!' Drysdale spreidde zijn handen met een overwinningsgebaar. 'Twee takken. Een publieke en een geheime.' Zijn gezicht verduisterde.

'Het is een serieuze pers zonder gelul, Diz. En mijn bronnen vertellen me dat die beste Haines het als een maestro speelt. Weet je dat hij zijn moordrechercheur – Schiff toch? – als speciaal agent van de onderzoeksjury heeft aangesteld?'

'Kan hij dat doen?'

Drysdale klakte met zijn tong. 'Ik geloof dat we het erover hebben gehad dat hij alles kan doen, toch? Hij kan ervoor zorgen dat de onderzoeksjury wie dan ook aanstelt als haar agent. En waar heeft die agent toegang toe? Documenten van de onderzoeksjury, waaronder financiële en bankbestanden, die trouwens in het echte leven altijd door de federale mensen – door ons – gedagvaard kunnen worden en die de staat nooit in handen kan krijgen.' Drysdale draaide zijn hand om. 'Nu kan die agent natuurlijk niet onthullen wat er in die documenten staat – dat is geheim – maar ze kan handelen naar wat ze ervan weet. Bovendien kan ze – en dat zul jij geweldig vinden – op basis van die persoonlijke kennis voor een rechter pleiten om die geheime documenten vrij te geven. En ook is het zo, tussen haakjes, dat als dat niet werkt, de documenten soms op de een of andere manier uitlekken als ze eenmaal buiten de kamer van de onderzoeksjury komen. Hoewel dat natuurlijk verkeerd zou zijn.'

Hardy kon de hele dag wel naar Drysdales amusante commentaar luisteren, maar hij vond het totaal niet grappig. 'Dit is niet in orde, Art.'

Drysdale lachte met enig enthousiasme. 'We zijn nauwelijks begonnen, Diz, en als je er niet om kunt lachen, zit je diep in de shit.'

Hardy leunde achterover. 'Anders nog wat?'

'Wil je het echt weten?' Toen Hardy knikte, nam Drysdale op het bureau plaats. 'Jerry kan dit op zoveel manieren spelen, dat is gewoon prachtig. Jij zei dat Kathy West misschien bij deze zaak betrokken is, toch? En Harlen? Oké, eerst moet hij ervoor zorgen dat ze een paar keer met een van onze agenten praten. Ze worden niet verdacht, zegt hij tegen hen. Hij wil dat ze een boekje over je cliënt opendoen, maar zelf maken ze geen deel uit van het onderzoek. Wat levert dat hem dan op? Nou, in de eerste plaats, als een van beiden ook maar een klein leugentje aan de FBI-agent vertelt, begaan ze een misdrijf. En raad eens? FBI-agenten hoeven verhoren niet op de band op te nemen.'

'Nu hou je me voor de gek!'

'Was dat maar zo, jongen, maar dat was het oorspronkelijke beleid van J. Edgar Hoover en dat is tegenwoordig nog steeds van kracht, dus is het altijd jouw woord tegen dat van een FBI-agent, en raad eens wie de onderzoeksjury waarschijnlijk zal geloven? Ze hebben zelfs een leuk naampje voor dit leuke strategietje – de Meineedval. Is dat niet bijzonder?'

'Prachtig. En ik heb zo'n vermoeden dat we nog steeds niet klaar zijn.'

'Je hebt het snel door, Batman. Wil je het echt weten?'

'Ik wil weten waar ze dit soort dingen onderwijzen. Ik ben al dertig jaar advocaat, en ik ben het nog nooit tegengekomen.'

'Dat is geen toeval, Diz, dat garandeer ik je. Dit zijn zeer geheimzinnige zaken. Maar hoe dan ook, om op je vraag terug te komen, laten we zeggen dat jouw mensen – Kathy en Harlen en zelfs je cliënt – niet tegen een FBI-agent liegen. Nu komen ze als individuen voor de onderzoeksjury, waar ze zoals je nog weet duidelijk geen verdachten zijn. Haines kent hun immuniteit toe voor alles wat ze zeggen, en wat is daar interessant aan? Nu kunnen ze zich niet op het zwijgrecht beroepen! Nu moeten ze antwoord geven op alles wat Haines hun vraagt; als ze weigeren, gaan ze de gevangenis in wegens minachting. Is dat niet geweldig?'

'Waarom komt me dat ergens bekend voor?' vroeg Hardy.

'Omdat jij je als advocaat zult herinneren dat bijna precies hetzelfde gebeurd is met Susan McDougal in het Whitewater-onderzoek van Ken Starr. De onderzoeksjury riep haar op en gaf haar zelfs immuniteit, maar ze weigerde vragen te beantwoorden omdat ze bang was dat haar verklaringen als vals zouden worden beschouwd...'

'Dat is een aardig onderscheid,' becommentarieerde Hardy. '*Beschouwd als*.'

'Ja toch? Nou, hoe dan ook, als ze als vals werden beschouwd, zou ze wegens meineed worden aangeklaagd, dus gaf ze geen antwoord, en dus werd ze voor haar moeite wegens civiele minachting in hechtenis genomen, waar je blijft zolang je weigert te antwoorden of tot de termijn van de onderzoeksjury verstrijkt, die in McDougals geval achttien maanden was.'

'Jezusmina.' Lichtjes heen en weer schommelend, met zijn handen om de armleuningen geklemd, zat Hardy alles in zich op te nemen. 'Het gaat dus om veel meer dan alleen die verbeurdverklaring? Waar aast Haines op? Witwasserij?'

'Minstens. Plus distributie, samenzwering, noem maar op – waar een zeer zware gevangenisstraf op staat.'

'Jezus.'

Ook Drysdale glimlachte niet meer. 'En ik ben bang dat het alleen maar erger wordt, Diz.'

'Ik kan me niet echt voorstellen hoe.'

'Nee. Waarschijnlijk niet. Dan zal ik je de oerlelijke waarheid vertellen. In het belang van je cliënt, en ook in dat van Kathy en Harlen, moet je weten dat je er alles aan moet doen om te voorkomen dat ze sowieso worden aangeklaagd. Dat wil Jerry – hij wil hen dwingen schuld te bekennen aan het feit dat ze een verhandelplaats aanhielden.'

'Zelfs als Kathy of zelfs Maya niets met de dope te maken had?'

Drysdale schudde zijn hoofd. 'Maakt niet uit. Ze kunnen toch allebei strafrechtelijk aansprakelijk zijn.'

'Hoe dat zo?'

'Omdat als een van hen reden heeft om te geloven dat er criminele activiteit was, maar er niet naar vroeg, de jury hem ten laste mag leggen dat hij op de hoogte was.'

'Onder welk mogelijk mom, Art?'

'Simpel en schitterend. Ze hadden ernaar moeten vragen, dus is het opzettelijke onwetendheid.'

'Opzettelijke onwetendheid. Dat vind ik mooi.'

'En waarom zou je niet? Het is ook iets moois.'

Hardy zat een poos stil, met zijn voeten op de vloer geplant. 'Laat me alles even op een rijtje zetten. Ze gaan hen in elk geval pakken wegens het aanhouden van een verhandelplaats, vrijwel automatisch, lijkt het. Klopt dat ongeveer?'

'Behoorlijk.'

'Waarom zouden ze het dan niet in de rechtszaal willen uitvechten voor wat betreft de aanklachten van witwasserij, distributie en samenzwering?'

'Mooi,' zei Drysdale. 'Ik ben dol op mensen die opletten. Dat hing gewoon in de lucht, hè?' Afwezig gooide hij een van de honkballen omhoog en ving die op. 'Ik heb het beste voor het laatst bewaard. Ik wed dat je denkt dat als je voor het federale gerecht wordt vrijgesproken, je niet veroordeeld kunt worden.'

'Nou, ja. Dat betekent "vrijgesproken" toch eigenlijk?'

'Ah, de naïviteit van de jeugd! Als je voor het federale gerecht veroordeeld wordt op ook maar één onderdeel van een aanklacht – meineed, aanhouden van een verhandelplaats – kan de rechter een vonnis tot het statutaire maximum op je vrijgesproken gedrag baseren. Eén klein leugentje om bestwil tegen een FBI-agent – dat tussen haakjes misschien nooit werkelijk is uitgesproken – kan je cliënt *vijf jaar* gevangenisstraf opleveren. En vergeet niet dat het maximum voor het aanhouden van een verhandelplaats twintig jaar is. En, o ja, er is geen sprake van voorwaardelijke vrijlating bij de FBI. Dus proberen ze natuurlijk strafvermindering te bepleiten, zelfs als ze hun bezit daardoor verliezen. Misschien is dat het enige wat Haines wil, maar waarschijnlijk niet. Is dat geen mooi pressiemiddel?'

'Ongelooflijk, Art. Er moet een manier zijn om het te omzeilen.'

'Nou, als je daarop stuit, mijn vriend, maak het nieuws dan bekend en je zult miljoenen dollars verdienen. Dat garandeer ik.'

Glitsky zei: 'Ja. Ik heb tegen Debra gezegd dat ze op dat punt misschien iets te hard van stapel liep. Haines.'

'Ken je hem?' vroeg Hardy.

'Ik heb het genoegen nog nooit gehad.'

'Het was geen genoegen.'

'Als het kan helpen: ik heb min of meer geprobeerd om haar en Darrel terug te fluiten.'

'Dat zou goed zijn geweest als het kalf nog niet verdronken was.'

'Ik heb tegen haar gezegd dat het eigenlijk geen standaardprocedure was om een agent van de onderzoeksjury te zijn. Voor wat dat waard was. En naar haar reactie te oordelen was dat vast niet veel.' Aan de tafel in Kokkari draaide Glitsky zijn hand om. 'Weer een mislukking, ben ik bang. Ik ga een record halen.'

Hardy was een poosje bezig een volmaakte ruggengraat te tillen uit de hele zeebaars die hij voor de lunch had besteld. Vanaf het kantoor van Haines had Hardy een taxi genomen en hij had Glitsky voor het Paleis van Justitie opgepikt, met de gedachte dat een geweldige Griekse maaltijd hen misschien allebei zou opvrolijken. Maar tot dusver, halverwege de maaltijd, lukte dat niet erg.

Tijdens de rit hadden ze Zachary's toestand besproken. De artsen adviseerden nog een paar dagen te wachten voordat ze begin volgende week zouden overgaan tot de volgende operatie om de dura mater te vervangen. Kennelijk had de jongen iedereen van de familie herkend toen ze gisteravond op bezoek waren; hij had zelfs zijn arm uitgestoken en zijn zus, die voor het eerst naar het ziekenhuis was meegekomen, in haar arm gepord, waarna hij kortstondig had geglimlacht. Toch had hij nog steeds niet gepraat, wat iedereen enigszins zorgwekkend vond – Glitsky was dol op dat woord, zorgwekkend! – maar zijn andere motorische vaardigheden waren duidelijk verbeterd. De diagnose was van 'kritiek' naar 'gematigd' verschoven, en de algemene toon van het medische team was er een van optimisme.

Hoewel Abe heel weinig van dat optimisme had overgenomen.

Hardy, die doorgaans rap van tong was, hield zich koest terwijl hij citroen op zijn vis uitperste. Zelfverachting was wel zo'n beetje de laatste reactie die hij ooit van zijn taaie oudste en beste vriend had verwacht. Eerder had Glitsky niet al te veel twijfels gekoesterd over wie hij was of waar hij allemaal mee bezig was.

Of als dat wel het geval was, liet hij het niet merken.

Nu leek Zachary's ongeluk een troep demonen te hebben ontketend die eropuit waren zijn zelfvertrouwen en zelfrespect te ondermijnen.

Hardy kauwde en legde vervolgens zijn vork neer. 'Weet je,' begon hij. 'Ik heb Michaels luier verschoond voordat ik hem die laatste nacht naar bed bracht. Ik had alle tijd van de wereld om de zijkant van de wieg op te tillen. Ik bedoel, ik stond daar over dat verdomde ding gebogen en was hem aan het instoppen. Het stond half omhoog en ik hoefde alleen maar rechtop te staan en het verder omhoog te trekken. Zo gemakkelijk als wat. Fluitje van een cent. Helaas is de gedachte nooit bij me opgekomen.'

Glitsky bracht zijn ijsthee tot halverwege zijn mond. '*Helaas*. Denk je dat dat woord het schuldgevoel dekt?'

Hardy's hart bonsde met een onverwachte woedeschok in zijn borst, en het duurde verscheidene seconden voor hij die wist te beheersen. Uiteindelijk slaakte hij een zucht. 'Zo ben ik het gaan zien, Abe. Zover heb ik moeten komen om ermee te kunnen leven. Denk je dat ik mezelf al die jaren heb voorgelogen?'

'Je hebt het zelf gezegd – de gedachte is nooit bij je opgekomen.'

Hardy nam een slokje van zijn sodawater en koos zijn woorden zorgvuldig. 'Je staat daar dus een goede vader te zijn, door Zack op zijn nieuwe fiets mee naar buiten te nemen. Je zet hem op het zadel en denkt: o ja, de helm...'

Glitsky kapte hem met iets luidere stem af. 'Ik weet wat ik heb gedaan.'

'Ik weet niet of dat wel zo is.'

'Zet me niet onder druk, Diz. Dat meen ik.'

Hardy haalde adem. 'Ik zet je niet onder druk. Ik zeg dat je niets hebt gedaan waardoor het veroorzaakt is. *De gedachte is nooit bij je opgekomen.*'

'Dat had wel gemoeten.'

'Waarom? Is er ooit eerder iets gebeurd wat er in de verste verte op leek? Moet je denken aan elke onvoorziene gebeurtenis die zich kan voordoen? Als dat waar was, zou je je kinderen nooit uit het oog verliezen. Nooit. Verdomme, je zou ze misschien niet uit bed laten gaan omdat er iets zou kunnen gebeuren.'

'Er is ook iets gebeurd.'

'Jij hebt er niet voor gezorgd dat het gebeurde.'

'Ik had het kunnen voorkomen. Als ik gedacht zou hebben...'

Hardy legde zijn vlakke handpalm op de tafel tussen hen. 'Als je gedacht zou hebben,' zei hij. 'Maar daar was geen reden voor. Niets dergelijks was ooit eerder gebeurd. De volgende keer, oké, zul je eraan denken om de helm eerst op te zetten. Maar het was geen nalatigheid om er op dat moment niet aan te denken, Abe. Het was een raar ongeluk. Je kunt alles duizend keer precies hetzelfde doen en dan zou er nooit weer iets ergs gebeuren. Het was niet jouw schuld.'

Glitsky zat kromgebogen boven zijn bord. Hun tafel stond bij een raam en hij keek woest naar de storm buiten. Uiteindelijk wendde hij zich weer tot Hardy en leek hij de woorden een voor een uit zijn mond te trekken. 'Hoe kan het niet mijn schuld zijn als ik verantwoordelijk voor hem was? Als het onder mijn toezicht gebeurt, ben ik schuldig.'

'Dit is geen politiebureaucratie, Abe. Dit is jouw leven.'

'Smeris zijn is mijn leven.'

'Lul niet. Smeris zijn is je werk. De rest van jou is je leven. Het probleem waar je nu mee zit is dat dit jou en je zoon echt is overkomen. Jullie zijn er dus allebei slachtoffers van. En aangezien een slachtoffer zijn het enige is wat jij nooit zult doen, neem je de verantwoordelijkheid ervoor op je. Want zo ben je. Dat doe je. Dat gaat automatisch.'

'Het is ook niet verkeerd,' gooide Glitsky eruit.

'Dat zeg ik ook niet. Niet altijd, gewoonlijk niet. Maar deze ene keer drukt het je neer terwijl je sterk zult moeten zijn, als Treya en Rachel en zelfs arme kloteadvocaten zoals ik er behoefte aan hebben dat jij je eroverheen zet, zodat je troepen niet over hun zaken heen walsen. Jij hebt dit niet gedaan. Jij hebt het niet veroorzaakt. Het is gebeurd, dat is alles. Jij bent daar een slachtoffer van, oké, prima. Wettelijk gezien. Maar dat maakt je nog geen onwaardig mens, niet als je dat niet toelaat.'

Glitsky's litteken gloeide wit door zijn lippen heen. Zijn zware wenkbrauwen hingen als een afgrond boven halfdichte ogen, die op het bord voor hem gefixeerd bleven en weigerden Hardy aan te kijken, die het niet onmogelijk achtte dat zijn vriend plotseling over de tafel heen fysiek naar hem zou uitvallen of zijn servet zou neersmijten en naar buiten zou stormen. Maar in plaats daarvan sloeg Glitsky zijn ogen op. 'Ben je klaar?'

'Nagenoeg.'
Glitsky knikte. 'Ik zal er even over nadenken.'

Het was nogal een omweg – diverse andere kerken, en zelfs de St. Mary-kathedraal was dichter bij haar huis – maar Maya Townshend voelde dat de St. Ignatius, de kerk aan de rand van de campus van de USF, een bijzondere energie op haar uitstraalde, en daar was ze nu naartoe gereden. Ze had alle goddelijke interventie nodig die ze kon krijgen, en hier kwam ze het vaakst om voor vergeving te bidden. De gebeden die ze hier had gedaan waren voor het grootste deel verhoord.

Verhoord in de vorm van Joel en haar leven met hem. Hun gezonde gezin. Hun heerlijke woning en financiële zekerheid. Als God haar niet had vergeven, zou Hij zeker niet zoveel heil over haar hebben uitgestort.

Dat was ze in elk geval gaan geloven.

Maar nu was ze er opeens niet meer zo zeker van. Ze wist dat doden een doodzonde was en vroeg zich af of Gods schijnbare aanvaarding van haar boetedoening en gebeden in werkelijkheid alleen het eerste stadium was van een straf die haar zou beroven van alles wat ze liefhad en koesterde. Als ze, vanwege deze hele toestand, Joel nu kwijtraakte, of de kinderen, of zelfs hun woning en hun fortuin, zou dat veel verschrikkelijker zijn dan als ze zulke liefde en tevredenheid nooit had gekend. God eiste niet alleen gerechtigheid, maar Hij schonk ook genade. De Kerk leerde dat er geen zonde bestond die God niet zou vergeven, en dat het verzuim om dat te geloven de ergste zonde van allemaal was – wanhoop. Gods genade was oneindig. Maar de sleutel tot enige aanspraak op die genade was de biecht. En ze kon niet biechten.

Ze kon nooit biechten.

En die waarheid, geloofde ze, zou haar waarschijnlijk voor eeuwig verdoemen.

Als vaste bezoeker liep ze naar haar vertrouwde kerkbank achterin en knielde neer; ze sloeg het kruisteken, vouwde haar handen en boog haar hoofd.

Maar er kwamen geen gebeden. Haar gedachten gingen telkens terug naar de leugens die ze gisteravond nog aan Joel had verteld; de leugens waar ze nu al zo lang mee leefde; de waarheden die zelfs nog erger waren.

De gecapitonneerde houten plank waarop ze knielde had een opening in het midden van de bank en nadat ze maar even geprobeerd had te bidden, zakte ze weer op haar knieën neer, maar nu rechtstreeks in die opening, waar ze al haar gewicht op legde om de pijn op te zoeken, hoewel die door haar been omhoogschoot en bijna ondraaglijk werd.

'Alstublieft, God. Alstublieft, alstublieft vergeef me. Het spijt me heel, heel erg.'

Ze richtte haar hoofd op en probeerde met betraande ogen te focussen op het kruisbeeld boven het altaar dat ver weg voorin stond, op het lijden van Christus.

Maar Christus had nooit gedaan wat zij had gedaan. Christus wist dat Gods genade hem zou redden.

Na de gebeurtenissen van de afgelopen paar dagen koesterde ze die hoop niet langer voor zichzelf.

14

Op nog geen tweehonderd meter van de plek waar Maya leed en probeerde te bidden, sloeg Wyatt Hunt nog een bladzij van het jaarboek om, met de gedachte dat privédetectives het er in de toekomst gemakkelijk mee zouden hebben. Ze zouden alleen maar de MySpace- of Facebook-verslagen hoeven op te vragen van kinderen die nu naar school gingen, en dan zouden ze een gedetailleerd verslag hebben van alles wat hun subjecten sinds ongeveer de brugklas hadden gedaan.

Maya Townshend was met haar tweeëndertig jaar echter een beetje te oud voor die benadering. Hunt kon dus alleen in de computeruitdraai van haar studiejaren naar aanwijzingen zoeken. Natuurlijk had hij haar en haar man eerst gegoogeld en hoewel er zo'n drieduizend treffers waren, betrof de overgrote meerderheid ervan Joels bedrijf en hun filantropie. Voor een stel met zulke politieke connecties was er heel weinig over plaatselijke of nationale politiek, en ze waren ook niet bijzonder actief in de hogere kringen van San Francisco. Er verschenen maar liefst vier treffers voor Bay Beans West – alle varianten op de verhalen over de kleine plaatselijke koffieshop die de reus Starbucks kon trotseren en uitstekend draaide.

Niets over marihuana of wat voor soort problemen dan ook.

In een opwelling had Hunt Dylan Vogler opgezocht, en afgezien van verwijzingen naar zijn recente dood was er helemaal niets over de koffieshopmanager tevoorschijn gekomen – een van de zeer weinige onzichtbare mannen van het land, dacht Hunt.

Misschien zou Craig Chiurco, dacht hij, terwijl hij de criminele databanken natrok, meer geluk hebben.

Zijn volgende halte was de bibliotheek van de USF, waar hij met het jaarboek van 1994 begon en de geposeerde standaardfoto van Maya Fisk vond, waar ze een jaar of vijftien leek – fris gezicht, perfect haar, brede glimlach. Ze was in haar eerste jaar klassenvertegenwoordiger in het studentenbestuur, zat in het debat- en het voetbalteam, was actief op het gebied van muziek en theater, waar ze in twee studentenproducties speelde. Ook was ze cheerleader. Het tweede jaar was in wezen een herhaling van het eerste jaar.

De verandering moest aan het eind van haar tweede jaar of in de daaropvolgende zomer hebben plaatsgevonden, omdat haar foto als derdejaarsstudente bijna onherkenbaar anders dan de andere foto's was. Hoewel de haarkleur licht en de stijl ongetemder was geworden, was de gezichtsuitdrukking de belangrijkste verandering vanuit Hunts perspectief. In plaats van de puber met de zonnige glimlach van de voorgaande twee jaren, staarde er nu een jonge vrouw met een verveeld, zelfgenoegzaam lachje uitdagend naar de camera. Op zoek naar een ander beeld van deze kameleon, bekeek Hunt de club- en teampagina's, maar ook hier was er iets drastisch veranderd – Maya nam niet meer deel aan buitenuniversitaire activiteiten.

In haar laatste jaar plaatste haar foto haar dichter bij het meisje van haar eerste twee jaren – ze toonde een passieve tandeloze glimlach en ze had haar nog steeds lichte haar gekamd – maar het was een stijver portret dan de andere. En weer was ze nergens bij aangesloten.

Toen de jaarboeken hem vrijwel niets opleverden, bekeek Hunt de microfiches van de studentenkrant, de *Foghorn*, voor de eerste twee jaren, toen Maya nog actief was en misschien met andere studenten op enkele foto's met bijschrift stond. Hiermee had hij meteen meer geluk. Hier stond Maya, in haar eerste jaar, met drie andere cheerleaders gekke bekken te trekken voor de camera. Hunt schreef alle namen op. En drie andere namen die hij later in het eerste jaar in bijschriften vond. Kennelijk was Maya in het begin een populaire en betrokken studente geweest.

In haar tweede jaar had ze een hoofdrol in *Othello* gespeeld, en er was een foto van haar met haar medehoofdrolspeler, een knappe Afro-Amerikaanse jongen die Levon Preslee heette. In een begeleidend verhaal met de titel 'Het zit in de genen' las Hunt over Maya's kennismaking met het acteren en het theater via haar tante, de zeer beroemde actrice Tess Granat, die destijds in zestien films had geschitterd en vier hoofdrollen op Broadway had gespeeld.

Hunt leunde achterover, geïntrigeerd door de connectie waarover hij eerder geen enkele aanwijzing had gehad. Hij had een paar van Granats films gezien, dat wist hij zeker, maar hij kon zich geen titels herinneren. Of wat er met haar was gebeurd. Waarschijnlijk hetzelfde als met zoveel voormalige getalenteerde schoonheden wier uiterlijk zodanig verlept was dat ze onaantrekkelijk werden en geen rol meer kregen in Hollywood.

Of was ze overleden? Een of andere tragedie?

De naam wekte een vage herinnering daaraan op, maar hij wist het niet zeker meer. In elk geval werd er in het artikel niet gemeld dat Granat indertijd een of andere dagelijkse rol in Maya's leven had gespeeld, maar ze was gewoon iemand die misschien wist wat voor iemand de jonge vrouw was of wat ze in die tijd had gedaan. Hij schreef haar naam in zijn notitieboekje op.

Als ze nog leefde, dacht hij, zou hij de ooit beroemde filmster in Hollywood of waar ze ook maar was gewoon opbellen en over vroeger babbelen. Dat zou hij gewoon doen. Niet dus.

Maar het was toch geen totaal verloren middag geweest. Toen hij klaar was, had hij negen namen van mensen van Maya's leeftijd die haar op de universiteit hadden gekend.

Het was een begin.

Eenmaal terug in zijn kantoor in de binnenstad besefte Hunt dat het allemaal goed en wel was om negen namen te hebben om mee te werken, maar zeven daarvan waren vrouwen, en dus was het waarschijnlijk dat sommigen van hen, zoals Maya, na hun studietijd van achternaam waren veranderd. Ondertussen had hij Levon Preslee en nog een andere man, Jimi d'Amico, en Levon stond in de telefoongids van San Francisco.

Hunt belde het nummer, kreeg het antwoordapparaat van de jongeman, sprak een bericht in en besloot dat het tijd was dat Tamara met hem ging samenwerken aan deze vervelende zaak. Er waren diverse d'Amico's in San Francisco, en Hunt en Tamara belden hen allemaal, in de hoop een Jimi te vinden, maar omdat het midden op de middag van een doordeweekse dag was, lukte het hun maar één persoon te spreken, die geen Jimi kende.

Ze spraken nog meer berichten in.

Zoals hij al had verwacht, bleek het een hele toer te zijn om ook maar één van de vrouwen te vinden. Hij en Tamara hoopten dat een van de achternamen tenminste een stel ouders zou opleveren die wellicht bereid waren Hunts naam aan een van hun dochters door te geven, maar daarvoor zouden nogal wat telefoontjes gepleegd moeten worden en, opnieuw, berichten, berichten, berichten.

Tegen kwart over vier waren ze meer dan drie uur met de hele zaak bezig toen Hunt het drieëntwintigste telefoonnummer onder Peterson intoetste en er een vrouwenstem antwoordde.

'Hallo,' zei hij. 'Ik probeer ene Nikki Peterson te bereiken.'

'U spreekt met Nikki.'

Hunt sloeg met zijn vuist in de lucht, gooide een paperclip naar Tamara om haar aandacht te trekken en liet haar weten dat het eindelijk raak was. Hij legde uit wie hij was en waar hij over belde. Toen hij klaar was met zijn verhaal, zei ze: 'Jazeker. Ik kende Maya wel. We waren allebei cheerleaders. Maar ik weet niet waar ze nu is. Ik heb haar na onze studietijd niet meer gezien. Zit ze in de problemen?'

'Waarom vraag je dat?'

'Nou, u bent een privédetective die naar haar vraagt. Ik was niet geweldig in wiskunde, maar ik kan wel een en een bij elkaar optellen. Dat klopt dus?'

'Wat?'

'Dat ze in de problemen zit.'

'Nog niet,' zei Hunt, 'maar dat kan heel snel gebeuren.'

Hij vroeg haar langs te komen als ze vrij was, en binnen een uur zat ze tegenover zijn bureau. Ze was geen cheerleader meer, maar alleen naar haar uiterlijk te oordelen zou ze het team nog prima kunnen aanvuren.

'Nou, ik ben bezig met mensen te praten die haar indertijd kenden. Kende jij een vent met de naam Vogler? Dylan Vogler?' vroeg Hunt aan haar.

Ze aarzelde. 'Dat denk ik niet. Was hij een sportfiguur? Ik ging meestal met sportfiguren om.'

'Deed Maya dat? Met sportfiguren omgaan, bedoel ik?'

'Niet echt. Ze begon met ons en stapte daarna uit het team.'

'Waarom?'

'Geen idee, eigenlijk. Misschien werd er te veel geoefend. Ik weet het niet. Misschien verloor ze haar belangstelling gewoon. Dat kan gebeuren.'

'Herinner jij je geen geruchten of roddels over haar zo rond de tijd dat ze ermee ophield? Zwangerschap, abortus, iets dergelijks? Drugs? Arrestaties?'

'Niet echt, nee. Maar zo close waren we eigenlijk niet, weet u. Ik bedoel, ik kende haar toen ze in het team zat. Maar nadat ze was weggegaan, zoals ik al zei, heb ik niets meer van haar gehoord.'

'Waren er nog andere cheerleaders die haar misschien beter hebben gekend? Ik heb een foto van haar met jou en twee andere meisjes in de *Foghorn*, Amy Binder en Cheryl Zolotny.'

'Amy, nee, dat weet ik zeker. Cheryl? Misschien een beetje. Maar zij heet nu niet meer Zolotny. Wacht even, laat me even nadenken.'

'Neem alle tijd die je nodig hebt.'

In de receptieruimte, op Tamara's bureau, rinkelde de telefoon. Tamara zette haar eigen telefoontje in de wacht en antwoordde: 'Een moment, alstublieft. Kunt u even wachten?'

En toen gaf Nikki antwoord op Hunts eerdere vraag. 'Cheryl Biehl. Dat is het. Biehl. B-I-E-H-L. Ik denk dat ze nog steeds in de stad woont. Ze is vorig jaar op de reünie geweest. U kunt haar proberen.'

'Oké. Nou, bedankt, Nikki. Je hebt me erg geholpen.'

Zodra ze het kantoor had verlaten, gaf Hunt Tamara een seintje en zat hij weer aan de telefoon. 'Hallo.'

'Meneer Hunt?'

'Dat ben ik.'

'Mijn naam is Jimi d'Amico. U had een bericht voor me ingesproken?'

En het begon weer van voren af aan.

'Niets?' vroeg Gina Roake.

'Niets.'

Het was kwart voor zeven en Gina, de vennoot van Dismas Hardy en Wes Farrell en de enigszins geheime vriendin van Hunt, had haar welgevormde benen onder haar gevouwen op de bank in haar goed ingerichte eenslaapkamerflat in Pleasant Street net onder de top van Nob Hill. Hunt zat tegenover haar, in een van haar twee leesstoelen. Ze hadden de gordijnen voor het grote raam achter hem dichtgetrokken en zij had een paar kamerlichten en de gashaard aangedaan terwijl de nu felle wind tegen de ruiten ratelde. Gina, die blootsvoets was maar verder nog steeds gekleed ging in een bruine rok en een beige coltrui die ze voor het werk droeg, nipte van haar Oban-whisky en zuchtte. 'Dat klinkt als een lange dag, Wyatt.'

Hunt leunde hoofdschuddend achterover. 'Lang vind ik niet erg als ik er iets voor krijg. Maar uiteindelijk hebben we maar vijf van hen bereikt voordat ik het opgaf. Tamara is er nog steeds mee bezig en ik moet zeggen dat het geweldig is om werkverslaafd personeel te hebben. Maar het is een beetje raar. Het is alsof Maya bijna niet bestond na haar tweede studiejaar. En het is uitgesloten, of in elk geval onwaarschijnlijk, dat ze bij een of ander schandaal was betrokken. Wat het ook was, als ze door Vogler werd gechanteerd, was hij een van de zeer weinigen die op de hoogte waren van wat het ook was.'

'Misschien wel de enige. Misschien dat het daarom werkte. En ook niemand kende hem?'

'Tot dusver niet. De mysterieuze man.'

'En ben je er zeker van dat hij daar heeft gezeten? Op de USF?'

'Dat zegt Diz.'

'Heb je het jaarboek en de studentenkrant ook op hem gecheckt?'

'Nee.' Hunt trok een gezicht. 'De reden waarom ik je graag mag is dat je veel slimmer bent dan ik. Maar stel dat hij niet op de USF heeft gezeten, nou en?'

'Ik weet het niet. Misschien kun je uitzoeken waar hij echt heeft gezeten, zodat je misschien iets nieuws over hem te weten komt.'

'Ik weet niets over hem, behalve dat hij een zware gevangenisstraf heeft uitgezeten voor een beroving – die Craig aan het natrekken is – waarna hij in de stad terugkwam en die koffieshop runde en kennelijk verdomd veel dope verhandelde.'

Peinzend draaide Gina haar whiskyglas afwezig rond op de armleuning van de bank. Uiteindelijk keek ze naar Hunt op. 'Bedoel je dat hij vanuit San Francisco naar de gevangenis ging?'

'Yep.'

'Als hij tot een gevangenisstraf werd veroordeeld, was er een dossier over hem, en daarin zul je alles vinden wat ze indertijd over hem konden ontdekken. Jij hebt vast een goede persoonlijke vriend bij de reclassering.'

Hunt dacht even na. 'Heb ik je al verteld dat jij veel slimmer bent dan ik?'

15

Bij Hardy's huis, in de Avenues, die nog geen twintig straten bij de oceaan vandaan lagen, besloot de naderende storm serieus te worden. Een hevige, door de wind opgejaagde regen ranselde het dak en veranderde het dakraam boven hun keuken in een dreunende keteltrom die door de kamers weerkaatste. Hardy stond fronsend bij de muurtelefoon, met zijn vinger in het ene oor en de hoorn aan het andere, in een poging zijn cliënt boven de herrie uit te verstaan.

'Het beste advies,' zei hij, 'is niet in paniek raken. Ik krijg de indruk dat meneer Haines hier een politieke kans ziet. Hij wil met zijn naam in de krant komen, en hij denkt dat hij dat voor elkaar krijgt door via jou je broer en de burgemeester te pakken te nemen.'

Dit, wist Hardy, was voor hem gemakkelijk om te zeggen, maar voor de Townshends niet zo gemakkelijk om mee te leven. De waarheid, die middag door Art Drysdale bevestigd, was dat Jerry Haines met een bijna ongekende doeltreffendheid stappen ondernam om Joel en Maya onder druk te zetten. In het vriendelijkst mogelijke licht gezien werd Haines misschien gemotiveerd door een verlangen om Schiff en Bracco te helpen hun moordzaak op te lossen.

Maar Hardy geloofde dat niet echt, en tegen de tijd dat ze ophingen, had hij niet het gevoel dat hij zijn cliënt getroost of gerustgesteld had. Nog steeds kwaad over Haines en de manier waarop hij te werk ging, dacht Hardy dat een biertje geen kwaad kon. Hij opende een Anchor Steam en belde vervolgens Harlen Fisk.

De toezichthouder nam bij de tweede beltoon op. 'Yo, Diz. Wat is er loos?'

'Heb je onlangs nog met je zus gesproken?'

Hardy hoorde een zucht.

'Ik heb eerder vandaag met Joel gesproken.'

'Nou, als dat voor twaalf uur was, is het sindsdien erger geworden. Nu vragen ze om een gerechtelijk bevel om Joels rekeningen te bevriezen.'

'Jezus. Waarom?'

'Omdat ze dat kunnen doen. Ze zeggen dat ze een witwaszaak hebben. Maar ik denk dat de echte reden is dat Jerry Haines eindelijk enig nationaal profiel kan krijgen als een goede conservatieve aanklager met het lef om hard tegen dope op te treden. Hij heeft de aanval ingezet op de instanties die drugs verstrekken voor pijnstillende doeleinden, de enige groep mensen die het wat kan schelen, maar waarvan niemand in de media naar voren treedt. Zo bewijst niemand zijn ongelijk. Maar hij verbindt jou aan een malafide dope-onderneming, ongeacht hoe indirect, en let maar op, over een week of zo is hij een begrip.'

'Joel en Maya leiden geen dope-onderneming, Diz. Gegarandeerd.'

'Juist, maar het probleem is dat hij het niet hoeft te bewijzen om er ruchtbaarheid aan te geven.'

'Kan hij dat doen? Ik bedoel, zomaar een vermogen bevriezen?'

'Hij is de overheid van de VS. Hij kan het zeker proberen. Ik denk niet dat hij daadwerkelijk een rechter zal vinden die het zal goedkeuren, maar hij heeft je zus halfgek gemaakt van de zorgen.'

'Maar hoe zit het met de verbeurdverklaring?'

'Verbeurdverklaring is een civiele zaak, dus in wezen start hij gewoon een proces. Ik heb de tv nog niet aangezet, maar je kunt er donder op zeggen dat er vanavond over wordt bericht en dat het morgen in de krant staat.'

'Shit.'

'Vind ik ook. Daarom heb ik jou gebeld. Misschien is er iets wat we kunnen doen om te voorkomen dat dit groter wordt opgeblazen dan nodig is.'

'Wat bijvoorbeeld?'

'Eerst spreken we hem erop aan, drukken hem een beetje in de verdediging. Jij en Kathy leggen samen een sterke publieke verklaring af dat dit gewoon een politieke list is, de zoveelste partijdige aanval op de liberalen. Dan maak je de mensen gek die vóór medicinaal gebruik van marihuana zijn. Het gaat puur en simpel om politiek. Het tweede is iets waar mijn detective al aan werkt, maar misschien kun jij me beter dan wie ook daarmee helpen.'

'Als ik kan, doe ik mee. Wat is het?'

Hardy hield zijn flesje schuin. 'Nou, het lijkt erop dat Moordzaken en ik met dezelfde theorie op de proppen zijn gekomen, en die luidt dat Vogler met Maya betrokken was bij iets wat lang geleden is gebeurd. Het zou slecht nieuws zijn als die gezamenlijke betrokkenheid haar een motief gaf om hem te vermoorden.'

'Jezus christus, Diz. Maya heeft niemand vermoord. Dat is waanzin.'

'Ik hoop dat je gelijk hebt, maar...'

'Je hóópt? Jij bent haar advocaat, Diz. Je moet meer doen dan hopen. Zij is geen moordenaar. Zij is mijn zusje, godsamme.'

Hardy hield zijn toon afgemeten. 'Dit is nog niet naar buiten gekomen, maar je moet weten dat ze die ochtend daar is geweest, Harlen. Vogler heeft haar misschien onder druk gezet of bedreigd. De moordrechercheurs zijn naar Haines gegaan om te proberen Maya aan de praat te krijgen.'

'Heeft Darrel dat gedaan?'

'Glitsky zei dat het Schiff was, maar Darrel werkt met haar samen.'

'Dat is flauwekul. Ik ga hem bellen.'

'Doe dat niet. Doe dat alsjeblieft niet. Ze hebben haar nog niet gearresteerd. Ze hebben niet genoeg. Maar als je hen onder druk probeert te zetten om het niet te doen, verzeker ik je dat het niet zal helpen. Ze zullen denken dat ze naar jou toe is gegaan voor bescherming omdat ze schuldig is en jij invloed kunt uitoefenen.'

'Dit is krankzinnig.'

'Zo is het nu eenmaal, Harlen.'

'Wat wilde je nou dat ik doe? Met die gezamenlijke betrokkenheid?'

'Kijken of je haar zover kunt krijgen om mij te vertellen wat het was.'

'Wat, precies?'

'Wat was haar geschiedenis met die loser, die haar zo slecht behandelde? Waarom betaalde ze hem negentig mille terwijl het gangbare tarief ongeveer de helft daarvan is?'

'Ik heb haar antwoord daarop al gehoord. Het was een twistpunt tussen haar en Joel. Eerst had ze medelijden met hem en wilde ze hem weer op weg helpen nadat hij uit de gevangenis was gekomen, en vervolgens verrichtte hij zulk goed werk.'

'Dat heb ik ook gehoord.'

'Denk je niet dat het waar is?'

'Misschien wel als hij haar niet als de assistente had behandeld. Maar dat deed hij wel.'

Daarop viel Fisk een poosje stil. 'Als we erachter komen, ervan uitgaande dat ze het mij zal vertellen, wat dan?'

'Ik wil niet dat ze het jou vertelt, Harlen. Ze kan het jou niet vertellen. Jij bent haar advocaat niet. Er is geen geheimhoudingsrecht. Als je een dagvaarding krijgt zou je in de rechtbank alles moeten herhalen wat ze jou heeft verteld. Je moet haar zover krijgen dat ze het mij of een van mijn detectives vertelt. Dan hebben we tenminste antwoorden. We hebben te maken met de werkelijkheid van wat daar gebeurde. Haines hangt de theorie aan dat die negentig mille witwasgeld uit de drugshandel was. Het hoge salaris zonder enige verwijzing naar de dope moeten we wegredeneren.'

'Maar, zoals je zegt, het gaf haar ook een motief om hem te vermoorden.'

Dit bleef natuurlijk een ware bron van bezorgdheid, maar Hardy deed zijn best om er een gunstige draai aan te geven. 'Ik hoop dat als we Haines op de een of andere manier onschadelijk kunnen maken, Darrel en Schiff niet genoeg bewijs in handen krijgen.'

'Je bedoelt dat je denkt dat ze het echt gedaan zou kunnen hebben.'

'Ik ben haar advocaat, Harlen. Ik probeer haar uit de gevangenis te houden. Jerry Haines probeert haar als drugsdealer te bestempelen. Als zij een drugsdealer is, is ze in de ogen van Darrel en Schiff een veel geloofwaardiger moordenaar. Op dit moment is het voornamelijk een kwestie van perceptie, en ik moet toegeven dat het niet veel is, maar het is zo'n beetje alles wat we hebben.'

De Hardy's huurden een dubbele garage die slechts twee straten bij hun woning vandaan stond, en meestal was dit gunstiger dan dat ze minutenlang een parkeerplaats in de omringende straten moesten zoeken. Vanavond, echter, was Frannie in de aanhoudende plensregen door de twee straten gelopen en ongeveer vijf minuten na het gesprek van haar man met Harlen Fisk doorweekt en ijskoud thuisgekomen.

Hij schonk haar een glas wijn in, nam zelf een tweede biertje en stelde voor dat ze naar boven ging om een warm bad te nemen terwijl hij een van zijn geïmproviseerde 'zwarte-panmaaltijden' voor hen klaarmaakte. Omdat die doorgaans heerlijk smaakten èn heel weinig afwas gaven, ging Frannie akkoord; ze gaf hem een rillende zoen en een vlugge knuffel, en verdween naar boven.

De zware, veelgebruikte gietijzeren pan was het enige bezit dat Hardy nog uit zijn kindertijd overhad, en hij ging er heel zorgvuldig mee om. Gewoonlijk hing de pan aan een haak achter het fornuis en nu haalde hij hem eraf en nadat hij er even bewonderend naar had gekeken, streek hij met een vinger over het kookoppervlak. Zoals altijd voelde het zijdezacht aan; het glansde door een flinterdun laagje olie van de laatste keer dat hij er gebruik van had gemaakt, en er zat geen enkel krasje of aangekoekt restje op.

Hardy begon in de koelkast te rommelen – die permanent karig was gevuld nu de kinderen het huis uit waren – en nadat hij er een halve krop ijsbergsla uit had gehaald, viel zijn blik op een doos eieren en een flinke halve punt ongelooflijk heerlijke en romige d'Affinois-kaas, waarvan hij wist dat die het bloed in zijn aderen zo dik als teer zou maken, maar dat kon hem net zoveel schelen als een paar dagen eerder, toen hij en Frannie de eerste helft ervan hadden gedeeld – namelijk helemaal niets. Ooit zou iets hem de das omdoen, en als dat toevallig de d'Affinois was, kon hij een heleboel ergere manieren bedenken om heen te gaan.

Ze hadden nog andere alleen in San Francisco verkrijgbare producten voorhanden – boter, truffelolie, zuurdesembrood in de vriezer, een aantal verpakte gedroogde champignons in de provisiekast. Hardy liet de champignons in een kom met warm water weken, nam zijn bier mee naar de woonkamer, waar hij zijn tropische vissen voerde, en ging op de bank zitten wachten tot Frannie naar beneden kwam.

Hij zat nog steeds te worstelen met het idee waarom hij het Maya niet zelf vroeg.

De redenen die hij Wyatt Hunt had gegeven, hadden op dat moment redelijk geleken, maar nu twijfelde hij. Het was waar dat hij niet wilde dat Maya zich verdedigend opstelde tegenover hem. En een van de hoofdprincipes van het verdedigingswerk was dat geen enkele advocaat zijn cliënt in een positie wilde brengen waarin ze tegen hem moest liegen. Maar hij was zich vaag, zeurderig bewust van een andere motivatie die hem moreel een ongemakkelijk gevoel gaf: hij wilde haar niet als cliënt verliezen omdat ze misschien wel een kwart miljoen dollar aan honorarium vertegenwoordigde als ze werd gearresteerd, wat hij in elk geval als een mogelijkheid begon te beschouwen.

Hardy bracht ieder jaar verdomd veel peperdure uren in rekening, evenals zijn partners en hun vennoten, maar toch zette je een kwart miljoen dollar of meer niet zomaar op het spel als het niet per se hoefde. Om nog maar te zwijgen over de publiciteit rondom een zaak met zo'n vooraanstaande cliënt. En als hij haar vrijpleitte, leverde dat de firma waarschijnlijk nog eens een half miljoen of meer op, plus de dankbaarheid van de burgemeester en een van de toezichthouders van de stad.

Hij was zich zeer bewust van het geld. Dat was het.

Hij dacht niet graag dat hij strikt geldbelust was geworden, niet terwijl de wet zo lang een passie voor hem was geweest – eerst als politieagent, daarna als aanklager en de daaropvolgende ruim twee decennia als advocaat. Natuurlijk was het ook een bedrijf, dat redelijk lucratief was geworden, maar de zakelijke kant alleen was nooit het punt geweest. En dat mocht het nu ook niet worden.

Hardy vroeg zich af of hij Wyatt Hunt en nu Harlen Fisk om alle verkeerde redenen erop uit had gestuurd om een klus te doen die hij eigenlijk zelf op zich had moeten nemen. Of die helemaal niet gedaan moest worden. Hij wist dat hij chantage kon aanvoeren bij Haines zonder het eigenlijke feit te onthullen of zelfs te kennen, en aldus de witwastheorie waar de federale aanklager zijn verbeurdverklaringszaak op bouwde kon weerleggen. Maar een of ander instinct zei hem dat er werkelijk sprake van chantage was geweest, en dat de aard ervan wellicht de kern van deze zaak vormde.

Hij zat van zijn bier te nippen en naar zijn tropische vissen te staren, die hem geen enkel soort antwoord hadden verschaft tegen de tijd dat de telefoon aan zijn riem afging – Wyatt Hunt, die hem opvallend genoeg buiten kantoortijd belde.

'Zeg me dat je het al hebt,' zei Hardy.

'We hebben inderdaad iets,' antwoordde Hunt, 'maar je zult er niet erg blij mee zijn.'

'Ik luister.'

'De vent die samen met Dylan Vogler de beroving heeft gepleegd? Hij was een vriend van onze cliënt toen ze studeerde, met de naam Levon Preslee.'

'Oké.'

'Nou, niet zo oké, zoals blijkt. Levon is dood.'

16

Een windvlaag trok het portier van Darrel Bracco's auto uit zijn hand en sloeg het voor hem dicht op het moment dat een vers regensalvo het asfalt om hem heen bestookte. Hij liet zijn hoofd zakken, trok de capuchon van zijn gele parka omhoog en jogde met een flink vaartje naar de duidelijke bestemming – het busje van de lijkschouwer, dat samen met een patrouillewagen voor het huis geparkeerd stond, lichten aan op de veranda en achter de voorramen. Het was 22 uur 43 toen Bracco zijn penning liet zien aan de twee politieagenten die bij de deur stonden.

Debra Schiff was al binnen, in de gang bij de keuken, waar ze met een aantal mensen van het lijkschouwings- en het forensisch team, onder wie Lennard Faro, en het oorspronkelijke team van rechercheurs die het telefoontje hadden gepleegd – Benny Yung en Al Tallant – voor een opstopping zorgde. Allemaal probeerden ze de fotografe niet voor de voeten te lopen terwijl ze haar werk afmaakte.

Schiff was nat en zo te zien ook niet erg blij. Darrel keek om zich heen toen hij uit de regen binnenkwam – de moord had plaatsgevonden in een appartement aan de straatkant op de begane grond aan de rechterkant van een victoriaans gebouw in Potrero Heights. In de woonkamer rechts van Bracco waren geen duidelijke tekens van een worsteling te zien. Op de bank zat een radeloze jongeman met zijn handen tussen zijn knieën geklemd, terwijl er een politieagent zwijgend tegenover hem zat.

Toen Bracco naar Schiff toe liep en over haar schouder keek, waren er evenmin veel tekens van een worsteling te zien, behalve de ene omgegooide keukenstoel, het op de vloer uitgestrekte lichaam en de plas bloed onder Levons hoofd.

'Niet dat ik niet ontzettend blij ben om hier te zijn,' meldde Bracco aan iedereen, 'maar wil iemand mij er nog even aan herinneren waarom we Deb en mij nodig hebben?'

Tallant was een langeafstandsloper van halverwege de dertig met zware kaken en grote tanden, een lang gezicht en een eeuwige schaduw die hij nooit helemaal leek te kunnen afscheren. 'Niet onze beslissing,' zei hij. 'We hebben het via Glitsky gespeeld en hij zei dat we jullie erbij moesten halen.'

Debra draaide zich naar haar partner om. 'Luister hier eens naar,' zei ze. 'Druk maar in, Ben.'

Yung, die zwaargebouwd en gewoonlijk vrolijk was, zag er op dit moment ingevallen en uitgeput uit. Hij stak zijn hand uit en drukte een knop in op het antwoordapparaat dat op de keukenbar stond. 'Levon,' zei een stem. 'Ik ben een privédetective met de naam Wyatt Hunt en ik werk voor een advocaat hier in de stad die een vrouw met de naam Maya Townshend vertegenwoordigt, misschien bij jou bekend als Maya Fisk, die geloof ik samen met jou aan de USF heeft gestudeerd. Als ik een paar minuten van je tijd kan krijgen om je enkele vragen te stellen, zou ik het waarderen als je terugbelt. Mijn mobiele nummer, dat je altijd kunt bellen, is...'

Yung drukte op de stopknop en draaide zich naar zijn collega's om. 'We hebben Hunt gebeld en hem gevraagd waar hij aan werkte en uiteindelijk kwam Dylan Vogler ter sprake. Ik herkende de naam en we hebben erover gepraat en besloten Abe te bellen.'

'Dat was een goede beslissing, Benny,' zei Schiff. 'Let maar niet op Darrel. Hij wordt chagrijnig als zijn schoonheidsslaapje wordt verstoord.'

'Hé,' zei Bracco. 'Ik ben niet chagrijnig. Ik zei dat ik ontzettend blij was om hier te zijn. En als dit verband houdt met Vogler, zelfs nog blijer.' Hij wees naar de woonkamer. 'Wie is die knaap daar?'

'Vriendje,' zei Yung. 'Brandon Lawrence, zegt dat hij een acteur is. Hij heeft het doorgebeld en op ons gewacht. Had een eetafspraak en een sleutel, maar dit hier was al gebeurd voordat hij hier kwam en ik denk dat ik hem geloof.'

'Nou, laten we hem toch maar een poosje bij ons houden.'

'Daarom is hij hier nog steeds,' becommentarieerde Tallant met enige wrangheid. 'Hij mag pas weg als wij dat zeggen.'

'Hé, het was niet kwaad bedoeld, Al. Als ik een vers lijk zie, raak ik een beetje opgewonden.' Bracco keek naar het lijk en zei tegen de baas van het forensisch team: 'Nou Len, wat hebben we?'

Faro, de obligate metroseksueel van de groep, met zijn goed geknipte sikje, stekelhaar en vele gouden kettingen om zijn nek, was begin veertig maar oogde en kleedde zich tien jaar jonger. Hij stond tegen de keukenmuur geleund en kwam er nu vandaan. 'Hij is hard geraakt en daarna nog minstens één keer geraakt, vermoedelijk met de achterkant van het hakmes dat we afgespoeld in de gootsteen hebben gevonden. Misschien dood voor de tweede klap, hoewel dat zal moeten wachten tot de autopsie, niet dat het er veel toe doet. Hij is nu in elk geval dood.'

Faro liep naar de verste kant van de keukentafel. 'Wie de dader ook was, ons slachtoffer kende hem bijna ongetwijfeld. Of haar. Geen teken van geforceerde toegang.' Hij wees op de tafel. 'Let op de condenskring, nog steeds aanwezig, tegenover de plek waar Levon zat. Misschien zaten ze hier samen een glas van iets te drinken. We hebben een paar schone en droge glazen ingepakt die in het rek bij de gootsteen stonden. Misschien vinden we een afdruk op een ervan, maar dat is onwaarschijnlijk. Wat jullie verder ook mogen zeggen, jullie moordenaar is een behoorlijk lepe gast, die naderhand afwast. Michelle,' vroeg hij aan de fotografe, 'heb je dit allemaal?'

Ze knikte, waarna ze op de kring op de tafel richtte en een laatste foto schoot; ze stapte achteruit om de kamer te overzien en zich ervan te vergewissen dat ze het had vastgelegd.

'Wat is zijn connectie met Vogler?' vroeg Bracco. 'Behalve Maya?'

Al Tallant wist dat. 'Geen, voorzover we weten. Nog niet.'

'Zijn we daarom voor dit feestje uitgenodigd?' vroeg Bracco.

Tallant knikte. 'Heel goed geraden.'

'Verder nog iets?' vroeg Schiff.

'Nee,' zei Yung. 'Levon was koosjer, met een baan en alles.'

'Waar?' vroeg Bracco.

Yung knikte. 'ACT.' Dit was het Amerikaanse Conservatorium Theater. 'Hij had visitekaartjes in zijn portemonnee. Mededirecteur van Ontwikkeling. Hij was zich aan het opwerken.'

Schiff keek omlaag naar het lijk. 'Niet meer.'

'Hoe zit het met dope?' vroeg Bracco. 'Zie je enig teken van marihuana?'

'Grappig dat je dat vraagt,' zei Faro. 'Hij had een halfvol zakje in de la naast zijn bed. Nauwelijks de moeite waard om over te praten.'

'Nou,' zei Tallant, 'als jullie ons niet meer nodig hebben, het was gezellig.'

Bracco en Schiff bleven op de plaats delict totdat het lijkschouwingsteam het lijk tegen twee uur in de ochtend afvoerde. Faro en zijn eenheid bleven ook; ze onderzochten het hele huis grondig, maar voegden weinig aan hun voorraad informatie toe.

In de woonkamer voelden de beide rechercheurs Brandon Lawrence aan de tand, die zijn eigen sleutel van het appartement had en het alarmnummer had gebeld toen hij het lijk had ontdekt. Hij vertelde hun dat Levon alleen woonde en dat ze een 'fantastische, toegewijde relatie' hadden, waarmee hij het voor de hand liggende bevestigde. Hij vertelde hun dat hij niets had aangeraakt nadat hij het lichaam had aangetroffen en, omdat hij de nabijheid van zijn minnaar niet kon verdragen, de hele tijd buiten had gewacht op de komst van de eerste patrouillewagen. Hij zou alles doen wat hij kon – alles! – om hen te helpen de dader te vinden. Maar hij had niets verdachts in de buurt gezien en ook niet toen hij naar binnen was gegaan. Tot hij het lichaam had gezien. Bracco en Schiff zorgden ervoor dat ze zijn identiteitsbewijs, DNA en vingerafdrukken kregen. Ze vertelden hem dat die bedoeld waren om zaken uit te sluiten, en lieten hem naar huis gaan.

Bracco bracht Lawrence naar de deur, liep terug en ging aan het eind van de bank zitten, diagonaal tegenover zijn partner, die in een leunstoel in de goed verlichte woonkamer zat. Schiffs gezicht had een gepijnigde uitdrukking, en ze zuchtte. Uiteindelijk keek ze Bracco aan. 'Ik zou het een vreselijke gedachte vinden als de betrokkenheid van Jerry Haines om orde op zaken te stellen bij de Townshends hier iets mee te maken had.'

'Misschien niet, Debra. Misschien heeft Maya hier niets mee te maken.'

'Geloof je dat?'

'Nee. Jij wel?'

'Uitgaande van de regel dat niets toeval is, ik ook niet.'

'Ik zou haar dolgraag nu meteen bellen, om erachter te komen of ze een alibi heeft.'

'Nog niet. Niet midden in de nacht, zonder meer dan wat we nu hebben.'

'Ik weet het. Maar toch...'

'We kunnen een nachtdienst draaien en om klokslag zeven uur bij haar aanbellen. Als ze geen alibi heeft, gaan we ernstig met haar zitten babbelen.'

'Dan zou ze gewoon Hardy opbellen en zou ze niet van hem mogen praten.'

'Prima. Maak hem ook vroeg wakker. En tussen haakjes, wat ik wilde vragen, hoe raak je bevriend met een advocaat?'

'Ik zou het niet bevriend willen noemen. Hij en Abe zijn makkers. Ik heb een paar keer met hem gewerkt. Hij was vroeger smeris, weet je.'

'Wie? Hardy?'

'Ja. Daarna officier van Justitie.'

'Ga weg!'

'Echt waar.'

'Waardoor is hij overgelopen naar de duistere zijde?'

Bracco wierp een zijdelingse blik op haar. 'Je bent kwader op jezelf dan op mij of Hardy of wie dan ook, toch?'

Ze schudde haar hoofd. 'Ik had niet naar Haines moeten gaan. Dan leefde Levon misschien nog.'

'Ik ga niet zeggen dat je het misschien eerst met je partner had moeten bespreken.'

'Mooi. Niet doen.'

Bracco wachtte even. 'Wat denk je van het hakmes?'

'Als moordwapen? Het lijkt gewerkt te hebben.'

'Denk je dat het een vrouwenwapen is?'

'Opwelling? Best mogelijk.'

'Maar het kan geen opwelling zijn geweest.'

Schiff knikte. 'Of dat, óf ze wist dat hij het hakmes had. Ze hoefde hem alleen maar de keuken in te lokken en achter hem te gaan staan. Eigenlijk,' vervolgde ze, nu ze de smaak van haar theorie een beetje te pakken kreeg, 'denk ik dat het me wel bevalt dat ze de verkeerde kant, de stompe kant heeft gebruikt. Een man doet dat misschien niet.'

Bracco leunde achterover op de bank. 'Misschien niet. Ik weet het niet. Maar we kunnen de hele nacht hierover praten en nooit iets bereiken. In tegenstelling tot wat we wél weten.'

'Wat is dat dan?'

'Nou, laten we het simpel houden en aannemen dat Levon op de universiteit met Maya omging. We hebben gedacht dat Vogler Maya chanteerde, dus laten we dat ook een feit noemen. Wat zegt dat jou?'

'Zij is de connectie, in de tijd dat ze allemaal studeerden.'

'Zo zie ik het.'

'Ze had de koffieshop toen nog niet.'

'Ja, oké. Dus toen is de chantage niet begonnen. Pas toen ze geld had.'

'Misschien betaalde ze Levon ook, op de een of andere manier.'

'En dan ontdekt hij dat Vogler vermoord is en opeens voelt hij zich een beetje ongemakkelijk.'

'Nee, hij voelt zich héél ongemakkelijk.' Bracco zat een poosje in zijn gedachten verzonken. Plotseling schoof hij naar voren, stond op en liep naar een tafel met een schemerlamp aan de andere kant van de kamer, waar hij een paar plastic bewijszakjes en andere spullen uit Levons zakken, waaronder zijn mobiele telefoon, had neergelegd. Vanzelfsprekend zouden hij en Schiff de recente geschiedenis doornemen van ontvangen en gepleegde telefoontjes die automatisch werden opgeslagen, maar ze waren allebei van mening dat ze zouden wachten tot de volgende ochtend, wanneer de mensen wakker zouden zijn. Nu, echter, pakte hij de telefoon op, zette hem aan en nam hem mee naar de plek waar hij had gezeten. 'Ik ben dol op deze dingen,' zei hij. 'Weet je nog wat een gedoe het vroeger was om telefoonverslagen van mensen te krijgen? Dagen, weken, dagvaardingen. Nu druk je op een knop, bingo. Ah, daar gaan we.'

Het allereerste nummer in Levons menu van recentelijk gepleegde telefoontjes was een netnummer 415 dat Bracco bekend voorkwam. Hij haalde zijn eigen mobiele telefoon tevoorschijn en liep zijn belmenu door totdat hij hetzelfde nummer aantrof.

'Het ziet ernaar uit dat Levon zich ongemakkelijk genoeg voelde om iemand te bellen die wij kennen,' zei hij.

17

Debra Schiff was niet de enige die zich enigszins verantwoordelijk voelde voor het in gang zetten van gebeurtenissen die kennelijk en heel plotseling uit de hand waren gelopen. Om drie uur 's nachts was Dismas Hardy nog steeds niet in slaap gevallen.

Hij was voor het eerst naar beneden gegaan nadat hij een uur in bed had liggen woelen, had een warme Ovaltine voor zichzelf klaargemaakt, was naar zijn voorkamer gegaan en had de karavaan van glazen olifanten die over de mantel boven zijn open haard trok anders opgesteld.

Maar toen hij met de lichten uit in zijn leesstoel zat, had hij zichzelf ervan overtuigd dat hij echt geen keus had gehad. Het enige wat hij had gedaan was zijn eigen onderzoeksteam erop uitsturen om te proberen een van de geheimen van zijn cliënt los te krijgen. Hij zou dat moeten doen, die informatie verkrijgen, als hij haar bij haar verdediging ging helpen.

Mocht het zover komen.

Wat – vrij duidelijk – met de minuut waarschijnlijker leek.

Vlak voordat Hunt het telefoontje van de politie in Levons woning had gekregen en Hardy met het nieuws had opgebeld, had hij van zijn eigen werknemer Craig Chiurco vernomen dat dezelfde Levon Preslee die Hunt al had geïdentificeerd als een vriend van Maya in hun tijd aan de USF, de vent was die samen met Vogler was gearresteerd voor de beroving die ze ongeveer in diezelfde tijd hadden gepleegd.

Chiurco was laat in de middag naar Levons appartement in Potrero gegaan, maar er had niemand opengedaan – hij was toen misschien al dood. Chiurco was bezig verslag uit te brengen aan Hunt, wilde de mogelijke getuige later diezelfde avond of de volgende dag opsporen om hem te ondervragen, toen het telefoontje van rechercheur Tallant met het nieuws van Levons dood was binnengekomen.

Zodra Hardy dit hoorde, was het onmiddellijk duidelijk geworden dat als Maya geen alibi had – en natuurlijk wist niemand zelfs bij benadering het tijdstip van de moord op Levon – ze zelfs nog scherper in het vizier van Bracco en Schiff zou komen als verdachte van niet alleen dit laatste misdrijf, maar ook in de zaak-Vogler.

Ergens wilde Hardy dat Wyatt niet zo toeschietelijk jegens de politie was geweest toen ze hem hadden gebeld. Maar aan de andere kant, wat moest hij anders doen? Ze hadden het bericht al dat hij op Levons telefoon had ingesproken – dat hij werkte voor de advocaat die Maya Townshend vertegenwoordigde. Dat kon hij moeilijk ontkennen, en als de politie haar naam eenmaal herkende, samen met welke connectie dan ook met de dode man, zou ze een hoger profiel krijgen, en er was helemaal niets wat hij daaraan kon doen.

Nadat Hardy de Ovaltine had opgedronken, was hij weer naar zijn slaapkamer gegaan en had hij nog een uur liggen woelen, terwijl zijn gedachten kriskras heen en weer schoten tussen Maya en haar man en Jerry Haines, daarna Bracco en Schiff, en Glitsky en Zachary, en Wes Farrell en daarna in een andere volgorde door de litanie terug. Iedereen zat in de problemen of maakte ze, of allebei.

Totdat hij uiteindelijk weer opstond, een kamerjas pakte en de trap af liep. De regen viel nog steeds zwaar roffelend op het dakraam. Hij ging terug naar de voorkant van het huis en installeerde zich in het donker in zijn leesstoel.

Hij kon zich geen slapeloze nacht veroorloven. Hij had het gevoel dat hij heel vroeg in de ochtend een telefoontje van zijn cliënt zou krijgen, en het verbaasde hem enigszins dat ze nog niet had gebeld. Maar misschien wist ze het nog niet van Levon.

Of misschien wist ze het maar al te goed.

En bij deze gedachte – de werkelijke toelating ervan als mogelijkheid – verenigden alle willekeurige voorstellingen van Hardy over de problemen van zijn vrienden of degenen die problemen voor hen maakten, zich in een piepklein stipje van iets wat plotseling als een zekerheid voelde.

Of ze nu wel of niet feitelijk een moordenaar was, hij was er zeker van dat Maya als een soort actieve deelnemer bij dit alles was betrokken. Bij zowel de dood van Dylan Vogler als die van Levon Preslee.

En het begon erop te lijken dat, ongeacht wat Hardy besloot te doen, en hoe bereidwillig Maya ook jegens de politie was, ze voor beide moorden gearresteerd kon worden.

Hardy, die nog in zijn leesstoel aan de voorkant van zijn huis zat te slapen, terwijl de regen en de wind tegen het erkerraam een meter rechts van hem beukten, had de telefoon niet horen rinkelen. En nu stond zijn vrouw hier opeens, die eerst zijn schouder aanraakte en vervolgens zachtjes aan hem schudde. 'Dismas.' Toen hij zijn ogen opende, alles onscherp, zag hij haar in een badjas staan, met de hoorn in haar hand en duidelijke bezorgdheid op haar gezicht. 'Maya Townshend,' fluisterde ze.

Terwijl hij zich oprichtte, met een stekende pijn in zijn nek, kostte het hem nog een paar seconden om zich te oriënteren. Juist, hij was nog steeds beneden, moest in slaap zijn gevallen toen hij probeerde uit te vissen...

'Hallo?'

'Het spijt me. Heb ik je wakker gemaakt?'

Hardy schraapte zijn keel. 'Nee, natuurlijk niet.' Hoe laat was het verdomme eigenlijk? Hij keek even naar buiten, waar de zware stormwolken ervoor zorgden dat het nog half nacht leek. 'Zo klinkt mijn stem gewoon voor de koffie. Let er maar niet op. Waarmee kan ik je van dienst zijn?'

'Ze zijn hier weer.'

'Schiff en Bracco?'

'Die twee zijn ongelooflijk.'

'Dat weet ik niet. Ik geloof de laatste tijd wel in hen. Wat willen ze?'

'Kennelijk hebben ze een huiszoekingsbevel. Ze willen het huis doorzoeken. Joel is woedend, natuurlijk. We zijn nog niet eens klaar met ontbijten, en de kinderen zijn helemaal overstuur. Ik weet niet wie hen nu naar school moet brengen.'

Op de achtergrond hoorde Hardy inderdaad kinderen huilen. 'Hoe laat is het, eigenlijk?'

'Tien over zeven. Ze waren hier om klokslag zeven uur.'

Hardy wist dat dit een slecht teken was. Over het algemeen mocht de politie midden in de nacht geen bevelschriften gebruiken. In feite waren huiszoekingsbevelen tussen tien uur 's avonds en zeven uur 's ochtends niet rechtsgeldig tenzij een rechter specifiek bewijs vond dat deze extreme binnendringing in iemands woning rechtvaardigde. Als er geen sprake was van een noodgeval, waren rechters onwillig om zo'n bevel uit te vaardigen. Dat zouden ze natuurlijk doen als er reden was om te geloven dat een verdachte bewijsmateriaal zou vernietigen, of stiekem zou vluchten. Het feit dat ze tot zeven uur hadden gewacht – het eerste geoorloofde tijdstip zonder die uitzonderlijke bevinding – was dus onheilspellend.

'Waar zijn ze nu?'

'Hier. Joel probeert met hen te praten. Ze zeiden dat we hen binnen moesten laten. We zitten met z'n allen op een bank in de voorkamer. We mogen ons niet verroeren. Als we dat proberen, doen ze ons handboeien om, zeiden ze. Ze wilden me mijn mobiele telefoon niet eens geven totdat ik zei dat ik Harlen moest bellen om de kinderen op te halen en daarna jou. Mogen ze dit allemaal doen?'

'Als ze een bevel hebben, mag dat. Hebben ze gezegd wat ze specifiek zoeken?'

'Schoenen en/of kleren waar bloed op kan zitten...'

Wat betekende, wist Hardy, dat ze nu een verdachte was.

'... telefoon- en financiële verslagen, computerbestanden – veel van hetzelfde soort dingen die ze laatst wilden...' De stem van de vrouw brak opeens. 'O, god. Ik weet niet waarom dit ons ineens allemaal overkomt. Ik weet niet wat er aan de hand is. Het lijkt wel of we in een politiestaat leven. Mogen ze hier gewoon binnenkomen en alles doorzoeken?'

'Niet zonder reden, dus moeten ze denken dat ze er een hebben, en ook moeten ze een of andere rechter hebben overtuigd. Hebben ze überhaupt met jou gepraat?'

'Om binnen te komen, ja. Voordat ze zeiden dat ze dat bevel hadden, vroegen ze me wat ik gisteren heb gedaan.'

'Wanneer gisteren? Welke tijd?'

''s Middags.'

'En je hebt hun niets verteld, toch?'

'Ik heb gezegd dat ik naar de kerk was gegaan, meer niet.'

Dat was genoeg, dacht Hardy, die zich opnieuw verbaasde over de voorliefde van zijn cliënt om zichzelf in een bezwarende positie klem te zetten. Maar de toon van zijn stem bleef mild. 'Ben je weer naar de kerk gegaan?'

'Ik weet het. De meeste mensen doen dat niet, neem ik aan. Maar ik ga voortdurend. St. Ignatius.'

'En hoe lang ben je daar geweest?'

'Geen idee. Een poosje. Voordat ik de kinderen moest oppikken. Maar ik heb tegen de rechercheurs gezegd dat ik geen vragen meer zou beantwoorden tot jij hier bent.'

De put was gedempt, maar het kalf was al verdronken, dus zei Hardy alleen: 'Goed zo, Maya. Probeer dat vol te houden. Ik kan daar over een halfuur zijn. Hoe klinkt dat?'

'Lang.'

'Weet ik. Daar kan ik niets aan doen. Ik zal zo snel mogelijk komen. Beloofd.'

‘Oké.’ Hardy hoorde haar ademhaling.

‘Misschien kan Harlen hen voor die tijd tegenhouden.’

‘Harlen? Jouw broer Harlen?’

‘Ja. Ik heb je toch verteld dat ik hem eerst heb gebeld?’

‘Ja, maar je zei dat dat met de kinderen te maken had.’

‘Nou, dat ook. Maar hij en brigadier Bracco zijn vrienden, weet je.’

‘Juist. Daar ben ik me bewust van. Zij waren vrienden, maar nu is hij...’ Hardy stopte voordat hij iets anders zei, bijvoorbeeld dat gezien de betrokkenheid van Jerry Haines bij deze zaak, Harlen Fisk mogelijk de slechtst voorstelbare keuze voor een persoon was om de politie, en Schiff in het bijzonder, te confronteren met de legaliteit of redelijkheid van een huiszoekingsbevel in Maya's huis.

‘Hij zal goed met hen overweg kunnen. Harlen kan met iedereen goed overweg.’

‘Oké dan, maar zelfs als hij daar eerder aankomt dan ik, mag ik je dan vragen om alsjeblieft niets tegen de politie te zeggen tot ik er ben? Kun je mij dat beloven?’

Nadat ze dat had gedaan, drukte Hardy de telefoon uit en kwam overeind, maar de stijfheid in zijn nek deed zich opnieuw gelden. Hij ging voorzichtig weer zitten en draaide zijn hoofd om een hoek te vinden die geen pijn deed.

‘Alles goed met je?’ Frannie kwam met twee dampende koppen in haar handen door de eetkamer.

‘Afgezien van de ijspriem in mijn nek.’ Hij pakte een van de koppen. ‘Jij bent de beste, weet je dat?’

‘Ik heb geruchten gehoord. Waarom sliep je weer hierbeneden?’

‘Ik kon boven niet slapen en wilde jou niet wakker maken.’

‘Je mag me altijd wakker maken.’

‘Dat zeggen ze allemaal, maar ze menen het niet.’

‘Ik meen het wel, Dismas. Dat weet je.’

‘Weet ik. Het spijt me, ik maakte maar een geintje.’ Hij nipte van zijn koffie en zuchtte. ‘Maar alle gekheid op een stokje, dit begint er niet al te best uit te zien.’

‘Maya Townshend?’

Hij wilde knikken, maar hield zich in voordat hij te ver ging. ‘Ik moet daar nu meteen heen. Ze moeten iets nieuws hebben, anders zouden ze niet zo hebben gehandeld.’

‘Denk je dat het die Haines is?’

‘Ik weet het niet. Misschien. Misschien moet ik Abe bellen.’

'En dan?'

'Hem bespelen om wat inside-info te krijgen. Als dat mislukt, kijken of hij dingen kan vertragen.' Toen hij de absurditeit van die mogelijkheid besefte, voegde hij eraan toe: 'Wat hij gewoonweg niet zal doen, toch?'

'Niet als ze iets tegen haar hebben, en dat moet, toch?'

'Klopt. Wist ik maar wat het was.' Grimassend stak hij zijn arm uit en zette hij zijn kop op de vensterbank. 'Ik moet ervandoor.' Hij richtte zich weer op, en zijn hand ging opnieuw naar zijn nek, maar ditmaal verbeet hij de pijn en ging overeind staan. 'Eén stap tegelijk,' zei hij half tegen zichzelf. 'Eén stap tegelijk.'

18

Toen Hardy bij de woning aankwam, haalde hij Bracco over hem bij zijn cliënten in hun keuken te laten zitten in ruil voor een vage belofte dat ze de rechercheurs misschien iets te zeggen hadden.

Maya zette haar koffiemok op de bar neer. 'Het feit dat hij me heeft gebeld, betekent toch nog niet dat ik daarna naar hem toe ben gegaan? Ik weet niet eens waar hij woont. Woonde.'

'Je kon daar dus niet naartoe zijn gegaan,' zei Hardy. 'Je bent er absoluut zeker van dat je daar niet naartoe bent gegaan, toch?'

'Nou, ja. Natuurlijk. Ik zie niet in waarom er een verband moet zijn tussen het feit dat hij me belt en dat ik naar hem toe ga. Hij wilde alleen maar over Dylan praten en weten of iemand hem verdacht.'

'Omdat jullie allemaal vroeger vrienden waren,' zei Hardy op zachte toon.

De politie had hun toestemming gegeven om de kinderen aan een buurman over te dragen – Harlen was nog niet aangekomen – die hen naar school zou brengen. Ze waren waarschijnlijk blij dat de kinderen niet meer voor hun voeten liepen. Joel, Maya en Hardy zaten rondom het eilandfornuis in de ultramoderne supergourmetkeuken van de Townshends. Ieder toestel, variërend van de koelkast en het fornuis tot het broodrooster en het koffiezetapparaat, was van geborsteld staal; ieder plat oppervlak van groengetint graniet. Achter de halfronde achterramen wervelde en kolkte de storm. De lichten hadden al twee keer geknipperd toen er windvlagen op het glas hamerden.

Samen met twee andere opsporingsspecialisten waren Bracco en Schiff ergens achter of boven in het huis achter hen. Af en toe bereikten de onzichtbare stemmen van een of meer van deze mensen het drietal in de keuken – brommende ondertonen van een ongedefinieerde dreiging en conflict. De geüniformeerde agent die bij de keukendeur was achtergelaten om hen in de gaten te houden leek niet geïnteresseerd en scheen ook niet te luisteren.

Toch bleven ze zacht praten. 'Ik vond het volkomen logisch, Dismas.

Ook al vind jij dat niet.' Ze gebaarde naar de rest van het huis. 'Of zij.'

Hardy knikte. 'Hoewel je moet toegeven,' voegde hij eraan toe, 'dat de timing er niet al te best uitziet. Hij belt je op de dag dat hij wordt vermoord.'

'Ik kan er niets aan doen dat hij me belde,' zei Maya, 'of waar hij over wilde praten. En het was niet zo dat ik lang met hem heb gepraat. Hij was voornamelijk bang dat iemand, zoals die rechercheurs, zou denken dat hij iets met Dylan te maken had, weet je? En of ik iets gehoord had. Hij maakte zich zorgen.'

'Weet ik. Dat zei je al. En het lijkt erop dat hij reden had om zich zorgen te maken. Kijk,' zei Hardy. 'Zolang je daar niet naartoe bent gegaan, en ze kunnen niet bewijzen dat je wel bent gegaan...'

'Kom op. Dat heb ik je al verteld. Ik was in de kerk.'

'Twee uur lang?' vroeg Joel.

'Ik heb het niet geklokt, Joel. Zo lang als het duurde. Ik weet het niet.'

'Het is wel goed.' Hardy hield een hand omhoog. 'Als je in de kerk was, dan was je daar. Ik zeg alleen dat als dat het geval is, Schiff en Bracco niets kunnen doen. Als je niet bij Levon thuis was, was je daar niet. Punt uit.'

Maya staarde haar man strak aan. 'Dat zeg ik, Joel. En er is geen discussie over de vraag of ik daar was, dus het telefoontje doet er sowieso niet toe.'

Joel wilde ongetwijfeld zijn vrouw helpen, maar hij geloofde kennelijk nog niet, zoals Hardy, dat Maya naar de gevangenis kon gaan, misschien wel op zeer korte termijn – mogelijk vandaag nog.

Toen Hardy was aangekomen, had hij gevraagd wat er in hun onderzoek was veranderd waardoor Bracco en Schiff 's ochtends vroeg een huiszoekingsbevel voor zijn cliënt moesten gebruiken; ze hadden hem verteld van het telefoontje van Levons mobiele telefoon naar Maya's huistelefoon. Nadat ze even van de wijs was gebracht, had ze niet alleen haar vroegere vriendschap met Levon en de connectie tussen Dylan, Preslee en haarzelf toegegeven, maar ook dat hij haar gisteren zomaar ineens had opgebeld. Daarvoor had ze een paar jaar niets van hem gehoord.

Het goede nieuws vanuit Hardy's perspectief was dat hij nu in grote lijnen begreep waar de chantage om had gedraaid. De bijzonderheden zouden misschien nooit aan het licht komen, maar gezien de criminele samenspanningen van Levon en Dylan, en het feit van Maya's hechte vriendschap – en misschien meer – met minstens een van hen, was het vrij duidelijk dat ze in een of andere illegale activiteit was verwikkeld, dat ze deals met hen had gesloten om buiten beeld te blijven.

Het slechte nieuws was natuurlijk dat haar betrokkenheid op welk vlak dan ook bij twee mannen die in dezelfde week waren vermoord, haar tot een uitermate aantrekkelijke kandidaat-verdachte van de moorden maakte.

Afgezien daarvan was ze, volgens haar, nooit bij Levon thuis geweest.

'Maya,' zei Hardy nu, 'het zou nuttig kunnen zijn als je zoveel mogelijk kunt opschrijven van wat je je van het telefoongesprek herinnert. Gewoon om het geloofwaardiger te maken.'

De politie hield het voor gezien en vertrok, met medeneming van veel kleding, hun computers, telefoonklappers en financiële verslagen. Joel zat in zijn kantoor met zijn bedrijf te bellen om te informeren of de politie daar misschien was geweest, en hij probeerde te beslissen hoe de in beslag genomen financiële verslagen gereconstrueerd konden worden. Hardy en Maya waren net in de keuken gaan zitten toen er werd aangebeld, en Maya stond op om open te doen.

Ze kwam terug met haar broer op sleeptouw, die zijn zware lijf op een barstoel parkeerde en zuchtte. 'Dit bevalt me niet, Diz.'

'Ik kan ook niet zeggen dat ik er wild enthousiast over ben, Harlen. Maar als ze nooit bij Levon thuis is geweest...'

'Ja, maar dat is niet aan te tonen.'

'Dat is waar, maar gelukkig ligt de bewijslast niet bij ons. Die ligt bij Darrel en Debra.'

Er werd opnieuw aangebeld, en opnieuw ging Maya opendoen.

'Denk je dat ze de waarheid vertelt?' vroeg Fisk; zijn lichaamstaal zei van niet.

'Ze is mijn cliënt,' zei Hardy. 'Ik moet haar geloven. Als er geen bewijs is dat aantoont dat ze bij Levon thuis is geweest, geen bloed op haar schoenen of kleren...'

'Dat vroeg ik niet.'

'Nee, maar...'

Maya's voetstappen beëindigden de discussie toen Hardy zich omdraaide om haar in de keuken terug te zien komen. 'Het zijn uw detectives,' zei ze. 'Ze zijn nat en zeiden dat ze het goedvinden om in de hal te wachten. Hebt u hen gevraagd om hierheen te komen?'

Hardy haalde zijn schouders op en stond op. 'Ik wist niet wat er precies aan de hand was toen ik hen belde. Ik wist dat je kinderen naar school moesten worden gebracht. Maar soms laten smerissen met huiszoekingsbevelen zich meeslepen. Het kan nooit kwaad om steun te hebben. Getuigen hebben de neiging om dingen plezierig te houden. Hoewel het er niet naar uitziet dat dat vandaag nodig is. Ik ga wel met hen praten.'

Bij de voordeur stond Wyatt Hunt druipend in wandelschoenen, een spijkerbroek en een Giants-regenjack en Craig Chiurco leek met een chique beige trenchcoat iets beter beschermd tegen de natuur. Maar het weer was niet het belangrijkste waar ze aan dachten. Ze waren zozeer in hun fluistergesprek verdiept dat ze niet eens in de gaten hadden dat Hardy naar hen toe kwam.

Totdat hij op een halve meter afstand van hen bleef staan, en toen hij Chiurco's laatste woorden hoorde: '... hoeven er niets over te zeggen?', zei Hardy: 'Waarover?'

Hunt wimpelde hem af. 'Niks.'

'Ah, het beroemde niks.'

'Je wilt het niet weten, Diz,' zei Hunt. 'Echt niet.'

'Ik vind het leuk om dingen te weten,' verweerde Hardy zich. 'Dat is een van mijn hobby's.'

'Je wilt dit echt niet weten, Diz. Dat garandeer ik je. De enige reden waarom je dit nu wilt weten is als het later op een andere manier bekend wordt en je het niet eerst hier hebt gehoord.'

'Bedoel je dat ik pissig zou zijn?' Hardy boog zich naar hen toe en zei op gedempte toon: 'Misschien moet ik een besluit nemen. Ik heb een hekel aan latere verrassingen. Dus besluit ik nu "ja".'

Hunts ogen gingen achter Hardy langs naar de keuken. Vervolgens draaide hij zich naar Chiurco toe, haalde zijn schouders op en schudde zijn hoofd, met een vieze smaak in zijn mond.

'Jij bent de baas,' zei Chiurco. 'Jij beslist.'

Hunt aarzelde nog even, en uiteindelijk slaakte hij een lange zucht. 'Craig heeft haar gezien.'

'Wie?' vroeg Hardy, wiens lege maag plotseling samenkromp. Want hij wist natuurlijk meteen wie, en wanneer, en waar.

Twee minuten later waren ze allemaal weer in de keuken. Joel was teruggekeerd van zijn taken elders in het huis en stond nu bij de gootsteen, waar hij Maya's hand vasthield. Ze waren allemaal in een geanimeerd gesprek verwikkeld, maar hielden op toen een vastberaden Hardy naar binnen marcheerde met Hunt en een vooral wanhopige Chiurco in zijn kielzog.

Zonder enige inleiding keek Hardy naar Joel en Harlen en zei: 'Als jullie er geen bezwaar tegen hebben, zou ik Maya graag even alleen willen spreken als dat kan.'

Joel, die in elk geval gespannen was en misschien aangemoedigd door zijn interacties in het afgelopen uur met de politie, deed een halve stap naar voren en ging beschermend voor zijn vrouw staan. 'Dat gaat niet door. We hebben u al verteld wat we daarover hebben besloten. Maya en ik doen dit samen.'

'Goed dan,' zei Hardy. 'Maar als dat het geval is, moet ik jullie zeggen dat jullie het zonder mij zullen moeten doen.'

'Prima,' zei Joel. 'We...'

Maya stak haar hand omhoog. 'Wacht!'

'Maya,' wees Joel haar terecht.

'Nee!' Ze richtte haar blik op Hardy. 'Dismas, kun je het niet gewoon zeggen waar Joel bij is? We zitten hier samen in.' Ze wendde zich tot haar man en keek hem aan. 'Echt waar, Joel. Maar,' zei ze weer tegen Hardy, 'maar ik zal wel met je praten als je dat nodig vindt. Als dat de enige manier is.'

'Er is geen enige manier, Maya. Eén manier bestaat niet. Alleen de manier waarop het voor mij heeft gefunctioneerd bestaat. De manier waarop ik het doe.'

Joel zei op een redelijke toon: 'Goed, meneer Hardy. Maya wil u aanhouden, wij zullen het op uw manier spelen als u daar behoefte aan hebt. Maar ik zeg u dat u alles kunt zeggen waar u behoefte aan hebt in mijn bijzijn. En in Harlens bijzijn. Hij is ook familie.'

Hardy, die uitgeput was door het slaapgebrek en de adrenalinedaling na wat hij zojuist van Chiurco had gehoord, voelde zijn schouders zakken, waardoor er opnieuw een steek door zijn stijve nek trok. Dit was niet de manier waarop de rechtspraktijk hoorde te functioneren. Om efficiënt te zijn moest je controle over de cliënt, de familie en de informatiestroom houden. En nu voelde hij het allemaal van hem wegdwarrelen. 'Ik stel het feit dat jullie elkaar willen helpen en jullie wederzijds vertrouwen zeer op prijs,' zei hij. 'Maar zoals ik jullie al gezegd heb, doe ik het gewoon niet zo. Ik moet eerst met Maya alleen praten. Zij is mijn cliënt en ik heb geen keus.' Hij richtte zich tot haar. 'Maya?'

Ze keek de kamer vol mannen rond, streek over de arm van haar man en liep om hem heen. 'We zijn zo terug,' zei ze.

'Is hij daar zeker van?' zei ze.

'Hij zei dat hij er honderd procent zeker van is. Jij hebt een opvallend gezicht, Maya. Je bent vlak langs hem heen gelopen toen hij binnenkwam.'

'Ik kan me hem niet herinneren.'

'Nee,' zei Hardy, 'misschien niet.' Waarschijnlijk omdat ze net iemand had vermoord, dacht hij. 'Maar jij bent daar echt geweest, toch?'

Ze zei niets.

'Maya?'

Ze keek naar hem op. 'Ik denk niet dat iemand me zou geloven als ik zei dat ik daarheen ben gegaan, maar dat hij niet thuis was. Maar zo is het wel gebeurd.'

'Waarom ben je daarheen gegaan?'

'Dat vroeg hij me. Hij zei dat hij me moest zien. Dat hij over mij en Dylan en hem zou vertellen als ik niet kwam.'

'Net als Dylan?'

'Hoe bedoel je?'

'Daarmee dreigde ook Dylan jou als je niet kwam.'

'Nee. Dat was anders. Dat was de winkel. Dat heb ik je al verteld.'

'Wat was het dan?' Hij zweeg even. 'Je hebt me ook verteld dat je niet bij Levon thuis bent geweest.'

Opnieuw stilte. Uiteindelijk zei ze: 'Wat ga je nou doen?'

'Hoe bedoel je?'

'Ik bedoel, ga je het de politie vertellen?'

'Nee. Natuurlijk niet. Ik sta aan jouw kant, Maya. We kunnen helemaal niet toelaten dat de politie hierachter komt. We hebben gewoon mazzel dat het mijn detective was die jou heeft gezien. Hij zal het nooit aan iemand vertellen. Ik zal het nooit aan iemand vertellen. En wij kunnen nooit gedwongen worden om tegen jou te getuigen. Maar ik denk dat het tijd is dat we sowieso geen vragen meer beantwoorden. Als iemand met jou wil praten, verwijs je hem naar mij.'

Maar ze waren de keuken nog niet binnengelopen of Maya liep en rende vervolgens de laatste paar stappen naar haar man, omhelsde hem en begon te huilen.

'Hé, hé,' zei hij, haar vasthoudend. En daarna tegen Hardy: 'Wat hebt u tegen haar gezegd?'

Hardy hield voet bij stuk. 'Er waren dingen die ze moest begrijpen. Het komt wel goed met haar.'

'Het komt wel goed met haar! Het komt wel goed met haar! Kijk haar eens. Ze huilt nu, godsamme. Het gaat helemaal niet goed met haar.'

'Het spijt me,' zei Hardy. 'Ik wilde haar niet aan het huilen maken.'

'Nou, of u het wel of niet wilde...' Hij streek met zijn hand over haar haar. 'Het is oké, schat. Het is oké.'

Ze trok zich los en keek naar haar man op. Met een brekende stem waarin hysterie doorklonk zei ze: 'Het is niet oké. Het wordt niet oké. Misschien nooit meer.'

'Tuurlijk wel. We zullen hierdoorheen komen en...'

'Nee, Joel. Je begrijpt het niet. Ik ben daar geweest. Ik ben dáár geweest.' Ze draaide zich om en wees naar Chiurco. 'Hij heeft me gezien. O god! O god! Het spijt me heel heel erg.'

Drie dagen later, nadat het lab had bevestigd dat Maya's vingerafdrukken en DNA op de deurknop van Levons appartement zaten, namen Schiff en Bracco Maya in hechtenis.

Deel 2

19

Er waren rechters van de Hogere Rechtbank die Hardy heel graag mocht, en een paar die hij liever zou mijden als dat mogelijk was, maar er was er slechts één die hij ronduit verachtte, en dat was Marian Braun.

De geschiedenis tussen hen beiden was zo extreem dat die een veroordeling wegens minachting en een werkelijke gevangenisstraf voor Hardy's *vrouw* omvatte. Hij geloofde oprecht dat hij in hoger beroep kon winnen, mocht het zover komen, als hij aanvoerde dat Braun zichzelf onbevoegd had moeten verklaren toen ze ontdekte dat Hardy een moordverdachte in haar rechtszaal zou verdedigen. De keerzijde daarvan was natuurlijk dat als Hardy zich zorgen maakte over de onmogelijkheid om een eerlijk proces van Braun te krijgen, hij zich had kunnen beroepen op artikel 170.6.

Dat artikel van het Californische wetboek hield in dat iedere procederende advocaat één, maar dan ook niet meer dan één, rechter kon ontheffen, zonder een specifieke reden op te geven. De advocaat werd beëdigd en verklaarde eenvoudigweg onder ede dat hij geloofde dat de rechter aan wie hij was toegewezen zozeer bevooroordeeld was tegen hemzelf of de belangen van zijn cliënt dat hij dacht dat hij geen eerlijk proces kon krijgen.

Dat was het dan – geen hoorzitting, geen bewijs. De verklaring zelf had tot gevolg dat de rechter voorgoed van de zaak werd gehaald. En wrakingen werden aan de rechterlijke raad gerapporteerd. Klaarblijkelijk trok een rechter die te veel wrakingen kreeg de ongunstige aandacht van dat toeziende orgaan.

Maar die stap had zijn prijs.

In de eerste plaats hadden rechtbanken een hekel aan wrakingen. Daardoor werd niet alleen een van hun collega's afgedankt, hoe verdiend ook, maar ook werd het rooster voor alle anderen in de war geschopt, omdat een andere rechter de zaak moest overnemen en iemand zijn zaak weer moest overnemen, enzovoort. En zelfs als de rechters het object van de wraking persoonlijk verachtten, verachtten ze nog meer de overmoed van een advocaat die het waagde te suggereren dat een van hen niet eerlijk was.

Als Hardy wraakte, zou hij waarschijnlijk meteen in de rechtszaal staan van de meest fanatieke antiverdedigingsrechter over wie de voorzittende rechter beschikte, en die rechter zou dan een extra motief hebben om Hardy het leven zo zuur mogelijk te maken. Hardy wist dat hij zo'n stap op eigen risico zette.

Dus besloot Hardy het tegen Braun op te nemen. Noem hem bijgelovig of gek – bij zijn laatste moordproces, bijna vier jaar eerder, had hij Braun ook verslagen. Zij mocht hem toen ook al niet, en hij haar evenmin. En dat proces was nooit aan de jury overgedragen omdat een sleutelgetuige à charge zijn getuigenis te elfder ure had gewijzigd. Niettemin had Hardy's cliënt de rechtbank als vrije vrouw verlaten. Hij had al bewezen dat hij in haar rechtszaal kon winnen, en als hij dat één keer kon doen, zou het hem een tweede keer ook lukken.

Nu hij in Afdeling 25 op de derde verdieping van het Paleis van Justitie zat te wachten op de verschijning van zijn cliënt in de rechtszaal, verwonderde Hardy zich opnieuw over de gedachte dat ze straks aan een volledig moordproces zouden beginnen. Hij voelde zich vaag verantwoordelijk en minder vaag onbekwaam dat het zover was gekomen. Een betere advocaat had de zaak vast gesloten kunnen hebben na het vooronderzoek, dat iets meer dan vier maanden geleden had plaatsgevonden, binnen twee weken na Maya's arrestatie.

Aan het eind van dat fiasco was Maya onder toezicht geplaatst. Voor de Hogere Rechtbank had hij een pro-forma eis ingediend om de twee aanklachten van moord met voorbedachten rade tegen Maya af te wijzen op grond van het feit dat de eisende partij zelfs geen aannemelijke verdenking had weten aan te voeren om te suggereren dat ze deze misdrijven had gepleegd.

Hardy had zich zelfs een sprankje optimisme veroorloofd. Technisch gezien was er misschien genoeg bewijsmateriaal geweest om een proces te rechtvaardigen, maar het hof zag vast en zeker dezelfde zwakke punten in het bewijsmateriaal die hijzelf ook zag. Daarom had Hardy geeist, waar Maya recht op had, dat het vooronderzoek binnen tien dagen na haar arrestatie zou plaatsvinden. Hij had het gevoel gehad dat hij wat betreft het bewijsmateriaal kon winnen, en in elk geval zou de zaak er voor de verdediging niet beter op worden. Maar nu was hij toch in Brauns rechtszaal.

Hij had het mis gehad.

De andere, politieke, reden waarom hij op het snelle vooronderzoek had aangedrongen was dat Maya's arrestatie een nieuwswaanzin had ontketend die volgens Hardy alleen nog maar erger kon worden, en hierin had hij gelijk. Het geheime juryonderzoek dat Jerry Haines aan het federale aanklagersfront leidde, tegelijk met de openbare dreigingen om de bezittingen van een van de belangrijke projectontwikkelings- en politieke families van de stad verbeurd te verklaren, was inmiddels keurig gesnoeid tot een verhaal dat tot de verbeelding van het publiek sprak, zoals Hardy al had verwacht.

Omdat hij wist dat de publieke opinie van San Francisco in het algemeen en kandidaatleden van jury's in het bijzonder weinig sympathie en heel veel vijandigheid en afgunst koesterden jegens de voornoemde en – in de publieke ogen over het algemeen – verderfelijke klassen van projectontwikkelaars en politici, had Hardy een juryproces willen vermijden voordat iedereen in San Francisco zozeer was blootgesteld aan bedekte toespelingen, insinuaties en het venijn van de pers dat ze allang tot een besluit waren gekomen. Jury's deden niet altijd uitspraken die op de feiten waren gebaseerd; soms brachten ze hun vooroordelen bij stemming uit. Gezien het tekort aan bewijs voor de eigenlijke moorden, had hij in oktober dus geloofd dat een snelle verdediging zijn enige kans was om zijn cliënt vrij te krijgen en het debat over wat voor soort mensen de Townshends en andere projectontwikkelaars en machtsfiguren waren af te kappen.

En nu, eind februari, stonden ze, met Braun als voorzittende rechter, op het punt te beginnen aan iets wat hij met zoveel moeite gepland had te vermijden en toch over zichzelf had afgeroepen. Hij had om een snel proces gevraagd, en dat zou hij nu krijgen.

Ook al ging hij zo snel mogelijk te werk, hij kon de bijkomstige schade die nog steeds werd aangericht in de families Fisk, Townshend en West – die van Harlen, Maya en de burgemeester, Kathy West – niet vermijden. Het leek erop dat de macht van de federale aanklager om te dagvaarden – met name financiële verslagen – inderdaad een stomp wapen kon zijn in bekwame handen zoals die van Jerry Haines.

Toen het vooronderzoek was begonnen, had Hardy amper tijd gehad om de boekhouding van Bay Beans West in te kijken, laat staan de uitgebreidere zaken van Joel Townshend, en hoe ze eventueel met elkaar in verband stonden. Maar aangezien de marihuanaconnectie met Dylan Vogler nauw verbonden was met BBW, en dit had de staat nodig om een moordmotief voor Maya vast te stellen, hadden Haines en zijn intermediair Debra Schiff de eisende partij kennelijk zoveel mogelijk voorzien van twijfelachtige financiële transacties tussen de koffieshop en het gezin Townshend.

Dit had niemand al te veel gedeerd tijdens het vooronderzoek – hoewel de witwasmogelijkheid kennelijk deel had uitgemaakt van de beslissing van het hof dat een jury het bewijsmateriaal moest afwegen en haar eigen conclusies moest trekken in Maya's zaak – maar in de afgelopen maanden, en vooral in de afgelopen twee weken, hadden Haines' onderzoekers en boekhouders eindelijk iets opgegraven wat een schat van verfijnde financiële relaties en regelingen leek te zijn, waarbij Townshend, Harlen, Kathy West en nog een paar andere kopstukken die zich op zijn allerminst twijfelachtig, om niet te zeggen onethisch of onwettig, hadden gedragen, nu leken te zijn betrokken.

Mogelijk smeergeld, voorkeursbehandeling, ongedocumenteerde vergaderingen over kwesties van publiek belang met schending van de stadsverordening.

Hiervan was nog heel weinig of zelfs niets bewezen, behalve dat Haines erin was geslaagd BBW vleugellam te maken en de overheid voorbereidingen trof om het hele gebouw in beslag te nemen als opbrengst van een drugsoperatie, hoewel de zaak zelf nog elke dag open was. Omdat Maya op grond van het zwijgrecht geen vragen hoefde te beantwoorden tijdens de verbeurdverklaringsprocedure terwijl haar strafrechtelijke zaak in behandeling was, werd er voorlopig geen definitieve uitspraak gedaan, maar de vragen alleen al wierpen een schaduw van criminaliteit over Maya en alles wat ze aanraakte.

De boekhouding van BBW was ongelooflijk slordig. Om maar één voorbeeld te geven: Maya had Vogler in juli een cheque van 6000 dollar van haar persoonlijke lopende rekening uitgeschreven voor noodreparaties wegens waterschade en in maart een persoonlijke cheque van 3750 dollar voor een half maandsalaris. Er was geen afschrift dat hij haar het geld ooit had teruggegeven. In de afgelopen twee jaar waren er cheques met een waarde van minstens 30.000 dollar van Vogler aan Maya zonder enige verklaring in hun boeken. De enige vraag leek welke onwettigheid precies door de operatie werd gefinancierd.

Maya vertelde Hardy dat ze druk bezig was geweest met de school van de kinderen en op vakantie was geweest en niet naar de winkel had kunnen gaan om de zakencheques te tekenen, maar ze had ook nagelaten zichzelf terug te betalen uit de bedrijfskas wanneer ze daar een kans voor kreeg tijdens haar vele bezoekjes. Ze had geen idee wat de cheques van Vogler aan haar inhielden. Ze liet de boekhouding aan Vogler over. In het huidige klimaat werd deze verklaring sterk betwijfeld.

De overwinning voor Haines en de daarmee gepaard gaande, bij velen levende overtuiging dat de Townshends feitelijk in de drugshandel zaten, hadden vervolgens een enorme rol gespeeld in het beeld dat de mensen zich van de Townshends vormden en de publieke opinie keerde zich af van de veronderstelling van onschuld. Opeens zou je bedrogen worden als je zaken deed met Joel Townshend, of Harlen Fisk, of Kathy West – in feite, als je zaken deed met de stad. Zo handelden 'deze mensen' nu eenmaal.

Vanochtend nog had Hardy de pagina met het redactionele commentaar en de ingezonden brieven van de *Chronicle* gelezen, en die was voor een derde gevuld met venijn – toezichthouder Fisk en de burgemeester moesten aftreden, of als ze dat nalieten, moesten ze worden aangeklaagd. Het tromgeroffel zwol aan; zelfs in Hardy's kantoor werd erover gekletst.

En hoewel niets daarvan iets te maken had met de moorden waarvan Maya werd beschuldigd, wist Hardy dat het veel te maken zou hebben met Paul, alias Paulie, alias De Grote Lelijkerd, Stier – de assistent-officier van Justitie die de zaak had aangespannen – en hoe hij het bewijsmateriaal bespeelde. Vanuit een naïef perspectief kon het hele rechtbankdrama zich ontvouwen als een samenzwering met talloze tentakels, gevoed door drugs en morele verdorvenheid in hoge kringen.

Hardy gluurde naar zijn opponent.

Ondanks zijn flamboyante bijnamen was Stier halverwege de dertig, ernstig, en had, uitgaande van Hardy's ervaring met hem tot dusver, weinig persoonlijkheid of gevoel voor humor. De bijnamen bleven echter zorgwekkend.

In de rechtszaal was het een waarheid als een koe dat wat niet weet, wél deert, en Hardy had niet veel roddel of lasterpraat over De Grote Lelijkerd kunnen opvangen, wat waarschijnlijk betekende dat hij zijn persoonlijkheid (en zijn mogelijke slimme zetten en vuile trucjes) goed verborgen hield totdat hij ze nodig had, wanneer ze de meeste schade konden toebrengen. Het was natuurlijk ook mogelijk dat de bijnamen sarcastisch waren – dat Stier was wat hij leek: een voortvarende, rechtvaardige, goed uitziende jurist. Hij zag er op dit moment zeker niet gevaarlijk uit, nu hij tegen de balie geleund amicaal met Jerry Haines stond te babbelen. Het waren gewoon twee verzorgde, hardwerkende, zelfingenomen, ambitieuze kerels – de een werkte voor de overheid van het land, en de ander voor de overheid van de staat.

Hardy voelde zijn maag draaien.

Daar, op de voorste rij, zat ook Debra Schiff, die inmiddels sociaal, zo niet intiem, met Haines omging, wist Hardy. Toen hij verder om zich heen keek, trok Hardy even de aandacht van Darrel Bracco, die een vlugge, ambigue blik op hem wierp en vervolgens wegkeek – Bracco was duidelijk vanaf het begin niet zo enthousiast als Schiff geweest over Maya's schuld en de wijsheid van haar arrestatie, maar in de maalstroom die zich had ontwikkeld waren zijn eventuele twijfels zeker gesust. Toch voelde de blik op de een of andere manier bemoedigend voor Dismas.

Of misschien was het medelijden.

Op een teken van de bode stond Hardy op en liep door de deur achter in de rechtszaal naar de gang en de kamer van de rechter. Daar, uit het zicht van de jury, deed de bode Maya's handboeien af, en Hardy ging met zijn cliënt naar binnen, gevolgd door de bode, en ze namen plaats aan de raadstafel.

In wat volgens Hardy een vertoon van gerechtelijke pesterij, zo niet ronduit een persoonlijke belediging aan zijn adres was, had Braun overwogen Maya het voorrecht te ontzeggen om normale kleding te dragen wanneer ze in de rechtszaal verscheen. Zolang het proces duurde, vond ze, zou Hardy's cliënt in haar gele overall naast hem aan zijn tafel zitten.

Hardy, die witheet was, had een dossier van vijftien pagina's moeten indienen voordat hij Braun ervan kon overtuigen dat uit allerlei federale en staatszaken duidelijk bleek dat zijn cliënt het recht had om in burgerkleding voor de jury te verschijnen. Als ze als gedetineerde was gekleed, zou ze bij de jury een indruk wekken die tegenstrijdig was met het beeld van een burger die als onschuldig werd beschouwd. Ze moest al schuldig aan iets zijn, volgens de niet zo subtiele psychologie erachter. Ze zou niet in de gevangenis zitten, die kleding niet dragen, niet met handboeien om de rechtszaal in worden gebracht, als ze helemaal niets had gedaan, als ze geen gevaar voor de gemeenschap was. Brauns mening was belachelijk en was ruim vijftig jaar lang door rechtbanken verworpen. Maar toch gaf ze dit absoluut onbetwistbare punt met tegenzin en onvriendelijk toe.

Het rumoer op de tribune achter hen nam enigszins af. Maya wierp Hardy een gelaten blik toe en speurde vervolgens achter zich rond; ze knikte naar haar man op de eerste rij aan 'haar' kant van de tribune, of misschien was ze opgelucht omdat ze haar kinderen niet zag, die de hele tijd dat ze gevangen had gezeten bij Fisks gezin hadden gewoond.

De hele toestand was vreselijk, dacht Hardy. Gewoon vreselijk.

En wat het nog erger maakte, nagenoeg onverdraaglijk vanuit zijn perspectief, was dat hij ondanks het gebrek aan bewijs uiteindelijk bijna al zijn geloof was kwijtgeraakt dat ze niet daadwerkelijk schuldig aan beide moorden was.

Hij wist dat ze zeker iets had gedaan wat ze, op straffe van levenslang in de gevangenis, niet bereid was te onthullen.

Ook leek ze, terwijl haar familie en haar buitenwereld om haar heen leken te imploderen, in de afgelopen weken steeds berustender te zijn geworden, en minder betrokken bij haar verdediging, alsof ze verdiende wat haar overkwam. Ze wilde nog steeds onschuldig worden bevonden, maar voornamelijk omdat ze dacht dat de kinderen haar nodig hadden. Ze wilde niet dat ze moesten leven met het feit dat hun moeder in de gevangenis zat, veroordeeld voor moord. Voor haarzelf leek het echter niet zo'n cruciaal punt te zijn.

Alle partijen stonden op en Hardy schoof haar stoel naar achteren terwijl een andere bode de jury binnenbracht vanuit hun kamer verderop in dezelfde gang waarlangs Hardy en Maya zojuist de rechtszaal waren binnengegaan. Toen alle juryleden zaten, nam ze plaats en Hardy duwde haar naar voren totdat ze gemakkelijk aan de tafel zat. Ze wierp een blik op de pas samengestelde jury en knikte een paar keer, waarbij ze niet meer oogcontact maakte dan normaal leek.

Vanuit zijn perspectief was het een behoorlijke jury. Negen mannen en drie vrouwen. Vijf blanken, vier Afro-Amerikanen, drie Aziaten. Allemaal tussen de veertig en de zeventig jaar oud, en Hardy vermoedde aan de hand van diverse uiterlijkheden dat zeven of acht van hen in elk geval wel eens marihuana hadden geprobeerd. Negen van hen hadden een voltijdbaan. Twee mannen en één vrouw waren gepensioneerd en waren redelijk succesvol in zaken geweest. Het verbaasde Hardy dat Stier geen van deze drie had afgewezen, maar misschien had hij het antiprojectontwikkelingsvooroordeel niet adequaat in zijn juryselectiestrategie opgenomen.

Hoewel Hardy wist dat je soms gewoon geluk moest hebben. Gezien de gang van zaken dacht hij echter niet dat daar in deze zaak sprake van was.

Maar voordat Hardy een kans kreeg om weer te gaan zitten, ontstond er beweging op de tribune achter hen, en Hardy en Maya draaiden zich allebei om om te zien wat de oorzaak daarvan was.

'Nou, kijk eens aan,' zei Hardy, met een kleine grijns die om zijn mondhoeken speelde, toen Kathy West, de burgemeester van San Francisco in eigen persoon, over het middenpad naar hen toe kwam lopen, vergezeld door haar neef Harlen Fisk en een kleine processie van hun personeelsleden. Achter hen volgde een gestage stroom van verslaggevers, rechtbankgroupies en gewoon nieuwsgierigen, zodat de tribune één grote staanplaats was en er een constant en indrukwekkend geroezemoes in de zaal gonsde tegen de tijd dat Kathy en Harlen de voorste rij bereikten en naast Joel gingen zitten.

De bode, die duidelijk niet wist wat hij moest doen, vooral nadat Kathy West hem de hand had geschud, stond de burgemeester toe om de regels nog verder te negeren en over de balie heen Hardy en haar nicht de hand te schudden, terwijl Harlen Hardy iets dichterbij trok en fluisterde: 'Dit is Kathy's impulsiviteit. Misschien om onze vriend Stier een beetje van zijn stuk te brengen voor zijn openingsverklaring.'

'Kan geen kwaad,' zei Hardy. Dit ostentatieve gedrag was eigenlijk meer dan welkom na de wekenlange inactiviteit en stilte van Maya's familie. Een glimlach plooide Hardy's gelaatstrekken en hij keek net op tijd op om de voor hem zoete ongelovige en geschokte blikken van Stier, Haines en Schiff op te vangen.

Maar het moment kreeg geen tijd om volledig tot iedereen door te dringen omdat de deur bij de rechterstoel openging en de bode aan het eind van de zaal opdreunde: 'Iedereen opstaan. Afdeling Vijfentwintig van de Hogere Rechtbank van Californië houdt nu zitting, met rechter Marian Braun als voorzitter.'

En Braun stoof naar binnen en naar haar stoel, gluurde naar de menigte en keek dreigend toen ze zich bewust werd van haar bezoekers. Na een korte aarzeling tilde ze haar hamer op, gaf er een klap mee en zei: 'Advocaat en aanklager, naar mijn kamer, onmiddellijk!'

De rechter stond in haar zwarte toga op hen beiden te wachten toen ze binnenkwamen. Ze vroeg niet eens aan de stenograaf, Ann Baxter – die met haar magische machine op de bank zat –, of ze klaar was om ieder woord dat er werd gezegd te noteren, zoals vereist was bij een moordproces, voordat ze van wal stak. 'Meneer Hardy. Vanwege onze lange gezamenlijke geschiedenis dacht ik dat ik duidelijk had gemaakt dat er geen poppenkasterij in of rondom mijn rechtszaal zou zijn. En nu kom ik hier op de eerste eigenlijke procesdag binnen en zie ik op de eerste rij de burgemeester en een van onze stadstoezichthouders, en als u denkt...'

'Edelachtbare,' zei Hardy.

Maar ze stak haar hand omhoog. 'Ik ben nog niet uitgesproken, en ik wil niet dat u mij onderbreekt. Nooit. Hier of in de rechtszaal. Duidelijk?'

Het was onprofessioneel en kon zelfs op korte termijn averechts uitwerken voor zijn cliënt, maar als Braun hem ging beledigen en zich ging gedragen als een tiran wier kwaadwilligheid jegens hem gronden zou kunnen verschaffen voor een eventueel beroep, zou Hardy haar graag helpen. In de wetenschap dat het decorum eiste dat hij haar hoorbaar antwoord gaf – anders kon de stenograaf zijn antwoord niet registreren – knikte hij overdreven plechtig.

En wachtte.

Braun had niet veel tijd nodig. Haar ogen gingen bijna dicht toen ze naar hem tuurde. 'Ik heb u een vraag gesteld, meneer Hardy. Ik vroeg of het duidelijk was dat u mij niet mag onderbreken?'

'Ja, edelachtbare. Natuurlijk. Het spijt me. Ik wist niet zeker of u was uitgesproken en ik wilde u niet onderbreken.' Zonder blikken of blozen.

Ze wees met een vinger naar hem, schooljufachtig, en zei met een hese, beheerste raspstem: 'Ik zou graag willen weten wat u ermee wilt bereiken dat de burgemeester en toezichthouder Fisk daar zitten. Dit is precies het soort circusomgeving waarvan ik u gewaarschuwd heb dat ik dat wil vermijden, en nog voordat we begonnen zijn is het zover.'

Hardy stond in de houding.

'Nou? Gaat u mij antwoord geven? Of niet?'

Hardy hield zijn hoofd een beetje schuin en boog naar voren. 'Het spijt me, edelachtbare. Ik heb geen vraag gehoord en wist niet dat u een antwoord eiste.'

'Wat doen ze daar?'

'Dat weet ik niet, edelachtbare. Misschien zijn ze van plan om het proces bij te wonen, of in elk geval een deel ervan?'

'Waarom?'

'Dat weet ik niet. Ik zou me niet aan een veronderstelling willen wagen.'

'Ik geloof u niet. Ik voel dat u een hand hebt in hun aanwezigheid hier.'

'Edelachtbare, u vleit mij door mij zo'n invloed toe te kennen, maar ik verzeker u dat ik geen controle heb over de gangen van de burgemeester. Of van meneer Fisk. Hun verschijning hier is net zo'n verrassing voor mij als voor u.'

'Ze zitten naast uw cliënt. Denkt u niet dat dit de jury zal beïnvloeden, als die ziet dat ze haar steunen?'

'Dat weet ik niet en ik kan er niets aan doen hoe de jury zal reageren.

Mevrouw West en meneer Fisk zijn beiden familie van de gedaagde.' Hij draaide zich om. 'Zoals meneer Stier en u, geloof ik, wel weten.'

Braun wees opnieuw met haar vinger. 'Waagt u het niet mij te vertellen wat ik wel of niet weet.'

'Natuurlijk niet, edelachtbare. Maar ongeacht uw kennis of gebrek daaraan is het alleen maar normaal dat zij als familieleden van mevrouw Townshend aan de kant van de verdediging zitten.'

Braun richtte haar kwade ogen op de aanklager. 'Meneer Stier? Hebt u iets toe te voegen aan dit gesprek?'

De keurig verzorgde en wellicht genadeloze jurist, die door de deur achter Hardy was binnengekomen en tot nu toe een stukje achter hem was blijven staan, stapte naast hem en schraapte zijn keel, maar bleef zwijgen.

'Edelachtbare, met alle respect,' begon Hardy, 'in de eerste plaats is dit een openbare rechtszaal. Iedereen heeft er recht op hier te zijn. Over dit soort kwesties hebben we een revolutie uitgevochten. Verder is er iets voor te zeggen dat hun aanwezigheid wellicht berekend is om het vooroordeel te bestrijden dat de eisende partij heeft aangewakkerd in de aanloop naar dit proces.'

'Waar hebt u het over?' snauwde Stier.

Hardy bleef aandachtig, met zijn blik naar voren gericht.

Na vijf bevredigende seconden wendde Braun zich uiteindelijk tot hem. 'Hebt u de vraag van meneer Stier gehoord, meneer Hardy?'

'Natuurlijk, edelachtbare.'

'Nou?'

'Het spijt me. Wat bedoelt u met "nou", edelachtbare?'

'Ik vroeg u of u de vraag van meneer Stier had gehoord.'

'Ja, natuurlijk, maar u hebt mij vele keren geïnstrueerd om mijn opmerkingen alleen aan het hof te richten. Ik probeer me aan het protocol van het hof te houden, edelachtbare. Wat de vraag van meneer Stier betreft, ben ik er zeker van dat hij heel goed weet waar ik het over had.'

'Zou u het hof willen informeren wat dat is?'

'Zeker, edelachtbare. Het is geen geheim dat meneer Haines, de federale aanklager hier in San Francisco, de afgelopen paar maanden een grootschalige campagne heeft gevoerd in de civiele rechtbanken, in de media en met een federale onderzoeksjury, in een poging mijn cliënt en haar man aan haar broer en aan de burgemeester te linken en alle families in een witwas-, dopehandel- en afpersingscomplot te verwikkelen. Daarom heb ik alle vragen voorgelegd voor uw *voir dire* over wie van onze kandidaatjuryleden het nieuws nauwlettend volgen. Ik nam aan dat u hiervan op de hoogte was, edelachtbare.'

Braun wendde zich tot de aanklager voor een antwoord. 'Meneer Stier?'

'Nonsens, edelachtbare. Het is waar dat Jerry Haines zijn eigen spoor van misdadigheid heeft gevolgd, dat naar enkele van deze zelfde individuen, onder wie meneer Hardy's cliënt, lijkt te leiden, maar om te suggereren dat wij hebben samengespannen om een vooroordeel...'

'Neem me niet kwalijk, edelachtbare. Zoiets wilde ik helemaal niet suggereren. Ik wilde het als vaststaand feit stellen.'

Stier draaide zich naar Hardy om. 'Dat is absurd.'

'Integendeel,' antwoordde Hardy bedaard, Braun aankijkend. 'Het is aantoonbaar, edelachtbare. Debra Schiff, de rechercheur van Moordzaken die mijn cliënt heeft gearresteerd, is aangesteld als speciaal agent voor de federale onderzoeksjury van meneer Haines. Sommigen zouden dat samenspanning noemen.'

Braun keek dreigend.

'Maar meer ter zake, edelachtbare, het recht van mevrouw West en meneer Fisk om hier te zijn, en het recht van mijn cliënt om hen hier te hebben, is absoluut. Als u of meneer Stier graag wil dat ik een boodschap doorgeef aan de burgemeester en een lid van de Raad van Toezichthouders dat u wilt dat ze vertrekken, zou ik graag behulpzaam zijn. Ik zou eigenlijk best wel geïnteresseerd zijn te horen wat zij daarop te zeggen hebben.'

Een vrij lange stilte. Toen zei Braun, haar woorden afbijtend: 'Goed, zo is het wel genoeg. Ik duld dit soort gekibbel hier of in mijn rechtszaal niet.' Ze liet haar hoofd even hangen, schudde het vol walging en richtte zich vervolgens weer tot de juristen die voor haar stonden. 'Deze situatie maakt me razend, maar ik zie er geen oplossing voor. U mag gaan, heren. Ik ben er zo meteen weer.'

Het nieuws had zich kennelijk snel verspreid, en tegen de tijd dat Hardy weer naast Maya aan zijn tafel in de cel zat, was er geen zitplaats meer te krijgen op de tribune. Er stond een rij tot buiten de deur die van de hal naar de rechtszaal leidde, en Hardy was nogal verbaasd om Abe Glitsky daarin te zien staan, net voor de deur, die gekomen was om de show te bekijken. Hij gaf Hardy een heel klein knikje.

Omdat ze ingeroosterd waren om als getuigen te verschijnen en niet in de rechtszaal konden blijven, hadden Schiff en Bracco allebei hun eerdere zitplaatsen op de voorste rij afgestaan aan twee verslaggevers, die tot de groep mensen behoorden dat Harlen Fisk en Kathy West ondervroeg in iets wat op een geïmproviseerde persconferentie leek. De tribune gonsde aan alle kanten van de energie en conversatie, zozeer dat de galmende oproep tot orde van de bode toen Braun de zaal weer binnenkwam en naar de rechterstoel liep grotendeels in de wind werd geslagen.

Hardy, die helemaal vooraan zat, hoorde het en draaide zich om, maar het rumoer achter hem ging door en werd zo mogelijk nog luider. Totdat Braun, staande, haar hamer gebruikte, eerst zachtjes. En toen ze geen respons kreeg, met een dwingender en krachtiger *Bam! Bam! Bam!*

'Orde!' riep ze uit. 'Orde in deze rechtbank!'

Totdat het geleidelijk, eindelijk, stil werd in de zaal.

Braun wachtte tot de laatste fluistering was weggestorven, waarna ze haar hamer neerlegde en, nog steeds staande, vooroverboog en dreigend op de menigte neerkeek. 'Dit is een rechtbank,' begon ze met een stem die gespannen was van de emotie. 'Er is hier geen plaats voor een heksenketel. Ik wil degenen van u die nu zitplaatsen hebben vragen om ze alstublieft in te nemen, en voor degenen van u die aan de kant staan: zoek een zitplaats of anders zal ik u moeten vragen te vertrekken.'

Nadat ze de tribune tijd had gegeven om te gehoorzamen, ging Braun eindelijk zitten. 'Dank u. Het hof,' vervolgde ze, 'merkt op dat de edelachtbare burgemeester van San Francisco, Kathy West, en stadstoezichthouder Harlen Fisk aanwezig zijn, en verwelkomt hen allebei bij dit proces.' In een overtuigend vertoon van goedgunstigheid knikte de rechter met een strakke glimlach en richtte zich vervolgens onmiddellijk tot de tafel van de eisende partij.

'Meneer Stier, is het Openbaar Ministerie gereed om zijn zaak te beginnen?'

'Ja, edelachtbare.'

'Meneer Hardy, de verdediging?'

'Gereed, edelachtbare.'

'Goed dan. Meneer Stier, u mag beginnen.'

20

Ondanks zijn onverschillige houding en verschijning liet Stiers publieke imago voor het eerst iets van de mysterieuze Paulie doorschemeren – een echte autoriteit die gebaseerd leek op zowel zelfvertrouwen als de zekerheid van zijn positie. Hij sprak op een normale, onderhoudende toon met weinig retorische stijlfiguren, maar uit zijn nuchtere oprechtheid vloeide een eenvoudige welsprekendheid voort waarin overtuiging doorklonk.

'Dames en heren van de jury.' Hij stond vlak voor en naast Hardy en Maya, met zijn gezicht naar de jurytribune. Toen hij begon, hield hij zijn handen op een ontspannen manier omlaag en een klein stukje voor zich uit, wat deed denken aan een klaar-voor-de-starthouding; van tijd tot tijd bracht hij ze omhoog en klemde ze ineen om zijn woorden te benadrukken, en soms stak hij voor de duidelijkheid of het effect een vinger uit.

'Het bewijs en de feiten in deze zaak zijn tamelijk eenvoudig, duidelijk en ondubbelzinnig. Ze betreffen een belangrijke drugshandel en al lang bestaande betrekkingen tussen drie individuen die om een onbekende reden opeens zijn misgelopen, met tragische, in feite fatale gevolgen voor twee van hen. En ze wijzen naar een onontkoombare conclusie: dat de gedaagde in deze zaak, Maya Townshend' – en nu draaide hij zich om en wees haar rechtstreeks aan – 'haar handlanger in haar marihuanahandel, Dylan Vogler, opzettelijk heeft vermoord en dat ze een paar dagen later een andere voormalige handlanger in de marihuanahandel, Levon Preslee, met voorbedachten rade heeft vermoord.

'Dit weten we als volgt.

'Om 9 uur 47 op de avond van 26 oktober van het vorige jaar pleegde een jongeman die een van de twee slachtoffers in deze zaak is, Dylan Vogler, de manager van een koffieshop met de naam Bay Beans West in Haight Street hier in de stad, een telefoontje naar zijn werkgever, de gedaagde Maya Townshend. We weten niet precies wat hij tijdens dat telefoontje tegen haar heeft gezegd, maar wat het bericht ook was, het was wel zo belangrijk dat gedaagde eerst tegen de politie loog dat ze het telefoontje nooit had ontvangen, en pas toen ze op de leugen werd betrapt gaf ze toe dat het voldoende was om haar over te halen de volgende ochtend voor zonsopgang op te staan en naar Bay Beans West te rijden.'

Hardy beheerste zich. Maya was niet op een leugen betrapt, maar had haar misleiding zelf toegegeven aan de politie, op zijn advies. Hij maakte een notitie om dit punt later via Bracco of Schiff ter sprake te brengen. Maar voorlopig galmde de beschuldiging onbetwist in de oren van de jury.

Stier ging door. 'Nog geen uur later, toen het net licht begon te worden, was meneer Vogler dood, eenmaal van dichtbij in de borst geschoten in de steeg die achter Bay Beans West loopt. Er was geen teken van een worsteling. Politieonderzoekers hebben in de steeg een vuurwapen gevonden waaruit kortgeleden één schot was afgevuurd. Er is één kogel gevonden. Er is één huls gevonden. Die pasten allebei bij het vuurwapen. Dit wapen was eigendom van de gedaagde. Het was op haar naam geregistreerd en haar vingerafdrukken zaten erop, en ook op patronen in het wapen.

Waarom heeft gedaagde het gedaan?

Ze waren bijna tien jaar lang zakenpartners geweest. Waarom werd gedaagde op deze bewuste zaterdagochtend wakker en besloot ze dat ze meneer Vogler moest gaan vermoorden? We zullen misschien nooit de precieze reden weten. Maar we weten wel met zekerheid dat ze samen een misdadig leven leidden, een leven waarin een gewelddadige dood, zelfs door toedoen van partners en compagnons, net zo gewoon is als de ochtendmist in juni in deze stad.'

Stier glimlachte beleefd om zijn zelfverzonnen geestige opmerking, maar pauzeerde niet. 'Op het moment van zijn dood,' vervolgde hij, 'droeg meneer Vogler een rugzak waarin hij vijftig plastic zakjes had gestopt die elk een paar gram tot vijftien gram hoogwaardige marihuana bevatten die hij zelf op zijn zolder kweekte. Het lijkt erop dat meneer Vogler Bay Beans West, de door hemzelf beheerde koffieshop van gedaagde, als dekmantel gebruikte voor een bloeiende marihuanahandel, een handel waarvan de boeken en registers zullen aantonen dat die met de volledige medewerking en samenspanning van gedaagde werd gevoerd.'

Maya begon onrustig heen en weer te schuiven en Hardy legde zijn hand op haar arm, waar hij zachtjes in kneep. Alles wat Stier zei was inmiddels oud nieuws voor hen allebei, maar dat betekende niet dat het niet verontrustend was om het in een soepel vloeiend verhaal uiteengezet te horen worden. En hij wilde niet dat een jurylid Maya's ongemakkelijkheid zou opmerken, die als schuld geïnterpreteerd zou kunnen worden.

Wat hemzelf betrof toonde Hardy een uitdrukking van amper verhulde walging bij deze lezing van de beweerde 'feiten'. Zonder echt theatraal te reageren, liet hij zijn hoofd als uit eigen beweging heel lichtjes heen en weer schudden wanneer hij voelde dat een jurylid op zijn reactie lette.

Stier ging door. 'Maar gedaagde was nog niet klaar. Haar drugshandel was al heel lang aan de gang, en er zou meer dan één moord voor nodig zijn om die veilig te houden. Helaas wekte de moord op Dylan Vogler de argwaan van een andere van haar consorten, Levon Preslee genaamd. Tot zijn dood werkte meneer Preslee als fondsenwerver aan het Amerikaanse Conservatorium Theater. Net als gedaagde en meneer Vogler had hij in de jaren negentig de Universiteit van San Francisco bezocht. Diverse getuigen zullen verklaren dat de drie – gedaagde en de twee slachtoffers, meneer Vogler en meneer Preslee – toen ze daar studeerden eerst samen betrokken raakten bij een marihuanadistributiehandel. Uiteindelijk werden meneer Vogler en meneer Preslee opgepakt en ze werden allebei tot een gevangenisstraf veroordeeld voor beroving in verband met een dopedeal die was misgelopen.'

Hardy had hard gevochten om ervoor te zorgen dat de eerdere marihuanatransacties van Vogler en Preslee en de beroving niet door de jury in beschouwing werden genomen. Er was geen bewijs, had hij gepleit, dat Maya op welke manier dan ook daarmee in verband bracht. Net als bijna alle andere verzoeken die hij had proberen in te dienen, had Braun dit van de tafel geveegd: 'Betreft de relatie tussen de partijen,' had ze gezegd, alsof dat ergens op sloeg of iets met de rechtsgang te maken had.

Stier pakte de draad van het verhaal weer op. 'Maar gedaagde niet. Het bewijsmateriaal zal aantonen dat zij een stille vennoot bleef, en dat de stilte een prijs had. In de vroege middag van donderdag een november kreeg meneer Preslee een telefoontje en verliet hij zijn werk in het ACT in een geagiteerde toestand. Om vijf over twee die middag belde hij met zijn mobiele telefoon naar gedaagde. Hoewel gedaagde – opnieuw – aanvankelijk tegen de politie ontkende dat ze ooit in het appartement van meneer Preslee was geweest, zullen DNA en haar vingerafdrukken aantonen dat gedaagde rond het tijdstip van zijn dood in de woning van meneer Preslee is geweest.'

Aan hun tafel omklemde Hardy's hand Maya's pols, en ze wierp hem een naar beneden gerichte blik toe en slaakte een zucht.

Het laatste stukje bewijs was natuurlijk de oorzaak van Maya's arrestatie geweest en was in vele opzichten het dieptepunt van de afgelopen paar maanden. De eiser had zijn theorie uiteengezet over de veronderstelde relaties en mogelijke chantage tussen Vogler, Preslee en Maya, maar zonder tastbaar bewijs dat Maya in Preslees woning was geweest, zelfs ondanks zijn telefoontje naar haar met zijn mobieltje, was er praktisch geen kans dat ze ooit voor de moord op Preslee aangeklaagd kon worden. Of mogelijk zelfs voor die op Vogler.

'Dames en heren,' vervolgde Stier. 'We hebben hier bijna exact hetzelfde gedragspatroon van gedaagde in twee met elkaar verbonden moordzaken. Toen ze studeerde, raakte gedaagde met beide slachtoffers betrokken bij de verkoop van marihuana. U zult bewijs horen dat gedaagde deze en andere drugs zowel gebruikte als verkocht, en een ooggetuigenverklaring horen dat haar criminele partners Vogler en Preslee deelnamen aan berovingen van andere drugsdealers.

'Sinds die tijd heeft gedaagde de welgestelde moeder, goede echtgenote, regelmatige kerkganger en de gezagsgetrouwe burger uitgehangen. Dit nieuwe leven was om vele redenen heel belangrijk voor haar, maar bovenal omdat zij lid is van een van de meest vooraanstaande politieke families van San Francisco.'

Nu kreeg Hardy eindelijk zijn eerste kans om tegen de aanval in te gaan. 'Bezwaar, edelachtbare,' zei hij. 'Irrelevant en argumentatief.'

Rechter Braun keek fronsend op hem neer en maakte hem duidelijk uit welke hoek de wind zou waaien. 'Ik denk geen van beide,' zei ze. 'Afgewezen.'

Stier knikte naar de rechterstoel en ging gladjes door. 'Gedaagde heeft een hoge prijs betaald om haar verleden geheim te houden. U zult een andere ooggetuige – de vrouw van het eerste slachtoffer, meneer Vogler – horen verklaren dat haar man, met wie gedaagde intiem was geweest, gedaagde gedurende een periode van acht jaar chanteerde. De chantage nam voornamelijk de vorm aan van een exorbitant salaris dat hij als manager van Bay Beans West opstreek, maar de financiële verslagen van gedaagde onthullen de laatste tijd een patroon van geldwitwasserij via de koffieshop dat het naakte feit van de chantage bekrachtigt en een dwingend motief voor de moord op meneer Vogler verschaft. En in feite ook voor de moord op meneer Preslee.

'Het bewijs steunt overduidelijk de opvatting van het Openbaar Ministerie dat gedaagde zowel meneer Vogler als meneer Preslee heeft vermoord omdat de een haar had gechanteerd en de ander op het punt stond hetzelfde te doen. Ze gebruikte haar eigen vuurwapen om meneer Vogler te vermoorden, en nu dat wapen bij de politie in bewaring was, gebruikte ze het eerste voorwerp dat binnen handbereik kwam, een keukenhakmes, om meneer Preslee te vermoorden. Maar het waren allebei opzettelijke handelingen die de staat Californië als moord met voorbedachten rade definieert, en dat is het vonnis dat ik u zal vragen aan het eind van dit proces uit te spreken. Dank u.'

Glitsky zat met zijn voeten omhoog achter zijn bureau, dat behoorlijk bezaaid met pindadoppen begon te raken. Ergens in de afgelopen zes weken sinds Hardy hier voor het laatst was geweest, toen er redelijkerwijs kon worden aangenomen dat Zachary zou herstellen, had hij de hoge jaloezieën geopend, zodat de kamer eindelijk weer voldoende werd verlicht.

Twee weken eerder waren Hardy en Frannie bij de Glitsky's thuis geweest, en hoewel Zack nog steeds een soort footballhelm droeg wanneer hij wakker was, kwam hij op beide Hardy's volkomen normaal over, weer zoals hij voor het ongeluk was geweest.

Het was Abe, voelde Hardy, die onherroepelijk was veranderd. Glitsky kon in elk geval door niemand voor het zonnetje in huis worden aangezien. Hij leek de werkelijkheid dat Zachary beter was, en dat dit goed nieuws voor hem en voor zijn leven was, niet tot zich door te kunnen laten dringen. In plaats daarvan focuste hij zich op zijn eigen verantwoordelijkheid voor het ongeluk, zijn algemene onbekwaamheid als mens, zijn ongelukkige gesternte. Wat het ook was, veel van wat altijd op zijn best een duistere en cynische vonk was geweest gaf nu helemaal geen licht meer, en Hardy vond dat verontrustend en vermoeiend. Niet dat hij geen hoop meer had voor zijn beste vriend, maar hij probeerde voortdurend met ideeën op de proppen te komen die misschien zouden helpen om Abe weer de oude te maken.

Vandaag op de eerste procesdag om lunchtijd hier onverwacht langskomen met een verse voorraad pinda's, bijvoorbeeld. De pinda's die Glitsky altijd in zijn bureaula bewaarde – linksboven, totdat Hardy ze op een dag stiekem naar rechtsboven had verplaatst – waren vlak voor Kerstmis opgeraakt en nooit aangevuld. Hoewel hij na de lunch zijn eigen openingspleidooi moest houden, kwam hij dus langs om het cadeautje af te geven en een paar minuten te babbelen.

En het was natuurlijk begonnen met een discussie over Stiers openingsbetoog, dat Glitsky behoorlijk meeslepend vond. 'Maar ik moet toegeven,' zei hij, een pinda openmakend, 'dat hij me al bekeerd had. Je wilde het me waarschijnlijk niet echt vragen.'

'O, juist, dat was ik even vergeten. Wat was dan het gedeelte dat jou heeft overtuigd?'

'Waarvan?'

'Dat Maya schuldig is.'

Glitsky's handen lagen gevouwen op zijn buik. Hij leunde achterover in zijn stoel. 'Ik heb er een voor jou. Welk gedeelte ervan geloofde je niet?'

'Ik geloofde alles ervan,' zei Hardy.

'Zie je wel. Zit er maar niet over in. Je gaat toch verliezen. Nat' – Glitsky's vader van over de tachtig – 'zegt dat af en toe verliezen de geest sterker maakt.'

'Het aloude "wat ons niet doodt maakt ons sterker"?'

'Inderdaad.' Er viel een schaduw over Glitsky's gezicht. 'Maar soms niet, moet ik toegeven.'

'Wanneer heb je de laatste tijd verloren?'

Glitsky's gezicht werd nog iets donkerder. 'Hallo? Ben je de laatste paar maanden in de buurt geweest?'

'Vat je Zack als een verlies op? De laatste keer dat ik hem zag, sprong hij tussen het meubilair rond.'

'De laatste keer dat ik hem zag, liep hij met een footballhelm rond. Misschien is dat je niet opgevallen?'

'Misschien heb je niet gehoord wat je net zei: hij liep rond. De footballhelm was tegen toekomstig letsel als ik me niet vergis. Is er iets wat je mij niet vertelt?'

'Waarover?'

'Zack. Het enige wat ik heb gehoord is dat alle tekenen op volledig herstel wijzen.'

Glitsky schudde zijn hoofd. 'Dat weten ze niet zeker.'

'Maar ze zeggen hetzelfde als ik, toch? Alle tekenen wijzen, et cetera.'

'Ze zeggen dat ze "voorzichtig optimistisch" zijn. Omdat ze bang zijn dat ik hen zal vervolgen als ze zeggen dat hij helemaal beter is en er iets gebeurt.'

'En als ze dat nu zeggen omdat ze niet denken dat er verder iets ergs zal gebeuren?'

'Ze mogen denken wat ze willen. Niemand zegt dat ze het weten. Niemand kan het weten. Waarom hebben we het hier weer over?'

'Omdat jij het een verlies noemde.'

'Ja. Nou, het is wat het is, hoe je het ook noemt.' Glitsky haalde zijn voeten van het bureau. 'Waar hadden we het over voordat dit ter sprake kwam?'

'Stiers openingsbetoog.'

Afwezig tussen hen door starend kraakte Glitsky nog een pindadop. 'Dat is het belangrijkste. Vroeger had ik een goed stel hersenen. Nu is mijn aandachtsboog... Ik krijg een gedachte. Die gaat weg. Er komt een andere langs. Ik kan geen gedachten met elkaar verbinden. Het is gewoon alsof ik eindeloos ben afgeleid. Ik lijk er zelf niet uit te kunnen komen.'

Hardy vroeg: 'Praat je met iemand?'

'Tuurlijk. Met Treya, Nat, jou van tijd tot tijd.'

'Ik bedoel een beroeps.'

Glitsky glimlachte bijna. 'Dat gebeurt niet. Het is niet iets wat ik kan uitpuzzelen en besluiten te veranderen.'

'Hoe weet je dat?'

'Dat weet ik gewoon.' Hij at een pinda. 'En ik ben wel klaar met dit onderwerp, oké?'

Hardy kon een hint begrijpen. 'Tuurlijk. Wat vind je ervan dat de burgemeester hier is?'

'Behoorlijk brutaal statement.'

'Ik weet niet of het baat of schaadt. Mij, bedoel ik.'

'Het is een jury,' zei Glitsky. 'Er is er maar één nodig. Hoe heeft Braun het opgevat?'

'Zoals je zou verwachten. Ze gaf mij de schuld, uiteraard.'

'Natuurlijk. Dat zou ik ook hebben gedaan.'

'Nou, zie je wel. Maar hoe het ook voor Kathy en Harlen uitpakt, de hoofdzaak is dat het gewoon een afleiding is. En de enige kans van mijn cliënt is als dit proces op een gegeven moment over het bewijs gaat.'

'Ik dacht dat dat het vooronderzoek was.'

'Zover is het nooit gekomen. Niet eens in de buurt.' Hardy schudde zijn hoofd en wierp een onheilspellende blik over het bureau. 'Dit is misschien een goed moment om je eraan te herinneren dat je de arrestatie nooit hebt goedgekeurd, als je dat nog weet.'

'Laten we het daar niet over hebben, Diz. Je weet dat ik dat niet hoefde te doen. Bracco en Schiff hadden meer dan genoeg. Dat heeft het vooronderzoek bevestigd. En tussen haakjes, heb je me niet zo'n vijf minuten geleden verteld dat je ieder woord van Stier geloofde?'

'Ja. Ik denk dat hij gelijk heeft. Als theorie werkt het allemaal. Maar ik denk niet dat hij er iets van bewijst – het bewijs toont het niet aan, dat is zeker. En dat wordt hij min of meer geacht te doen.'

'Nou.' Glitsky besefte opeens dat ze alle pinda's hadden opgegeten, dus stond hij op, strekte zijn rug en begon de lege doppen voor de prullenmand te verzamelen. 'Dat is de schoonheid van het systeem. Als er geen bewijs is, zul je haar vrij krijgen.'

'Ik zou zeggen: "Isn't it pretty to think so?", Abe, maar die tekst is al gebruikt.'

Nadat Hardy was vertrokken, werkte Glitsky's korte aandachtsboog nog goed genoeg om hem ertoe te porren een notitie voor zichzelf te schrijven om het dossier van Maya Townshend door te nemen om zich ervan te vergewissen dat Bracco en Schiff hun zaak zo duidelijk mogelijk en met voldoende bewijsmateriaal aan Paul Stier hadden voorgelegd. Hardy had gelijk – Glitsky was afwezig geweest vanwege Zachary's medische problemen, en zijn mensen hadden hun bewijsmateriaal niet één keer met hem doorgenomen. Als ze iets hadden weggelaten, wilde Glitsky er zeker van zijn dat hij het weer opnam; niet dat hij er kapot van zou zijn als Hardy een zaak verloor.

God wist dat hij ging verliezen.

21

Als Hardy dacht dat het voor de ochtendzitting een gekkenhuis in en rondom de rechtszaal was geweest, had het eigenlijk meer weg gehad van een lieflijke en vredige wei, vergeleken met de wanordelijke opwinding die hem tegemoetkwam toen hij na zijn gesprek met Glitsky uit de lift op de derde verdieping stapte.

Kennelijk zou Kathy West in elk geval voor de middagzitting blijven, en dit veroorzaakte duidelijk nogal wat deining in de echte wereld. De burgemeester verscheen niet heel vaak in een openbare rechtszitting, en haar aanwezigheid was precies datgene geworden wat Hardy op dit moment niet nodig had – het grootste nieuwsverhaal van de dag, misschien wel in het land.

De hele hal was stampvol met mensen – heel veel pers – en hij probeerde zich met zijn ellebogen een weg tussen hen door te banen. Als hij ook maar één minuut te laat zou komen, zou hij de toorn van rechter Braun en mogelijk een boete voor minachting tegemoet kunnen zien. Hardy wist niet of het politieparanoia, Brauns behoefte aan controle, of de behoefte van het personeel van de burgemeester om de bazin te beschermen was, maar iemand had opdracht gegeven tot een geïmproviseerde metaaldetector buiten de deur van de rechtszaal, en wat in eerste instantie een amorfe menigte had geleken was in werkelijkheid een beperkte en georganiseerde rij die stond te wachten om naar binnen te gaan.

Zeer, zeer langzaam.

Bijna voor aan de rij onderscheidde hij de gestaltes van zijn twee vennoten – Gina Roake en Wes Farrell – die onverwacht langskwamen voor de show. Alsof hij het nodig had, was dit een ware lakmoesproef om te zien hoe snel het nieuws van de aanwezigheid van de burgemeester zich door de stad had verspreid. Maar hij dacht niet dat hij zich een weg naar hen toe kon banen. Het leek hem niet dat deze menigte voordringers zou tolereren.

Hardy was dan misschien geen fan van de architectuur van het Paleis van Justitie, maar hij wist de weg in het gebouw. Langs de achtermuur van de brede, weergalmende hal schuifelde hij tegen de stroom in en uiteindelijk ontdekte hij dat de deur van Afdeling 24 open was. Het hof hield daar nog geen zitting, en hij liep door de verlaten rechtszaal naar de achtergang die alle afdelingen op deze verdieping met elkaar verbond. Zonder aangehouden te worden door bodes, die allemaal in Afdeling 25 bezig waren de menigte in bedwang te houden, naderde hij de deur waardoor ze zijn cliënt later naar binnen zouden brengen.

Toen hij bij de raadkamer kwam, bleef hij staan. De deur van Brauns kamer stond ongeveer half open en Paul Stier en Jerry Haines kwamen eruit, nog in vriendelijk gesprek met Braun. Toen ze Hardy zagen, vielen hun bewegingen en het gesprek abrupt en opgelaten stil.

'Heren. Edelachtbare,' zei Hardy, en hij bleef staan, eigenlijk meer geschokt dan kwaad, wachtend op de verklaring die zou moeten komen. Een van de heiligste regels in de jurisprudentie was dat juristen met actieve zaken voor een rechter geen enkele *ex parte*-interactie met die rechter mochten hebben.

Geen enkele.

En het gold ook omgekeerd. Een rechter mocht de mogelijkheid van zulke interactie niet toestaan of overwegen.

Hardy was zojuist getuige geweest van een kennelijk flagrante schending van die regel – voldoende om alleen al op die gronden onmiddellijk te verzoeken de zaak te seponeren en, later, de rechter zichzelf onbevoegd te laten verklaren in deze zaak.

Haines liep om Stier heen en sprong meteen voor hem in de bres met wat Hardy als een bedroevend onhoffelijke benadering, een achteloos handgebaar, een luchtig toontje beschouwde. 'Raadsman. Dit is niet wat u denkt dat het is.'

Dit was een onwaardige reactie, aangezien het duidelijk was wat het was. Hardy, die absoluut niet geneigd was om vergevensgezind of vriendelijk te zijn, keek om de twee mannen heen de kamer in. 'Edelachtbare?' vroeg hij op licht eisende toon.

Braun kwam naar voren, beschaamd maar duidelijk vastbesloten om haar zin door te drijven. 'Meneer Haines heeft gelijk. Er is hier niets onbetamelijks voorgevallen, meneer Hardy. Deze heren liepen toevallig langs mijn deuropening en ik hoorde hen praten over de verschijning van de burgemeester op de tribune en we wisselden er terloops een paar woorden over, dat is alles. Hetzelfde wat u en ik op dit moment doen.'

'Met alle respect, edelachtbare. U en ik praten op dit moment in de aanwezigheid van mijn opponent, en openlijk of niet, wij bespreken de zaak voor uw hof. Eigenlijk zou ik, voordat we doorgaan, en als we doorgaan, willen verzoeken om de stenograaf erbij te halen.'

'Dat is belachelijk,' flapte Haines eruit.

Hardy negeerde hem en concentreerde zich op Braun. 'Edelachtbare?' zei hij nogmaals.

Na vijf ondraaglijke seconden knikte de rechter geconcentreerd met half toegeknepen ogen en keek ze enigszins opzichtig op haar horloge. 'Over zes minuten houdt het hof weer zitting,' zei ze. 'Ik zie u daar wel, heren.'

En daarop deed ze haar deur dicht.

Maya moest de rechtszaal nog binnengebracht worden. Hardy begroette Kathy en Harlen hartelijk tussen de pers rondom hen door en bedankte hen voor hun blijk van ondersteuning. Hij zei Joel gedag. Nadat hij zich had geëxcuseerd, zag hij Gina Roake een paar rijen naar achteren zitten en gebaarde hij haar en Farrell naar de balie te komen.

Toen ze daar aankwamen, zei hij: 'Ik ga nog geloven dat jullie hier allebei zijn gekomen om aantekeningen te maken over de manier waarop een meester een openingsverklaring aflegt.'

'Wat zou het anders geweest kunnen zijn?' vroeg Roake met een strak gezicht, waarna ze even naar de burgemeester en Harlen wuifde. De band tussen hen allen was in de loop der jaren natuurlijk een beetje verwrongen geraakt en al deze individuen groeiden naar nieuwe relaties, nieuwe banen en zelfs – leek het soms wel – nieuwe persoonlijkheden. Maar zeven of acht jaar eerder, toen de stad in rep en roer was over het aftreden van officier van Justitie Sharron Pratt en de juryaanklacht wegens moord op haar hoofdassistent, had de toenmalige burgemeester een nieuwe officier van Justitie aangesteld. Clarence Jackman kwam uit de private sector om de orde enigszins te herstellen – de begroting van het departement weer sluitend maken, misdrijven vervolgen, zakelijke problemen van de stad aanpakken. Jackman had een groep adviseurs om zich heen verzameld, die meestal op dinsdag bijeenkwamen in Lou de Griek. Tot die groep behoorden onder anderen Hardy, Roake, hun inmiddels overleden vennoot David Freeman, Kathy West, die destijds stadstoezichthouder was, Glitsky, *Chronicle*-columnist Jeff Elliot en Jackmans secretaresse, Glitsky's toekomstige vrouw Treya.

'Hoewel,' vervolgde Gina, 'het altijd fijn is om Kathy te zien. Ze ziet er vandaag bijzonder opgewekt uit, vind je niet?'

'Ja, maar genoeg over Kathy,' zei Hardy. 'Ik heb wat advies nodig. Ik heb een vraag voor jullie.'

Farrell stond er al klaar voor. 'Berlijn,' zei hij.

'Goed antwoord,' reageerde Hardy. 'Maar verkeerde vraag. De echte vraag is: wat doe je als je de rechter met je opponenten ziet smoezen?'

'Ja, dan zou Berlijn fout zijn,' gaf Farrell toe. 'Heb je het over *ex parte*? Wanneer is dat gebeurd?'

'Zonet. Vijf minuten geleden. Braun en Stier en Jerry Haines, in haar kamer.'

'Waar hadden ze het over?' vroeg Roake. 'Niet dat het erg veel zou uitmaken.'

'Dat is mijn punt,' zei Hardy. 'Ik denk dat ik haar op zijn minst moet verzoeken bekend te maken wat er gebeurd is.'

Farrell vroeg: 'Heeft ze niet al een hekel aan je?'

'Ik geloof dat dat correct is. Wat voor kwaad kan het in dat geval?'

'Het kan altijd kwaad,' zei Roake. 'Je rechter heeft een hekel aan je, ze kan je op talloos veel subtiele en onherzienbare manieren naaien, en ik weet dat jij je daar bewust van bent. Je wilt echt niet dat ze een nog grotere hekel aan je krijgt.'

'Ja, maar dit is gebeurd. Als ze het niet bekendmaakt, verdwijnt het.'

'Ik zeg alleen,' ging Roake door, 'dat je het moet vergelijken met wat er gebeurt als ze dat doet. Dan kan het veel erger worden, en je zou het niet eens weten. En meer ter zake, Diz, wat bereik je ermee als je haar pissig maakt? Ze gaan een of andere zeikverklaring verzinnen, ongeacht wat ze aan het doen waren, en geen enkel hof van appel zal je ooit een herroeping geven. Je krijgt niets voor je inspanning, dus is het de moeite niet waard om iets op het spel te zetten.'

'Misschien,' bracht Farrell in, 'kun je haar vragen of ze zichzelf onbevoegd wil verklaren.'

'Dat zou haar ook alleen maar pissig maken.'

Farrell trok een gezicht. 'Oké dan, en als je nu eens naar Thomasino gaat?' Oscar Thomasino was de voorzittende rechter van de Hogere Rechtbank en, belangrijker voor deze doelen, een redelijk goede kennis van Hardy en zijn beide vennoten.

'Daar heb ik aan gedacht,' zei Hardy. 'Maar ik heb niets gehoord van wat ze zeiden, en Braun zal gewoon zeggen dat het een terloops gesprek was dat niets met de zaak te maken had. En raad eens? Dat zal haar ook pissig maken. De wetenschap dat ik iedere ochtend uit bed stap maakt haar waarschijnlijk pissig, nu ik erover nadenk.'

'Misschien had je moeten wraken,' zei Farrell.

'Dank je,' antwoordde Hardy met zware ironie. 'Kon dat maar. Misschien stap ik in mijn tijdmachine om terug te gaan en het alsnog te doen.'

'Wil je haar echt weg hebben?' vroeg Roake.

Hardy draaide zich naar haar toe en zei op fluistertoon: 'Niets zou me gelukkiger maken. Maar één *ex parte*-communicatie lijkt nogal een magere reden om haar te lozen. Vooral als ze het feitelijk niet over de zaak hadden.'

'Het is misschien slimmer,' zei Gina, 'om haar door te laten gaan met de wetenschap dat jij iets belastends tegen haar hebt.'

'Dat bevalt me wel,' zei Farrell. 'Het is beter om haar te laten denken dat ze bij jou in het krijt staat.'

'En ik vermoed,' voegde Roake eraan toe, 'dat je nu meteen wilt beslissen.'

'Eigenlijk denk ik dat ik al beslist heb. Maar het laatste punt is dat ik niet wil dat ze denkt dat ik een sul ben en dat ze mij heeft afgeschrikt.'

Farrell grijnsde. 'Ik denk dat ze jou wel beter kent.'

'Zal ik dit dan maar gewoon in mijn zak houden? Zijn jullie het daar allebei mee eens? Geen verzoek? Geen onbevoegdverklaring?'

Zijn vennoten beraadslaagden stilletjes met elkaar, blikken over en weer, consensus.

Zodra ze haar rechtszaal onder controle had gekregen, liet Braun de advocaat en de aanklager bij haar stoel komen voor overleg. 'Meneer Hardy,' begon ze. 'We zijn nu officieel bezig. Is er iets wat u voor het hof ter sprake zou willen brengen?'

Ze sprak hem meteen al aan over hetgeen hij had gezien. Als hij problemen voor haar ging veroorzaken, zou het nu beginnen. En ze zou het in gedachten houden als hij zijn openingsverklaring aflegde.

Hardy, wiens bloed werd opgestuwd door iets wat enigszins verrassend in woedende frustratie was omgeslagen, probeerde zijn ademhaling te vertragen. Uiteindelijk bracht hij uit: 'Niets, edelachtbare.'

Hardy zag Brauns ogen versmallen. Als hij keek, had hij vast de radertjes in Stiers hoofd kunnen zien draaien terwijl hij erachter probeerde te komen welke truc de legendarische Dismas Hardy nu uithaalde.

Braun zag geen reden om het paard van Troje niet te aanvaarden, en ze keek zowaar alsof ze even opluchting of dankbaarheid voelde omdat Hardy besloten had haar uit de puree te halen. 'Meneer Stier?' vroeg ze.

Net op dat moment klikte er luid een camera op de tribune, onmiddellijk gevolgd door een mobiele telefoon die afging, en Braun keek op en ontplofte; ze tikte diverse keren snel achter elkaar met haar hamer. 'Meer camera's en andere verstoringen zal ik niet dulden! Ik heb toestemming verleend voor de aanwezigheid van een aantal nieuwscamera's in deze rechtszaal. Bij de geringste verdere verstoring zal die toestemming worden ingetrokken. Ik wil dat er geen foto's meer worden genomen. Ik wil dat alle mobiele telefoons worden uitgezet.' Ze keek over de voorkant van haar podium heen. 'Of beter nog, nu ik erover nadenk, zal ik na vandaag voor de rest van dit proces – bodes, neem hier alstublieft nota van – geen camera's in de rechtszaal toestaan.'

Toen er als gevolg van dit bevel een protesterend gemompel op de tribune opsteeg, sloeg ze nogmaals met haar hamer. 'Ik sta op het punt,' zei ze, 'om mensen met camera's nu meteen weg te sturen. Maar in het belang van de voortgang van zaken zal ik dat bevel niet uitvoeren, tenzij iemand er misbruik van maakt.' Ze keek nog zo'n tien seconden dreigend door haar bril, de tribune van rechts naar links, van links naar rechts afspeurend naar tekenen van ongehoorzaamheid.

Die waren er niet en ze wendde zich weer tot de eiser, die naast Hardy voor haar stond. 'Meneer Stier?'

'Ja, edelachtbare.'

'Ik meen dat het hof vóór deze onderbreking vroeg of het Openbaar Ministerie gereed is om te beginnen?'

De Grote Lelijkerd nam een gezichtsuitdrukking aan die zijn bijnaam enigszins verklaarde. Nerveus, en met een lichte glans van transpiratie op zijn hoge voorhoofd, schraapte Stier zijn keel, wierp een vluchtige blik op Hardy en richtte zich opnieuw tot de rechter.

Aangezien hij er niet achter kon komen waar Hardy mee bezig was, besloot hij uiteindelijk dat als Hardy iets wilde, iedere slimme aanklager het tegenovergestelde wilde. 'Edelachtbare,' begon hij. 'Ik vraag uw aandacht voor een ontmoeting die nog maar een paar minuten geleden plaatsvond bij de deur van uw kamer, waar u en ik een paar grapjes wisselden met betrekking tot de aanwezigheid van de burgemeester in de rechtszaal vandaag, maar buiten de aanwezigheid van meneer Hardy.'

Hardy kon zijn oren niet geloven. Maar hij wilde niet interrumperen.

Braun keek alsof ze ter plekke een beroerte zou krijgen. 'Ga door,' zei ze. 'Wat vindt u zo belangrijk dat het op dit punt in de procedure gememoreerd moet worden?'

Onbewust bleef Stier zijn eigen graf graven. 'Ik meen dat het, ter voorkoming van een beroep van de verdediging op gronden van deze in technisch opzicht *ex parte*-communicatie tussen u en mijzelf, in het belang van het recht is dat die discussie geregistreerd wordt. Als meneer Hardy dan bezwaren heeft, kan hij ze nu naar voren brengen.'

Hardy hield zijn kaakspieren gespannen om niet in een overwinningsgrijns uit te barsten. Dit was het soort moment waarvoor zijn oude mentor David Freeman geleefd had. Je plant en je plant en dan ontwerp je een strategie en plan je nog wat meer en dan gebeurt er iets volkomen onverwachts en speel je weer mee op een manier die je nooit voor mogelijk had gehouden. Soms moest je wel dol zijn op de majestueuze krankzinnigheid van de wet.

Stier had zichzelf gewoon buitenspel gezet met een waarlijk domme zet en rechter Braun, die nooit subtiel was, maakte hem dat duidelijk met haar lichaamstaal en vernietigende blik. 'Prima, raadsman,' perste ze tussen lippen door die zo strak waren dat ze haar mond helemaal niet leek te bewegen. 'Laten we dat gesprek in elk geval vastleggen. Stenograaf, advocaat en aanklager naar de raadkamer. Tien minuten reces.'

Eindelijk zou Hardy zijn openingsverklaring afleggen. Hij had de optie om dat nu te doen of te wachten tot de aanklager zijn bewijsvoering had afgerond. Maar zoals de meeste ervaren advocaten wilde hij de jury niet te veel tijd geven om te leven met de versie van het misdrijf die ze net in de openingsverklaring van de aanklager beschreven hadden horen worden.

Hoewel hij al vele moordprocessen op zijn conto had, verwachtte Hardy dat hij de kriebels zou krijgen – het vertrouwde holle gevoel in zijn maag, het dode gevoel in zijn benen – als hij zich op de openingsdag tot de jury zou richten. Vooral door de grote, geboeid luisterende menigte in de rechtszaal besefte hij opeens dat er hier iets zeer belangrijks plaatsvond. Maar toen hij opstond om om zijn tafel heen te lopen en de jury aan te kijken, maakte een bijna onnatuurlijke kalmte, een vertrouwen, zich van hem meester.

De ongedwongen kameraadschap tussen Braun en Stier had net een ernstige klap gekregen en terwijl de aanklager er waarschijnlijk nog van duizelde, kon Hardy dit kleine maar echte voordeel gebruiken om de grenzen een beetje af te tasten – misschien een argumentje opgooien, wat verboden was in openingsverklaringen – en terwijl Stier elders met zijn aandacht was, misschien ontsnappen zonder al te veel onderbrekingen in de vorm van bezwaren van de aanklager.

Hij begon in een vriendelijke stijl, met een ontspannen glimlach, en maakte oogcontact met ieder jurylid voordat hij van wal stak. 'Goedemiddag. Vanochtend heeft meneer Stier u een extravagant scenario van motivering en toeval uit de doeken gedaan waarvan hij hoopt dat het u ervan zal overtuigen dat Maya Townshend schuldig is aan twee moorden.' Vrijwel net zoals Stier Maya altijd als 'gedaagde' aanduidde om haar bij de jury te ontmenselijken, zou Hardy er bij elke gelegenheid naar streven haar met haar voornaam aan te duiden, om haar menselijkheid en persoonlijkheid te onderstrepen. 'Helaas voor het Openbaar Ministerie, maar gelukkig voor Maya en voor het recht, zijn er hiaten en gaten en inconsistenties in de zogenoemde bewijsketen waar de aanklager op vertrouwt. De aanklager kan niet en zal niet bewijzen dat Maya Dylan Vogler heeft vermoord of dat ze Levon Preslee heeft vermoord, omdat ze het niet heeft gedaan.

Kende Maya Dylan en Levon toen ze studeerde? Absoluut. Heeft ze enkele dingen gedaan waar ze zich nu voor schaamt, zoals meneer Stier beweert? Ja. Zal er bewijs zijn, zoals een directe ooggetuigenverklaring, om deze dingen aan te tonen? Het antwoord is opnieuw: ja.'

Hardy, die zich er altijd van bewust was dat hij de neiging had om te snel te gaan en syllogistische elementen te verdoezelen die cruciaal voor juryleden konden zijn, had zichzelf getraind om te vertragen; hij timede zijn beheerste stappen van het ene uiteinde van de jurytribune naar het andere, liep ogenschijnlijk naar zijn tafel terug om aantekeningen te raadplegen of een slok water te nemen, soms alleen maar om de tafel aan te raken om in zijn ritme te blijven en zich op een volgende ronde te concentreren.

Nu raakte hij het hout van zijn tafel aan, wierp zijn cliënt vlug een zelfverzekerde blik toe en richtte zich weer tot de jury. 'De aanklager kan dus bewijzen dat Maya Townshend,' – hij liep naar haar toe en legde zijn handen op haar schouders – 'eigenares van een kleine zaak, echtgenote en moeder van twee jonge kinderen, fouten heeft gemaakt in haar studietijd.

'We weten dat ze aan de Universiteit van San Francisco studeerde omdat er verslagen zijn die haar aanwezigheid daar ondersteunen. Ze verschijnt vier keer in vier jaar in het studentenjaarboek, en diverse keren in de universiteitskrant, de *Foghorn*. Evenzo zullen we van haar toenmalige studiegenoten vernemen dat ze regelmatig met zowel Dylan Vogler als Levon Preslee omging, en we zullen van andere ooggetuigen horen dat deze jonge studenten niet bepaald koorknaapjes waren. Dit zijn feiten die door zowel documenten als ooggetuigenverklaringen worden ondersteund.'

Hardy durfde niet naar Stier te kijken. Hij was al een aardig eind op weg met zijn betoog en tot dusver kwam hij ermee weg. De aanklager, die zijn wonden nog steeds aan het likken was, had nog niet ingegrepen. Hij luisterde ongetwijfeld, maar hij hoorde niet.

'Maar daar wordt ze niet van beschuldigd. Ze wordt van moord beschuldigd. En voor die beschuldiging heeft de aanklager geen bewijs. De officier van Justitie vertelt u dat de aanklager bewijs heeft om de aanklachten die hij tegen haar heeft ingediend te ondersteunen, bewijs dat haar – en dit is belangrijk, dat haar en niemand anders – direct met deze misdrijven in verband brengt. Dat is eenvoudigweg niet zo.

'De feitelijke waarheid is dat er, in tegenstelling tot het verhaal over Maya's eerdere leven – dat de aanklager met getuigen en documenten kan bevestigen – niets is wat haar in verband kan brengen met bewijs van deze moorden behalve toespelingen en speculatie. En waarom is dat zo?'

Hardy wachtte even bij de getuigenstoel en keek het ene jurylid na het andere nogmaals aan. 'Het antwoord, dames en heren, is heel eenvoudig. De aanklager zal u dit bewijs niet verschaffen omdat het niet bestaat. Er zijn geen ooggetuigen die zullen beweren dat ze haar in de aanwezigheid van een van de twee slachtoffers hebben gezien op de dag van hun respectievelijke dood. Er is geen documentair bewijs – zoals een tijdstempel of video-opname – analoog aan het jaarboek van de USF of de uitgaven van de *Foghorn,* dat aantoont dat Maya op het tijdstip van de dood van beide slachtoffers in hun gezelschap verkeerde. Dichtbij? Ja, naar ze zelf toegeeft. Maar dichtbij, dames en heren, is niet voldoende voor de wettelijke standaard die u voorbij gerede twijfel zal voeren.'

Ditmaal bleef Hardy bij zijn tafel staan om vlug een slok water te nemen. Hij gluurde naar de tribune, naar Kathy West en Harlen en Joel op de voorste rij pal voor hem. Hij knikte ingetogen naar hen en richtte zich weer tot de jury.

'Nu zie ik enkelen van u zich afvragen: wacht even. Dit is een jonge vrouw zonder strafblad. Als ze het niet gedaan heeft, als er geen bewijs is dat ze het gedaan heeft, waarom zou ze dan terechtstaan? Waarom zou de staat Californië al die tijd, energie en kosten besteden als er geen materieel bewijs is dat haar met deze misdrijven in verband brengt? Dit zijn voortreffelijke vragen, en helaas smeken die om antwoorden. Want de echte waarheid van deze vervolging is dat er geen materieel bewijs is dat aantoont dat gedaagde ooit het wapen heeft afgevuurd dat meneer

Vogler heeft gedood, of het mes heeft vastgehouden dat meneer Preslee heeft gedood. Geen ooggetuigen. Geen vingerafdrukken. Geen materieel bewijs. Geen bezwarende bloedvlekken op Maya of op haar schoenen of op haar kleding. Niets.

'Ze was in de buurt van beide sterfgevallen toen die plaatsvonden, ja. Maar beide keren werd ze naar die plekken ontboden – zoals haar telefoonverslagen zullen bevestigen – door de slachtoffers zelf, of door iemand die haar met hun telefoons belde. Die iemand is, meen ik te mogen beweren, degene die op de plek zou moeten zitten waar Maya nu zit en aangeklaagd zou moeten worden voor deze moorden. Hij of zij is net zo werkelijk als... nee, in feite nog werkelijker dan het zogenaamde bewijs dat, zoals u zult horen, Maya met deze moorden in verband brengt. De politie heeft deze persoon eenvoudigweg niet gevonden of als verdachte aangemerkt.'

Dit – de theorie die Hardy zou bepleiten of hij er nu in geloofde of niet – bracht een aanzienlijk geroezemoes in de stampvolle rechtszaal teweeg, zoals hij al had verwacht. De experts, de verslaggevers, de rechtbank-tv en andere televisieploegen – en hij wist dat ze vanwege de aanwezigheid van Kathy West de komende paar dagen met busladingen vol zouden komen – zouden deze strategie vanuit elke voorstelbare hoek ontleden. Deed Hardy er verstandig aan om zijn kaarten zo vroeg op tafel te leggen? Was dit puur cynisme? Had hij enig eigen bewijs om hetgeen hij zei te ondersteunen? Was het argument dat 'iemand anders het heeft gedaan' niet een van de meest afgezaagde en ongeloofwaardige strategieën in het strafrecht?

Het kon Hardy niet schelen. Of hij het wel of niet kon bewijzen – en hij kon het niet – hij had toch het gevoel dat hij het voor minstens een van de juryleden aannemelijk kon maken, en daar ging het spel om.

En ongelooflijk genoeg, dacht hij, had Stier nog steeds geen woord gezegd.

Welnu, Hardy zou hem nog een kans geven.

Hij nam nog een slok water, zette het glas voorzichtig neer en draaide zich langzaam weer naar de jury toe. 'Dit alles brengt ons natuurlijk terug naar de vraag waarom Maya gearresteerd en aangeklaagd is voor deze moorden.

'Helaas is het antwoord op zijn best cynisch, en op zijn slechtst verachtelijk: Maya Townshend was de eigenaresse van de koffieshop Bay Beans West, van waaruit meneer Vogler marihuana verkocht. Hoewel er, nogmaals, geen bewijs is dat Maya met de marihuanahandel van meneer

Vogler in verband brengt – de documenten waarnaar meneer Stier in zijn openingsbetoog verwees, die een marihuanahandelconnectie tussen meneer Vogler en Maya zouden bewijzen, zijn onovertuigend en op zijn best dubbelzinnig – bleek Maya om een aantal redenen een aanlokkelijke verdachte te zijn. Die redenen hadden geen van alle met bewijs te maken, maar allemaal met politieke ambitie en eigenbelang.'

Als Stier tot nog toe had zitten slapen, was hij nu helemaal wakker, en schijnbaar volledig bij de pinken. 'Bezwaar, edelachtbare! Argumentatief. Dit is een schandelijke beschuldiging, zonder bewijs geuit. Die hoort niet in een openingsverklaring thuis, of waar dan ook in dit proces.'

En Braun verbaasde Hardy opnieuw, door de diepten van de vijandschap te onthullen waar je mee te maken kreeg als je haar sympathie verspeelde, zoals Stier kennelijk had gedaan. 'Ik vroeg me al af wanneer u het zou opmerken, meneer Stier,' zei ze. 'Maar u bent iets te laat. Meneer Hardy brengt gewoon zijn theorie naar voren, net zoals u in uw openingsbetoog hebt gedaan. Bezwaar afgewezen. U mag doorgaan, meneer Hardy.'

'Dank u, edelachtbare.' Hardy verspilde geen seconde voordat hij zijn verhaal hervatte. 'Al vanaf het begin van hun onderzoek werden de twee rechercheurs van Moordzaken die deze zaak behandelen gehinderd door – raad eens? – gebrek aan bewijs. In een poging om een of meer van hun potiëntiele verdachten op te jutten – en de getuigenis van die rechercheurs zal onthullen dat er meer dan twee waren – kwam een van de rechercheurs, Debra Schiff, op de strategie om contact op te nemen met ene heer Jerry Haines, de federale aanklager van de Verenigde Staten, die in San Francisco is gevestigd.

'Zij haalde meneer Haines over om de zeer vage marihuanaconnectie tussen Bay Beans West en Maya Townshend te gebruiken om niet alleen Maya's karakter en reputatie in twijfel te trekken, maar haar ook een schijnbaar motief voor deze moorden te verschaffen – een motief dat niet op de werkelijkheid of op bewijs is gebaseerd. Maar bijna nog erger is dat het dit gebrek aan bewijs probeert weg te redeneren met de implicatie dat Maya's naaste familieleden – onder wie een toezichthouder en de burgemeester van deze stad – op de een of andere manier met haar samenspanden om haar overtredingen te verdoezelen.'

'Edelachtbare, ik moet weer bezwaar maken.' Stier stond van zijn tafel op. 'Al deze hoogdravende retoriek is alleen maar een rookgordijn om de jury te verwarren.'

Braun keek humorloos over haar bril omlaag. 'Bezwaren, zoals u weet, meneer Stier, moeten op wettelijke gronden gebaseerd zijn.'

'Argumentatief dan, edelachtbare.'

Ze leek even na te denken en schudde vervolgens haar hoofd. 'Afgewezen.'

Met een vlug knikje naar de rechterstoel erkende Hardy de uitspraak. Stier had het misschien niet beseft, maar hij had zojuist de jury beledigd en haar intelligentie betwijfeld door te impliceren dat Hardy's 'rookgordijn' hen zou misleiden zodat ze het verkeerde vonnis zouden vellen. Nu wilde Hardy het omgekeerd spelen, door de scherpzinnigheid en collectieve wijsheid van de jury te prijzen. 'Ten slotte, dames en heren,' vervolgde hij, 'hoef ik u er nauwelijks op te wijzen dat dit proces zeer in de publieke belangstelling staat. Gezien de vele aanwezigen op de tribune hier, het aantal verslaggevers, en zelfs sommige toeschouwers' – hij wachtte even tot er een golf van waardering door de tribune stroomde – 'is het duidelijk dat dit proces het potentieel heeft om een carrièremakend moment te worden...'

'Bezwaar!'

Hardy hoorde de opmerking achter zich, maar hij was te energiek om zichzelf nu in te houden en hij was niet van plan te zwijgen. Hij geloofde dat hij de absolute waarheid sprak en hij wilde dat de jury het hoorde. Hij vervolgde met luidere stem: 'Een carrièremakend moment voor mensen wier ambities...'

'Edelachtbare!' Nog luider. 'Bezwaar! Irrelevant en argumentatief.'

'Meneer Hardy!'

'... wier ambities hun gevoel voor eerlijkheid te boven gaan en wier dorst naar roem en erkenning hen verblindt voor de eenvoudige eisen van het recht.'

Bam! Bam! 'Meneer Hardy, zo is het genoeg. Meneer Stier, bezwaar toegekend. Meneer Hardy...'

Maar hij was haar een stap voor. 'Mijn excuses, edelachtbare. Ik liet me een beetje meeslepen.'

'Kennelijk,' zei ze. 'Laat het alstublieft niet weer gebeuren. De juryleden zullen die laatste uitbarsting van meneer Hardy negeren.' Daarna richtte ze zich weer tot Hardy. 'Goed. U mag doorgaan.'

Hardy was eindelijk tot zijn afsluiting gekomen, die bijna standaard was geworden; hij haalde even adem. 'Het doel van dit proces is vast te stellen wie de dood van twee mensen – Dylan Vogler en Levon Preslee – heeft veroorzaakt. De een is overleden aan een schotwond en de ander aan een klap met een hakmes. Op deze punten is het bewijs heel duidelijk. Maar het bewijs is niet duidelijk, en schiet in feite geheel tekort, waar het Maya Townshend in verband met deze beide moorden tracht te brengen. Het is niet duidelijk en niet zuiver. Waar het ondubbelzinnig moet zijn, is het voor interpretatie vatbaar. Waar het gerede twijfel moet wegnemen, maakt het die alleen maar groter. Er is geen werkelijk bewijs dat Maya Townshend onverbiddelijk met deze moorden in verband brengt.'

Nu zijn eigen adrenalinestorm duidelijk was geluwd, dacht Hardy dat hij zijn minder dramatische toon kon aanhouden en Stier een laatste keer ervan kon weerhouden op argumentatieve gronden bezwaar te maken. 'Toen u in deze jury werd aangesteld, hebt u allemaal een eed afgelegd dat u Maya Townshend als onschuldig zou beschouwen. Zij moet onschuldig in uw ogen blijven totdat de aanklager u genoeg hard, materieel bewijs voorlegt om u voorbij gerede twijfel aan te tonen dat zij deze misdrijven feitelijk heeft begaan. Dat betekent dat u zeker moet zijn van de details van deze misdrijven. Als meneer Stier u vertelt dat hij niet precies kan zeggen hoe Maya meneer Vogler of meneer Preslee heeft vermoord, geeft hij toe dat hij dat bewijs niet heeft. En zonder dat bewijs is er twijfel. Waar twijfel is, is onschuld. Mijn cliënt, Maya Townshend, is onschuldig – en zij zal op uw eed vertrouwen om haar als onschuldig te beschouwen en, nadat u alle feiten in deze zaak hebt afgewogen, de uitspraak "niet schuldig" te doen.'

22

Zodra Hardy ging zitten, kondigde Braun een reces af. Terwijl Maya naar het toilet ging, schoof Hardy zijn stoel naar achteren, draaide zich om en liet zijn elleboog op de balie rusten. 'Nou,' zei hij tegen wat naar hij hoopte zijn persoonlijke fanclubje was, bestaande uit Kathy, Harlen en Joel Townshend. 'Ik denk dat ik wel wat rake klappen heb uitgedeeld. Hoe is het hier verlopen?'

'Uitstekend,' zei Joel.

Sinds de arrestatie was Joel een enthousiastere partner in de verdediging van Maya geworden. Natuurlijk was dit ten koste van een seismische verandering in zijn wereldvisie gegaan. Vóór het weekend van Dylan Voglers dood had hij nooit reden gehad te denken dat de wereld niet in principe een eerlijk en rechtvaardig oord was. Hij had altijd genoeg geld en sociale status gehad om verheven te blijven boven de kleine aardse kopzorgen waarmee de meeste mensen voortdurend geconfronteerd werden – huishoudelijke rekeningen, ruzies over geld of tijd of klusjes. Als hij uit eten wilde gaan, huurden ze een babysitter in en kon het ze niet schelen hoeveel de maaltijd kostte. Als hij en Maya moe waren of zich verveelden, gingen ze een nacht of twee naar Napa of Carmel voor een verjongingskuur. Hun vrienden waren min of meer net zulke mensen als zij. En andere mensen die hij ontmoette waren vaak beleefd, in elk geval tegen hem persoonlijk. Misschien nog fundamenteler was dat hij zich nooit echt hoefde te bewijzen om een lening te krijgen of contact te maken; hij kreeg het voordeel van de twijfel.

En nu was dat allemaal plotseling voorbij. De panden waarvoor hij meer leningen had genomen om andere panden en projecten te financieren waren niet langer rotsvast als onderpand. Zijn sociale leven verdween in wezen, nu zijn vrouw in de districtsgevangenis zat. Het verbaasde hem hoe volledig het leven veranderde wanneer je beschuldigd werd van wangedrag. Eerst had hij vastgehouden aan het geloof dat deze hele zaak gewoon een vergissing was en als hij de juiste persoon maar kon vinden om mee te praten en alles uit te leggen, zou het allemaal wel overgaan. Dan zouden hij en Maya hun echte leven weer oppakken.

Maar inmiddels was hij tot het besef gekomen dat dit niet zou gebeuren. Hij en zijn vrouw zaten op de een of andere manier 'in het strafrechtelijke systeem', en dit betekende meer dan wat ook dat het voordeel van de twijfel vervlogen was. Niemand in het systeem was geneigd iets te geloven van wat hij zei. De motiveringen voor alles wat hij deed werden verdraaid door mensen die hem zo niet als een crimineel, dan in elk geval wel als een louche figuur begonnen te beschouwen. En als ze dat beeld eenmaal in hun hoofd hadden, zou er niets veranderen.

Nu zei hij tegen Hardy: 'De manier waarop u die samenzwering die deze mensen daar hebben bekokstoofd naar voren bracht, bevalt me wel.'

'Mij ook,' zei Hardy. 'Ik had nooit verwacht dat Braun het zou toelaten, maar als ze me mijn gang liet gaan, zou ik er zeker mee aan de haal gaan.'

'Mijn zorg,' zei Harlen Fisk, 'is dat het de druk op Haines zal vergroten.'

'Laat dat maar gebeuren,' verklaarde Kathy West. 'Het feit dat Harlen en ik hier verschijnen zou daar al voldoende voor moeten zijn. Ik juich het toe. En Diz, jij hebt zojuist openlijk de oorlog verklaard, wat mij ook prima uitkomt. Jerry Haines heeft niets bezwarends tegen ons. Dit zal allemaal weggeprocedeerd worden in de civiele rechtbank, maar ondertussen vechten we hier, waar het Maya het meest goed kan doen.'

'Het is geweldig dat jullie beiden hiervoor zijn gekomen,' zei Hardy tegen Kathy en Harlen. 'Het was echt een goed idee, Kathy. Hun duidelijk maken dat we niet ineenkrimpen en ons verstoppen en een of andere achterkamerdeal beramen. Ik denk dat het hen echt heeft geschokt.'

De burgemeester knikte. 'Dat was ook mijn bedoeling.'

'Ben je van plan iedere dag te komen?' vroeg Hardy.

Daar moest ze om glimlachen. 'Wanneer ik kan, doe ik dat misschien wel als het enige strategische waarde voor jou zal hebben. Maar ik moet nog steeds dagelijks deze stad leiden.'

'Ik zal hier de meeste dagen wel zijn,' zei Fisk. 'Om de vlag te zwaaien voor mijn zus.'

'En wat is de volgende stap?' vroeg Joel.

'Getuigen,' antwoordde Hardy. 'Daar kunnen we aan beginnen.'

Als Paul Stier voelde dat hij een paar klappen van Hardy's openingsverklaring had geïncasseerd, of enige wrok jegens rechter Braun koesterde, liet hij daar niets van merken toen hij in het midden van de rechtszaal stond. 'Het Openbaar Ministerie roept brigadier Lennard Faro op.'

Het hoofd van het forensisch onderzoeksteam kwam op de tweede rij van de tribune overeind en liep door de deur in de balie naar de getuigenbank. Zoals altijd goed gekleed in een nauwsluitende aardebruine broek, een roze overhemd en een subtiel glanzend lichtbruin sportjasje, sloeg hij een veel vlotter figuur dan de meeste andere smerissen. Met zijn stekelhaar, gouden oorknopje en goed geknipte sikje had hij een jonge postdoctoraalstudent of modeontwerper kunnen zijn; maar toch bevestigden zijn ervaring en gemakkelijke houding in de getuigenbank algauw de geloofsbrieven die hij voor Stier schetste toen ze begonnen – veertien jaar bij de politie, de laatste acht bij het forensisch onderzoeksteam, waarvan nu zes jaar als leider daarvan.

'Welnu, brigadier, wat is uw rol op deze plaatsen delict?'

'Mijn team van drie agenten en ikzelf zoeken het algemene gebied af naar materieel bewijs dat verband met het misdrijf kan houden. Als bewijs verzamelen we alles wat van belang is. Ook fotograferen we het slachtoffer en de plaats delict om te proberen een registratie te maken van alles op de plaats delict zoals het was toen we het aantroffen.'

Hoewel het een beetje ongebruikelijk was, aangezien moordprocessen vaak met gerechtelijk en medisch bewijs begonnen, vond Hardy Stiers beslissing om eerst Faro op te roepen een goed staaltje strategie. Hierdoor zou er meteen al in het begin van het proces bewijsmateriaal van de plaatsen delict naar voren worden gebracht, zodat Hardy's bewering in zijn openingsverklaring dat er weinig of geen materieel bewijs was dat Maya met de moorden in verband bracht, mogelijk weerlegd zou worden. Ook was het een prima gelegenheid om foto's van de slachtoffers aan de jury te tonen – echte mensen die vermoord waren.

'Brigadier, was u aanwezig op de plaats waar Dylan Vogler werd vermoord?'

'Ja, meneer.'

'En zou u de jury willen vertellen hoe u te werk ging?'

'Natuurlijk.' Faro, de perfecte getuige, knikte en kwam naar voren in de getuigenbank; hij draaide zich enigszins om zodat hij de jury kon aankijken. 'Ik kwam een paar minuten voor acht aan, met drie andere forensische technici.'

'Zou u de plaats delict willen beschrijven zoals u die aantrof?'

'Het was een zaterdagochtend, mooie dag, en politieagenten van het plaatselijke district hadden het terrein al afgezet met politielint. Hun inspecteur, Bill Banks, was ook ter plekke.'

'Leek het erop dat de agenten de plaats delict gepast hadden beschermd zodat u met uw onderzoek kon beginnen?'

'Ja.'

'Beschrijft u alstublieft het lichaam van het slachtoffer.'

'Het lichaam van meneer Vogler lag op de grond in een geplaveide steeg bij de achterdeur van zijn zaak. Hij vertoonde tekenen van een schotwond in de borst.'

'Lijken de foto's een tot en met zes van het Openbaar Ministerie het lichaam van meneer Vogler in de steeg nauwkeurig af te beelden zoals toen u het voor het eerst zag?'

'Ja.'

'Hebt u, nadat de plaats delict was gefotografeerd, de steeg doorzocht om vast te stellen welk bewijs er eventueel op de plaats delict aanwezig zou kunnen zijn?'

'Ja.'

Hardy wist dat in feite alle vier de misdaadtechnici de steeg doorzocht hadden. Maar als een van de andere drie iets vond, zou diegene Faro erbij roepen zonder het aan te raken, en dan zou hij het bewijs fotograferen en verzamelen. Op die manier kon Faro over de vondst van ieder bewijsstukje getuigen zonder dat de andere drie naar de rechtbank hoefden te komen. 'Ik heb onder meer één .40 kaliber koperen kogelhuls en een .40 kaliber halfautomatisch handwapen van het merk Glock gevonden.'

Stier volgde dezelfde procedure om de authenticiteit van de foto's van de voorwerpen zoals ze op de plaats delict waren gevonden te bevestigen en ze te presenteren. Daarna liep hij naar zijn raadstafel en haalde twee dozen op die de voorwerpen bevatten. Hij had er 'Bewijsstukken OM' op geschreven en liet ze aan Faro zien. 'Welnu, brigadier, herkent u deze?'

'Ja.'

'Vertelt u de jury alstublieft wat het zijn.'

Dit maakte het Faro mogelijk om voor de derde keer – voor het geval een van de juryleden zo dom was om het de eerste twee keren te missen – zijn verslag van de vondst van het vuurwapen en de huls in de steeg te herhalen. Wat Stier allemaal nog meer mocht zijn, hij was professioneel en methodisch. Hij volgde dezelfde procedure om Faro te laten beschrijven waar en hoe hij de kogel in de stucmuur had gevonden. Foto's van het kogelgat en het projectiel zelf werden als bewijs opgenomen.

De daaropvolgende twintig minuten namen ze alle dingen door die Faro niet in de steeg had gevonden, hoewel hij ernaar had gezocht. Geen andere hulzen, geen andere wapens, geen andere kogelsporen op een van de muren of oppervlaktes. Geen tekenen van bloed, geen voetafdrukken. Absoluut niets ongewoons in die steeg. Hij beschreef zelfs, hoewel ze die niet concreet toonden, de vuilniszak die ze hadden ingepakt voor later onderzoek in het lab – de colablikjes, sigarettenpeuken en, niet verrassend, een stuk of tien koffiekopjes.

Nadat Stier de plaats delict had afgehandeld, ging hij over op het werk dat Faro in het lab had verricht. Faro werkte niet alleen op plaatsen delict, maar ook als vuurwapenonderzoeker in het lab. Stier nam zijn extensieve training en ervaring door en kwalificeerde hem als expert; daarna leidde hij hem door de procedure van het vergelijken van de kogel uit de muur met het vuurwapen – proefschieten met het wapen en de testkogel microscopisch vergelijken met de als bewijs dienende kogel.

Zoals Hardy al verwachtte, zei hij dat hoewel de kogels vergelijkbare kenmerken leken te vertonen en waarschijnlijk uit hetzelfde soort vuurwapen kwamen, er onvoldoende details op de gevonden kogel aanwezig waren om met absolute zekerheid te zeggen dat die uit het wapen in de steeg was gekomen.

Stier wist dat dit niet zijn sterkste punt was, en hij probeerde het te verbeteren. 'Vertelt u de jury, alstublieft, welke tests u eventueel op de gebruikte huls hebt uitgevoerd, en welke resulaten u hebt verkregen.'

'De koperen huls maakt deel uit van munitie die in de .40 kaliber Glock wordt gebruikt. De sporen op de basis van de huls – veroorzaakt door het afvuurmechanisme van het wapen – waren consistent met andere sporen die we konden creëren op andere kogelhulzen die uit hetzelfde wapen werden afgevuurd.'

'Betekent dit dat de huls noodzakelijkerwijs uit het wapen kwam dat in de steeg is gevonden?'

'Nee. Net als de kogel kwam die uit een Glock .40, maar ik kan niet met zekerheid zeggen dat het diezelfde Glock .40 was.'

'Maar natuurlijk, brigadier, hebt u geen andere kogels of hulzen in die steeg gevonden. Is dat correct?'

'Inderdaad.'

Hardy wist dat dit een herhaalde vraag was waar derhalve bezwaar tegen kon worden gemaakt, maar dat bezwaar zou alleen maar meer aandacht trekken naar iets waarvan hij verwachtte dat de jury zich er niet op zou concentreren. Dus zag hij ervan af.

Stier bewaarde het beste voor het laatst. 'Brigadier, is er een database waar vuurwapenonderzoekers toegang toe hebben om bezit van een handwapen vast te stellen?'

Hardy wist dat dit een open deur was – iedere smeris had toegang tot deze database. Zelfs een kantoorbediende kon de database binnenkomen. Maar Stiers vraag suggereerde dat dit een soort van geheime database was en dat je lid van een club moest zijn om ernaar te kunnen kijken. Maar Hardy kon er niets aan doen. Hij moest nogmaals zijn pet afnemen voor Stier vanwege zijn kennis van zaken.

'Ja, er is een database. Het wapen had een registratienummer, en dat heb ik nagetrokken.'

Met een helderheid die impliceerde dat dit volkomen nieuw voor hem was overzag Stier de jury, met wie hij zijn enthousiasme voor de jacht deelde. 'Een registratienummer? U bedoelt dat de vergunning voor het wapen aan een individu was verleend?'

'Ja.'

'En wie is die persoon, brigadier?'

'De gedaagde, Maya Townshend.'

Er deinde een energiegolf door de tribune. Stier wachtte even voor een dramatisch effect, totdat de zaal weer doodstil was.

Hardy wist dat dit een dieptepunt was, en dat het alleen maar erger zou worden als de vingerafdrukonderzoeker de jury vertelde dat Maya's vingerafdrukken op het magazijn zaten dat de munitie van het wapen uit de steeg bevatte. Het beste wat Hardy van de vingerafdrukexpert kon hopen zou een discussie zijn over een ongeïdentificeerde gedeeltelijke vingerafdruk op de gebruikte huls.

Maar omdat Hardy wist dat die afdruk uiteindelijk achtergelaten had kunnen zijn door iemand die de munitie ooit had aangeraakt, die in de fabriek werkte waar die was vervaardigd, of in de winkel waar die was verkocht, was dat bar weinig.

Stier maakte van de gelegenheid gebruik om met een zijdelingse blik de jury in zijn dank aan de getuige op te nemen. 'Dank u, brigadier.' Daarna draaide Stier zich, enigszins tot Hardy's verbazing, half naar hem toe. 'Uw getuige, meneer Hardy.'

Hardy's verbazing werd veroorzaakt door het feit dat hij had verwacht dat Faro in de getuigenbank zou blijven om over de plaats delict van Preslee te getuigen, maar kennelijk had Stier een alternatieve strategie in gedachten voor dat deel van de zaak van het Openbaar Ministerie.

Voorlopig had Hardy een klus te klaren, en hij kneep in de arm van zijn cliënt en stond met een vertoon van zelfvertrouwen van hun tafel op.

'Brigadier Faro,' begon hij. 'In uw getuigenis van vandaag, waarin u sprak over het vermeende moordwapen, de Glock .40, en de koperen huls en kogel die u hebt gevonden op de plaats waar meneer Vogler is vermoord, hebt u diverse keren de woorden "consistent met" gebruikt, nietwaar?'

'Ja, dat denk ik wel.'

'Vertelt u de jury alstublieft wat u met die frase bedoelt.'

Na een korte aarzeling haalde Faro zijn schouders op. 'Ik weet niet zeker of ik een beter woord ken. We hebben een paar kogels uit het wapen in het lab afgevuurd en de deuk die de slagpin op die hulzen achterliet vergeleken met het wapen uit de steeg en ze waren praktisch niet van elkaar te onderscheiden.'

'Praktisch niet te onderscheiden? Bedoelt u dat ze precies hetzelfde waren?'

'Ja.'

'Maar u kunt niet zeggen dat de huls uit het wapen kwam, toch, brigadier?'

'Nee.'

'En dat komt doordat uw praktisch niet te onderscheiden sporen in feite zo klein in aantal waren dat ze geen vergelijking toelaten. Correct?'

'Ja.'

'Ik wil opmerken, brigadier, dat de letters A.R. in uw naam voorkomen, nietwaar?'

Stier zei achter hen: 'Bezwaar. Irrelevant.'

Braun liet haar nieuwsgierigheid haar afkeer van Hardy overwinnen. 'Afgewezen.'

Faro zei: 'Ja, dat klopt. F.A.R.O.'

'Nou, in de mijne ook, brigadier. H.A.R.D.Y. Betekent dit dat wij dezelfde naam hebben?'

'Bezwaar. Argumentatief.'

'Toegekend. Ga door, meneer Hardy.'

Braun herinnerde hem eraan dat ze zich ervan bewust was dat ze vaker in zijn voordeel had beslist dan ze gewoon was, maar dat hij nu heel kort en steeds strakker aan de lijn werd gehouden.

'Brigadier, hoeveel Glocks .40 zijn er in de wereld?'

'Bezwaar! Speculatie.'

'Afgewezen, meneer Stier. U hebt brigadier Faro als vuurwapenexpert gekwalificeerd.'

In deze sfeer schermde Hardy een poosje met Faro voordat hij afrondde. 'Met andere woorden, brigadier Faro,' zei hij, 'u kunt deze jury niet vertellen dat deze huls uit dit wapen kwam, toch?'

'Nee. Dat kan ik niet.'

'En zijn er in feite niet duizenden andere Glocks .40 die deze huls hadden kunnen achterlaten?'

'Ja, dat klopt.'

'Dank u, brigadier.' Hardy hield zijn gezicht onbewogen, maar bracht zijn handen in stille vreugde samen. 'Nu wat de kogel zelf betreft, de .40 kaliber die u hebt geïdentificeerd als de kogel die meneer Vogler heeft gedood. Opnieuw hebt u de woorden "consistent met" gebruikt. Brigadier, hebt u niet een ballistische proef op deze kogel uitgevoerd?'

'Ja, dat hebben we gedaan.'

'En zijn ballistische proeven niet afdoend?'

'Over het algemeen wel, ja.'

'Wanneer niet?'

'Nou, als de kogel vervormd of verminkt is.'

'En was de kogel vervormd of verminkt?'

'Nee, niet al te erg. Hij zat vast in stuc en hout, maar hij was oké.'

'En was uw ballistische proef dan afdoend?'

Faro wierp een vlugge, ongeduldige blik op Stier en schudde zijn hoofd tegen Hardy. 'Nee.'

Hardy nam een uitdrukking van lichte verbazing aan. 'Nee? Waarom niet?'

'Omdat deze bewuste kogel net als de huls niet genoeg microscopische details had om een afdoende overeenkomst toe te laten.' Faro leek zich verplicht te voelen zijn onvermogen om meer afdoend bewijs te leveren, te verdedigen. 'Dit bewuste soort wapen heeft een type unieke hexagonale groeven in de loop dat niet de neiging heeft om de sporen achter te laten die nodig zijn voor een exacte ballistische vergelijking.'

'Dus, brigadier, vraag ik u opnieuw: is het mogelijk dat de kogel die we hier hebben niet uit het wapen van Maya Townshend kwam?'

Aangezien het voorbestemd was, en hoewel hij de toestand waarin hij was beland duidelijk vreselijk vond, worstelde Faro ditmaal niet met zijn antwoord. 'Ja.'

Na een korte pauze ging Hardy door. 'Brigadier, zijn u en uw forensisch onderzoeksteam naar de plaats geroepen waar meneer Preslee is vermoord?'

'Ja.'

Een verwarde frons. 'Welnu, brigadier, het is waar, toch, dat u geen greintje bewijs in het huis van meneer Preslee hebt gevonden dat aantoont dat Maya Townshend ooit in de woning is geweest, laat staan daar iemand heeft vermoord?'

Zoals Hardy had verwacht, stond Stier onmiddellijk overeind. 'Bezwaar. Buiten het bestek van directe ondervraging. We zullen te zijner tijd toekomen aan de plaats waar Levon Preslee is vermoord.'

'Toegekend.'

Het kon Hardy niet schelen. Hij wist dat hij in elk geval als eerste met dat misdrijf op de proppen was gekomen en zijn punt duidelijk had gemaakt voor de jury. Hardy richtte zich weer tot de getuige. 'Geen verdere vragen.'

23

De deur van de bezoekruimte van de gevangenis zwaaide open en Hardy stond op toen Maya binnenkwam. Hij wachtte geduldig terwijl de vrouwelijke cipier zijn permissie vroeg en vervolgens Maya's handboeien afdeed met een zachtzinnigheid die hij hartverscheurend vond. Maya had steeds weer bewezen dat ze veel taaier was dan ze eruitzag, maar Hardy had ontdekt dat het de kleine persoonlijke vernederingen waren die de geest van de mensen vaak braken wanneer ze in de gevangenis zaten. Maar deze cipier was bezorgd, en ging zelfs zo ver dat ze Maya's arm aanraakte en vertrouwelijk naar haar knikte voordat ze de advocaat en zijn cliënte alleen achterliet in de door glasblokken omsloten ruimte.

'Ik vind het hier vreselijk, weet u dat?' zei Maya toen ze op hun metalen stoelen gingen zitten. 'Het is erger dan de cel.'

'Ik kan ook niet zeggen dat het precies mijn favoriete plek is.' Hardy nam hun omgeving vlug in zich op. Hij was hier vele keren geweest en de kleine halfcirkelvormige ruimte had een zekere vertrouwdheid voor hem. Nog niet zo heel lang geleden was het gebouw waarin ze zich bevonden de 'nieuwe' gevangenis geweest, en de gepolijste betonnen vloeren en glazen wanden leken een gevoel van openheid en licht te geven aan deze ruimtes die veel minder benauwend hadden geleken dan de oude rechthoekige bezoekruimtes ter grootte van biechthokjes voor advocaten in de oude gevangenis.

In de loop der jaren, echter, was de doorschijnende warmte van deze ruimte ook op de een of andere manier vervlogen, misschien door de psychische tol van het dagelijkse gebruik ervan. Nu was het gewoon een oude ruimte, enigszins killer vanwege het moderne, steriele karakter ervan en de wrede illusie van openheid door het glas. 'Misschien moet ik een paar vloerkleden en planten binnensmokkelen,' zei hij. 'Ik kan ze elke keer in mijn koffertje meebrengen. Dan zou het hier vast en zeker wat fleuriger worden.'

Niet in staat om zelfs maar een poging tot luchtigheid te veinzen, zei Maya eenvoudigweg: 'Ik weet niet of dat zou helpen.'

'Nee, ik denk het niet.' Hardy probeerde een opgewekte en ongedwongen stijl aan te houden omdat hij geen reden zag om het leed van zijn cliënte te vergroten, maar soms was er niets aan te doen. 'Is Joel langs geweest?'

Ze knikte, slikte de brok in haar keel weg. 'Maar buiten, in de gewone bezoekruimte.' Dit was een langwerpig vertrek voor vrienden en familieleden – in tegenstelling tot advocaten – in feite vergelijkbaar met de vertrekken die je op de televisie en in films zag, met een rij bezoekerstelefoons aan weerskanten van plexiglazen ramen met luidsprekers erin, die echt persoonlijk contact onmogelijk maakten. 'Het werkt daar niet echt. Hij komt alleen maar langs omdat hij het gevoel heeft dat het moet.'

'Hij komt langs,' zei Hardy, 'omdat hij van je houdt.'

'Goed.' Maya wilde er duidelijk niet over praten. Ze boog haar hoofd en sloeg haar ogen neer. Toen vroeg ze met geforceerde belangstelling: 'Hoe hebben we het vandaag in de rechtbank gedaan?'

'Dat wilde ik jou net vragen.'

'Ik kan niet geloven dat ze ermee doorgaan.'

'Dat weet ik. Ik heb hetzelfde gedacht.'

'Vooral met Levon. Ze hebben helemaal niets, toch?'

'Jouw aanwezigheid. Ik denk dat ze menen dat dat het enige is wat ze nodig zullen hebben, als ze Dylan eenmaal hebben.'

Ze zat even stil, met haar handen op haar schoot. 'Had hij die wiet maar niet bij zich gehad, denk ik telkens weer.'

'Waarschijnlijk zouden ze de voorraad in zijn huis toch wel hebben gevonden, en de kwekerij, en misschien de computerbestanden ook wel.'

'Maar als hij het spul niet vanuit de winkel verkocht...'

'Met "als" schieten we niets op, Maya. Hij deed het wél.'

'Ja, je hebt gelijk.' Ze zweeg even. 'En hoe zit het met Kathy en Harlen die vandaag langskomen? Helpt dat ons?'

'Ik denk het wel, hoewel ik wilde dat ze het eerst met mij had besproken.'

Er viel weer een stilte. 'Mag ik je iets vragen?'

'Alles wat je maar wilt.'

'Die andere persoon van wie je zei dat hij het gedaan heeft. Is er iemand naar hem op zoek?'

'Nou, de politie niet. Daar kun je donder op zeggen.'

'En hoe zit het met ons?'

'Hoe zit wát met ons?'

'Dat we hem gaan zoeken.'

'Of haar. Vergeet haar niet.'

'Nee. Dat zou ik nooit vergeten. Echt niet.'

Deze tactische zet, of suggestie, of wat het ook was, was op een bescheiden manier bemoedigend, maar Hardy bleef emotioneel op zijn hoede. Hoewel het technisch gezien niet uitmaakte hoe hij werkelijk dacht over Maya's schuld of onschuld, zou ze kunnen denken dat het hem tijdens het proces een psychologische opkikker zou geven als ze hem op de een of andere manier liet geloven dat ze onschuldig was. En deze vraag veronderstelde duidelijk *haar veronderstelling* van een andere moordenaar, zonder dat ze direct tegen haar advocaat hoefde te liegen door te zeggen dat ze het niet had gedaan.

Het probleem was dat hij wist dat ze iets had gedaan. Iets verdomd ernstigs, waardoor ze duidelijk een enorme schuldlast droeg. En hij wist ook, of dacht dat hij wist, waarmee ze was gechanteerd – berovingen, of misschien nog erger, die ze samen met Dylan en Levon moest hebben gepleegd. Dus tenzij ze een moord had gepleegd tijdens een van die...

Ho, zei hij bij zichzelf. Daarin ligt het pad naar de waanzin. Maar toen dacht hij: waarom niet? Ze hadden dit punt bereikt. En hij kwam ermee voor de dag: 'Maya, ja of nee, was je betrokken bij de beroving waardoor Dylan en Levon in de gevangenis zijn beland?'

Ze rechtte haar rug. 'Niemand kan dat bewijzen.'

'Dat vroeg ik niet.'

Ze aarzelde. 'Nee.' Korte stilte. 'Niet bij die.'

'Daar ging de chantage dus in feite over?'

Ze gaf geen antwoord, maar draaide haar gezicht naar de muur toe.

'Dat vraag ik,' drong Hardy aan, 'omdat je moet weten dat je, tenzij je tijdens een van die berovingen een moord of een ander gruwelijk misdrijf hebt gepleegd, nergens voor kunt worden aangeklaagd. Voor al het andere gelden de verjaringswetten.'

Haar ogen richtten zich weer op hem. Ze hadden een glans die wellicht tranen aankondigden, dacht hij. 'Waarom ben je er zo zeker van dat zij me chanteerden?'

'Om één reden: dat is het meest logisch. Op de universiteit was je samen met hen betrokken bij berovingen. Ja?'

Uiteindelijk bewogen haar schouders een beetje. 'Dat heb ik je al verteld. Ik heb een paar slechte dingen gedaan.'

'Slecht genoeg voor levenslang in de gevangenis, Maya? Slecht genoeg om nooit meer met je kinderen en je man te leven?'

Ze staarde door hem heen.

'Wil je mij vertellen wat het was? Zeg het maar, hier onder ons. Het valt onder het geheimhoudingsrecht. Niemand anders zal het ooit te weten komen.'

'Kwel me niet.' Haar woorden hadden een plotselinge kalmte.

'Ik kwel je niet. Ik zeg dat je mij alles kunt vertellen wat je hebt gedaan.'

'Waarvoor? Zodat je iets anders zou doen? Ik denk het niet. Ik denk dat je dezelfde dingen zou doen, dezelfde argumenten in de rechtbank naar voren zou brengen, ongeacht wat ik naar jij gelooft echt had gedaan, nietwaar?'

Hardy, die nu kwaad was, gaf geen antwoord.

En opeens benaderde Maya hem met een andere aanpak. 'Wat je niet lijkt te begrijpen is dat ik gestraft word,' zei ze.

'Waarvoor? Door wie?'

'God.'

'God.' Hardy voelde zijn woede afnemen, weggespoeld in een golf van medelijden voor deze arme vrouw. 'Straft God jou? Waarom?'

'Dezelfde reden waarom Hij anderen straft.'

'Om wat ze hebben gedaan?'

Ze zat zwijgend tegenover hem.

'Maya?'

'Als het onvergeeflijk is, ja.'

'Ik dacht dat Zijn vergiffenis oneindig hoorde te zijn.'

Ze antwoordde met een klein stemmetje: 'Nee. Niet voor alles.'

'Nee? Wat zou er dan niet onder vallen?'

'Als je bijvoorbeeld iets echt onschuldigs kwaad doet...' Ze richtte zich abrupt op en hield op met praten.

'Wat bedoel je daarmee?'

'Niets. Ik had niets moeten zeggen.'

Hardy schoof op zijn stoel naar voren. 'Maya,' zei hij, 'heb je het over iets wat met jou en Dylan en Levon is gebeurd?'

Een holle, blaffende lachtoon brak de harde lijn van haar mond niet. 'Als je dat zelfs kunt vragen,' zei ze, 'heb je geen flauw idee wat onschuldig betekent.'

'Leg het me dan uit.'

'Als een ongeboren kind. Dat soort onschuld. Wat zeg je daarvan?'

Dat antwoord herinnerde Hardy aan zijn discussie met Hunt over de vraag of de chantage over een abortus in haar vroege leven was gegaan, dus vroeg hij haar rechtstreeks: 'Is dat het?'

Maar ze schudde resoluut haar hoofd. 'Dat zou ik nooit doen. Nooit. Maar ik heb al te veel gezegd. Het punt is dat wat er ook gebeurt, hoe God ook beslist dat dit allemaal moet gebeuren, ik het zal verdienen. Ik vind dat nu best. Ik heb er vrede mee.'

'Nou, ik niet.'

Ze haalde haar schouders lichtjes op. 'Dat spijt me.' Ze gebaarde om hen heen. 'Dit alles spijt me.'

'Mij ook.'

'Maar... kunnen we terugkomen op wat ik eerder zei?'

'Welk deel daarvan?'

'Op zoek gaan naar degene die dit heeft aangericht?'

Er kwam een zwarte, bonzende pijn op, die in de ruimte achter Hardy's linkeroog bleef hangen. Hij bracht zijn hand omhoog en drukte op zijn slaap. Wat probeerde deze vrouw duidelijk te maken? Hardy kon verschillende manieren bedenken om alles wat Maya hier vanmiddag als een soort biecht tegen hem had gezegd, te interpreteren. En nu spoorde ze hem aan om de echte moordenaar te gaan zoeken.

Die, geloofde hij, hoogstwaarschijnlijk niet bestond.

Hij keek naar het gekwelde gezicht van zijn cliënte en even kwam de gedachte bij hem op dat ze misschien ontoerekeningsvatbaar was. Moest hij een psychiater inhuren en een paar tests doen? Zou hij nalatig zijn als hij dat niet deed?

De eerste procesdag was al te lang en te stressvol geweest. Hardy had de indruk dat hij sinds vroeg in de ochtend voortdurend strijd had geleverd.

En nu dit.

Hij kneep in zijn voorhoofd. 'Maya,' zei hij. 'Vertel je mij nu ronduit dat je die twee kerels niet hebt vermoord?'

Haar ogen werden groter, gingen dicht, werden weer groter, en tot zijn verbazing barstte ze in een oprechte, zij het kortstondige lach uit. 'Natuurlijk niet.' Waarmee ze het net zo dubbelzinnig als altijd liet. Natuurlijk niet, ze vertelde hem zoiets niet ronduit. Of het alternatief: natuurlijk niet, ze had Dylan en Levon niet vermoord. Waarna ze in alle ernst eraan toevoegde: 'Hoe kun je zelfs zoiets zeggen?'

Verontrust en verward verliet Hardy de gevangenis. Toen hij naar binnen was gegaan om Maya te bezoeken, liet een bleke eierdooier aan de westelijke hemel zijn zwakke februarilicht nog steeds op de stad druipen. Toen hij met een nog altijd bonzend hoofd naar buiten kwam, was het volledig nacht, en daardoor werd zijn desoriëntatie nog groter. Het voelde alsof de buurt rondom het Paleis van Justitie meer dan gewoonlijk beroofd was van menselijkheid, maar de leegte leek nog dieper te gaan.

Een koude harde wind joeg zwaar, smerig stof en fastfoodwikkels uit de goten. Hardy moest een paar straten lopen naar de plek waar hij zijn auto had geparkeerd, maar toen hij Bechetti bereikte, het traditionele Italiaanse restaurant op de hoek van 6th en Brannan, bleef hij lang genoeg staan om te overwegen naar binnen te gaan en zichzelf op een stevige cocktail of twee te trakteren – hoewel hij wist dat het een slecht idee was wanneer je in de eerste dagen van een moordproces zat.

De rede won het uiteindelijk.

Hij maakte een linkse draai, liep honderd meter door de straat en klopte op een paarse deur in de zijkant van een grijs gestuukt pakhuis; hij wachtte ongeveer tien seconden voor het kijkgaatje totdat de deur openging en hij Wyatt Hunt zag.

'Je snoep of je leven,' zei hij.

Hunt reageerde meteen. 'Ik hoop dat je Jelly Babies lekker vindt. Dat is alles wat ik nog overheb.' Hij deed de deur helemaal open en stapte naar achteren. Hij droeg een zwarte joggingbroek en zwarte tennisschoenen met het Nike-logo en een Warriors-shirt, en zijn huid glansde alsof hij aan het trainen was geweest. Daarvoor woonde hij beslist op de juiste plek.

Hij had een oud, vervallen bloemenpakhuis in een unieke omgeving veranderd. Het plafond was waarschijnlijk zes meter hoog. Van het achterste gedeelte, een derde van het totale oppervlak, had hij met stapelmuurtjes zijn woonvertrekken gemaakt – slaapkamer, badkamer, hobbykamer/bibliotheek en keuken. Wat overbleef was een enorme open ruimte, van zo'n twintig bij vijfentwintig meter, aan de voorkant. Hardy was hier al een paar keer eerder geweest, maar elke keer verbaasde het hem dat Hunt zijn Mini Cooper in zijn woning parkeerde, net aan deze kant van de industriële garageschuifdeur in dezelfde muur als de voordeur. Het andere unieke element was de authentieke basketbalkorf die Hunt de laatste keer dat de Warriors waren gepromoveerd van hen had gekocht voor de spotprijs van vierduizend dollar.

Tussen de basketbalkorf en zijn kamers stonden diverse gitaren, zowel akoestische als elektrische, op standers. Versterkers, luidsprekers, zijn stereo-installatie. Er stond ook een bureau tegen de muur met twee computerterminals met screensavers van zonnige stranden.

Maar Hardy was nog niet erg ver naar binnen gelopen toen Hunt riep:

'Je kunt net zo goed nu tevoorschijn komen. Ik denk dat het spel uit is,' en Gina Roake – blote voeten, nat haar, joggingbroekje, blauw Cal-sweatshirt – verscheen uit de achterkamers, met een opgestoken hand ter begroeting en een schaapachtige glimlach op haar gezicht. 'Yo,' zei ze.

'Ook yo,' antwoordde Hardy. 'Ik wilde niet storen. Als dit geen geschikt moment is…'

'Een halfuur geleden,' zei Gina zonder te aarzelen, 'zou geen geschikt moment zijn geweest. Nu is de timing prima.'

'Je mag die Jelly Babies nog steeds hebben als je wilt,' zei Hunt, 'maar ik denk dat ik ook wel een biertje zou hebben als je dat liever hebt.'

'Als het dan écht moet…' zei Hardy.

'Ik begin te denken dat ze misschien echt gek is.' Hardy zat met zijn biertje op een van de beige leren leunstoelen in de hobbykamer – een heleboel boeken en tijdschriften, cd's en dvd's op ingebouwde witte planken en een grote flatscreen-tv. 'Nu wil ze dat wij achter de moordenaar aan gaan.'

'Wij?' vroeg Hunt. 'Met ons enorme onderzoeksteam en onze onbegrensde middelen?'

'Dat heb ik zo ongeveer tegen haar gezegd.'

Gina, die naast Hunt zat, zei: 'Ik dacht dat ze feitelijk schuldig was.'

'Heeft ze niet tegen je gezegd dat ze het gedaan heeft?' vroeg Hunt. 'Ik dacht dat ik dat gehoord had.'

'Niet met zoveel woorden, maar ze heeft het nooit echt ontkend, en verder doet ze de hele tijd al alsof ze veroordeeld is, alsof ze het verdient. Niet bepaald een openlijke bekentenis, maar…' Hardy nipte uit zijn flesje. 'Hoe dan ook, vandaag vertelt ze mij dus dat ze ook niet met Levon en Dylan bij de beroving betrokken was. Hoewel het misschien een andere was.'

'Een andere beroving?' vroeg Gina. 'Niet dezelfde?'

'Opnieuw dubbelzinnig, maar kennelijk.'

'Nou,' vroeg Gina, 'waar zouden ze haar dan mee gechanteerd hebben?'

'Dat heb ik haar gevraagd. Ze zei dat God haar op de proef stelde.'

Dat vond Hunt raar. 'Niet alleen haar,' zei hij.

Hardy knikte. 'Vertel mij wat. Dus daarna zegt ze tegen me dat ze niet kan geloven dat ik denk dat ze deze dingen heeft gedaan. Ik bedoel, we zijn hier al bijna een halfjaar mee bezig, en opeens weten we niet alleen niet meer waarmee ze werd gechanteerd, maar nu wil ze ook dat wij degene vinden die deze kerels echt van kant heeft gemaakt.'

'Ze probeert jou te bespelen,' zei Gina.

'Dat dacht ik ook. En denk ik misschien nog steeds. Ik weet het niet. Maar wat bereikt ze ermee als ze mij bespeelt? Wat? Bewijst ze dat ik lichtgelovig ben? Nou en? Hoe helpt dat haar?'

Hunt schraapte zijn keel. 'Dit is misschien het voor de hand liggende antwoord, en ik ben natuurlijk geen jurist en zie de nuances misschien niet zoals jullie beiden, maar als hij of zij inderdaad bestaat en jullie diegene vinden, wordt ze dan niet vrijgesproken?'

Hardy zat voorover met zijn ellebogen op zijn knieën en zijn schouders ingezakt. 'Met andere woorden,' zei hij, 'wat als ze mij niet bespeelt?'

Hunt haalde zijn schouders op. 'Het is een gedachte.'

'Oké,' zei Gina. 'Maar waarom komt dit nu pas ter sprake?'

'Heb je me niet verteld dat Diz het vandaag tijdens het proces naar voren heeft gebracht? De andere gozer. Misschien is het de eerste keer dat ze die optie heeft beschouwd als iets wat we zouden kunnen doen.'

'Ja, maar dit is het punt, Wyatt,' zei Hardy. 'Ken je sowieso dit hele bewijsprobleem waar we mee te maken hebben? Hetzelfde geldt als er een andere verdachte is, zelfs een schuldige, die zich in de bosjes verstopt. Wat ik hieraan haat, omdat het waar is, is dat Maya niet één, maar twee geweldige motieven heeft. Ze is op beide plekken geweest. En ik weet het niet, als een van ons tien jaar lang werd gechanteerd, zouden we het misschien zelf ook behoorlijk zat zijn geworden.'

'Ik zou hen beslist allang flink te grazen hebben genomen,' zei Gina. 'En ik zou ook geen bewijs hebben achtergelaten.'

'Zo mag ik het horen, meid.' Hunt sloeg haar zachtjes op haar been. 'Herinner me eraan dat ik die geheime video's van ons die ik heb gemaakt moet vernietigen.' Vervolgens zei hij tegen Hardy: 'Nou, wat ga je doen?'

'Ik weet het niet. Als ze nu regelrecht tegen me zegt dat ze het niet gedaan heeft, weet ik nog steeds niet zeker of ik dat nodig heb om haar vrij te krijgen. Ik zie gewoon niet dat dit bewijs haar veroordeelt, niet in deze stad.'

'Nou,' antwoordde Gina, 'normaal gesproken zou ik het met je eens zijn, Diz. Maar je hebt die connectie met Kathy en Harlen...'

'Er is ook geen bewijs over hen, en dat is...'

'Wensdenken,' zei Roake. 'Dat is wensdenken.'

'Wat?'

'Dat je kennelijk denkt dat er een of andere bewijsstandaard van toepassing zal zijn, op Maya tijdens het proces of op Harlen en Kathy en

Maya's man over alle verbeurdverklaringsdingen. Maar, zoals je vandaag zo eloquent in je openingsbetoog hebt opgemerkt, dit gaat niet over bewijs. En ik heb het niet alleen over het proces, ik heb het over de hele mikmak. Stier voert aan, zelfs subversief, dat de *reden* waarom er geen bewijs is het feit is dat Maya hooggeplaatste vrienden heeft die alle middelen en macht hebben om bewijs te lozen, en raad eens? Ze verliest. En zij zitten daar, de burgemeester, Harlen – leuk blijk van zelfvertrouwen en zo – maar je cliënt schiet er niets mee op. En het maakt verdomd zeker geen indruk op Braun, die het ongetwijfeld en misschien waarheidsgetrouw als intimidatie ziet.'

'Ik vind het geweldig als ze helemaal over de rooie gaat,' zei Hunt.

Maar Hardy was niet in de stemming om daarom te lachen. 'Wat is je punt dan?'

'Mijn punt,' zei Gina, 'is dat als je ook maar enige kans maakt om in elk geval een levend, ademend menselijk wezen te vinden dat je als de beroemde andere gozer kunt aanwijzen, ik alles uit de kast zou halen om hem te vinden.'

'Zonder bewijs?' vroeg Hardy. 'Ik zou niet eens weten waar ik moest beginnen.'

'Nou, daarover,' zei Hunt, 'heb ik misschien een idee.'

24

'Je hoeft je nergens zorgen over te maken,' zei Wayne Ticknor tegen zijn dochter Jansey.

Met haar kapot gekauwde wijsvingernagel peuterde ze aan een opgedroogd kloddertje ketchup op haar keukentafel. De digitale klok op het fornuis gaf 10:17 aan. 'Jij hebt makkelijk praten, pap. Jij gaat niet getuigen.'

'Dat is waar. Maar ze hebben je toch alles al verteld waar ze je vragen over zullen stellen? Ze hebben zelfs met je geoefend.'

'Weet ik. Maar wat als ze het daar niet bij laten?'

'Waarom zouden ze?'

'Misschien willen ze mij ook op de wiet pakken. Ik bedoel, daar hebben ze het vaak genoeg over gehad. Ik leefde toch van de opbrengst? Ik hielp toch met de handel?'

'Ik dacht dat ze garandeerden dat ze dat niet zouden doen. Dat was toch de afspraak?'

'Nou, het was eigenlijk geen echte afspraak. Het was meer dat me duidelijk werd gemaakt dat als ik hen kon helpen, zij mij zouden helpen.'

'Door jou buiten die dopehandel te houden?'

'Dat denk ik. Ja. Ik kan eigenlijk niet ontkennen dat ik ervan wist.' Ze tuitte haar lippen en slaakte een zucht. 'Of die advocaat? Wat als hij, als ik daar eenmaal sta, op dingen over mij en Robert ingaat? Ik bedoel, als mensen daarvan weten, zal het lijken alsof wij behoorlijk snel na Dylan iets met elkaar kregen. En ook als ze erachter komen dat het daarvóór was.'

'Hoe zou iemand daarachter moeten komen?' vroeg haar vader.

'Geen idee.'

'En zelfs als dat zou gebeuren, wat dan nog?'

'Dan zouden ze misschien uitvogelen dat Dylan mij sloeg. Het gaat dus om een vent die mij slaat en die ik ook bedrieg. Begrijp je wat ik bedoel? Het zou er niet goed uitzien.'

'Ja, maar schat, luister. Dat wisten ze al en ze hebben jou of Robert toch nergens voor aangeklaagd? Ze hebben Maya Townshend aangeklaagd. Ze hebben haar wapen.'

'Oké, maar iedereen weet dat Dylan dat uit de winkel had gepakt.'

'Ik denk niet dat de politie dat weet, schat. En ik denk niet dat ik dat uit mezelf zou zeggen.'

'Maak je maar geen zorgen. Ik ga niets uit mezelf zeggen.' Opeens stond ze zenuwachtig op, liep naar de gootsteen, maakte een spons nat en liep ermee terug om de tafel af te vegen en schoon te schrobben – de opgedroogde ketchup, koffiekringen van een paar dagen, een restje stijf geworden havermoutpap. 'Ik maak me er gewoon zorgen over,' zei ze. 'Dat is alles.'

'Nou, het is natuurlijk om je zorgen te maken.'

Ze kneep in de spons. 'Ik wil gewoon niet dat ze inzien hoe goed het eigenlijk was dat Dylan werd vermoord. Ik weet dat je dat niet over de doden mag zeggen, maar...'

Waynes ogen werden donker. 'Je mag tegen mij alles over hem zeggen wat je wilt. Dat weet je. Hij kon mij niet gauw genoeg verdwijnen.' En met ogenschijnlijke kalmte vervolgde hij: 'Ze zullen echt nooit denken dat jij er iets mee te maken had. Bovendien zeggen Robert en jij dat jullie allebei de hele ochtend hier waren. Jij bent voor niemand een verdachte, schat. En dat zou je ook nooit kunnen worden. Dus geef gewoon antwoord op de vragen waarvan je de antwoorden weet en laat de rest daarvan maar schieten. Hoe klinkt dat?'

Ze liet zich zuchtend op haar stoel zakken. 'Dat klinkt als een plan, pap. Ik zal proberen dat te onthouden.'

'Doe dat,' zei Wayne, die zijn hand over de hare op de tafel legde. 'Nou, hoe staat het de laatste tijd met je geld?'

Ze glimlachte flauwtjes naar hem. 'Goed. Ik heb met de verzekeringsman gepraat. Ik kreeg het gevoel dat ze wachtten tot Maya veroordeeld zou worden. Als dat gebeurt, zullen ze geen excuus meer hebben om mij niet uit te betalen. We zouden dus kort daarna de cheque moeten krijgen.'

'Nadat ze haar veroordelen? Alleen om jou uit te sluiten? Dat heeft hij niet gezegd.'

'Min of meer. Niet dat iemand denkt...' Ze liet de zin in de ruimte hangen. 'Hij zegt alleen dat als ze de keus hebben, het netter afgehandeld kan worden als er iemand anders wordt veroordeeld.'

'Je zou denken dat het voldoende zou zijn als er iemand anders wordt gearresteerd.'

Ze haalde haar schouders op. 'Maar misschien ook niet.' Ze trok haar hand onder de zijne vandaan en leunde achterover op haar stoel; ze hield de spons in haar andere hand vast alsof het een stressbal was. 'Op grond van wat hij me verteld heeft durf ik te wedden dat ze hoe dan ook zullen wachten tot ze veroordeeld is. Met de kans dat ze misschien niet veroordeeld wordt, en dan zou het nog steeds mogelijk zijn dat ik het was.'

'Dat jij het was die wat?'

'Je weet wel. Dylan heeft vermoord.'

'Ik kan niet geloven dat hij dat echt zou zeggen.'

'Niet bepaald, nee. Maar zo voelt het voor mij.'

Het gezicht van haar vader betrok. Met gebalde vuisten en een dreigende blik zat hij bij de tafel. 'Heb je de naam van die verzekeringsman? Misschien ga ik even een praatje met hem maken.'

Maar Jansey schudde haar hoofd. Haar vader had ook een 'praatje' met Dylan gemaakt en dat had helemaal niet geholpen. 'Dat hoef je niet te doen. Ik denk niet dat hij er persoonlijk wat aan kan doen. Het is het bedrijfsbeleid, dat is alles.'

'Het zou je nog kunnen verbazen,' zei Wayne. 'Ze zeggen tegen je dat het bedrijfsbeleid is en dan ontdek je dat ze alleen maar een bonus of een schouderklopje of wat dan ook proberen te krijgen door tot het laatst mogelijke moment of zelfs nog langer te weigeren geld uit te keren.'

'Nou, pap, ik denk niet dat dit zo is. Hij lijkt een aardige man.'

'Iedereen vond jouw Dylan ook een aardige man.'

Ze schudde haar hoofd. 'Dat is niet hetzelfde.'

'Nou, nee, niets is eigenlijk hetzelfde. Maar ik wed dat ik jouw aardige verzekeringsman kan overhalen om zijn positie, of zijn bedrijfsbeleid, of wat het ook is, te heroverwegen.'

'Ik denk niet... Ik bedoel, ik waardeer het dat je mij probeert te helpen, maar ik denk niet dat ik die verzekering nu al nodig heb.'

Wayne haalde een paar keer adem, ontspande zijn vuisten en legde zijn handpalmen plat op de tafel. 'Je dacht ook niet dat je het bij Dylan nodig had.'

'Nou, dat was anders, zoals je zegt.'

'Maar misschien niet zo heel anders. Iemand die misbruik maakt van je goede aard en denkt dat hij overal mee kan wegkomen. Maar als ik naar jou kijk, zie ik de pijn in je ogen, de pijn in je leven...'

'Het is niet allemaal pijn. Er zijn ook goede dingen. Ben, en nu Robert...'

'Maar ook nog geen beloftes van Robert.'

Ze schudde haar hoofd. 'Laten we daar niet weer over beginnen, pap. Het is een beetje vroeg voor beloftes. Hij studeert nog. En hij behandelt me helemaal niet zoals Dylan dat deed...'

'Dat is hem geraden.'

'Hij doet dat niet, en voorlopig is dat genoeg, oké? Alsjeblieft.'

Wayne legde zijn hand opnieuw op die van zijn dochter. Zijn stem werd plotseling hees van emotie. 'Ik zie gewoon wat jij al hebt doorgemaakt. En nu is er weer een vent die in wezen met jou samenleeft en niet over trouwen of verantwoordelijkheid praat. Ik snap het niet. Ik begrijp niet waarom jij in zulke situaties belandt.'

'Deze is niet slecht. Dat beloof ik.' En ze herhaalde: 'Dat beloof ik, pap.'

Hij slaakte een diepe zucht. 'Goed, als je dat echt denkt. En heb je genoeg geld? Weet je dat zeker?'

Ze knikte. 'Dylan heeft veel geld achtergelaten. Dat gebruik ik.'

'Drugsgeld.'

'Waarschijnlijk wel.'

'Weet je, als je dat uitgeeft om van te leven en je hebt geen opgegeven inkomen, kan de belastingdienst je vragen hoe je dat doet. Misschien moet je gaan nadenken over een manier om er aanspraak op te maken.'

'Vast. Kom op, maak je maar geen zorgen. Zoveel geef ik niet uit. Het is niet zo dat ik op grote voet leef en met pakken dollars loop te strooien. Ik koop alleen maar boodschappen en zo. En de belastingdienst interesseert zich niet voor iemand als ik. Ik bedoel, we hebben het waarschijnlijk over minder dan tienduizend dollar.'

Dit was niet waar, maar ze zei het om haar vader gerust te stellen. In werkelijkheid had Dylan bijna tweehonderdduizend dollar weggelegd en ze bewaarden het op een geheime plek onder een paar losse planken in de kruipruimte onder het huis. Iedere avond, en diverse keren per dag, controleerde ze of het er nog lag. En niemand, zelfs Robert niet, wist van het bestaan van het geld. Eén ding dat ze tegen haar vader had gezegd was echter waar: ze maakte zich geen zorgen over geld.

'Heb je zoveel in huis liggen? Weet je wel hoe gevaarlijk dat kan zijn?'

Eindelijk bracht dit een warme glimlach teweeg. 'Pap,' koerde ze tegen hem. 'Je zou psychiater moeten zijn.' Ze tilde de hand van haar vader op en bracht die naar haar lippen. 'Toen je hier aankwam, was ik degene die zich zorgen over alles maakte. Nu ben jij het. Dus nu zeg ik het tegen jou. Je hoeft je geen zorgen te maken. Niet over Robert, of de verzekeringsman, of geld of de belastingdienst. Alles komt in orde. Dat beloof ik. Dat beloof ik echt.'

Craig Chiurco hees zich omhoog, zodat zijn blote rug tegen het hoofdeinde van zijn queensize bed leunde. 'Misschien moet ik gewoon maar ander werk zoeken.'

Tamara, die een groene zijden badjas om zich heen trok toen ze uit de badkamer kwam, bleef staan. 'Even kijken. Man vrijt met zijn ongelooflijk mooie en seksueel exotische vriendin, draait zich om en zegt, nog nagenietend, dat hij van baan wil veranderen. De vriendin is a) verbijsterd, b) verward, of c) gevleid? Hint: het is niet "c".'

'Ik bedoelde niet dat het iets met ons te maken had.'

'Maar zoals je misschien wel is opgevallen, werken we vanuit hetzelfde kantoor, en als jij je baan zou opzeggen, zou je mij min of meer in de steek laten.'

'Het gaat niet om jou.'

Ze draaide zich opzichtig om en controleerde de hoeken van de kamer. 'Ontgaat het me dat er hier iemand anders is tegen wie je aan het praten was?'

'Nee.'

'Mooi. Oké, dat is geregeld. Waarom wil je dan van baan veranderen?'

'Ik zat net te denken aan die Townshend-toestand. Tot dusver heb ik Diz en Wyatt in verlegenheid gebracht door op Voglers lijst te verschijnen, en mijn totale bijdrage aan Maya's zaak hield in dat ik het slechtste stukje bewijs dat haar met de moord op Levon in verband brengt heb bevestigd. Het was enorm leuk om de baas te vertellen: "Ja, dat is ze. Zij is degene die ik daar heb gezien." Misschien word ik wel dierenarts. Nee, wacht, ik heb een hekel aan dieren.'

'Als je vriendin dacht dat je echt een hekel aan dieren had, zou ze met andere mannen beginnen aan te pappen.'

'Dat zou jij niet doen.'

'Jawel.' Tamara hield op met rondlopen en ging op het bed zitten. 'Maar dit proces is nog niet voorbij. Misschien kun je iets goeds doen.'

'Ik sta voor alle ideeën open.'

'Nou, om te beginnen hebben ze geen bewijs dat ze bij Levon binnen is geweest, toch? En wat hebben ze eigenlijk zonder dat bewijs?'

'Ze hebben bewijs dat ze, opnieuw, tegen de politie heeft gelogen. Ze hebben voldoende vastgesteld dat ze een leugenaar is, en het lijkt erop dat ze dat gemakkelijk kunnen doen, dat alles wat ze in de getuigenbank zegt als onwaar overkomt. En natuurlijk blijft ook de vraag over: waarom was ze daar, midden op de dag in Levons huis?'

'Hij had haar gebeld.'

'En zij kwam zomaar aanrennen? Waarom?'

'Geen idee. Misschien weer een variant van de chantage.' Tamara trok een pruilmondje. 'Dus toen jij haar zag, moet dat kort nadat ze hem had vermoord zijn geweest?'

'Dat heb ik aangenomen. En ik denk iedereen.'

'Hoe leek ze dan? Overstuur? Gejaagd? Iets dergelijks?'

Chiurco schudde zijn hoofd. 'Zo was het niet, Tam. Het was niet zo dat ze voor mij poseerde. Ze stond daar bij de deur, draaide zich om en we stonden ongeveer een seconde tegenover elkaar, voldoende voor mij om haar op te merken, maar niet veel meer. Daarna was ze verdwenen.'

'En was je er zeker van dat zij het was?'

'Zij wás het, Tam. Dat heeft ze toegegeven, weet je nog? En ze hebben haar vingerafdrukken op de deurknop. Ik weet niet waar je naartoe wilt.'

'Ik probeer je alleen maar iets aan te reiken waardoor je je beter zult voelen.' Met enige druk zei ze nu: 'Zodat je misschien het gevoel krijgt alsof je hebt bijgedragen aan het in twijfel trekken van wat er gebeurd is. Alsof je hebt gezien dat ze aan de deurknop stond te morrelen of zo, misschien naar binnen probeerde te komen, en dat lukte haar niet, vlak voordat ze zich omdraaide en jou zag toen ze wegliep.'

'Ik denk niet dat ik mijn verhaal nu ga veranderen. Ik heb gezien wat ik heb gezien. Wil je dat ik meineed pleeg? Ik denk niet dat Hardy zou willen dat ik op die manier meehelp.'

'Nee. Het is alleen dat jij haar net op die ene seconde toevallig aantreft... Iedereen zou het geloven als je daar een minuut eerder aankwam en keek hoe ze naar binnen probeerde te gaan. Ik bedoel, meneer Hardy kan jou dat ook vragen.'

Chiurco liep helemaal niet warm voor dit idee. Zijn mond was tot een dunne streep verhard. 'En dan zou ik gewoon nee zeggen.'

'Hé, word niet kwaad op mij,' zei ze. 'Jij begon erover hoe slecht je je voelde omdat je haar niet kon helpen. Ik bedoel gewoon dat meneer Hardy het misschien kan laten lijken alsof jij haar niet naar binnen hebt zien gaan. Dan hebben ze die veronderstelling niet meer. Je hebt haar toch niet precies naar buiten zien komen? Ik bedoel, stond ze daar gewoon bij de deur?'

Plotseling sloeg Chiurco met zijn handpalm op het bed tussen hen. 'Hé! Wat is dit voor verhoor? Wat probeer je hiermee te bereiken?'

'Craig! Niks! Ik probeer niks te bereiken. Ik praat alleen maar met je. Wat is je probleem? Waardoor ben je zo gespannen?'

Na een kort gevecht met zijn emoties vermande hij zich en slaakte een zucht. 'Misschien ben ik gespannen omdat ik om te beginnen nogal zenuwachtig hierover ben. Ik ga mijn verhaal niet veranderen, zelfs niet een beetje, zelfs niet als het haar zou helpen. Daardoor krijg ik alleen maar problemen. Met Wyatt, met Hardy, met iedereen. Ik zie niet in hoe je wilt dat ik dat doe. Het is zo al lastig genoeg.'

'Wat is lastig?'

'Zeggen wat je gezien hebt. Het simpel houden. Het is niet zo gemakkelijk als het lijkt, vooral als iedereen je doodgooit met die kleine details waar je nooit aan heb gedacht. Ik heb mijn verhaal en daar blijf ik bij.'

'Zoals je het zegt, klinkt het alsof je het verzonnen hebt.'

'Ik verzin helemaal niks! Jezus, Tam, ik kan niet geloven dat je dit tegen me zegt.'

'Nou, ik kan niet geloven dat jij er zo prikkelbaar over bent. Zoveel stelt het niet voor. We praten alleen.'

'Nee, we praten niet alleen.' Nu ging hij recht overeind zitten, van het hoofdeinde af, en trok de dekens om zich heen omhoog. 'En het stelt heel veel voor! Zie je dat niet in?'

'Niet zoveel als wat jij ervan maakt.' Ze stond op en liep naar de stoel waar ze haar kleren op had gelegd. Ze trok de badjas uit en begon haar ondergoed te pakken.

'Wat doe je?' vroeg Chiurco.

'Ik ga naar huis. Ik denk dat we wel klaar zijn voor vanavond.'

'Prima.'

'Prima.' Ze had haar spijkerbroek aan, trok haar sweater over haar hoofd. 'En nu we het toch hierover en over andere dingen oneens zijn, dacht ik dat we hadden besloten dat we geen wiet meer zouden roken.'

Nu sloeg Chiurco zijn armen over elkaar, schudde zijn hoofd, en viel stil, met woede en frustratie op zijn gezicht.

'Voor het geval,' ging Tamara door, 'je denkt dat ik het niet merkte of rook of zo.'

'Ik probeerde het niet te verbergen.'

'Nee? Een snelle hijs in de badkamer met het raam open? Dat is niet bepaald openlijk voor mijn neus.'

'Ik dacht dat je kwaad zou worden.'

'Correct, Craig. Kwaad op jou omdat je het gebruikt, en kwaad omdat je niet kunt stoppen.'

'Ik wil niet stoppen, Tam. Dat heb ik je al gezegd. Ik vind het lekker, dat is het probleem. En ik kan stoppen wanneer ik maar wil. Maar misschien wil ik wel niet.'

'Misschien geloof ik je als ik zie dat je er een begin mee maakt. En hou jezelf ondertussen niet voor de gek met dat paranoiaprobleem. Dat komt ook door de wiet.'

'Nu heb ik een paranoiaprobleem.'

'Je getuigeniskwesties? Waar we net ruzie over hebben gemaakt? Hallo?'

'Je hebt het mis. Je hebt het gewoon helemaal mis.'

'Dat denk ik echt niet.' Ze liep naar de deur. 'Echt niet, Craig. En ondertussen ga ik gewoon weg.'

In de woonkamer van zijn huis aan de jachthaven zette Harlen Fisk met de afstandsbediening de televisie meteen na het nachtelijke nieuws uit. Hij en Kathy hadden in feite heel wat opzien gebaard door vandaag in de rechtszaal te verschijnen, en de omroepen hadden er op een bevredigende manier op ingespeeld. De stad was nog niet aan een verkiezingscyclus toe, dus ondanks de negatieve connotaties van zijn connectie met Joels projectontwikkelingszaken en de koffieshop van zijn zus, was de algemene vuistregel dat hoe meer je naam in de media verscheen, hoe beter je kansen werden om verkozen te worden.

En verkozen worden, daar draaide het voor Harlen allemaal om.

Toch kon hij er niets aan doen dat hij teleurgesteld was in zijn zus. Eigenlijk was 'teleurgesteld' nauwelijks het juiste woord.

Nou, zei hij bij zichzelf, ik ga nu niet over Maya nadenken – hoe haar toekomst eruit kan zien als ze veroordeeld wordt en naar de gevangenis wordt gestuurd. Dat was niet zijn schuld; ze had het zelf gedaan. Met haar domme, koppige aard.

Maar op het moment dat deze gedachten samenvielen, legde hij de afstandsbediening op de lichte tafel naast hem, nestelde zijn zware lijf weer in zijn leunstoel en probeerde zich te herinneren wanneer hij zich voor het eerst bewust van Dylan Voglers invloed op zijn zus was geworden. Natuurlijk was dat lang voordat Harlen de naakte feiten rondom de moord – de koffieshop en de marihuana – aan Dismas Hardy had onthuld.

Had ze haar mond maar gehouden. Dat was in eerste instantie Harlens bedoeling geweest toen hij haar in contact met Hardy bracht. Een goede advocaat had haar in theorie ervan moeten weerhouden alles toe te geven wat haar in verband met de moorden kon brengen. Maar tegen de tijd dat ze met Hardy in contact was getreden, had ze de politie al verteld dat ze die ochtend naar de kerk was gegaan, en ergens had de angst dat ze op die leugen zou worden betrapt ervoor gezorgd dat ze het alleen maar erger maakte door zowel de leugen te bekennen als op te biechten waar ze rond het tijdstip van de moord had uitgehangen.

Waardoor ze haar in het vizier kregen.

Stop. Blijf je niet doodongerust maken, zei hij tegen zichzelf. Sta op. Ga naar bed.

Maar zijn lichaam reageerde niet. Hij zat daar naast de brandende leeslamp, met zijn handen op zijn royale buik gevouwen, die vanavond opeens gespannen aanvoelde.

'Schat?' Zijn vrouw, Jeannette, keek naar binnen. 'Is alles goed met je? Kom je naar bed?'

'Zo meteen.'

'Waar denk je aan?'

'Dat proces. Maya. De hele toestand.'

Ze kwam de kamer binnen, schoof een ottomane aan en ging erop zitten. Ze was lang, stevig gebouwd, atletisch, en had schouderlang blond haar dat een gezond, typisch Amerikaans gezicht omhulde. 'Ik wil er wel over praten als jij dat wilt.'

Hij glimlachte naar haar. 'Ik had gedacht dat je het inmiddels wel spuugzat zou zijn.'

'Ik ben het misschien wel spuugzat, maar ik ben niet te moe om erover te praten als jij dat wilt.'

Hij wachtte even. 'Ik verwonder me er gewoon over dat ze zo dom kan zijn. Dat ze blijft bij het verhaal dat ze niet veel van de wiet afwist. Ik bedoel, kom op, ik wist ervan, iedereen wist ervan.'

'Misschien geloofde ze haar manager.'

'Dylan Vogler?'

'Ik hem heb nooit ontmoet.'

'Nou, ik wel. Meer dan eens.'

Haar voorhoofd rimpelde tot een bezorgde blik. 'Ik denk niet dat ik dat wist.'

Hij wuifde dat weg. 'Ik heb hem voor het eerst ontmoet toen hij in hun studietijd een poosje haar vriendje was. Daarna opnieuw toen Maya hem in dienst nam, vlak nadat hij uit de gevangenis was gekomen. Ik zei tegen haar dat het een fout was. En natuurlijk luisterde ze net zo goed naar me als ze altijd doet, namelijk helemaal niet.'

'Harlen, kom op. Ze luistert wel naar je.'

'Misschien luistert ze wel, maar ze hoort het niet. Een paar jaar geleden heb ik haar over dat dopespul verteld en gezegd dat ze hem moest ontslaan. Geen schijn van kans.'

'Waarom niet?'

'Ze wilde hem redden, denk ik. Dat messiascomplex van haar. Ze heeft alles en ze heeft zoveel geluk en dus moet ze sukkels helpen om de weegschaal in evenwicht te brengen of zo. Natuurlijk zonder zich bewust te zijn van de mensen die haar beschermen.'

'Je bedoelt jij?'

'Gewoon even een vraag,' zei hij. 'Wie zorgt er op dit moment voor haar kinderen?'

'Dat vind ik niet erg. Het zijn lieve kinderen.'

'Dat staat buiten kijf. Maar ze zijn niet van ons, toch? En wij hebben niet getekend voor drie van die schatjes.' Zuchtend vervolgde hij: 'Ze had helemaal niet in deze toestand verzeild moeten raken. Ik had tegen haar gezegd dat ze daar niet naartoe moest gaan. Zes uur 's ochtends? Ik bedoel, wat voor tijd is dat voor een ontmoeting? En waarom worden die kwesties met haar mijn problemen?'

'Ik wist niet dat je haar had gesproken. Wanneer was dat?'

Opnieuw wuifde hij haar vraag weg. 'De avond ervoor. Ze belde en vroeg me wat ik zou doen. Ik zei dat ze hem moest terugbellen en erachter moest komen wat er zo belangrijk was, maar weer, natuurlijk...' Hij draaide zijn hand om, als teken dat ze zijn raad in de wind had geslagen. Hij slaakte een lange zucht en schudde zijn hoofd. 'En dan is die Levon-kwestie er ook nog.'

'Het andere slachtoffer?'

Hij knikte. 'Levon Preslee. Eigenlijk geen slechte vent.'

'Kende je hem ook?'

Hij veinsde een kortstondige glimlach. 'Hé, ik ben politicus. Ik ken iedereen.'

'Wat houdt die Levon-kwestie dan in?'

'Hij komt uit de gevangenis, hij gaat naar mijn lieve zusje voor hulp, omdat ze Dylan ook hielp toen hij vrijkwam. En als je het nog niet hebt geraden: die kerels – Levon en Dylan – praten nog steeds met elkaar. Ik ken dus mensen, hè? Dat is mijn werk. Een hele tijd geleden bracht ik hem dus in contact met Jon Francona van het ACT, en dat pakte behoorlijk goed uit tot... nou ja, tot afgelopen herfst.'

'Oké.'

'Oké. Dus, nou ja, het punt is, waarom ik misschien op dit moment hierover nadenk, en er een beetje prikkelbaar van word, is dat Jon Francona twee jaar geleden is overleden, dus niemand in de wereld, behalve mijn zus en jij, weet van een connectie tussen mij en Levon Preslee, en ik ben gewoon een heel klein beetje bezorgd dat iemand dat, samen met die verbeurdverklaringskwestie waar we allemaal mee worstelen, ook zal bovenhalen en in mijn gezicht zal slingeren. En begrijp me niet verkeerd, ik ben dol op publiciteit, maar ik denk dat dit me wel eens schade zou kunnen toebrengen.'

'Nou.' Jeannette legde haar handen op de knieën van haar man. 'Niemand zal het jou kwalijk nemen dat je die arme man al die jaren geleden hebt geholpen.'

'Niemand zal het te weten komen, Jeannette. Niemand kan ook maar een minuut overwegen dat ik die vent kende.' Hij slaakte een laatste diepe zucht. 'Ik bedoel, ik zeg steeds weer bij mezelf dat Maya zichzelf in deze positie heeft gebracht. Ik heb geen keus. Ik moet haar er zelf uit laten komen. Ik kan haar niet meer beschermen, of anders staat alles wat we hebben op het spel.'

'Kom op, schat. Ik denk dat dat een beetje overdreven is.'

Harlen kauwde op de binnenkant van zijn wang en hees zich uit zijn leunstoel. 'Niet echt,' zei hij.

25

De volgende ochtend was Paul Stiers eerste getuige de oude medische onderzoeker van San Francisco, dokter John Strout. De goede arts was al meer dan veertig jaar lang een bekend gezicht in en rondom het Paleis van Justitie en was minstens duizend keer in de rechtbank verschenen. Hij was lang, absoluut vel over been, en had piekerig wit haar; op de een of andere manier had hij het verplichte pensioen ontweken waar hij een jaar of tien geleden al aan toe was. Maar niemand drong daarop aan omdat hij algemeen zeer gerespecteerd bleef. Uit zijn stem en zijn houding spraken een informeel gezag en een ongedwongen minzaamheid die nog werden benadrukt door zijn zuidelijke tongval.

Nu leunde hij gerieflijk achterover en wachtte terwijl Stier het affichebord met de autopsiefoto's op het statief naast de getuigenbank plaatste, waar zowel Strout als de jury ze kon zien. In veel processen kon Strouts getuigenis, waarin werd ingegaan op de oorzaak en het basisfeit van de dood van een slachtoffer, een enorme invloed op het vonnis hebben. De patronen van kneuzingen op het lichaam van de overledene konden zeer belangrijk zijn. De vorm van een verwonding kon een voorwerp als mogelijk moordwapen identificeren of uitsluiten. Op talloze manieren konden er andere, subtielere onderscheidingen worden gemaakt – alcoholpercentages in het bloed, onderzoek naar drugs of giffen – om twijfel te wekken of schuld op te leggen.

Maar vandaag verwachtte niemand veel vuurwerk van Strouts getuigenis. Eigenlijk was er, na het bijna niet-aflatende drama van de vorige dag, lang niet zoveel opwinding in de rechtszaal – zonder burgemeester en toezichthouder – als Hardy had verwacht. En dat was een opluchting. Na zijn gesprek van gisteravond met Gina en Wyatt had hij hun gemeenschappelijke opvatting overgenomen dat de aanwezigheid van Kathy en Harlen zijn cliënt niet zoveel goed deed als ze hadden gehoopt.

Strouts getuigenis zou afdoend vaststellen dat er feitelijk twee dode mensen waren, die door iemand waren omgebracht. Desalniettemin wist je nooit precies wat er uit een rechtstreekse getuigenis tevoorschijn zou komen, en Hardy lette goed op toen Stier het stapeltje foto's pakte nadat het laatste jurylid ze had bekeken, ze bij de andere gemarkeerde bewijsstukken legde en naar het midden van de zaal liep.

'Dokter Strout,' begon hij. 'Om met Dylan Vogler, het doodgeschoten slachtoffer, te beginnen. Hebt u het tijdstip van de dood kunnen vaststellen?'

'Nee.' Hij keek naar de jurytribune en sprak op een vaderlijke toon tegen hen. 'Hij voelde warm aan. Dat suggereert, bijvoorbeeld, dat hij niet de hele nacht in de steeg had gelegen, maar meer dan dat kan ik niet zeggen.'

'Waaraan is meneer Vogler overleden?'

'Een schotwond in de borst.'

'Beschrijft u de verwonding, alstublieft.'

Dat deed Strout – de ingang, de uitgang, de baan door het lichaam – en vanaf daar nam Stier het over. 'Hoe snel zou zo'n verwonding het slachtoffer kunnen uitschakelen?'

'De kogel ging door zijn borst naar binnen en vervolgens recht door zijn hart. De meeste mensen zouden onmiddellijk in elkaar zakken als gevolg van de verwonding en kort daarna overlijden.'

'Dokter, wilt u de jury vertellen wat verdedigingswonden zijn?'

'Verdedigingswonden zijn letsels die typisch optreden wanneer het slachtoffer klappen of een aanval probeert af te weren. Letsels aan de handen, bijvoorbeeld, of onderarmen, gewoonlijk. Soms aan de benen.'

'Hebt u verdedigingswonden bij meneer Vogler aangetroffen?'

'Nee.'

'Schaafplekken, schrammen, sneden of kneuzingen die suggereren dat hij had gevochten of geworsteld?'

'Nee. Ik kan niet zeggen dat die er waren.'

'Had meneer Vogler eigenlijk enig teken van letsel van welk soort dan ook, behalve de schotwond, waaraan hij is overleden?'

'Nee.' Met andere woorden, dacht Hardy, Vogler kende zijn aanvaller of werd zonder enige waarschuwing neergeschoten, of beide. Maar Strout had nog een laatste woord. 'Hij is behoorlijk efficiënt gedood.'

Hardy had bezwaar kunnen maken tegen dit nodeloze commentaar – het was geen antwoord op een van Stiers vragen – maar dat zou niets hebben uitgericht, en hij besloot de aanklager door te laten gaan.

'Dokter Strout, dan gaan we naar het andere slachtoffer, Levon Preslee. Nogmaals, kunt u de jury over de doodsoorzaak van dit slachtoffer vertellen?'

'Zeker. Het slachtoffer is overleden aan letsels die zijn opgelopen door slagen tegen de bovenkant van het hoofd met een of ander lemmet-achtig voorwerp dat zijn schedel heeft gebroken en een ernstig hersen-trauma en bloedingen heeft veroorzaakt.'

'En hebt u kunnen vaststellen, dokter, hoe laat het was toen de dood intrad?'

'Nee.'

Hardy wist dat deze vraag te danken was aan de televisie. Het publiek was zo overstelpt met de pseudowetenschap van primetime-tv dat ze allerlei forensische wonderen verwachtten. Stier wilde eenvoudigweg de populaire mening wegnemen dat je kon bepalen wanneer iemand precies was vermoord en dat de aanklager nalatig was geweest door dat bewijs niet voor te leggen.

Maar Strout weidde toch uit. 'Het lichaam had de omgevingstemperatuur aangenomen.'

'En nogmaals, dezelfde vraag als bij meneer Vogler, dokter. Waren er tekenen van verdedigingswonden op het lichaam van meneer Preslee?'

'Nee.'

'En hoe snel is meneer Preslee aan dit letsel overleden?'

'Vrijwel onmiddellijk. Hij zou verdoofd en waarschijnlijk bewusteloos zijn geraakt door de kracht van de eerste slag, en vlak daarna zijn overleden. Misschien niet zo onmiddellijk als de kogel door het hart, maar behoorlijk snel. Binnen een minuut.'

Stier keek naar de jury om er zeker van te zijn dat de gewelddadige, gruwelijke, bloederige aard van deze aanval – die, als die door Maya was gepleegd, haar als een monster afschilderde – tot hen doordrong. Maar hij was nog niet helemaal klaar. 'Een paar ophelderingen, dokter. U zei "slagen". Hoe vaak werd het slachtoffer geraakt?'

'Twee keer. Hoewel één keer al genoeg zou zijn geweest.'

Hardy zag het effect dat dit zinnetje op de jury had, toen een paar leden die zich het moment voorstelden echt ineenkrompen.

'En nogmaals,' vervolgde Stier, 'u zei dat de slagen met een lemmet-achtig voorwerp werden toegebracht. Kunt u uitleggen wat u daarmee bedoelt?'

De daaropvolgende tien minuten deden Stier en Strout alle details van de aanval op Levon Preslee uit de doeken – de aangerichte schade en het gebruik van de stompe kant van het hakmes, de aanval pal van achter het nietsvermoedende en waarschijnlijk onder invloed van verdovende middelen verkerende slachtoffer. Het was geen verrassing dat

Preslees bloed na een test positief werd bevonden op THC, het actieve ingrediënt in marihuana. De algemene strekking van de getuigenis, dacht Hardy, schilderde een coherent scenario van twee ogenschijnlijke vrienden die een joint deelden en vervolgens ging een van hen achter de ander staan en deed met voorbedachten rade een weerzinwekkende en moordzuchtige aanval.

Dat was er feitelijk gebeurd, en Hardy kon geen enkele draai bedenken die zijn cliënte enig goed zou doen. Hij wist ook dat hij Strout op geen enkele manier onder controle kon krijgen, of hem kon verhinderen die kleine terloopse opmerkingen te maken die zo'n diepe invloed op de jury hadden. Dus stelde hij de getuige geen vragen.

Glitsky zat op de hoek van Bracco's bureau in de grote kamer van de afdeling Moordzaken. Darrel zelf zat in zijn gewone stoel aan zijn bureau terwijl zijn partner Debra Schiff drie trappen lager haar getuigenis aan het afleggen was in het proces van Maya Townshend.

'Daar zul je last mee krijgen,' zei Glitsky.

'Dat kan me niet schelen. Ik doe het.'

'Ik zie niet wat het je zal opleveren.'

'Gemoedsrust. Heel belangrijk als je voldoening in je werk wilt hebben.'

Glitsky zuchtte. 'Hoe heb je het precies verwoord?'

Bracco keek naar het TR-26.5, het afdelingsformulier dat smerissen moesten invullen om kwijtschelding van hun parkeerboetes aan te vragen. Hij las op wat hij onder 'Alternatief parkeren overwogen maar geen gebruik van gemaakt' had geschreven: 'Laat auto met sirene en zwaailichten aan op gazon van de burgemeester achter. Loop vijf kilometer naar plaats delict.'

'Ze zullen je villen.'

'O, nou ja.' Bracco leunde achterover. 'Wie niet waagt, die niet wint. Misschien zullen ze de absurditeit van dit alles beseffen.'

'Tuurlijk,' zei Glitsky. 'Dat zal waarschijnlijk wel gebeuren. Maar ondertussen, waarom ben je hier eigenlijk?'

'In plaats van?'

'Beneden. Ik dacht dat jullie vandaag tegen Townshend moesten getuigen?'

'Schiff. Stier wilde haar eerst.'

'Waarom?'

'Geen idee. OM-strategie. Misschien is ze een betere getuige.'

'In welk opzicht?'

'Geen idee, Abe. Hartstochtelijker, misschien.'
Glitsky's mondhoek krulde omhoog. 'Tegenover Jerry Haines, bedoel je?'
'Misschien een beetje.' Bracco stond op en rekte zich uit; nu stond hij bijna oog in oog met zijn inspecteur. 'Ze is waarschijnlijk hoe dan ook overtuigender dan ik zou zijn. Ik neem het Stier niet kwalijk dat hij haar heeft opgeroepen. Dat zou ik ook doen.'
'En jou niet?'
'Zoals ik al zei, misschien later. Maar misschien helemaal niet.' Hij aarzelde en haalde vervolgens zijn schouders op. 'In beide gevallen doet het er niet toe. Ze zal het prima doen. Ze gelooft er echt in.'
'Ik hoop dat je me in dit stadium, nu het proces begonnen is, niet vertelt dat je niet gelooft in de zaak die jullie hebben opgebouwd.'
'Het is niet zozeer dat...'
'Dat klinkt nog steeds alsof je bedenkingen hebt.'
Bracco's ogen keken, over Glitsky's schouder heen, de kamer rond. Er was niemand anders in de buurt. Het was veilig om te praten. 'Ik heb er geen enkele echte twijfel over dat zij het heeft gedaan, Abe. Maya, bedoel ik. Maar vanaf het moment dat Debra met Haines ging praten...' Bracco trok een aarzelend gezicht.
'Wat?'
'Is het je ooit opgevallen dat er een mentaliteit onder bepaalde ordehandhavingsmensen heerst – ik bedoel, dat hebben we allemaal wel honderd keer gezien – ik heb er alleen niet eerder in een van mijn zaken mee te maken gehad. Als iemand met geld een crimineel kent, dan is die persoon zelf ook een crimineel.'
'Ja, dat heb ik gezien. Of eigenlijk heb ik het gedacht. Weet je waarom?'
'Omdat het waar is?'
'Misschien vaker dan je zou denken, Darrel.'
Bracco rolde met zijn schouders. 'Maar niet altijd, hè?'
'Wat bedoel je?'
'Ik bedoel wat ik in het begin heb gezegd. Dat Debra waarschijnlijk een betere getuige is. Hardy zou mij tijdens het kruisverhoor kunnen opvreten, terwijl hij niet aan Debra zal komen, die alles slikt wat Haines voorschotelt. En Stier ook.'
'En jij niet?'
Weer een stilte. Daarna zei hij op een rustiger toon: 'Ik wil mijn partner niet verlinken, Abe. Ze is aan de lijn gelegd.'
'Ik dacht dat jullie allebei aan de lijn waren gelegd.'
'Technisch gesproken wel.'

'Technisch kan me niet schelen. Was er iets mis met de arrestatie?'

'Nee. Ik was erbij. Het is rechtvaardig genoeg verlopen. Alleen... als ik het was, zou ik denk ik even gewacht hebben, dat is alles. Misschien zou ik naar een officier van Justitie gaan om te kijken of hij het voor de onderzoeksjury zou kunnen brengen. Maar Debra kreeg net nieuws over de vingerafdruk op de deurknop en ondernam actie.'

Giltsky had dit ook al eerder gezien. Een betrekkelijk onervaren smeris arresteerde soms een verdachte voordat hij of zij een solide, op bewijs gebaseerde zaak had opgebouwd. Af en toe werd dit gerechtvaardigd, als de verdachte een gevaar voor getuigen was of een onmiddellijk vluchtrisico vormde en gevangen moest worden gehouden totdat iemand meer feiten kon natrekken. Of als iemand ronduit bekende.

Maar vaker was het beste protocol zoals Bracco opperde: de zaak opbouwen en aan de officier van Justitie voorleggen, die dan – als het bewijs dwingend was – een bevel zou regelen of de zaak voor de onderzoeksjury zou brengen. Het alternatief was dat een rechercheur gewoon de arrestatie kon gaan verrichten. En alleen dan zou de officier van Justitie de zaak opnieuw bekijken om te zien of die zou worden aangespannen.

'Wat is er dan bij deze arrestatie gebeurd?' vroeg Glitsky.

'Op dat moment dacht ik niet dat het genoeg was,' zei Darrel, 'en Debra en ik hadden er woorden over, maar wat konden we doen? Het was een gedane zaak. En natuurlijk moet Maya zich tijdens het vooronderzoek verantwoorden, toch? We hadden het dus voor elkaar. Het zou een rechtszaak worden. We hadden nog andere zaken. Ik dacht er verder niet meer aan.'

'Maar heb je nog steeds vragen?'

'Niet echt vragen, nee.' Bracco schudde zijn hoofd. 'En niet echt over de vraag of Maya schuldig is. Ik bedoel, wie anders? En met haar motief voor allebei die kerels. Alleen al dat ze hen allebei kende, dat ze haar onder druk zetten. Ze is een leugenaar. Het klopt gewoon helemaal.'

'Maar?'

'Maar ik denk dat we een betere zaak voor Stier hadden kunnen opbouwen. Nu is er al dat andere gedoe met de verbeurdverklaringen en de politieke druk. Maya is een rijk iemand die criminelen kent, dus is ze zelf ook een crimineel, en als ze een crimineel is, dan heeft ze die kerels waarschijnlijk van kant gemaakt. Alleen wil ik dat allemaal niet staande houden in de getuigenbank, als ik niet denk dat we het bewijs hebben om het te ondersteunen. Debra zal daar veel beter in zijn.'

Diezelfde ochtend was de sfeer in de Hunt Club in Chinatown gespannen.

Tamara Dade zat met rode ogen en zonder glimlach zwijgend voor haar computer. Wyatt Hunt was onderweg bij een van de plaatselijke bakkerijen langsgegaan en had een zak warme, ovenverse *cha sui bao* meegebracht, de heerlijke, met varkensvlees gevulde broodjes die een zeldzame delicatesse en Tamara's lievelingseten waren, en ze zei tegen hem dat ze geen trek had.

Toen hij na twintig minuten weer in zijn kantoor was, deed Hunt de deur naar de receptieruimte open. 'Tam,' zei hij vriendelijk, 'heb je iets van Craig gehoord?'

Ze draaide zich half naar hem om. 'Hij heeft zich ziek gemeld.'

'Ziek?' Dit was beslist ongewoon. Ziekte werd eigenlijk niet aanvaard binnen de cultuur van Hunts bedrijf. 'Wat heeft hij? Tam? Hé. Gaat het wel?'

Het ging duidelijk niet. Na een zeer vluchtige blik op haar baas stond ze, opnieuw zonder een woord te zeggen of achterom te kijken, uit haar stoel op en liep ze naar buiten. Die leidde zowel naar Grant Street als naar de toiletten, en Hunt was er helemaal niet zeker van of ze terug zou komen, totdat hij besefte dat ze haar tasje niet had meegenomen.

Dus liet hij de deur tussen de receptie en zijn kantoor open voor het geval ze binnen wilde komen en met hem wilde praten, liep naar zijn bureau terug, pakte zijn telefoon op en toetste een paar cijfers in.

'Hoi, Wes.'

'Ook hoi.'

'Heb je vanmorgen met Diz gepraat?'

'Nee. Hij is bij het proces. Hij is er rechtstreeks heen gegaan.'

'Dat weet ik. Maar hij is gisteravond bij mij langs geweest.'

'Wat wilde hij?'

'Hij wil dat ik degene die zijn slachoffers heeft vermoord onder druk zet.'

Dit bracht een stilte teweeg. Als huisadviseur van de firma raadde Farrell aan om nooit te geloven dat je cliënt onschuldig was. De reden daarvoor was dat er bij de beroemde zaak die zijn reputatie in de rechtsgemeenschap van de stad had gevestigd een andere advocaat betrokken was, Mark Dooher genaamd, die ervan was beschuldigd zijn vrouw vermoord te hebben. Farrell had vrijspraak voor hem gekregen. Dat bleek een ernstige fout te zijn geweest die Farrell een paar maanden later bijna zijn eigen leven kostte. 'Bedoel je de slachtoffers van Maya Townshend?'

'Diz denkt van niet. Of in elk geval is hij er niet meer zeker van.'

'Sinds wanneer?'

'Sinds gistermiddag toen hij haar heeft gesproken.'

'Heeft ze het ontkend?'

'Dubbelzinnig, in elk geval. Voldoende om hem te laten denken dat hij misschien iets belangrijks verzuimt of negeert.'

'Dat denkt hij altijd. Daarom hebben we hem als hoofdvennoot aangesteld. Er komt niets langs hem heen.' Hunt hoorde een zucht door de telefoon. 'Hoe dan ook, bel je me hierover?'

'Omdat je Vogler kende.'

Nog een aarzeling. 'Als Diz jou dat heeft verteld, zal ik even met hem moeten praten.'

'Diz was het niet. Ik heb wat op internet gezocht toen ik voor het eerst over die lijst met Voglers klanten hoorde.'

'Hoe heb je daarover gehoord?'

'Ken je Craig, die hier werkt?'

'Tuurlijk.'

'Hij staat er ook op. Hij vertelde het me meteen eerlijk voor het geval het een probleem voor me was. Ik zei tegen hem dat ik het wel aankon, maar dat hij slimmer zou zijn als hij niet openlijk iets onwettigs deed terwijl hij zijn vergunning probeerde te halen. Hoe dan ook, ik werd daarna nieuwsgierig en vond het ergens op een blog. Er is niets meer heilig, voor het geval je dat nog niet had gehoord. Goed nieuws voor de privédetectivehandel; niet zozeer voor de rest.'

'Vertel mij wat. Dus oké, ik kende Vogler. Jouw Craig kende hem ook. Vraag hem maar.'

'Dat zou ik ook doen, maar hij is ziek vandaag. Ik wilde met jou beginnen.'

'Ik heb geen idee, Wyatt, wat ik je zou kunnen vertellen. Dat is de eerlijke waarheid.'

'Ik geloof je, en daardoor staan we ongeveer quitte. Ik weet niet wat ik wil weten. Niet precies in elk geval. Ik bedacht net dat die hele wietkwestie buiten beschouwing is gelaten; ik bedoel of iemand uit die hoek hem vermoord heeft. Niemand heeft dus gepraat over hoe die hele zaak werkte. Hoe vaak, bijvoorbeeld, kocht je van hem?'

'Ongeveer één keer per maand. Ik hoop dat je beseft dat ik me hierdoor verdomd ongemakkelijk ga voelen, Wyatt. Ik heb geprobeerd om dat allemaal achter me te laten als gewoon weer een domme fout. Sam en ik zijn er ook nog bijna om uit elkaar gegaan, onder andere. Wat maakt het uit hoe vaak ik bij Dylan heb gescoord?'

'Nogmaals, Wes, ik weet het niet. Ik probeer een idee te krijgen hoeveel hij verhandelde, of iets anders. Als hij pak 'm beet zeventig vaste klanten had. Voor hoeveel werd een zakje verkocht?'

'De mijne kostten honderd.'

'Dus laten we zeggen tien mille per maand?'

'Als jij het zegt.'

'Ik denk dat dat genoeg geld is om voor neergeschoten te worden, ondanks dat iedereen schijnt te geloven dat het niet om de dope ging. Hoe werd het geleverd?'

Opnieuw hoorde Hunt een gefrustreerde zucht. 'Je vroeg om de specialiteit van de manager, en dan riep degene die bij de kassa stond Dylan. Hij ging naar achteren, kwam terug met een verzegeld plastic zakje onder in een gewoon koffiezakje, maalde er een paar bonen overheen en deed het dicht.'

'En hoe lang gebeurde dit al?'

'Geen idee. Ongeveer zes jaar geleden heb ik contact gelegd, dus in elk geval zo lang. En ik geloof niet echt dat ik de eerste klant was.'

'En vertel je me dat het in al die tijd niemand van het personeel is opgevallen?'

'Nee. Ik kan me niet voorstellen dat ze het niet door hadden gekregen.'

'Maar volgens Diz heeft dat geen deel uitgemaakt van het politieonderzoek.'

'Dat is moeilijk te geloven.'

'Ja, maar ik weet haast wel zeker waar een deel van die tien mille elke maand naartoe ging. En ik weet waarom die vent zulk loyaal personeel had.'

'Denk je dat een van hen...?'

'Ik heb geen idee, Wes. Net zoals toen ik je belde. Maar nu heb ik tenminste een nieuwe plek waar ik kan gaan kijken.'

Tamara stond met een vlekkerig gezicht en rode ogen in de deuropening. 'Het spijt me.'

Hunt wuifde de verontschuldging weg. Hij kende zijn secreteresse sinds de tijd dat hij als ambtenaar bij de Kinderbescherming een bezoek had gebracht aan de woning van de twee Dade-kinderen, broer en zus, die een paar dagen zonder excuus niet op school waren geweest. Destijds was Tamara nog Tammy, een hongerlijdende twaalfjarige die haar uitgemergelde broertje Mickey probeerde te voeden en verzorgen, wachtend tot haar moeder – een heroïneverslaafde die in haar slaapkamer aan een overdosis was overleden – wakker werd. Hunt, die zelf ook een pleegkind was geweest, had de levens van beide kinderen gevolgd tot ze jonge volwassenen waren, en toen hij zijn bureau had geopend, had hij Tamara fulltime in dienst genomen en begon hij Mickey als loopjongen en gelegenheidschauffeur in te zetten.

Nu zei ze tegen hem: 'Craig en ik hebben ruzie gehad. Ik denk dat we misschien uit elkaar zijn.'

'Is hij daarom niet hier?'

'Dat zal wel. Toen ik binnenkwam, vond ik alleen het bericht dat hij ziek was. Maar gisteravond was hij niet ziek.'

Hunt leunde achterover in zijn ergonomische stoel en schommelde een of twee keer heen en weer. 'Wil je erover praten?'

'Dat weet ik niet.' Maar ze liep naar binnen en liet zich op een van de stoelen tegenover hem zakken. 'Het is gewoon zo stom, dat is alles.'

'Er gebeuren nu eenmaal stomme dingen.' Hij zweeg weer even. 'Wil je naar huis? Ik moet wat veldwerk doen. We kunnen wel sluiten.'

'Nee. Ik kan wel blijven.' Ze sloeg haar ogen op en keek hem aan. 'Ik haat alle dope,' zei ze, 'weet je dat?'

Aangezien haar moeder aan een overdosis was overleden, had dit niet zo verrassend hoeven te zijn; maar Hunt wist, of vermoedde in elk geval, dat zij en Craig af en toe marihuana gebruikten. 'Ik ben er zelf ook niet zo kapot van, om je de waarheid te zeggen. Ging de ruzie daarover? Als ik te nieuwsgierig ben, moet je het zeggen, hoor.'

Ze glimlachte flauwtjes naar hem. 'Jij hebt het recht verdiend om nieuwsgierig te zijn.' Ze sloeg haar armen over elkaar en staarde in de ruimte tussen hen. 'Ik bedoel, iedereen zegt dat een beetje wiet nooit kwaad kan, weet je? Het is niet verslavend, veiliger dan alcohol, bla bla bla. En misschien kan een beetje geen kwaad, maar veel...'

'Gebruikt Craig veel?'

'Ik weet niet hoeveel. Ik hou het niet in de gaten. Maar we hebben met elkaar afgesproken dat we zouden stoppen. Of in elk geval dacht ik dat we dat met elkaar hadden afgesproken. Misschien niet. Ik weet het niet. Ik wil niet dat hij problemen met jou krijgt, Wyatt. Hij is niet high wanneer hij aan het werk is. Ik weet dat hij dat niet doet.' Ze schudde haar hoofd. 'Ik wou gewoon dat hij kon stoppen.'

'Kan hij dat niet?'

'O, hij zegt van wel. Wanneer hij maar wil. Hij wil het alleen niet.' Aan de glans in haar ogen te zien, kon ze elk moment in tranen uitbarsten. 'Het doet me zo erg denken aan wat mijn moeder altijd zei. Hoe ze altijd deed. En ik zei telkens bij mezelf dat dát anders was; zij was echt aan de heroïne verslaafd, helemaal niet hetzelfde als wiet. Maar nu, ik weet het niet, lijkt het op de een of andere manier veel meer op elkaar. Maar ik denk gewoon niet dat ik dat spul nog in mijn leven wil, en dat probeer ik tegen Craig te zeggen, en hij is helemaal... Hij denkt gewoon niet zo.'

'Zelfs als het betekent dat hij jou kwijtraakt?'

Nu braken er twee tranen door, die over haar wangen rolden. 'Dat wil ik niet denken, Wyatt, maar het lijkt alsof dat gebeurt. Het is nooit mijn bedoeling geweest om hem tussen mij en wiet te laten kiezen, je kunt niet allebei hebben, maar ik denk dat het bijna zover is gekomen.'

Hunt wreef met een vinger over zijn bureau. 'Ik zal je één ding zeggen: als hij de wiet boven jou verkiest, is hij een volslagen imbeciel.'

'Maar ik denk dat hij dat kan doen,' zei Tamara. 'Ik denk echt dat hij dat kan doen.'

26

Debra Schiff had haar rechtstreekse getuigenis tegenover Paul Stier afgelegd, en zat nu al ruim een uur in de getuigenbank. Ze dacht dat ze de eerste twintig minuten van het door Dismas Hardy afgenomen kruisverhoor behoorlijk goed had doorstaan; tot dusver was het grootste deel ervan aan de moord op Dylan Vogler gewijd. Hij dacht misschien dat hij een paar punten had gescoord in de wapenkwestie, maar zij had voet bij stuk gehouden door te herhalen dat Maya aanvankelijk tegen hen had gelogen over de vraag of ze die ochtend wel in de steeg was geweest. Bovendien hadden ze de registratie van het wapen van gedaagde op haar naam, en haar vingerafdrukken – godbetert! – op het magazijn.

Wat kon de jury nog meer willen?

Volgens Schiff bestond er geen twijfel over wat er die zaterdagochtend was gebeurd, en ze wist dat ze het ondanks Hardy's beste inspanningen treffend aan de jury kenbaar maakte. Nu draaide hij zich om en liep naar zijn raadstafel terug. Hij draaide een geel schrijfblok om en leek het even te lezen – hoewel Schiff wist, omdat Jerry Haines en Paul Stier het haar allebei verteld hadden, dat veel van deze irrelevante fysieke activiteit gechoreografeerd was zodat advocaat en getuige niet slechts in pratende hoofden voor de jury veranderden.

Hardy liep naar het midden van de rechtszaal terug en bleef zo'n tweeënhalve meter voor haar staan. 'Rechercheur Schiff,' begon hij opnieuw. 'Ik zou u een paar vragen willen stellen over de plaats waar Levon Preslee is vermoord. We hebben de foto's gezien. Er was een heleboel bloed, nietwaar?'

'Ik zou het meer een gematigde hoeveelheid noemen, maar er was bloed, ja.'

'Een gematigde hoeveelheid, dan. Zowel op de tafel als op de vloer tussen de tafel en de gootsteen, ja?'

'Ja.'

'Het bloed drupte dus van de tafel op de vloer, nietwaar?'

'Daar leek het wel op, ja.'

'Maar er is geen bloed aangetroffen op het hakmes, dat dokter Strout aan de hand van de verwondingen van de overledene als consistent met het moordwapen heeft geïdentificeerd. Is dat waar?'

'Ja. Er is geen bloed op het wapen aangetroffen. Het was afgespoeld.'

'En hoe weet u dat?'

Voor het eerst toonde Schiff enige ergernis – een lichte tuiting van haar lippen – die bijna meteen weer verdwenen was. 'Nou,' zei ze, nu rechtstreeks tegen Hardy en niet tegen de jury, 'het zag er vochtig uit op de plek, alsof het schoongespoeld was, en er waren sporen van het bloed van de overledene in de afvoer onder de gootsteen. En het hakmes lag naast de gootsteen in een droogrek.'

'Dus vermoedelijk had iemand het moordwapen in de gootsteen afgespoeld, klopt dat?'

'Dat was onze veronderstelling, ja.' Schiff wierp een vluchtige blik op Stier, in de hoop dat hij bezwaar zou maken. Ze voelde zich een beetje ongemakkelijk om over de betekenis van de plaats delict te praten, omdat dat eigenlijk de afdeling van het forensische onderzoeksteam was. Maar haar bondgenoot de aanklager schonk haar een flauwe erkentelijke glimlach en zat met zijn handen op zijn tafel gevouwen.

'Goed,' zei Hardy. 'Dat was uw veronderstelling. Dat het hakmes het moordwapen was, is dat juist?'

'Ja.'

'Goed. Als we die hypothese voorlopig aanvaarden, waren er andere aanwijzingen die u, een getrainde onderzoeker, erop wezen hoe de moord werkelijk had plaatsgevonden?'

'Ik weet niet zeker wat u bedoelt. De overledene werd van achteren met het hakmes geslagen.'

'Ja, maar vlak daarvoor. De overledene zat aan de tafel toen hij werd getroffen, akkoord. Maar zat er geen waterkring op de tafel?'

'O, dat. Ja.'

'En wat veronderstelde u op grond daarvan?'

'Dat gedaagde bij...'

'Neem me niet kwalijk.' Hardy, die met haar ritme speelde, onderbrak haar en keek verwachtingsvol naar de rechter. 'Edelachtbare, verzoek om die laatste frase te schrappen.'

'Toegekend.' Braun keek fronsend naar Schiff, die zich er plotseling van bewust was dat Hardy haar had beetgenomen – ze had eigenlijk beter moeten weten. Hij had haar met deze routinevragen zand in de ogen gestrooid en haar overrompeld. Ze zou voorzichtiger moeten zijn of het risico lopen haar geloofwaardigheid te verliezen. 'Brigadier,' zei de rechter op haar schijnheiligst, 'de jury zal bepalen of de gedaagde of iemand anders bij meneer Preslee was. Houd u gewoon bij wat u geobserveerd hebt.'

Hardy was de hoffelijkheid zelve. Een vlugge, warme glimlach, een nauwelijks waarneembare knik. 'Dank u, edelachtbare. Welnu, brigadier, nogmaals...'

Ze wilde hem wel slaan.

'We hadden het over een waterkring op de tafel, brigadier, en uw theorie van de moord.'

Schiff wierp nog een blik op Stier, die een frons op zijn voorhoofd had, en vervolgens op de jury. 'Het leek erop dat de aanvaller, de moordenaar van meneer Preslee, tegenover hem aan de tafel had gezeten en misschien alleen praatte, een glas water dronk, en mogelijk marihuana rookte. Op een gegeven moment stond de aanvaller op – misschien onder het voorwendsel dat hij of zij het glas wilde bijvullen – ging achter meneer Preslee staan, pakte het hakmes en sloeg hem.'

Hardy stond ontspannen voor haar. 'Zeer beknopt, brigadier, en ik meen ondersteund door het bewijs.'

Verward door Hardy's commentaar, lukte het Schiff alleen even te knikken. 'Dank u,' mompelde ze, en ze besefte dat deze ondervraging op de een of andere manier aan haar was ontsnapt.

Hardy ging verder. 'Brigadier, wat was de geschatte afstand tussen de plek waar de overledene werd geslagen en de gootsteen vlak erachter?'

Hij veranderde schijnbaar weer van koers. Schiff zag de zin van al deze vragen niet in, en toch stond Stier ze toe. Waarom maakte hij niet bezwaar tegen iets? Haar angstgevoel werd groter, en ze voelde een zweetdruppel uit haar haarlijn vallen. Ze veegde die weg en probeerde zich beter te concentreren. Ontspan je en blijf bij de feiten, zei ze bij zichzelf. En vervolgens hardop: 'Niet ver. Misschien een halve meter.'

'En lag er ergens binnen die halve meter bloed op de vloer?'

'U kunt aan de foto's zien...'

'Ja, maar ik vraag u om het voor ons te bevestigen.'

'Op ongeveer de helft van die halve meter lag bloed.'

'Dus, volgens uw theorie van de zaak, heeft de aanvaller meneer Preslee vermoord en stond daarna achter hem het moordwapen in de gootsteen schoon te maken?'

'Ja.'

'En het glas?'
'Ja.'
'Terwijl er bloed van de tafel vlak erachter drupte?'
'Ja.'
'Hebt u schoenafdrukken in het bloed zelf aangetroffen?'
'Nee.'
'Of afdrukken of andere bloedsporen dan die op de plaats delict?'
'Nee.'
'Dus volgens uw theorie, brigadier, stond de aanvaller direct achter de overledene, terwijl er bloed van de tafel op de vloer drupte, in een gebied van slechts een halve meter groot. En stond daar lang genoeg om zowel het hakmes als het glas af te wassen. Is dat correct?'
'Ja.'
Haar ogen schoten tussen de jurytribune en Stier heen en weer. *Ik heb geen idee waar hij hiermee naartoe wil.* De gedachte maakte haar zenuwachtig.
'Brigadier, hebben u en uw partner een bevel verkregen om het huis van de Townshends te doorzoeken?'
'Ja.'
Hardy, die geen haast had, liep weer naar zijn tafel terug en pakte een vel papier op; vervolgens draaide hij zich opnieuw om, liep helemaal naar haar terug en overhandigde haar het bewijsstuk. 'Brigadier, herkent u dit?'
'Ja, natuurlijk. Dat is het huiszoekingsbevel dat we de dag na de moord op Levon Preslee voor gedaagde hebben gebruikt.'
'Was het niet 's ochtends vroeg, om zeven uur, dat u dit bevel hebt gebruikt?'
'Ja.'
'Zou u uit de beëdigde verklaring voor de jury willen oplezen, brigadier, waarnaar u met dit bevel op zoek was?'
Schiff keek op het papier en las, zich er plotseling van bewust waar dit naartoe moest gaan, met een mechanische stem: 'Computerschijven en downloads, bedrijfs- en bankverslagen, schoenen en kleren die wellicht bloedspatten bevatten...'
'Dank u, brigadier, dat is genoeg. U was dus op zoek naar bloedspatten, is dat waar?'
'Ja.'
'En waarom?'
In de getuigenbank tilde Schiff haar hand in een onduidelijk gebaar op,

waarna ze haar keel schraapte. 'We dachten dat er misschien bloedspatten op haar kleren en schoenen zaten.'

'En waarom?'

Schiff ademde in en ging rechtop zitten met haar gezicht naar de jury toe. Ze zou zich er onbewogen doorheen slaan. 'Omdat we dachten dat het bloed dat vlak achter haar op de vloer drupte spatten zou verspreiden, ook al zouden die microscopisch klein zijn.'

'Zocht u ergens anders naar spatten?'

'We dachten dat het mogelijk was dat er enige spatten zouden zitten op materiaal dat het bovenlichaam bedekte.'

'Waarom dacht u dat?' Hardy had Schiff nu stevig in de rol gebracht die ze niet op zich wilde nemen en waar ze niet gekwalificeerd voor was, die van reconstructie-expert van de plaats delict. Maar als Stier geen bezwaar maakte, kon ze eigenlijk niet weigeren om de vraag te beantwoorden.

'We dachten... na de eerste klap... dat de aanvaller het hakmes zou moeten optillen, waar nu bloed op zat, en het nog een keer hard omlaag zou moeten zwaaien. Misschien is er tijdens de zwaai of door de tweede inslag bloed vanaf gespat.'

Nu draaide Hardy zich onbewogen naar de jury om. Zonder Schiff aan te kijken vroeg hij: 'Brigadier, hebt u werkelijk naar bloed gezocht op de kleren die u vroeg in de ochtend na de moord op Levon Preslee uit Maya's woning hebt meegenomen?'

'Ja.'

'Is het niet waar, brigadier, dat u alle kleding uit het huis hebt weggehaald, ook die van haar man en kinderen? En de inhoud van de wasmanden en de waskamer hebt weggehaald om die te onderzoeken? Alles, in feite, behalve de kleren die ze droegen?'

'Ja.'

'En zaten er kleren in de wasmachine of droger of ergens anders in het huis?'

'Nee.'

'U hebt ze dus allemaal meegenomen?'

'Ja.'

Hier had ze een hekel aan. Ze wist dat dit als een vorm van politie-intimidatie op de jury overkwam. Zelfs als ze het specifieke bewijs niet had. Ze wist dat het niet bijzonder moeilijk was om in een kamer of een appartement te zijn, zelfs voor een wezenlijke tijdsperiode, en geen concreet teken achter te laten, vooral als je wist dat je naar binnen ging om een misdrijf te plegen. Ze *wist* dat Maya bij Levon thuis was geweest, en als dat niet met het doel was geweest om hem te vermoorden, waarom dan wel? Ze wist niet wat zij met haar kleren en haar schoenen had gedaan in de tijd dat ze die kwijt had moeten zien te raken. En als zij ze niet had kunnen laten verdwijnen, wist Schiff niet hoe ze de bloedspatten had vermeden. Maar niets daarvan maakte enig verschil voor haar vaste overtuiging dat deze gedaagde een geslepen en gevaarlijke moordenares was. 'We probeerden alleen grondig te zijn.'

'Inderdaad,' zei Hardy, 'is grondigheid prijzenswaardig. En u was voorzichtig toen u die kleren in beslag nam om ze passend te verpakken voor latere bloedtests door het misdaadlab, nietwaar?'

'Ja.'

'Maar ondanks al hun verfijnde tests heeft het misdaadlab geen enkel bewijs van bloed aangetroffen op ook maar iets wat u uit het huis van Maya Townshend in beslag hebt genomen, toch?'

Stier kwam eindelijk in actie. 'Bezwaar. Geruchten.'

'Toegekend.'

'Oké, dan zal ik het zo vragen, rechercheur. Ik wil dat u aanneemt dat labpersoneel zal getuigen dat ze geen bloed hebben aangetroffen. Dat komt niet overeen met uw theorie over de manier waarop dit misdrijf werd gepleegd, toch?'

Nu beging Stier zijn fout. Hij had Schiff moeten laten zeggen dat de gedaagde haar kleren misschien had kunnen laten verdwijnen, of dat er misschien gewoon niet genoeg bloed te vinden was, maar in plaats daarvan maakte hij bezwaar. 'Speculatie, edelachtbare. Irrelevant. De theorieën van rechercheur Schiff zijn geen bewijs.'

Hardy kon zijn geluk niet geloven. 'Nou, jeetje, raadsman,' zei hij. 'Dat is precies mijn punt. Aangezien de aanklager toegeeft dat de theorieën van rechercheur Schiff geen bewijs zijn, en aangezien de aanklager naast haar theorieën niets lijkt te hebben, heb ik geen verdere vragen.'

Braun sloeg met haar hamer en berispte Hardy, maar dat kon hem niet schelen.

De rest van de middag bleef Hardy bij de rest van de labgetuigen op hetzelfde punt hameren.

'U bent een vingerafdrukexpert, toch? Hebt u vingerafdrukken in het huis van meneer Preslee gevonden?'

'Ja. Een heleboel.'

'Waren de vingerafdrukken van Maya Townshend daar ook bij?'

'Nee.'

'In feite zijn er diverse vingerafdrukken die bij mensen horen die u nooit hebt geïdentificeerd, nietwaar?'

'Ja.'

'Vingerafdrukken op de tafel waar het slachtoffer zat?'

'Ja.'

'Vingerafdrukken op de gootsteen waar het hakmes vermoedelijk was afgespoeld?'

'Ja.'

'Vingerafdrukken op de binnendeurkruk van het appartement?'

'Ja.'

'En geen enkele daarvan is van Maya, en sommige zijn ongeïdentificeerd, toch?'

'Correct.'

Hardy deed hetzelfde met het DNA – deels teruggevonden, deels ongeïdentificeerd, niets van Maya. Toen hij om kwart voor vijf eindelijk klaar was met zijn kruisverhoor, wachtte Hardy een poosje en wierp een blik op Stier, die lusteloos aan zijn eigen tafel zat. De aanklager had vandaag een afstraffing gekregen inzake het Preslee-bewijs, en dat wist hij.

Maar de volgende keer zou hij over het motief praten. En het motiefbewijs, wist Hardy, zou meedogenloos worden.

27

De deur van het appartement ging open en Wyatt Hunt stond naar zijn jonge compagnon te kijken. 'Wat is dit voor gezeik, Craig?'

'Welk gezeik?'

'"Welk gezeik?" vraagt hij. Je ziek melden terwijl je er ongeveer net zo ziek uitziet als ik, afgezien van een beetje rood om de ogen. Ben je stoned?'

'Lichtjes.'

'En wat hoop je daarmee te bereiken?'

'Niks. Ik probeer helemaal niks te bereiken. Behalve uitvogelen hoe ik Tam terug kan krijgen.'

'Denk je beter wanneer je stoned bent?'

'Geen idee. Waarschijnlijk niet.'

'En toch ben je hier.'

'Ik wilde gewoon een dag vrij nemen en over dingen nadenken.'

'Is dit over dingen nadenken?'

'Nee. Ik voelde me slecht over Tam en probeerde mezelf op te vrolijken.'

'Ja, jij bent gewoon het toonbeeld van vrolijkheid.'

'Wat wil je dat ik zeg?'

'Je kunt niets zeggen, Craig. Je kent de regels. Als je een dag vrij wilt, bel je op en vraag je om een dag vrij. Als ik me niet vergis, heb je dat al eerder gedaan en dat is nooit een probleem geweest. Maar je meldt je niet ziek als je niet ziek bent.'

'Het spijt me.'

'Ja, nou...' Hunt had hier een hekel aan, had op dit moment een hekel aan Craig. 'Het is simpel als je Tamara terug wilt. Ze wil dat je stopt met die shit.'

'Heeft zij je hierheen gestuurd?'

'Nee. Ik wilde zien hoe erg het was.'

Chiurco blies in de lucht tussen hen. 'Het is niet zo erg als het eruitziet.'

'Dat is geweldig. Ik ben blij dat te horen. Want om je de waarheid te zeggen, ziet het er op dit moment niet al te best uit.'

'Ga je me ontslaan?'

'Dat overweeg ik. Ik voel me een beetje verraden, als je het wilt weten.'

'Toch niet door mij?'

'Jawel, door jou.'

'Wyatt, kom op. Dit is de eerste keer in – hoeveel? – vijf jaar dat er zoiets gebeurt. We zitten niet bepaald in de drukste tijd die we ooit hebben gehad. Ik heb gewoon een slechte beslissing genomen.'

'Een paar. Zie je enig verband tussen de dope en de slechte beslissingen?'

'Misschien. Een beetje.'

'Misschien een beetje, ja. En ondertussen komt Dismas Hardy gisteravond bij me langs en geeft ons een enorme bult werk en denk ik dat jij en ik minstens de komende paar dagen, misschien wel een week, de klok rond gaan zwoegen met die Townshend-zaak. Maar jij meldt je ziek terwijl je helemaal niet ziek bent, en Tam zit als een hoop ellende op kantoor, kan de telefoon nauwelijks opnemen, en ik zit godverdomme zonder team.'

'Dat wist ik niet. Dat had ik niet kunnen weten.'

'Nee, dat weet ik. Daarom is een van de regels dat je op het werk verschijnt wanneer iemand je betaalt, zodat als er werk te doen is, je er bent om het te doen.'

Chiurco liet zijn hoofd hangen; zijn schouders gingen omhoog en weer omlaag. 'Nogmaals, het spijt me.'

Hunt wachtte tot Craigs hoofd weer omhoogkwam en keek hem vervolgens recht in de ogen. 'Shit,' zei hij. 'Op deze manier gaat het niet. Hebben we al niet een keer een discussie hierover gehad? Hoe moet ik een aanbevelingsbrief schrijven als dit zo doorgaat? Als dit je gekozen beroep is, misschien wil je dan dingen vermijden die het bedreigen?'

'Ik rook gewoonlijk niet overdag.'

'Je zou gewoonlijk helemaal niet moeten roken, Craig. Je kunt daardoor je baan verliezen – verdomme, je hele vak. Erger nog, je verliest Tamara, en dat weet je al.'

'Dat weet ik. Denk je dat ik dat niet weet? Dat probeer ik de hele dag al uit te vogelen.'

'Wat valt er uit te vogelen?'

Geen antwoord.

'En bovendien, Craig, nu we het er toch over hebben, zal het je niet helpen iets uit te vogelen als je high bent. Vooral dit. Is dat niet verdomd duidelijk?'

'Dat zou wel zo moeten zijn, ja.'

'Dus?'

'Dus,' een zucht, 'dus ga ik stoppen. Dat meen ik. Ik begin nu, Wyatt. Dat zweer ik bij God.'

Hunt staarde hem alleen maar aan; deze discussie was al ver boven zijn tolerantieniveau. 'Wat vind je dan dat ik nu hieraan moet doen? Aan jou?'

'Je kunt me ontslaan als je wilt.'

'Ik weet dat ik dat kan. Misschien zou ik dat moeten doen. Als dit niet de eerste keer was dat jij het zo verklootte, zou ik dat verdomd zeker doen.'

Er verscheen een sprankje hoop op Chiurco's gezicht. 'Ik zweer het bij God, Wyatt, het is voorbij. Je mag tegen Tam zeggen dat het voorbij is.'

'Jíj mag tegen Tam zeggen dat het voorbij is, Craig. Ik heb wel wat anders te doen.'

'Ik kan...'

'Nee, dat kun je niet.' Hij richtte zijn vinger op Craigs borst. 'Morgen kan het, als je dan helder bent. En dit is de enige waarschuwing. Als je mij één keer voor de gek houdt, moet je je schamen. Als je mij twee keer voor de gek houdt, moet je opsodemieteren. Duidelijk?'

'Ja. Begrepen.'

'Dat hoop ik,' zei Wyatt, en daarna: 'Ga slapen en kom morgen op tijd.' Hij draaide zich om en beende weg door de hal.

Bay Beans West was weer open; de zaken gingen in elk geval weer rustig maar gestaag.

Wyatt Hunt, wiens woede nog nasmeulde in zijn ingewanden, stond tijdens het lunchuur op deze koele en bewolkte dinsdag tegenover Haight Street en keek een minuut of twintig naar de komende en gaande mensen. De clientèle kon niet diverser zijn, en Hunt dacht dat als we waren wat we eten en drinken, de mensen dan eigenlijk voornamelijk hetzelfde waren; helemaal niets zou ons echt van elkaar onderscheiden, aangezien iedere etnische groep ter wereld, beide seksen, en mensen op ieder economisch niveau koffiedronken en veel ook.

Hunt ging eindelijk naar binnen en sloot als vijfde in de bestelrij aan. Toen hij bij de toonbank kwam, bestelde hij een standaardgerecht en twee kopjes espresso. Hij boog voorover, liet vlug zijn visitekaartje zien en meldde dat hij een onderzoeker was – hij zei specifiek niet politie-onderzoeker. Hoewel mensen dat heel vaak verstonden, en hij corrigeerde hen niet. Kon hij alsjeblieft, informeerde hij, even met de manager praten? Het ging over de zaak-Maya Townshend.

Voordat zijn bestelling was uitgevoerd, verscheen er een flamboyant geklede jongeman met een paardenstaart en een diamant in zijn oor naast Hunt en hij stelde zich voor als de manager, Eugenio Ruiz. Hunt bedankte hem voor zijn komst, liet zijn visitekaartje opnieuw zien en stelde zich ditmaal voor als een privédetective die met de verdediging in de zaak-Townshend samenwerkte.

'Oké, wat kan ik voor u doen?'

'We proberen een beetje duidelijkheid te krijgen,' zei Hunt, 'over de manier waarop Dylan Vogler de marihuana van hieruit regelde. Wist u daar iets van?'

Ruiz had vlugge, donkerbruine ogen, en die schoten naar de kassa en weer naar Hunt. 'Dylan handelde dat allemaal vrijwel helemaal zelf af, denk ik.'

'Echt waar?'

'Vrijwel, ja.'

Bij de toonbank werd Hunts koffie omgeroepen, en hij draaide zich om en glimlachte. 'Dat ben ik, ben zo terug. Zullen we heel even ergens gaan zitten?'

'Even. Tuurlijk.'

Hunt haalde zijn koffie, draaide zich om en trof Ruiz opnieuw bij zijn elleboog aan. 'Er staan een paar stoelen in mijn kantoor,' zei hij. 'Kom maar mee.' Hij ging hem voor.

De kamer was klein en smal, ongeveer twee bij drie meter. Er stond een rommelig bureau langs de linkermuur, en Hunt pakte een van de twee stoelen die achterin stonden. De muren waren behangen met posters van locaties waar koffie werd geteeld – Costa Rica, Hawaï, Kenia, Indonesië. Ruiz deed de deur achter hen dicht, schoof vervolgens een houten vaatje aan en ging erop zitten. 'Ik heb maar een paar minuten,' begon hij. 'We krijgen het druk in de zaak.'

'Het lijkt wel of jullie het altijd druk hebben.'

'Dat klopt wel zo'n beetje.' Er verscheen een hoopvolle glimach, die net zo snel weer verdween.

Hunt nam een slokje van zijn hete koffie. 'Echt heerlijk,' zei hij.

'Ja.'

'Nou,' zei Hunt. 'De grote vraag is denk ik hoe Dylan het geld onder de werknemers hier verdeelde. Waren het alleen de assistent-managers, of kreeg iedereen een deel?'

Ruiz, die tot Hunts voldoening volledig werd overrompeld, deed zijn mond een paar keer open en dicht. 'Eh, nee.'

'Nee, iedereen kreeg een deel?'

De snelle ogen flitsten door het kamertje en vestigden zich uiteindelijk op Hunt. 'Nee, geen van beide. Dit was helemaal Dylans zaak.'

'Nee,' zei Hunt. 'Nee, we weten dat dat niet waar is.'

'Het is wel waar.'

'Nee.' Hunt schudde meewarig zijn hoofd. 'Goed geprobeerd, Eugenio, maar Maya heeft ons in algemene bewoordingen verteld hoe het allemaal werkte. En eerlijk gezegd worden we een beetje wanhopig om iemand anders te vinden die een motief had om Dylan te vermoorden. Of de jury zal beslissen dat Maya het gedaan heeft. Dus zij – Maya – wil dat wij naar de politie gaan en jullie naar het bureau brengen om te praten. En wie kan het haar kwalijk nemen? Maar mijn baas denkt dat we niet zo ver hoeven te gaan om te krijgen wat we nodig hebben.'

'Wat hebben jullie nodig?'

'Ik moet weten wat jij en je medewerkers weten.'

'Zoals?'

'Dat weet ik niet specifiek, zie je. Maar in elk geval klanten die moeite hadden met betalen, of misschien op een andere manier problemen voor Dylan veroorzaakten. Concurrenten, mensen die dreigen je te mollen. Kom op, Eugenio, je weet het wel. Je hebt dit zelf ook gedaan. Je runt geen drugshandel van tien mille per maand zonder enige problemen te hebben.'

Eugenio draaide zich half naar de deur om. Toen hij weer naar Hunt keek, schudde hij opnieuw zijn hoofd. 'Nee.'

Hunt glimlachte. 'Ik dacht dat we dat al besproken hadden, Eugenio. "Nee" is niet het juiste antwoord. "Nee" betekent dat jij en je collega's naar het bureau gaan.'

'Maar ze zeggen dat het niet over de wiet ging. Ze hebben de wiet niet meegenomen.'

'Kijk eens aan. "Ze." "Ze" is niet "zij". Wie zijn "ze" dan?'

De gespannen manager friemelde aan zijn vaatje. 'Ik bedoel "ze" niet in die zin.'

'Hoe bedoelde je het dan?'

'Je weet wel, gewoon bij wijze van spreken.'

'Oké. Maar ik zal je wat zeggen. Hoe meer we hiernaar kijken, hoe meer we ervan overtuigd raken dat het eigenlijk om de wiet gaat. Maya denkt dat het om de wiet gaat, omdat het beslist niet om haar gaat. Je ziet dus waar we vandaan komen. We komen in tijdnood.'

'Ja, maar ik weet geen namen.'

Hunt toonde een kille glimlach. 'Nou, dan heb je geluk. Want het blijkt dat wij wel namen hebben, een hele lijst. We weten alleen niet wat voor soort relaties een aantal van deze mensen met Dylan had. We moeten nog wat meer met jou praten en met andere personeelsleden die bij deze zaak betrokken waren.'

'Niemand was erbij betrokken. Niemand verkocht of verhandelde iets, behalve Dylan.'

Hunt leunde achterover in zijn stoel. 'Ik geloof je, Eugenio. Maar we hebben het niet over verkopen. We hebben het over samenwerking en uitbetaling. Jullie wisten wat Dylan deed en jullie hielpen hem daarbij, en in ruil daarvoor betaalde hij jullie onder de tafel, waarschijnlijk behoorlijk goed. Ik weet het en jij weet het, maar de politie heeft zich daar tot dusver niet zo druk om gemaakt omdat ze aan Maya en aan moord dachten. Dus tot nu toe ben jij helemaal buiten beeld. En het echt goede nieuws is dat je niet in de problemen komt door met mij of mijn collega's te praten. Maar als de smerissen hier komen en zich ermee gaan bemoeien, zal dat helemaal veranderen.' Hunt kwam naar voren. 'Is er iets wat jou hieraan niet duidelijk is? Dit is een geweldige deal voor jullie, dat beloof ik.'

Eugenio roffelde een ritme op de rand van het vaatje. 'Heb je die lijst bij je?' vroeg hij. 'Ik kan wel even kijken of er namen zijn die me bekend voorkomen.'

Om een paar minuten over acht die avond stonden Treya en Abe Glitsky de vaat te doen – Abe waste af, Treya droogde af – bij de gootsteen in hun kleine keuken. Ze hadden een vaatwasser, maar die was kort nadat Zachary in het ziekenhuis was terechtgekomen kapotgegaan, en ze waren er niet aan toegekomen om hem te laten repareren.

Nu begon het erop te lijken dat dat nooit zou gebeuren. Het eenvoudige ritme van de afwas – de borden, de koppen en het tafelzilver al pratend afspoelen en aan je partner overhandigen om af te drogen – had hun allebei een stilzwijgende behaaglijkheid gegeven en zelfs een soort intimiteit, die hun communicatie op de een of andere manier weer op gang had gebracht tijdens die donkerste dagen waarin Treya soms dacht dat Abe nooit meer echt zou praten.

In die crisisperiode met Zachary had Treya ook iets op touw gezet wat ze OuderTijd, of OT, noemde en vanavond had ze het voor het eerst sinds een paar weken in praktijk gebracht. Het idee, gaf ze toe, was vreselijk simpel, en misschien zelfs wel een tikkeltje wreed. Maar kinderen konden soms zo onuitstaanbaar zijn – hoewel je natuurlijk altijd van hen hield – dat ze zich er niet al te schuldig over voelde als ze ze hun eigen wreedheden betaald zette.

OT hield in dat je door het hele huis heen liep en de klokken een uur, of zelfs twee uur, vooruit zette. Na het avondeten kijk je dan verbaasd op en zeg je: 'O jee, waar is de tijd gebleven? Het is al bedtijd.' En je brengt de kinderen snel naar dromenland.

Nu pakte Treya een schaal uit het droogrek en begon die af te vegen. 'Nou, wat zei Diz?'

'Hij zei dat het niet Schiffs beste moment was.'

'Wat gaat er nu gebeuren?'

'Niets. Diz zegt dat de Levon-aanklacht misschien niet eens naar de jury gaat.'

'Wauw. Hoe vaak komt dat voor?'

'Niet zo vaak. Normaal ga je voor een dubbele code 187; als de tweede vragen oproept, wordt die niet ingediend. Of misschien wordt die tijdens het vooronderzoek afgewezen, maar nooit midden in een proces. Toch heeft Diz het over een afwijzingsverzoek zodra Stier zijn requisitoir beëindigt. Ik kan me niet voorstellen dat Braun het toekent, maar als ze dat deed, zou het geweldig voor Diz zijn.' Hij wachtte even. 'Het zou niet zo geweldig voor mij zijn.'

'Voor jou? Wat heb jij ermee te maken?'

'Nou, hoewel je het misschien niet aan me kunt zien, vooral de laatste paar maanden niet, leid ik in theorie de afdeling Moordzaken. Wat betekent dat ik enige invloed heb op wat we naar de officier van Justitie brengen. Of niet. In elk geval als er een probleem is.'

'Bedoel je dat er hier een probleem was?'

'Ik dacht misschien van wel toen Debra voor het eerst naar Haines ging. Maar ik leek toen gewoon niet geconcentreerd te kunnen blijven.'

'Jeetje, Abe. Ik vraag me af waarom dat zo was.'

Glitsky stak zijn spons in een drinkglas en draaide die afwezig om de rand heen. 'De reden doet er eigenlijk niet toe, Trey.'

'Nee, dat weet ik. God verhoede dat je een legitiem excuus hebt, of, erger nog, er een gebruikt.'

'Ik heb geen excuus nodig. Ik neem de volledige verantwoordelijkheid op me.'

'Jij? Je maakt een grapje.'

Hij overhandigde haar het afgespoelde glas. 'Wil je me niet meer aan mijn kop zaniken, mens?'

'Dat doe ik niet. Ik plaag je.'

'Ik lach. Kijk me eens lachen.'

Ze zette het glas neer, stak haar vinger in zijn riem en draaide hem naar zich toe. 'Kus me.'

'Mijn handen zijn helemaal nat.'

'Dat kan me niet schelen. Kus me.'

Na ongeveer een halve minuut zei hij: 'Gaan we deze vaat afmaken?'

'Dat betwijfel ik,' zei ze. 'In elk geval niet nu meteen.'

Met nat haar waar een handdoek omheen was gewikkeld en een bleekgele badjas aan kwam Treya in hun woonkamer, waar Abe, in een zwarte flanellen pyama, gebogen over twee stapels papieren op de koffietafel, op de bank zat. 'Nou, kijk eens aan,' zei ze.

Hij wierp haar een valse blik toe. 'Begin je weer?'

Ze glimlachte naar hem. 'Wil je dat?'

Hij klopte op de bank en schoof een stukje op.

Ze ging zitten. 'Heb je iets gevonden?'

Schouderophalend sloeg hij een bladzij om en legde die omgekeerd op de tweede stapel. 'Dat is het probleem.' Nog een bladzij. En nog een. 'Diz zei dat het over het bloed ging, en misschien heeft hij gelijk.'

'Wat is daarmee?'

'Er is geen bloed. Niet op Maya's kleren, niet in haar huis. Nergens.'

'Kan zij ze niet gewoon weggedaan hebben?'

Abe legde zijn huidige bladzij neer en ging achterover op de bank zitten. 'Laten we eens kijken of jij je hierin kunt vinden. Ze vermoordt Levon op een behoorlijk spectaculaire, bloederige manier. Is een paar minuten bezig met schoonmaken, water in de gootsteen laten stromen, dat ongetwijfeld spettert, terwijl er vlak achter haar bloed van de tafel op de vloer drupt.'

'Oké.'

'Oké, in de eerste plaats weten we dat ze bloed op zich heeft.'

'Is dat zo?'

'Dat moet wel, Trey. Met al dat gespetter voor en achter haar kan ze dat onmogelijk vermijden. Dan hebben we dus twee mogelijke scenario's. Een: ze ziet geen bloed en vertrekt uit Levons woning om de kinderen op te halen en gaat vervolgens met hen naar huis. We hebben hier ergens een tijdslijn voor haar,' – hij wees op de papieren die voor hen lagen – 'die haar handelingen laat zien vanaf het moment dat ze de kinderen ophaalt tot de volgende ochtend. Haar eigen verhaal, trouwens, maar bevestigd door haar man en haar huishoudster voordat iedereen er een punt van maakte. Ik ben dus geneigd om het te geloven. Ze is niet naar buiten gegaan.'

'Wat betekent?'

'Het betekent dat die kleren de volgende ochtend om zeven uur in haar huis liggen als Bracco en Schiff verschijnen, en luminol zal het bloed aantonen, zelfs als ze het niet kon zien.'

'Juist, ja.'

'Juist, ja. Het werd dus niet zichtbaar.'

'Wat is het tweede scenario?'

'Ze ziet bloed en moet haar kleren lozen. Maar het probleem daarmee is dat ze de kinderen om drie uur precies heeft opgehaald.'

'Dus had ze ofwel schone kleren bij zich...'

'Niet.'

'Nee, daar ben ik het mee eens. Of ze... wat? Ging eerst naar huis en kleedde zich om?'

Glisky schudde zijn hoofd. 'Daar had ze geen tijd voor. En bovendien zegt de dienstmeid dat ze niet eerst naar huis is gekomen.'

'Wat blijft er dan over?'

'Dat is de vraag.'

'Alle mensen die haar een alibi verschaffen kunnen wel liegen.'

'Dat is waar.'

'Maar jij denkt van niet?'

Glitsky knikte. 'Niet dat het niet kan gebeuren, maar toen ze het zeiden zouden ze niet geweten hebben waar ze een alibi voor gaven, dus is het onwaarschijnlijk.'

'Wat betekent dit alles dan?'

'Ze was niet binnen. Ik kan er wel mee leven dat er geen vingerafdrukken, geen DNA en al dat soort dingen waren. Moeilijk, maar wel te doen als je voorzichtig bent. Maar als ze daar was en hem vermoordde, kreeg ze bloed op zich, dat is alles.'

'Weet je, het is goed om jou hiermee bezig te zien.' Ze legde haar hand op zijn been.

Hij draaide zich naar haar toe om haar aan te kijken. 'Ik begin te geloven, te hopen, wat dan ook, dat het helemaal goed komt met Zack.' Hij boog zich voorover en tikte op de koffietafel. 'Even afkloppen. Hoe dan ook, misschien ben ik dus niet hopeloos. Misschien kan ik iets doen om te voorkomen dat ze ook bij het Vogler-gedeelte van het proces worden weggeveegd.'

'Is het bewijs daar beter?'

'O ja. Zonder enige twijfel, eigenlijk. Maar toch, als ze iets hebben weggelaten, kan ik hen misschien helpen het weer terug te brengen.'

'Wat bijvoorbeeld?'

'Geen idee. Ondersteunen als er andere zwakke plekken zijn. Wat ze ook maar nodig hebben.'

Treya zat nog een poosje zwijgend met haar hand op zijn been. 'Als de rechter het Levon-gedeelte afwijst, wat dan?'

'Niets, eigenlijk, behalve dat Diz even positief in de aandacht van de media staat.'

'Nee. Wat Levon betreft, bedoel ik.'

'Wat is er met hem?'

'Nou, zou hij technisch gesproken niet weer een open zaak zijn?'

Abes mond verstrakte door de concentratie. 'Niet echt. Ik bedoel, zelfs Diz denkt dat ze het gedaan kan hebben, ook al kan de officier van Justitie niet...' Hij zweeg en keek in de ogen van zijn vrouw.

'Behalve,' zei Treya, 'dat ze geen bloed op zich had, nietwaar? Ze is nooit naar binnen gegaan. Wat betekent dat er iemand anders in huis was en hem heeft vermoord, toch?'

28

De volgende ochtend rond negen uur baande Hardy zich met de woorden 'geen commentaar' een weg door de menigte verslaggevers die hem aanklampten terwijl hij door de achterdeur van het Paleis van Justitie naar binnen probeerde te glippen. Hij was betrekkelijk opgewekt – hij had goed geslapen voor een procesdag en was zonder wekker om halfzes wakker geworden in plaats van om drie of vier uur, wat vaker gebeurde.

Hoewel Kathy West en Harlen Fisk geen van beiden waren verschenen op de ingekorte ochtendsessie van gisteren, hadden de autoriteiten besloten dat een metaaldetector nog steeds noodzakelijk was. Dus kronkelde er een rij toeschouwers en nog meer verslaggevers vijftien of twintig meter buiten Afdeling 25. Toen Hardy dit zag, stond hij op het punt terug te keren en de kortere weg achter de rechtszalen te nemen, toen hij een vertrouwde stem zijn naam hoorde roepen, zich omdraaide en enigszins verbaasd Fisk op zich af zag benen.

Het normaal gesproken frisse en gezonde gezicht leek vandaag een onderliggende bleekheid te hebben, en donkere kringen onder zijn ogen duidden op slaapgebrek, maar als Hardy een zus had die voor moord terechtstond, dacht hij dat hij misschien zelf ook wel wat slaap tekort zou komen. Hij stapte in de rij en stak zijn hand uit. 'Hé, Harlen. Heb je het procesvirus te pakken?'

Hij probeerde te glimlachen, maar dat mislukte voornamelijk. 'Misschien een beetje, Diz. Maar ik wilde je vooral vragen, na gisteren, waarom Jackman het Levon-gedeelte van deze zaak niet gewoon kan laten vallen?'

'Voorzichtig, Harlen, je politiek is zichtbaar. Het korte antwoord is dat Stier deze strijd voor hen heeft geregeld en dat ze erin zitten. Wat ik hoop is dat Braun het misschien voor hen zal doen.'

'Kan ze dat doen?'

'Ze kan mijn afwijzingsverzoek toekennen wanneer Stier klaar is met zijn zaak. Als ik haar ervan kan overtuigen dat geen enkel jurylid wat betreft de Levon-aanklacht een veroordeling kan uitspreken met dit bewijs.'

'Waar zal dat van afhangen?'

Hardy gnuifde en boog zich verder naar voren om te fluisteren: 'In theorie, zorgvuldig afwegen van het bewijs. In werkelijkheid, een opwelling.'

'Dat is bemoedigend.'

'Welkom bij de Hogere Rechtbank. Maar eerlijk gezegd denk ik dat we wel een kans maken. Er is eigenlijk niets wat bewijst dat ze Levon heeft vermoord.'

Harlen knikte. 'Deze hele zaak is een aanfluiting als je mijn mening wilt. Altijd al geweest.'

'Daar ben ik het mee eens.'

'En als Braun Levon inderdaad laat vallen, wil dat dan zeggen dat Maya het niet gedaan heeft?'

'Nou, niet precies. Het betekent dat ze niet kunnen bewijzen dat zij het gedaan heeft.'

'Wat doen ze dan wel?'

'Wie?'

'De politie. De mensen die de moord op hem onderzoeken.'

Hardy's grijns had een sardonisch trekje. 'Nogmaals, we hebben te maken met theorie versus werkelijkheid. In theorie moet de politie naar meer bewijsmateriaal beginnen te zoeken, maar ik heb niets gezien. Dus dan moeten ze, nog steeds in theorie, het onderzoek opnieuw uitvoeren en zien of ze misschien ergens onderweg over een andere verdachte struikelen. In werkelijkheid, aangezien de politie gelooft dat Maya Levon daadwerkelijk heeft vermoord...'

'Dat is krankzinnig,' onderbrak Harlen hem. 'Ik wéét dat ze dat niet heeft gedaan.'

Dit bracht Hardy van zijn à propos. 'Vertel me dan hoe je dat weet.'

De toezichthouder aarzelde ook even. 'Wat ik bedoel is dat mijn zus niemand op het hoofd slaat met een hakmes, Diz. Dat zou absoluut niet kunnen gebeuren.'

'Ik zeg niet dat ik het oneens met je ben. Ik vind het ook vergezocht. Maar de politie denkt dat dat gebeurd is, ook al vermeed ze alle bloedsporen, wat een heel aardig trucje is als ze dat gedaan heeft. Hoe dan ook, de hoofdzaak is dat in werkelijkheid Braun Levon afwijst en niemand zal er een moer aan doen. Ze denken dat ze haar toch wel op Dylan zullen pakken. Maar het goede nieuws – en dit is echt goed, Harlen – is dat als Levon wordt afgewezen, het niet meer onder Specials valt.' Hiermee bedoelde Hardy speciale omstandigheden – beschikt door meervoudige moord – waardoor Maya een levenslange gevangenisstraf tegemoet zou zien zonder de mogelijkheid van voorwaardelijke vrijlating. Zonder Levon zou er geen sprake meer zijn van levenslang zonder voorwaardelijke vrijlating.

Maar Harlen putte daar niet veel troost uit. 'Ik wil dat ze helemaal niet de bak in gaat,' zei hij. 'Daarom heb ik haar juist naar jou gestuurd. Ik heb nooit gewild dat dit zou gebeuren. Jij had moeten verhinderen dat het zover zou komen.'

Hardy had dit al eerder meegemaakt, dat de familie in de loop van het proces vijandig werd tegen de verdediging. Toch was Harlen een oude collega – bijna een persoonlijke vriend – en de beschuldiging stak hem. 'Nou,' – Hardy's redelijke stemming was inmiddels compleet vervlogen – 'ik hoop dat je weet dat ik mijn uiterste best doe om dat te voorkomen.'

'Dat weet ik. Ik bedoelde niet...'

'Ja, je bedoelde het wel. Het is wel goed.'

'Het is niet goed, Diz.' Harlen slikte en haalde diep adem. 'Die klootzakken doen ons allemaal de das om, zeg ik je. De laatste keer dat Joel en ik elkaar zagen, gingen we bijna met elkaar op de vuist. Hij zei dat ik hem bij de onderzoeksjury heb verlinkt. Heb jij daar ooit voor getuigd?'

'Ja. Maar ik was geen verdachte.'

'Nou, dit is het goede nieuws: ik ben ook geen verdachte. Of ze zeggen me dat het goed nieuws is, maar als je het mij vraagt, kunnen ze me altijd tot een verdachte maken.'

'Dus je kunt je op het zwijgrecht beroepen, toch?'

'Niet dat ik iets te verbergen heb, eigenlijk, maar het zou een aardige optie zijn. In plaats van dat ik me door Haines, zoals de laatste keer dat hij me in de getuigenbank zette, onder vuur laat nemen. Dan begint hij over mijn belastingaangiftes van zo'n tien jaar geleden. En hoe verklaar ik dit? En hoe heb ik dat echt verdiend? En hoe bewijs ik dat mijn zus en ik geen eigenlijke partners in BBW waren, en dat het dopegeld Joels onroerend goed niet echt op gang heeft gebracht, of hem in elk geval uit de penarie heeft geholpen na 11 september.'

'En moest je antwoorden?'

'Elke keer, anders maak ik me schuldig aan minachting. Ik bedoel, hij behandelde me alsof ik een grote crimineel was, maar ik heb hem niets te zeggen. En na dat alles geeft Joel me toch nog op mijn donder.' De forse man ademde zwaar uit. 'En je ziet wel dat Kathy zo'n vijf kilo is afgevallen. Vijf kilo bij haar is zo'n beetje vijfentwintig bij mij. En dat komt niet door haar nieuwe trainingsschema, geloof me.'

'Ik had nog niet gehoord dat ze haar hadden opgeroepen.'

'Nee. Dat is juist zo vreselijk. Ze houden de grote bijl – getuigen voor de onderzoeksjury – boven haar hoofd. Haines wacht om te zien wat er hier in de rechtszaal gebeurt, misschien. Ik weet het niet, maar het vreet ook aan haar. Letterlijk. Ik denk dat ze min of meer daarom hierheen is gekomen. De klootzak waarschuwen, hem laten zien dat ze niet bang is.' Hij boog zich verder voorover. 'Maar ik zal je eens wat zeggen, Diz. Ze is wel bang.'

Door zijn eigen ervaringen met Joel – kibbelen met hem over rekeningen, kasstromen, processtrategie, de manier waarop hij Maya behandelde – wist Hardy dat Haines' campagne tegen de families een ernstige psychische tol eiste. Nu, echter, had Harlens totaal onkarakteristieke uitbarsting – de man was tenslotte een professionele politicus, hij verloor nooit zijn kalmte – Hardy doen beseffen hoe diep het mes sneed, hoe bedreigend de onderzoeksjury moest zijn, hoe reëel de mogelijkheid van geruïneerde carrières en zelfs gevangenisstraf was. Nu haalde Hardy zelf diep adem. 'Nou, Harlen,' zei hij met een bijeengeraapte kalmte die hij bij lange na niet voelde, 'wij zijn hier nog lang niet klaar. Dat is alles wat ik je kan zeggen. We moeten het laten uitspelen.'

Hardy liet Fisk door de metaaldetector gaan, waarna hij uit de rij stapte en terugliep naar het andere vertrouwde gezicht dat hij in de hal achter hen had opgemerkt. Chiurco, die een jas en een das droeg, zag er goed uitgerust en helder uit toen Hardy hem de hand schudde. 'Hé, Craig,' zei hij. 'Ben je hier met Wyatt?'

'Nee. Wyatt zei dat ik hierheen moest komen om te zien of ik me enigszins nuttig kan maken.'

Dit was niet het meest indrukwekkende aanbod dat Hardy ooit had gehoord. Het enige waar Craig over moest praten was Maya's aanwezigheid buiten Levons flat vlak voor of nadat hij werd vermoord. Wat betekende dat als Hardy hem in de getuigenbank zette, hij de zaak alleen nog maar verder kon schaden.

Maar plotseling, onverwacht, kwam er een idee boven. 'Er is iets wat je kunt doen,' zei hij. 'Door al die gekte hebben jij en ik nooit gepraat over wat je over Levon en Dylan hebt ontdekt.'

'Inderdaad, maar ik moet je zeggen dat het, behalve de beroving en zijn adres, niet veel was.'

'Heeft Wyatt je niet gevraagd om iets daarvan verder uit te zoeken?'

Craig schudde zijn hoofd. 'Nee. En ik weet eigenlijk niet wat het zou zijn. Ik denk dat jullie alles weten wat ik weet.'

'Waarschijnlijk wel,' zei Hardy, 'maar misschien weet je iets waarvan je niet weet dat je het weet. Dingen die je misschien gezien hebt toen Maya bij de deur stond.'

Dit bracht een frons teweeg. 'Tamara liet min of meer doorschemeren dat ik misschien met mijn verhaal zou willen knoeien als...'

Maar Hardy wilde daar niets van weten. 'Nee, nee, nee. Niets daarvan. Ik heb het niet over een verhaal verzinnen. Alleen als dat wat er echt gebeurd is een argument of zoiets kan veranderen.'

'Nou, wat je maar wilt.'

'Wil je een tijd afspreken? Mij een uur geven?'

'Best. Wanneer?'

'Vanavond, morgenavond? Bel Phyllis op mijn kantoor en zij kan een afspraak voor ons maken. Vind je dat goed?'

'Natuurlijk.'

'Mooi. Als je mij nu wilt excuseren.' Hardy wees naar de rechtszaal achter zich. 'Hare Majesteit wacht.'

Boven liet Glitsky Bracco en Schiff in zijn kantoor, deed de deur achter hen dicht en liep om zijn bureau heen naar zijn stoel. Hij schonk een kop hete thee in zijn SFPD-mok, trok die naar zich toe en legde zijn handen eromheen.

Niet dat hij het koud had.

Hij voelde dat hij steun nodig had – iets directs wat aan het pijnlijke grensde – om zijn ergste emoties op dit moment weg te nemen, die uit een mooie mengeling van opgelatenheid, teleurstelling en woede bestonden. Als extra afleiding – waarschijnlijk was dit gewoon een praatje over procedures – had hij beneden twee bekers frou-frou-koffie bij Starbucks gekocht en voor zijn rechercheurs neergezet.

Schiff had overduidelijk een kater.

En nu zei Glitsky, naar de koffie gebarend: 'Ik heb gehoord dat dat geweldig spul is. Sinaasappel-macchiato, of iets dergelijks. Treya zweert erbij.'

Bracco pakte een beker en haalde het plastic deksel eraf. 'Bedankt, inspecteur.'

'Graag gedaan. Debra?'

Ze stak haar handpalm omhoog. 'Misschien straks, bedankt.'

De spanning tussen hen drieën was te snijden.

'Voel je je wel goed?'

Een kordate knik. 'Nogal een ruige nacht gehad, meer niet.'

Glitsky hield zijn ogen op haar gericht. Een poosje later nipte hij van zijn eigen thee. 'Je moet er even aan wennen, maar je mag je door sommige van die dingen niet van de wijs laten brengen.'

Ze gaf geen antwoord.

'Je hebt een zware getuigenisdag,' zei Glitsky. 'Dat maakt deel uit van het werk. Het hoort bij het vak. Je zet het van je af en doet het de volgende keer beter. Dat is tenminste mijn ervaring. De koffie kan echt helpen.'

Schiff zuchtte en reikte naar de beker.

'Natuurlijk,' vervolgde Glitsky, die zijn handen om zijn mok heen drukte en zich op de warmte in zijn palmen concentreerde, 'helpt het als je ervoor zorgt dat je bewijsmateriaal oerdegelijk is voordat je iets moet uitleggen wat misschien niet erg logisch is.'

Schiff ademde lang en traag door haar neus uit, met haar mond stijf dicht. Ze liet de papieren koffiebeker op de tafel staan en ging rechtop in haar stoel zitten. 'Het was volkomen logisch, inspecteur. Het is bekend dat mensen hun sporen verdoezelen, en dat heeft zij gedaan. Dat betekent niet dat ze er niet was.'

'Nee, natuurlijk niet.'

'Feitelijk was ze daar.'

'Nou, feitelijk, om precies te zijn, kan ze bij de voordeur zijn geweest.'

'Ze wás bij de voordeur, Abe. Dat zeggen haar vingerafdrukken en haar DNA.'

'Dat is waar, inspecteur,' zei Bracco.

Glitsky's ogen gingen van de een naar de ander. 'Goed. Toch is de Preslee-aanklacht niet zo fantastisch, wel? Als Vogler er niet was geweest, weten jullie en ik allebei dat die in feite niet zou zijn ingediend. Waarom zou dat volgens jullie zo zijn?'

Schiff krabbelde niet terug. 'Zoals ik al zei, heeft ze het gepland en is het haar gelukt. En ik wil je iets vragen. Heb jij je opvatting hierover van je vriend meneer Hardy?'

Het litteken op Glitsky's lippen werd een beetje bleek in reliëf. 'Ik zal doen alsof ik dat niet gehoord heb, Debra. Het is ver beneden je waardigheid, en misschien gewoon een gevolg van hoe jij je vanochtend voelt, hè?'

'Ik voel me prima.'

'Mooi. Want ik wilde jullie beiden iets vragen. Ik wilde jullie alleen vragen hoe – ongeacht jullie verslagen of jullie getuigenis of wat Maya Townshend misschien wel of niet in Levons woning heeft gedaan – hoe jullie, allebei, mij de complete afwezigheid van bloed op al haar kleren of schoenen of alle andere dingen die jullie hebben bekeken kunnen verklaren. En voordat jullie dat doen, geef ik jullie mijn analyse en zeggen jullie me waar ik het mis heb.'

De daaropvolgende paar minuten schetste hij zijn analyse voor zijn rechercheurs. Hij rondde af met de woorden: 'En dit is geen kwestie van toelaatbaar bewijs of gebrek aan toereikend bewijsmateriaal om te veroordelen. Ik heb het hier over de eigenlijke feiten van wat er is gebeurd.'

Schiff aarzelde zelfs niet. 'De eigenlijke feiten zijn dat ze hem vermoord heeft. Haar man heeft over haar alibi gelogen. Hij of de huishoudster. Dat gebeurt voortdurend.'

Glitsky's mok was inmiddels lauw en faalde als kalmeermiddel. 'Je zegt dat ze thuiskwam, wanneer, voordat ze de kinderen ophaalde?'

'Misschien wel. Dat weten we niet.'

'Maar we weten toch wel,' antwoordde Glitsky, 'hoe laat ze het telefoontje van Preslee kreeg? Een paar minuten voor of na tweeën, toch? En we weten dat ze de kinderen om klokslag drie uur heeft opgehaald. Je vertelt me dus dat ze dat telefoontje in haar huis op Broadway krijgt, ter plekke besluit om Preslee te vermoorden en naar Potrero rijdt? En tussen haakjes, ik ben vanochtend hierheen gereden. Geen verkeer, stadsstraten, tweeëntwintig minuten onderweg. Hoe dan ook, ze gaat zitten en drinkt wat water en rookt misschien een joint met Levon, slaat hem met het hakmes, maakt daarna heel zorgvuldig schoon, en ze heeft tijd om haar met bloed bespatte kleren te dumpen voordat ze de kinderen ophaalt?'

'Ze kan het die avond op elk tijdstip gedaan hebben.'

'Haar man wist er dus van?'

'Dat moest wel.'

Glitsky keek naar Bracco. 'Darrel?'

Geen aarzeling. 'Als zij het gedaan heeft, en ze heeft het gedaan, Abe, dan is het zo gebeurd.'

Terwijl een deel van hem de loyaliteit van zijn mensen jegens elkaar bewonderde, voelde Glitsky zijn maag in opstand komen door dit absurde vertoon van professionele stijfkoppigheid. Door zijn eerdere discussies was hij er nagenoeg zeker van dat Bracco dacht dat ze de zaak vóór de arrestatie hadden kunnen verscherpen, en dat Schiff overhaast had gehandeld, maar Darrel zou zijn partner in het bijzijn van zijn inspecteur niet tegenspreken, en dat was alles.

Het maakte niet uit dat hun overtuigingen geheel tegen de eerste wet van strafrechtelijk onderzoek indruisten – feiten moeten voortvloeien uit aantoonbaar bewijs, en niet andersom, wanneer het bewijs gemanipuleerd of uitgelegd wordt om bij een reeks vooraf bepaalde feiten te passen.

Nu hij wist dat zijn voornaamste doel was mislukt – zijn rechercheurs zover krijgen dat ze toegaven dat ze misschien ongelijk hadden, en dat ze misschien enige tijd wilden besteden aan het zoeken naar degene die Levon Preslee echt had vermoord – slaakte hij een zucht, liet hij zijn thee staan en leunde hij achterover in zijn stoel. 'Goed,' zei hij. En daarna, meer tegen zichzelf: 'Goed. Maar ik denk dat jullie zullen moeten toegeven dat het mogelijk is dat de jury moeite zal hebben met Levon. Kunnen we het daarmee eens zijn?'

'Dat weet jij net zo goed als ik, Abe,' antwoordde Schiff. 'Jury's in San Francisco hebben het zwaar te stellen met schuld, punt uit.'

'Dat is maar al te waar,' zei Glitsky. 'En des te meer reden om ervoor te zorgen dat we de officier van Justitie elke keer alles geven wat hij nodig heeft.'

'Hij heeft hiermee al genoeg, Abe,' zei Schiff. 'Ze gaat de zaak-Vogler verliezen. Zelfs in San Francisco.'

'Goed, prima, ik geloof je, en ik hoop dat je gelijk hebt. En jullie zijn er allebei van overtuigd dat jullie een ijzersterke zaak in het geval van Vogler hebben opgebouwd.'

Darrel reageerde als eerste. 'Ja, inspecteur.'

'Debra?'

'Absoluut.'

'Oké, dan.' Glitsky trok een stapeltje – vijf of zes geniete bladzijden – computeruitdraaien naar zich toe en tikte het in het midden open. 'Dan heb ik nog een laatste snelle vraag voor jullie allebei. Wie is Ed of Edith Carson of Larsen?'

De twee rechercheurs wisselden blikken met elkaar.

'Niemand,' zei Schiff.

'Niemand,' herhaalde Glitsky. 'Maar ik zie hier een plakkertje in het dossier met ons zaaknummer erop en die naam of een die daarop lijkt.'

Schiff, die inmiddels ook nijdig was, verborg haar woede niet. 'Je overdrijft nu wel een beetje, vind je ook niet, inspecteur?'

'Ik heb de leiding over deze afdeling, brigadier, en naar mijn mening is deze zaak die we aan de officier van Justitie hebben gegeven ongeveer halverwege naar de haaien omdat we gewoon niet genoeg bewijs hadden toen we de arrestatie verrichtten – correctie, toen júllie de arrestatie verrichtten. En als jullie mijn mening willen: we hebben nog steeds verdomd weinig in de zaak-Vogler. En als die *niemand* toevallig iemand blijkt te zijn die jullie in jullie arrestatieijver gewoon glad vergeten hebben in jullie verslagen of rapporten op te nemen en die de officier van jusitie echt zou kunnen helpen om dat Townshend-mens veroordeeld te krijgen, dan is het mijn taak om jullie daarop te wijzen. Heeft een van jullie daar een probleem mee? Want als dat zo is, kunnen we naar boven gaan en het met de chef bespreken. Hoe klinkt dat?'

Met een blos op zijn strakke kaken zei Bracco: 'Edith Larsen. Een oude vrouw in Haight.'

'Een seniele oude vrouw in Haight,' corrigeerde Schiff hem.

'Hebben jullie geen aantekeningen gemaakt toen jullie met haar praatten?'

Na een poosje zei Bracco: 'Nee. We besloten dat ze niet geloofwaardig was, Abe. Er was niets wat de moeite waard was om in het dossier te zetten.'

Glitsky wist dat, hoewel het strikt tegen de voorschriften was, dit geen ongewone praktijk was. Hoewel rechercheurs geacht werden iedere interactie met getuigen of potentiële getuigen op band of schrift vast te leggen, was het in de praktijk vaak de beslissing van individuele rechercheurs om getuigenissen, om welke reden dan ook... of zelfs zonder echte reden in hun rapporten op te nemen of weg te laten. Het was Glitsky duidelijk – al was het alleen maar omdat hij er zeker van was dat Bracco wel beter wist, maar ook vanwege de pijnlijke uitdrukking op Bracco's gezicht – dat Schiff het kortste strootje had getrokken om het rapport over het verhoor van Edith Larsen te schrijven en om persoonlijke redenen besloten had het weg te laten.

Glitsky dronk het laatste restje van zijn thee op en hield zijn stem onder controle. 'Niettemin,' zei hij, 'als een van jullie beiden het nog weet, zou ik erin geïnteresseerd zijn te horen wat ze jullie heeft verteld.'

29

Voordat de beslissing echt een kans kreeg om te bezinken, stond een glimlachende en zelfverzekerde Grote Lelijke Stier, die in Hardy's ogen nooit groter of lelijker had geleken, van zijn tafel op en liet hij – ongetwijfeld om te proberen iets van de schade die Hardy gisteren bij Schiff had aangericht ongedaan te maken – Cheryl Biehl in de getuigenbank plaatsnemen.

Paul Stier had Biehl, geboren Zolotny, op vrijwel dezelfde manier ontdekt als Wyatt Hunt, door Maya's studieconnecties op te sporen in de hoop dat iemand die haar indertijd en nu nog steeds kende enig licht kon werpen op de chantagekwestie, en dus op Maya's vermoedelijke motief voor de moorden. Nu verschoof de voormalige cheerleader, conservatief gekleed in een bruin mantelpakje, duidelijk ongemakkelijk in de rol van getuige à charge, terwijl ze zat te wachten tot Stier zou beginnen.

'Mevrouw Biehl, hoe lang kent u de gedaagde?'

'Ongeveer veertien jaar nu.'

'En waar hebben jullie elkaar ontmoet?'

'Op de USF, in het eerste jaar. We waren allebei cheerleader.'

'En hebben jullie je vriendschap in stand gehouden?'

'Ja. Totdat ze gearresteerd werd, lunchten we meestal om de twee maanden of zo samen.'

'Mevrouw Biehl, kende u ook de slachtoffers in deze zaak, Dylan Vogler en Levon Preslee?'

'Ja.'

'En kende gedaagde, naar uw weten, deze beide slachtoffers ook toen jullie allemaal studeerden?'

'Ja.'

'Bent u er ooit getuige van geweest dat gedaagde marihuana gebruikte met een van deze twee mannen of met allebei?'

Biehl wierp een verontschuldigende blik op Maya en knikte naar Stier. 'Ja.'

'En bent u er ooit getuige van geweest dat gedaagde, alleen of met een van de slachtoffers of met allebei, marihuana verkocht of distribueerde?'

'Ja.'

'Zou u dit als een min of meer gewone gebeurtenis karakteriseren?'

'Een tijdje, toen we studeerden, ja. Zij waren de hoofdconnectie als je onder onze vrienden marihuana wilde kopen.'

'Alle drie?'

'Ja.'

'Goed, mevrouw Biehl. Had ze het ooit over meneer Vogler of meneer Preslee tijdens de lunches die jullie een aantal jaren later samen gebruikten?'

'Ja. Ze had het van tijd tot tijd over hen allebei, over Dylan vrij vaak, omdat ze nog steeds met hem werkte.'

'Maar ze had het ook over Levon Preslee?'

'Inderdaad. Maar de laatste tijd eigenlijk niet.'

'Herinnert u zich de laatste keer dat ze het over meneer Preslee had?'

'Ongeveer acht jaar geleden, vlak nadat hij uit de bak was gekomen.'

'En bedoelt u, mevrouw Biehl, met de bak eigenlijk niet de staatsgevangenis?'

'Ja. Inderdaad. Ik dacht dat gevangenis en bak hetzelfde waren. Maar ja, het was vlak nadat hij uit de gevangenis was gekomen.'

'En welke opmerkingen maakte gedaagde in die tijd over meneer Preslee?'

'Alleen dat hij via Dylan in contact met haar was gekomen. Hij wilde dat hij haar aan een baantje of zoiets zou helpen.'

'Hoe reageerde ze op dit verzoek?'

'Het frustreerde haar echt.'

'Hoe wist u dat?'

'Omdat ze dat zei. Ze zei dat ze nooit van die kerels af zou komen.'

'Ze zou nooit van die kerels afkomen. Gaf ze enige uitleg over wat ze bedoelde met "afkomen"?'

'Nee.'

'Dank u, mevrouw Biehl. Nu richten we ons op Dylan Vogler; hij was haar manager bij Bay Beans West, nietwaar?'

'Dat klopt.'

'En hoe karakteriseerde ze haar relatie met meneer Vogler, in die gesprekken die u met haar voerde?'

Biehl aarzelde een poos voordat ze antwoordde: 'Onplezierig.'

'Was ze specifieker?'

'Nou, ze heeft me een paar keer verteld dat ze hem uit haar leven wilde en dat ze had aangeboden om hem uit te kopen, maar hij weigerde.'

Met opgetrokken wenkbrauwen wees Stier de jury op het belang van deze getuigenis. 'Ze gebruikte de frase "hem uitkopen"?'

'Ja.'

'Vond u dat vreemd?'

'Een beetje, ja.'

'En waarom?'

'Nou, omdat hij voor haar werkte, vroeg ik me af waarom ze hem niet gewoon ontsloeg.'

'Hebt u haar daarnaar gevraagd, waarom ze hem niet simpelweg de laan uit stuurde?

'Ja. We hebben er een paar keer over gepraat.'

'En wat zei ze?'

'Ze zei dat ze het niet kon. Ze kon hem niet ontslaan, bedoel ik.'

'En waarom niet?'

'Dat wilde ze niet specifiek zeggen.'

'Heeft ze het u op een algemene manier verteld?'

Biehl keek nog een keer naar Maya en slaakte vervolgens een droefgeestige zucht. 'Ze zei dat ze hem nooit kon ontslaan omdat hij haar in zijn macht had.'

'In zijn macht. Waren dat haar exacte woorden?'

'Ja. Dat heeft ze meer dan eens gezegd.'

Stier, die ontnuchterd leek te zijn door de enorme omvang en de verrassing van deze getuigenis – hoewel hij haar er rechtstreeks naartoe had geleid – knikte naar de getuige en vervolgens naar de jury. 'Mevrouw Biehl, hebt u in de maanden voorafgaand aan de arrestatie van gedaagde opnieuw samen geluncht?'

'Ja, aan het eind van afgelopen zomer.'

'En kwam meneer Vogler opnieuw ter sprake in uw gesprek?'

'Ja.'

'Hoe gebeurde dat?'

'Ik bracht hem ter sprake. Ik vertelde haar dat ik me zorgen maakte over haar situatie met hem. Ik had ergens gehoord dat hij marihuana vanuit de winkel verkocht, en ik zei tegen haar dat wat voor zaken ze ook verborg, het beter was om hem daar weg te krijgen en het achter zich te laten. Anders zou het alleen maar van kwaad tot erger gaan.'

'En wat zei ze daarop?'

'Ze haalde eigenlijk alleen haar schouders op en zei dat ik me er geen zorgen over moest maken. Ik had gelijk. Het was een beroerde situatie, maar ze zou het heel gauw afhandelen.'

Een laatste herhaling voor de jury: 'Ze zou het heel gauw afhandelen.' En daarna wendde Stier zich tot Hardy: 'Uw getuige.'

30

Biehls directe getuigenis hield hen tot de lunch bezig; er zou dus tot de middagzitting geen kruisverhoor plaatsvinden, en dit kwam Hardy prima uit. Hij had geen idee wat hij haar eventueel zou vragen. Haar getuigenis was waar en waarschijnlijk zorgvuldig geweest. Vogler had Maya ongetwijfeld gechanteerd. Hij en Preslee hadden haar waarschijnlijk in hun klauwen gehad, zodat ze zich van hen los wilde maken. De strategie die hij besloten had aan te nemen vereiste een gestaag gedram over het gebrek aan concreet bewijs dat Maya met beide misdrijven in verband bracht, maar Biehl had niets aangeboden wat hij naar zijn gevoel kon weerleggen.

Hij had een voicemail van Wyatt Hunt op zijn mobiele telefoon: hij zou bij Lou de Griek lunchen als Hardy een verslag wilde van wat hij bij BBW had gedaan, en plotseling – zij het om geen andere reden dan dat hij altijd enigszins ziekelijk nieuwsgierig naar het Speciale Gerecht was – leek dat een goed idee.

Dus hield hij zich afzijdig tot zijn cliënt en Stier en het grootste deel van de menigte de rechtszaal hadden verlaten, glipte vervolgens naar buiten en liep de twee trappen af naar de gonzende hal, waar het zo druk was dat hij door niemand werd opgemerkt. Buiten liep hij zonder uit te kijken, met de kraag van zijn regenjas omhoog en zijn hoofd omlaag in de kilte, naar Lou, stapte over het slapende of dode lichaam in de buitenste deuropening heen en daalde de zes met ammonia doortrokken treden af die hem naar de eigenlijke ingang van het restaurant voerden: met rood leer beklede dubbele klapdeuren.

Zoals gewoonlijk om lunchtijd stonden de klanten drie rijen dik aan de bar. Ook alle zoveel-entwintig tafels waren bezet. Hardy herkende diverse smerissen, Harlen Fisk aan een tafeltje met Cheryl Biehl, vijf of zes van zijn collega-advocaten, en een paar leden van zijn eigen jury aan een van de zijtafels; en, enigszins tot zijn verbazing, aan de grootste tafel in het huis, Glitsky en Treya en Debra Schiff en Darrel Bracco samen met officier van Justitie Clarence Jackman in eigen persoon, die met een norse blik aandachtig naar Bracco leek te luisteren. Niemand aan die tafel zag er blij genoeg uit om hem of haar te onderbreken, en bovendien gebaarde Hunt hem vanuit een van de zithoeken, dus baande Hardy zich voorzichtig een weg door de menigte en het kakofonische kabaal en glipte tegenover zijn detective naar binnen.

'Souvlaki lo mein,' zei Hunt bij wijze van groet.

'Dat klinkt eigenlijk eetbaar.'

'Inderdaad, ik weet het. Maar ik voorspel een geheim ingrediënt. Octopus, zoiets. Al die pootjes en de noedels door elkaar gemengd, zodat je ze niet uit elkaar kunt houden.'

'Octopuspoten en noedels? Ik zou het verschil wel weten.'

'O ja? Hoe dan?'

'De poten zullen waarschijnlijk dikker zijn. En van die zuignapjes hebben. Dat is de onthulling.'

Net op dat moment bleef de eigenaar bij hun tafel staan. Lou was ongeveer halverwege de vijftig en had dik zwart haar, korte benen en een stevige ronde buik onder zijn gesteven witte overhemd. 'Hé, Diz, Wyatt. Lunch of alleen iets drinken?'

'We nemen de octopus,' zei Hardy, 'als je de zuignappen van de poten kunt snijden voor Wyatt. Hij vindt zuignappen helemaal niks.'

Lous gezicht vertrok door iets wat echte pijn leek. 'Geen octopus. Noedels en lam, misschien wat hummus en hoisin. Heerlijk.'

'Kan Chiu wat octopus in de mijne doen?' vroeg Hunt.

'Kom op, jongens, zien jullie niet dat ik het druk heb? We doen niet aan vervangingen, dat weten jullie wel. Hoe lang komen jullie hier al? Eten jullie of niet?'

'Twee Speciale Gerechten,' zei Hardy.

'Kijk eens aan. Water, thee, bier, wat?'

Beide mannen kozen voor water, en Lou was op weg naar de volgende bestelling. Hardy keek even om zich heen. 'Moet je die topconferentie zien.'

'Ik weet het. Ze zijn hier een paar minuten na mij gekomen. Ik denk niet dat het een verjaardag is.'

Hardy keek en merkte opnieuw de spanning rond de tafel op. 'Misschien zijn ze gewoon niet zo enthousiast als wij over het Speciale Gerecht.'

'Dat zijn onze lui, toch? Ik bedoel onze zaak.'

'Schiff en Bracco, ja.'

'Misschien hebben ze het verknald.'

'Ze hebben vast nog tien andere zaken, maar we kunnen altijd hopen.' Het water kwam – pintglazen met ijsschilfers – en Hardy nam een slok. 'Nou, hoe vlot het met onze lijst?'

'Langzaam,' zei Hunt. 'Maar we hadden gelijk over dat al het personeel in het complot zat. Ze willen écht niet met de eigenlijke politie praten.'

'Dealen ze nog steeds vanuit die zaak?'

'Dat zou me niet verbazen. Maar niet op het niveau van Dylan.'

'Wie dan? De nieuwe manager?'

'Ruiz. Gehaaide vent. Maar hij zegt dat er een vent is, hij denkt dat die Paco heet, die ruzie met Dylan kreeg terwijl Levon daar was, misschien een paar weken voordat hij werd vermoord.'

Hardy ging rechtop zitten. 'Waren ze daar allebei tegelijk, Dylan en Levon?'

'O ja. Behoorlijk vaak, in elk geval telkens als Levon zijn spul kwam ophalen.'

'Nou, kijk eens aan.'

'Behalve dat er geen Paco op de lijst staat. Ruiz houdt het voor me in de gaten als hij weer binnenkomt, maar hij zegt dat hij hem sinds de grote dag niet meer heeft gezien. En natuurlijk kan hij het allemaal verzinnen.'

'Natuurlijk.' Hardy wierp nog een snelle blik op Glitsky's tafel – nog net zo vrolijk als de vorige keer. 'Ik heb vanochtend met je man Craig gebabbeld, weet je.'

'Ja. Hij heeft zich gemeld. Kan hij iets voor je doen?'

'Nou, tot dusver plaatst hij Maya bij Levons woning, maar hij plaatst haar niet binnen. Dus als ik hem in de getuigenbank ergens voor nodig heb, zal hij daar niet al te veel schade mee aanrichten.'

'Eigenlijk kan het nog iets beter dan dat zijn. Zoals het mij in de oren klinkt, was ze daar net aangekomen en kon ze niet naar binnen, in plaats van dat ze net naar buiten kwam.'

'Groot verschil,' zei Hardy.

'Zonder gelul.' Wyatt aarzelde even. 'Maar hoe kwam hij over?'

'Wie, Craig? Prima. Hoezo?'

Hunt haalde zijn schouders op. 'Hij en Tamara zijn uit elkaar. Ik denk dat hij problemen heeft. Maar hij was oké?'

'Hij leek oké.'

'Mooi. Ik controleer de puppy's alleen even.' Hunt draaide zijn glas in zijn condenskring rond. 'Ik heb misschien wel iets anders gekregen.

Eigenlijk werd Gina op het idee gebracht door iets anders wat ik aan het vertellen was. Als het al iets is.'

'Denk je dat je genoeg geschikte kandidaten hebt?'

'Ik wil geen hooggespannen verwachtingen wekken.'

'Ik zal op mijn hoede zijn. Ondertussen,' zei Hardy, 'maakt het mij niet uit als Daffy Duck je bron is. Dat zal ik aanvaarden.'

'Oké. Wat weet je over Tess Granat?'

Hardy had een geweldig geheugen, en hij had zijn antwoord in een oogwenk paraat. 'Filmster. *Falling Leaves, Death by Starlight*. Hier in de stad overleden, toch? Door een auto aangereden toen ze zwanger was, als ik het me herinner.'

Hunt knikte. 'De auto is doorgereden. Moeder en ongeboren kind kwamen allebei om. De bestuurder is nooit gevonden.'

'Oké.'

'Oké. Wist je dat zij de zus van Kathy West was?'

Hardy hield zijn glas water, dat hij halverwege naar zijn mond had gebracht, meteen stil en zette het langzaam weer op de tafel neer. De woorden 'ongeboren kind' schetterden in zijn hersenen rond, net als de details van zijn gesprek met Maya in de advocatenbezoekruimte van de gevangenis – toen ze over de onschuld van een ongeboren kind had gepraat, maar ontkend had dat ze ooit een abortus had ondergaan. Haar woorden schoten hem met een diepgewortelde kracht weer te binnen.

Lous lunchpersoneel bestond uit twee blanke vrouwen en twee Filippijnse mannen – allemaal van middelbare leeftijd – die het eten uit de keuken aanleverden en het nooit kalmer aan deden, en een van de vrouwen verscheen en kwakte hun Speciale Gerechten zonder poespas tussen hen neer, waarna ze hun in papieren servetten gewikkelde bestek erachteraan smeet.

Hardy vond eindelijk zijn stem terug. 'Wanneer is die aanrijding gebeurd?'

'Maart zevenennegentig,' zei Hunt. 'Maya was toen derdejaars en het leek bergafwaarts met haar te gaan.'

'Hoe ben je hieraan gekomen?' vroeg Hardy. 'Of Gina?'

'We hadden het gewoon over hoe ik aan dit alles begonnen ben, en ik zei dat ik een artikel in de krant van de USF was tegengekomen over het feit dat Tess Granat Maya's tante was. En ik vraag Gina wat er met haar was gebeurd. Dus Gina, die ouder is dan ik, wat ik haar nooit laat vergeten, herinnert zich de aanrijding, de hele geschiedenis, en dan valt het ons allebei tegelijkertijd in.'

'Is er een verband?'

'Misschien is het de moeite waard daarnaar te vragen.'

'Jij denkt dus dat de chantage misschien niet over een beroving ging?'

'Ik denk niets. Ik vraag het me alleen af. De dood van Granat was destijds een hele toestand. Een enorme toestand.'

Er trilde een spier in Hardy's wang.

'Weet je dat zij toen ook een stelletje waren? Maya en Dylan.' Hunt zweeg even om dat feit te laten bezinken, waarna hij vervolgde: 'Hoewel ze in het laatste jaar, of misschien wel eerder, uit elkaar gingen, en ze gaat terug naar de Junior League en wordt weer godsdienstig.'

'Dat zou veel verklaren.' Hardy raakte op dreef. 'Als ze er iets van wist en destijds niet naar de politie ging, en als haar familie er later achter kwam, is ze de lul. De familie zou haar nooit vergeven, en ze kan zichzelf niet vergeven. Daarom denkt ze dat ze alles wat haar overkomt verdient. God werkt net als in de Bijbelse tijd en zet haar nu betaald wat ze indertijd deed.'

'Het is een verdomd boeiende theorie,' zei Hunt, 'maar het slechte nieuws is dat het eigenlijk niet zoveel verandert. Dylan chanteert haar daarmee; de hoofdzaak is dat hij haar nog steeds chanteert, dus heeft ze hetzelfde motief.'

'Niet precies.' Hardy dacht er al aan hoe hij iets hiervan aan de jury kon voorleggen. 'Als het niet om iets gaat wat zij en Dylan samen met Levon in hun studietijd met dope deden, verdwijnt Levon uit beeld, in elk geval uit háár beeld. Ze heeft geen enkele reden om hem te vermoorden.'

'Behalve als Dylan het hem misschien heeft verteld.'

'Nooit. Kennis is macht, en als Dylan de enige is die er weet van heeft, en ik durf te wedden dat dit zo is, dan zwakt hij dat niet af door het aan iemand anders te vertellen.'

'Je hebt gelijk.'

'Niet altijd. Maar het zou aardig zijn als dat nu het geval was.' Hardy trok zijn Speciale Gerecht naar zich toe en prikte er met zijn vork in. 'Hmm. Het lijkt een beetje op Yeanling Kleikom.' Dit, waarschijnlijk Lous beroemdste en meest mysterieuze Speciale Gerecht – het werd niet in een kleikom opgediend en niemand had enig idee wat een yeanling was – verscheen zo'n zes keer per jaar op het menu.

'Denk je dat yeanling misschien octopus kan betekenen?' vroeg Hunt.

Maar voordat Hardy iets met zijn laatste informatie kon doen, moest hij er zeker van zijn dat het waar was.

Hij stond in de brede hal achter Afdeling 25 te wachten, zoals altijd gedeprimeerd door de aanblik van de geboeide gevangenen die vanuit de gevangenis boven hem uit de liften werden gespuwd. Maya, die in de nieuwe gevangenis achter het Paleis van Justitie zat, zou als eenzame kettinggangster via de achterdeur binnenkomen.

Hij zag haar nu en liep haar tegemoet. De maanden in de gevangenis hadden haar natuurlijk geen goed gedaan. Ze had om een kort kapsel gevraagd om de dofheid als gevolg van de bijtende zeep die ze in de douches gebruikten te minimaliseren, maar het resultaat was een slonzige, enigszins mannelijke haardos – en nu waren er zelfs grijze haren te zien. Ook haar huid had de bekende gevangenisbleekheid, hoewel ze misschien wel zeven kilo was aangekomen door de enorme porties calorierijk gevangenisvoedsel. En niemand zou de diepe plooien rondom haar ogen met lachrimpels verwarren.

Hij vergezelde haar in de kooi van een meter twintig bij twee meter veertig die in de muur was gebouwd en met de achteringang van de rechtszaal was verbonden, en de bode deed de metalen deur met een kletterend geluid achter hen dicht. Hier wachtte ze iedere dag, meestal helemaal alleen, tot het hof ter zitting werd geroepen, en hier zaten ze nu allebei op de koude betonnen richel die als een soort bank diende.

Braun liep langs hen; ze kwam van haar lunch terug, in gesprek met een van haar collega's, en ze keek niet eens vluchtig in hun richting.

'Zij is een vreselijk mens,' zei Maya.

'Ja, dat klopt.'

'Hoe wordt zo iemand rechter?'

'Gewoonlijk benoemt de gouverneur hen eerst. Daarna worden ze telkens weer verkozen.'

'De kwalificatie is dus dat ze een gouverneur kennen?'

'En waarschijnlijk dat ze hem geld hebben gegeven of hem daaraan hebben geholpen.'

'En waarom zouden wij dat niet doen?' Ze plukte aan haar gevangenispak. 'Het spijt me, ik voel me vandaag een enorm kreng. En ík zou geen oordeel moeten vellen. Rechter Braun doet vast haar best.' Ze slaakte een diepe zucht. 'En dan te bedenken dat dat zo'n beetje het leven is waar Joel en ik ons inkochten voordat dit allemaal begon.'

'Hoe bedoel je?'

'Je weet wel. Fondsenwerving. Sponsoring. Mensen zoals zij helpen benoemd te worden. Ik begin te denken dat het eigenlijk helemaal niet om gerechtigheid gaat. Ik vraag me af wat we deden, wat we dachten, al die tijd.'

'Jullie belangen beschermen,' zei Hardy. 'Jullie vermogen. En uiteindelijk worden mensen als Braun en Haines jullie portiers. En zij vatten het verdomd serieus op. Het probleem is dat als jullie eenmaal als buitenbeentjes worden gezien, jullie de vijand zijn. Jullie zijn de bedreiging.'

'Joel is geen bedreiging.' Eindelijk kwam er wat kleur op haar gezicht. 'Hij heeft nooit in zijn leven iets oneerlijks of illegaals gedaan. En ze zitten boven op hem.'

'Hij redt het wel,' zei Hardy. 'Maar hij zal het nodig hebben dat jij dit ook redt.'

Ze draaide haar hoofd naar hem toe. 'Ik dacht dat we jou daarvoor betaalden.'

Hardy had dit soort dingen al eerder gehoord, van beide echtgenoten, zelfs van Harlen, en hij toonde iets van zijn groeiende ongeduld. 'Zoals we net hebben besproken, levert geld je soms niet datgene op wat je zou willen. Soms moet je je visie veranderen. Je idee van hoe je bent. Bijvoorbeeld, zit je binnen die grote muur, waar je je vermogen beschermt, of laat je die mensen dat gewoon afpakken?'

'Ik! Laat ik die mensen dat gewoon afpakken? Alsof ik enige keus heb in wat er hier gebeurt? Of daarbuiten?'

Hardy zette zijn rug tegen de muur en draaide zich om haar in de ogen te kijken. Er zat geen warmte in zijn gezichtsuitdrukking. 'Jij hebt alle keus ter wereld, Maya.'

Ze staarde hem alleen hoofdschuddend aan. 'Waar heb je het over? Ik heb nergens keus in. Ben je gek?'

'Misschien wel, omdat ik jou met de verkeerde theorie, het verkeerde motief, probeer te verdedigen, en jij daar dag in, dag uit zit te kijken hoe ik het doe en mij het laat doen.'

'Ik weet niet wat je bedoelt.'

'Jawel, Maya. Ik heb het over het basisfeit van deze zaak. Dylan chanteerde jou niet omdat jullie in je studietijd drugs verkochten en jeetje, misschien zouden mensen daarachter komen. Dat was het toch niet? Hoewel jij me onze hele zaak daarop liet bouwen.'

'En waarom zou ik dat doen?'

'Om twee redenen. Ten eerste, je voelde je schuldig en verdiende het om gestraft te worden. En ten tweede, je zou nooit iemand de waarheid kunnen vertellen. Zelfs niet je advocaat, omdat je hem niet genoeg kunt vertrouwen.' Hardy boog zich voorover, met zijn ellebogen op zijn knieën. 'Oké, genoeg. Nu is het tijd. Waar of niet waar, Maya? Dylan chanteerde jou vanwege iets wat met de dood van je tante te maken had, toch?'

Haar lichaam kromp lichtelijk ineen. Er kwamen geen woorden.

'Wat was het, Maya? Kende je degene die doorgereden is na de aanrijding en heb je het niet aan de politie gemeld? Heb je hun je auto geleend?'

Nu verslapte Maya's mond en werden haar ogen glazig.

'Jij was erbij, nietwaar, Maya? Bij hen in de auto.' Hardy voelde zich plotseling licht in zijn hoofd toen de waarschijnlijke werkelijkheid tot hem doordrong. 'Nee,' zei hij. 'Nee, jij was de bestuurder.'

Een poos keek ze hem aan alsof hij haar beul was, toen er opeens een geluidje uit haar keel kwam. Ze liet haar hoofd hangen en haar schouders begonnen te schokken.

Er spatten tranen als regendruppels op de vloer tussen haar voeten.

Ze was uitgesnikt, hoewel de vlekkerige en natte effecten ervan op haar gezicht te zien bleven. 'Waar het om gaat is dat niemand in de familie het kan weten. Dat betekent dus helemaal niemand, want wie het wist zou het wel vertellen.' Ze slaakte een trillende, onregelmatige zucht. 'Hoe heb je het ontdekt?'

'Serendipiteit,' zei Hardy. 'Mijn detective bracht Tess Granat en jou in één adem bij zijn vriendin ter sprake, en daar was het. Heb je dit al die tijd voor je gehouden?'

'Natuurlijk. Ik moest wel.' Met haar hand vlug op zijn been zei ze vervolgens: 'En je mag het ook aan niemand vertellen. Nooit.'

'Nee. Dat weet ik. Daar hoef je niet over in te zitten.' Hij aarzelde. 'Maar misschien toch wel.'

Haar gekwelde blik viel op hem. 'Als je dat denkt,' zei ze, 'begrijp je mijn familie helemaal niet. Of mij. Of iets hiervan.'

'Hoe zit het met je man?'

'Moet ik hem vertellen dat ik een moordenares ben? Moet ik hem vertellen dat de moeder van zijn kinderen een kindermoordenaar is?'

Hardy rechtte zijn rug stijf tegen de celmuur. 'Je bent te hard voor jezelf, Maya. Het is een lange tijd geleden gebeurd.'

Ze schudde haar hoofd. 'Het is gisteren gebeurd,' zei ze. 'Het is vanochtend gebeurd. Het gebeurt nu, godsamme. Begrijp je het niet? Ik heb haar vermoord. De zus van mijn moeder. Kathy's zus en haar ongeboren kind. De lieveling van iedereen.'

'Het was een ongeluk.'

'Ik was stoned en dronken. Allebei. Zwaar onder invloed. Het was moord.'

'En je zult het jezelf nooit vergeven.'

'Waarom zou ik? Ik heb het gedaan. Zou jij dat kunnen?'

'Ik weet het niet, om je de waarheid te zeggen. Misschien zou ik na al die tijd geneigd zijn om het te gaan proberen.'

'De tijd heeft het niet laten verdwijnen.'

'Dat zou wel kunnen als je de last deelde. Als je het iemand vertelde. Misschien heb je absolutie nodig.'

'Daar bid ik iedere dag voor.'

'Het zal niet zonder een soort van biecht komen.'

'Wat? Ben jij nu een priester?'

'Zelfs niet in de verste verte,' zei Hardy. 'Gewoon een zondaar, net als jijzelf. Maar ik ben als een goed katholiek opgevoed. Geloof me, ik weet hoe vergeving werkt.'

'Heb jij ooit iemand gedood?'

Hardy knikte. 'Ik ben in Vietnam geweest. Ik heb veel mensen gedood.' Niet alleen in Vietnam, dacht hij, maar ook de slachtoffers van het afschuwelijke vuurgevecht waaraan hij hier in San Francisco had deelgenomen; de nasleep daarvan had zijn emotionele stabiliteit en zijn carrière drie of vier jaar lang overheerst. Dus, ja, hij had mensen gedood. En hij bewaarde ook geheimen. Maar Frannie, zijn kinderen, Glitsky, Roake – die allemaal wisten wat hij had gedaan – hadden zich samen door de gevolgen heen geslagen, en dat had geholpen.

Maya schudde haar hoofd. 'Vietnam was doden in een oorlog.'

'Wat? Alsof dat niet telt? Het voelde wel alsof het telde, neem dat van me aan. Ik weet dat het voor de families van mijn slachtoffers telde. Ik weet dat het voor mij telde.' Hij haalde adem. 'Mijn enige punt is dat ik denk dat het bewaren van dit geheim jou misschien genoeg schade heeft berokkend. Kijk eens naar de macht die Dylan Vogler daardoor kreeg.'

'Ik haatte die man.'

'Dat kan ik me wel voorstellen. Zat hij bij jou in de auto?'

Ze knikte. 'Het was zijn auto. Geen verband met mij. Hij heeft hem gewoon gewassen en nooit iets aan iemand verteld. De schoft.'

'Wanneer is de chantage begonnen?'

'Pas toen hij uit de gevangenis kwam, maar wel meteen daarna. Hij kon geen ander werk krijgen, niet dat hij echt zijn best deed, dat denk ik niet. Hij zocht me op en herinnerde me eraan hoeveel ik hem verschuldigd was vanwege zijn stilzwijgen.'

'Ik snap het,' zei Hardy.

'Ik weet niet of je het wel snapt. Ik weet niet of iemand het kan snappen.' Haar kin viel, een doorgesneden marionettentouwtje. 'Het houdt nooit op. Het is gewoon een constant gewicht.'

'Ik wil geen oude koeien uit de sloot halen, Maya, dus ga ik dit nog maar één keer zeggen. Je kunt het loslaten. Je kunt Joel toelaten, in elk geval. Door jou zit hij klem in dit alles, en misschien denkt hij ook dat jij iemand hebt vermoord. Hij houdt van je. Hij kan het wel aan.'

Ze had haar armen over haar borst gevouwen en zat nu voorovergebogen op de harde betonnen richel te wiebelen. 'God God God.'

'Het is in orde, Maya. Het is in orde.'

'Nee. Nee, het is helemaal niet in orde.' De seconden verstreken en ze vertraagde haar bewegingen, bleef uiteindelijk stil zitten. 'Je zou denken dat ik ervoor op mijn hoede zou zijn geweest. Ik bedoel, het was de grote mythe waarmee ik ben opgevoed.'

'Wat was dat?'

'Eva. De Hof van Eden. De boom van de kennis van goed en kwaad. Dat was het allemaal voor mij toen ik Dylan ontmoette. Hij was de slang, net zo aantrekkelijk, zoveel wijzer, dacht ik. Ik was bereid om alles te proberen, weet je, voor de ervaring. "Hier, probeer dit eens." En ik was dat kind dat nog nooit iets had gedaan, dat gewoon... gewoon zo simpel was, en stom. En weet je wat de echte stommiteit was?'

'Nou?'

'Ik was echt gelukkig.' Ze keek Hardy aan, onderzocht zijn gezicht om te zien of hij het wel begreep. 'Ik bedoel, vóór Dylan. Ik was een gelukkig mens, een goed mens. Maar toen begon hij me uit te dagen en over van alles te ondervragen, over wie ik was. "Hoe kun je weten dat je zo gelukkig bent als je kunt zijn wanneer je niet eens geprobeerd hebt om iets buiten je goed geordende leventje te ervaren? Misschien ben je gewoon bang om te ontdekken waar het echte leven om draait? En als dat het geval is, dan is al je zogenaamde geluk alleen maar lafheid en schijn, toch?"' Haar ogen smeekten Hardy. 'Hoe kon ik niet zien waar hij mee bezig was?'

'Omdat het verleidelijk is,' zei Hardy. 'Als je er iets aan hebt: ik betwijfel of Eva het wel zag. Zij wilde alleen de kennis, de verboden vrucht proeven.'

'Eén hapje proeven. Dat is alles wat ik wilde. Gewoon om te zien.'

'Erfzonde,' zei Hardy. 'En dus ben jij niet de eerste die die zonde begaat, toch? Het gaat een heel eind terug, dat in ongenade vallen. Sommigen zouden zeggen dat het de menselijke conditie is.'

'Maar het was niet degene die ik ooit zou moeten worden.'

'Nee,' zei Hardy zwaar. 'Nee, ik neem aan van niet.'

'Dat is het vreselijke. En dan Tess.' Haar stem brak opnieuw. 'Kon ik die dagen maar terugkrijgen. Die dag.'

De frase van John Greenleaf Whittier zweefde in Hardy's bewustzijn – 'Van alle droevige woorden van een tong of een pen zijn deze de droevigste: "Het had geweest kunnen zijn."' Maar hij sloeg zijn arm alleen over de schouder van zijn cliënte en trok haar even naast zich. 'Je hebt nog steeds een heleboel dagen voor je, Maya. Betere. Dat beloof ik je.'

Plotseling klopte de bode vanaf de kant van de rechtszaal en zwaaide de verbindingsdeur open. Toen hij het niet onvertrouwde tableau herkende – een van emotie verwrongen verdachte, een bijna misvormd gezicht, gezwollen en rood van het huilen – stapte hij door de deuropening, boog zich naar Hardy toe en vroeg met een onverwachte bezorgdheid: 'Alles oké hier, meneer?'

'Als we nog een paar minuten kunnen krijgen, zou ik dat waarderen,' zei Hardy. 'En misschien wat Kleenex.'

31

Stier stond uit het raam van het kantoor van Clarence Jackman op de derde verdieping naar 7th Street te kijken. 'Je neemt me zeker in de zeik.'

Jackman, die zwart en een meter drieënnegentig lang was, had vanochtend tevreden gebromd toen zijn badkamerweegschaal niet meer dan honderdtweeëntwintig kilo aangaf. Zoals altijd droeg hij een donker maatpak, een wit overhemd en een kastanjebruine met donkerblauwe das. Jackman negeerde Stiers oneerbiedigheid en zei met zijn krachtige, rustige basstem: 'Je moest het meteen horen. Leg het Marian voor, zet de vrouw op je getuigenlijst.'

Stier draaide zich om. 'Natuurlijk. Ik heb niets anders te doen, eigenlijk.' Vol walging schudde hij zijn hoofd. 'Was dat Schiff?'

'Kennelijk, hoewel Bracco zegt dat hij net zo verantwoordelijk is.'

Stier schudde nogmaals minachtend met zijn hoofd. 'Smerissen. Wat dacht ze wel?'

'Ik geloof echt dat ze zichzelf ervan had overtuigd dat het irrelevant was. De vrouw leek seniel. Schiff dacht niet dat je zou willen dat een of ander waarschijnlijk onwaar, willekeurig detail je verhaal zou verpesten.'

'Mijn *verhaal* kan me niet schelen, Clarence. Ik bouw de zaak op uit welk verhaal dan ook waar ik mee moet werken. Als het inconsistenties bevat... maar verdorie, je weet dit al. En het zou niks zijn geweest als ik het duidelijk etaleerde. Nu lijkt het alsof we het begraven hebben.'

'Dat weet ik.'

Stier sloeg met zijn hand op de vensterbank. 'Shit!'

'Juist. Maar ik ben bang dat er iets is wat misschien nog erger is; als je zou willen gaan zitten.'

Het verzoek verraste Stier duidelijk, maar dit was zijn baas, dus liep hij naar de plek die Jackman aanwees en ging op het voorste stukje van een van de leren banken zitten. 'Zeg het maar,' zei hij.

'Nou, laat ik beginnen met het toegeven van een enigszins persoonlijke neiging, die ik wel uit mijn professionele taken probeer weg te laten. Niettemin denk ik dat je misschien wel weet, Paul, dat Kathy West en ik elkaar al behoorlijk lang kennen. Toen ik hier voor het eerst kwam, heeft ze mij door nogal wat politieke mijnenvelden geloodst; eigenlijk was ze een van mijn informele adviseurs.'

'Nou, ik...'

Jackman kwam met zijn stalen glimlach voor de dag en met een opgestoken hand kapte hij de onderbreking af. 'Als ik even mag. Mijn punt is dat ik met veel persoonlijke belangstelling en een ietwat ongemakkelijk gevoel heb gekeken hoe deze zaak zich de afgelopen paar maanden ontwikkelde, niet alleen vanwege de inherente zwakke punten in het bewijsmateriaal, maar ook vanwege het mediabombardement dat de hele positie van Jerry Haines jegens de burgemeester en Harlen Fisk en de man van jouw gedaagde heeft vergezeld.

'Maar ik heb nooit het gevoel gehad dat ik dit met jou moest bespreken omdat ik, zoals ik zeg, me over het algemeen graag buiten gevechten houd waar ik een persoonlijk belang in heb, maar ook omdat jij bij het vooronderzoek hebt gewonnen, dus had ik niets te zeggen. Het hof had uitspraak gedaan.'

Jackman liet zich van zijn bureau glijden en ging tegenover Stier in zijn vleugelstoel zitten. 'Maar nu,' vervolgde hij, 'lijkt het me opeens dat dit nieuwe idee – misschien is er twee keer geschoten en niet maar één keer – belangrijk is voor jouw basistheorie van de zaak. Dit is ten eerste belangrijk voor mij omdat het niet langer persoonlijk is, en ten tweede omdat mijn baan – ónze banen, die van jou en die van mij – in tegenstelling tot de algemene opinie, niet alleen om aanklagen draaien. Het gaat erom het recht te dienen. Het gaat erom de waarheid te vinden van wat er gebeurd is. Als we vrijsprekend bewijsmateriaal vinden, is het onze plicht om dat vast te leggen, niet om het te verbergen zodat we vooruit kunnen gaan en onze veroordeling kunnen krijgen.'

'Ik verberg niets, Clarence. Tot twintig minuten geleden wist ik dit niet.'

'Nee, dat weet ik. Ik denk dat mijn echte vraag is welk gevoel dit jou geeft over deze zaak, en over je gedaagde. Verandert het iets voor jou, en zo ja, wat?'

Stiers lichaamstaal – gekromde schouders, rode gelaatskleur – sprak zijn zelfverzekerde toon tegen. 'Ik moet toegeven dat het in strategisch opzicht lastig is. Maar de eigenlijke feiten veranderen waarschijnlijk helemaal niet. Je vertelt me dat de vrouw kennelijk seniel is, dus kan ze al dan niet twee schoten hebben gehoord, en in elk geval is ze pas een paar dagen later naar Schiff en Bracco gegaan. Verdorie, wat ze gehoord heeft is misschien niet eens op de ochtend van de moord geweest. Heb ik dus een probleem met mijn basistheorie? Nee. Geen enkel. Er is niets veranderd.'

Jackman, die zijn handen ontspannen voor zich ineengeslagen had, knikte. 'En meneer Haines?'

'Ongeacht wat de media met de burgemeester doen en al die dingen, helpt Jerry mij met het opbouwen van de dopezaak, Clarence, en dat is het motief hier. Ik weet dat het voor de FBI ongewoon is om bij een van onze moordzaken betrokken te raken, maar voor mij bewijzen de financiële gegevens die hij al heeft de witwasserij, wat weer haar medeplichtigheid met Levon bewijst. Wat de burgemeester betreft...' Stier keek Jackman aan. 'Zij maakt geen deel uit van mijn zaak. En Fisk ook niet. Dat gezegd hebbend, hun financiële transacties met Joel Townshend zijn ingewikkeld en breed opgezet, en ik denk niet dat Jerry over de schreef gaat als hij ze bekijkt.'

'Nou,' – Jackman wierp een blik op zijn horloge – 'bedankt voor de tijd die je hebt vrijgemaakt. Ik zie dat je over tien minuten weer in de rechtszaal moet zijn.'

Dit was een bevel om te vertrekken.

'Zeker.' Stier stond op en bereikte de kantoordeur voordat hij zich omdraaide. 'Bedankt voor de waarschuwing over Schiffs getuige, Clarence, hoewel ik niet denk dat zij enig verschil in het vonnis zal uitmaken. En wat de andere dingen betreft, waardeer ik de openhartigheid.'

Cheryl Biehl beschouwde zichzelf als een intieme vriendin van Maya. Ze had haar twee keer in de gevangenis bezocht, en Hardy wist dat het voor een niet-familielid blijk gaf van een zeldzame en ware betrokkenheid en vriendschap als hij of zij de bureaucratie, de onverschilligheid, de wanorde, het lawaai en de menigtes in de bezoekruimte van de gevangenis trotseerde. En dan ook nog twee keer! Biehls genegenheid voor Maya moest wel oprecht zijn. Hij was dus blij dat hij haar niet zou verhoren over haar eerdere getuigenis tegenover Stier, waarmee ze haar vriendin eigenlijk had afgeschilderd als een langdurige gebruikster en verkoopster van drugs.

Hij was ook enigszins opgemonterd, zij het licht verbijsterd, door Stiers toevoeging van een nieuwe getuige, Edith Larsen, in dit stadium van het proces. Stier, die om overleg had gevraagd en zodra het hof weer in zitting was toegaf dat hij pas tijdens het lunchreces over het bestaan van deze getuige was geïnformeerd, erkende dat hij haar hoogstwaarschijnlijk niet daadwerkelijk zou oproepen. Maar hij vertelde Hardy en het hof dat een analyse van politieprocedures tijdens het onderzoek had onthuld dat de getuigenis van deze vrouw niet in de rapporten van de rechercheurs was opgenomen, en dus ook niet in Hardy's documenten. Door de onoplettendheid als weinig meer dan een onbelangrijk technisch detail af te schilderen, wilde Stier de onschendbaarheid van de vastgelegde feiten beschermen.

Hardy aanvaardde dit voorlopig. Hij zou wel tijd hebben om alles te ontdekken wat hij over Edith Larsen en haar getuigenis wilde weten. En ondertussen had hij wat naar hij hoopte het kruisverhoor van Cheryl Biehl zou zijn, waar hij enige feiten zou kunnen onthullen over haar doorlopende vriendschap met zijn cliënt, die de jury zouden kunnen helpen om haar in een beter licht in het hier en nu te bekijken.

'Mevrouw Biehl,' begon hij, 'bent u er in de afgelopen acht jaar ooit getuige van geweest dat Maya marihuana gebruikte of verkocht?'

'Nee.'

'Wat zei ze tegen u toen u haar vertelde dat u had gehoord dat Dylan Vogler marihuana vanuit Bay Beans West verkocht?'

'Ze zei dat ze zeker wist dat dat niet gebeurde. Dylan hoefde dat niet te doen.'

'En over haar verklaring betreffende Levon Preslee, dat ze nooit van hen af zou komen. Heeft ze, ondanks die opmerking, voorzover u zich herinnert, Levon Preslee ooit weer bij u ter sprake gebracht?'

'Nee.'

'Het was dus slechts die ene keer, meteen nadat hij uit de gevangenis was gekomen?'

'Dat klopt.'

'En hoe lang is dat geleden?'

'Dat weet ik niet precies. Het moet zeven of acht jaar geleden zijn geweest.'

Hardy liep naar zijn tafel terug. Hoewel haar ogen nog steeds opgezwollen waren van de huilbui, leek Maya op de een of andere manier meer betrokken, minder belast. Hij gaf haar een subtiel bemoedigend knikje. En eigenlijk vond Hardy dat hij reden had voor een hernieuwd gevoel van hoop. Tenslotte had hij twee gloednieuwe en onverwachte feiten om mee te goochelen – Edith Larsen en Tess Granat – en in zijn ervaring hadden feiten altijd de gewoonte gehad om zich concentrisch uit te breiden, hoewel hij het exacte gebied waarin ze zich uitbreidden tot nog toe niet kon vaststellen.

Nu wachtte hij even.

Hij had overwogen om het kruisverhoor van Cheryl Biehl in te zetten om de jury enig idee te geven van de echte reden waarom Dylan Maya had gechanteerd. Natuurlijk zou dit op twee niveaus een zeer lastige strategie zijn, niet in de laatste plaats omdat Maya dan hetzelfde motief zou houden om haar manager te vermoorden. Maar deze niveaus, bedacht hij, zouden allebei verzacht kunnen worden door andere overwegingen. In het eerste geval werd Maya's vermeende verkoop van dope en de daarmee gepaard gaande morele verdorvenheid uitgesloten door chantage met de aanrijding, en ieder motief om Levon te vermoorden viel daardoor ook af. Bovendien bestond er, in de echte wereld, en zonder Maya's bekentenis – die altijd zou uitblijven – en gezien het feit dat de verjaringswet van kracht was geworden, geen kans om een zaak voor de aanrijding op te bouwen, dus was die kwestie onbeslist.

Maar op de een of andere manier leek het risico hiervan opeens te groot. En ook had hij zijn eigen verantwoordelijkheid in de advocaat-cliëntrelatie om alles wat hij zojuist te weten was gekomen voor zichzelf te houden. Op dit punt wilde hij geen moreel dubbelzinnige spelletjes met zijn fragiele cliënte spelen. Hij was nu eindelijk haar vertrouwensman en biechtvader, en hij kon haar niet verraden door weinig subtiele implicaties van andere motiveringen. Dus al met al besloot Hardy uiteindelijk, hoewel hij dacht dat het voordelen kon hebben om de fundamentele waarheid over Maya en Dylan aan de jury voor te leggen, dat hij het niet kon doen.

Hij richtte zich weer tot zijn getuige. 'Dank u, mevrouw Biehl,' zei hij. 'Geen verdere vragen.'

Jansey Ticknor kwam als getuige pas los nadat Maya in oktober was aangeklaagd. Tijdens haar eerste gesprekken met Bracco en Schiff was ze niet toeschietelijk geweest, maar in de loop van Paul Stiers voorbereidingen voor het vooronderzoek in november was haar vrij veel weer te binnen geschoten van wat ze zich aanvankelijk niet over Maya Townshend en haar relatie met Dylan leek te kunnen herinneren. Nu zorgde Stier ervoor dat ze zoveel mogelijk ervan voor de jury etaleerde. 'Meneer Vogler heeft u dus over hun eerdere relatie verteld?'

Hardy maakte bezwaar op gronden van geruchten, maar zoals hij al verwachtte, wees Braun zijn bezwaar af.

'Geruchten' was een van de meest flexibele en verwarrende concepten in de hele jurisprudentie – soms toegewezen, soms niet – en vandaag zag het ernaar uit dat Brauns interpretatie Janseys getuigenis zou toelaten. Ze geloofde Stiers theorie dat Voglers verklaringen tegen zijn strafrechtelijk belang indruisten – iets wat zo ongunstig voor hem was dat hij het nooit gezegd zou hebben als het niet waar was. En dit was een uitzondering op de geruchtenregel.

Braun leek ook Stiers argument te aanvaarden dat de verklaringen toelaatbaar waren voor Voglers gemoedstoestand, een argument dat zo geheimzinnig was dat zelfs Hardy het niet kon volgen. In elk geval, of het nu rechtsgeldig was of niet, zou Brauns beslissing vandaag de regel zijn in deze rechtszaal, en Hardy moest daarmee leven.

'Ja,' zei ze, 'ze waren intiem geweest in hun studietijd.'

'En sindsdien?'

Ditmaal stak Hardy uit frustratie zijn hand omhoog. 'Bezwaar. Relevantie.'

'Leidt naar het motief, edelachtbare,' antwoordde Stier. Als hij de jury niet van de chantage zou overtuigen, zou hij de afgewezen minnaar als steunpositie nemen.

Braun knikte op haar bruuske wijze en keurde Hardy's bezwaar opnieuw af. 'Afgewezen.'

'Heeft meneer Vogler u dan verteld, mevrouw Ticknor, dat hij na hun studietijd een intieme relatie met gedaagde heeft gehad?'

'Ja. Tot korte tijd voordat hij mij ontmoette.'

Hardy voelde een strakke greep op zijn onderarm en hoorde Maya's stem schril in zijn oor. 'Dat is een verdomde leugen!' Zo luid dat het in de hele rechtszaal te horen was, en misschien zelfs wel in die ernaast.

Rechter Braun sloeg met haar hamer.

Maar Maya, die tot nog toe nagenoeg inert was geweest tijdens het proces, was plotseling opgeleefd. 'Dat is gewoon niet waar,' zei ze tegen Hardy, waarna ze zich op haar stoel omdraaide en de jury rechtstreeks aansprak. 'Dat is niet waar,' herhaalde ze.

Bam! Bam! 'Meneer Hardy, houd uw cliënt in bedwang! Bodes!'

Maar voordat een van de twee bodes haar kon bereiken, had Maya zich helemaal omgedraaid om haar man aan te kijken, die op de rij achter haar zat. 'Het is niet waar,' zei ze, 'het is niet waar.'

'Het is wel goed,' zei hij. 'Ik geloof je.' En hij stak zijn arm uit om haar aan te raken.

Maar inmiddels was de eerste bode tussen hen gekomen; hij sloeg

Joels arm weg en keek naar Braun voor instructies. En als reactie op deze escalatie was de hele tribune meteen boven de gestage cadans van de hamer uit te horen.

Toen het tumult na bijna een minuut was verflauwd tot een grimmige stilte, keek Braun dreigend vanaf de rechterstoel op Hardy neer alsof ze plotseling tien jaar ouder was geworden. Haar gezicht, haar mond, toonde echte angst dat ze de controle over haar rechtszaal zo snel was kwijtgeraakt. Misschien was het haar een tijdje niet overkomen, maar wat de reden ook was, ze was er niet op voorbereid geweest. Terwijl Hardy's hartslag in zijn oor klopte, veranderde Braun van het ene moment op het andere van een geïntimideerd oudje in een woedende prelaat. Ze hanteerde haar hamertje nogmaals, op goed geluk in de bijna-stilte, leek het wel, en liet het opnieuw vallen, totdat de stilte compleet was.

Ze vermande zich en liet Stier en Hardy bij zich komen voor overleg. Ze sprak met een overdreven kalmte: 'Meneer Hardy, nog zo'n uitbarsting van uw cliënt zoals die waarvan wij zojuist allemaal getuige zijn geweest, en ik zal haar uit de rechtszaal laten verwijderen. Ze kan dit proces op de bewakingsbeelden bekijken als ze zich niet kan beheersen. Is dat duidelijk?'

'Ja, edelachtbare.' Hij had er nog een iets bloemrijkere verontschuldiging aan kunnen toevoegen, maar besloot het daarbij te laten. Ook al waren er geen andere resultaten, zijn cliënt had zojuist toch een van zijn hoofddoelen bereikt – ze had zichzelf menselijk gemaakt voor de jury.

Hardy liep naar de raadstafel terug en kneep in Maya's hand.

Stier leek om zijn eigen redenen ook van de uitbarsting te hebben genoten. Hij zou de menselijkheid van gedaagde ook graag erkennen, zolang het een menselijkheid was die werd gekarakteriseerd door een opvliegend temperament en een minachting voor gezag.

Hij richtte zich weer tot zijn getuige. 'Mevrouw Ticknor. Hoe lang ging deze initmiteit tussen hemzelf en de gedaagde door nadat meneer Vogler uit de gevangenis was gekomen?'

'Tot hij mij ontmoette.'

'En wanneer was dat?'

'Ongeveer zes jaar geleden.'

Hardy hield zijn ene hand op die van Maya op de tafel, en zijn andere hand hield haar arm vlak boven haar elleboog stevig vast.

'Ze hebben hun relatie dus vanwege u verbroken?'

'Ja.'

Maya boog zich naar Hardy toe en fluisterde tegen hem: 'Waarom zegt ze dit?'

Hardy meende het te weten, maar dit was echt niet het moment om daarover te praten, dus schudde hij zijn hoofd heel lichtjes en kneep hij steviger in haar arm.

Braun fronste in hun richting.

En Stier ging door. 'Toch bleef meneer Vogler, na deze breuk, voor haar werken bij BBW. Wist u, als zijn partner, wat meneer Vogler daar verdiende?'

'Ja. Negentigduizend dollar per jaar.'

Deze informatie werd door wat gesnuif op de tribune begroet.

'Vertelde uw partner u waarom hij zo royaal werd betaald?'

'Edelachtbare.' Hardy toonde enige ergernis. 'Geruchten, relevantie, nog niet bewezen feiten, niet ondersteund door alle feiten. Niets van deze hele ondervragingswijze levert bewijs.'

'Het leidt allemaal naar het motief,' bracht Stier in, 'zoals binnenkort duidelijk zal worden.'

'Heel goed,' zei Braun. 'De bezwaren zijn afgewezen. Ga uw gang, meneer Stier.'

Stier herhaalde de vorige vraag, en Jansey knikte met enig enthousiasme. 'Ze wilde hem in de buurt houden omdat ze van hem hield. Ze dacht dat ze hem terug zou krijgen.'

'En wat vond u daarvan?'

'Ik vond het niet leuk, natuurlijk. Ik stoorde me eraan.'

'Hebt u hem gevraagd om ontslag te nemen?'

'Diverse keren.'

'Welke reden gaf hij u om geen ontslag te nemen?'

'Hij kon nergens anders ongeveer hetzelfde verdienen. Bovendien kon hij de marihuana zonder gedoe vanuit BBW verkopen. Hij had de perfecte baan, zei hij. Hij kon niet ontslagen worden. Zij betaalde hem gewoon om hem in de buurt te houden.'

'Heeft meneer Vogler, voorzover u weet, u verteld dat gedaagde wist dat de marihuana vanuit haar winkel werd verkocht?'

'Ja, natuurlijk.'

Maya fluisterde opnieuw. '*Dat kreng liegt!*'

Hardy kneep opnieuw in haar bovenarm.

Stier wachtte even. Puur theatraal. 'Mevrouw Ticknor, is er in het laatste jaar iets veranderd tussen meneer Vogler en gedaagde?'

'Ja.'

'En wat was dat dan?'

'Ze begonnen weer een affaire.'

'En hoe weet u dat?'

'Dylan kwam niet thuis zoals gewoonlijk en ik heb hem erop aangesproken.'

'Hij gaf het dus toe?'

'Ja.'

'En wat deed u?'

'Ik ben vertrokken. Bij mijn ouders ingetrokken.'

'Wanneer was dat?'

'Ongeveer vorig jaar om deze tijd. Een maand of zes voordat... voordat hij werd vermoord.'

'En wat is er daarna gebeurd?'

'Na een paar weken maakte hij er een eind aan – aan de affaire. Hij vertelde me dat hij een fout had gemaakt en smeekte me om bij hem terug te komen, wat ik heb gedaan. Voornamelijk vanwege Ben. Ons kind. Ik wilde dat onze zoon een vader had.' Jansey streek met haar vingertop onder haar ene oog en vervolgens onder het andere.

'Ja, natuurlijk,' antwoordde Stier met een bewonderenswaardige schijnheiligheid. Hij wendde zich tot de jury om hen deelgenoot van zijn oprechte emotie te maken. Nu richtte hij zich weer tot zijn getuige en schraapte hij zijn keel. 'Veranderde de situatie bij BBW na deze tweede en meest recente afwijzing van gedaagde door meneer Vogler?'

'Ja.'

'In welk opzicht?'

'Nu wilde ze Dylan straffen omdat hij haar had laten vallen, hem ontslaan, maar hij kon haar dat niet laten doen. Hij had nog te veel dingen te doen in de winkel. Hij kon daar niet mee ophouden.'

'Wat heeft hij dan gedaan?'

'Nou, voornamelijk dreigde hij haar man over de affaire te vertellen, en ook over enkele dingen die ze in hun studietijd hadden gedaan.'

'Met andere woorden, hij begon haar te chanteren.'

'Als u het zo wilt noemen. Ja.'

'Dank u.' Hij draaide zich om en zei tegen Hardy: 'Uw getuige.'

Ondanks Maya's uitbarsting wisten zij en Hardy allebei al wat de kern van Janseys getuigenis was voordat ze in de getuigenbank had plaatsgenomen – tijdens het vooronderzoek hadden ze een vergelijkbare versie ervan gehoord. Hardy had gehoopt dat een groot deel van Janseys getuigenis nooit door de jury gehoord zou worden omdat heel veel ervan uit geruchten bestond.

Nou, dat zou hem leren.

Maar ondanks de drang om te hopen was hij altijd voorbereid. Hij haalde een paar bladzijden uit zijn map, liep naar zijn plaats tegenover Jansey en overhandigde ze aan haar. 'Mevrouw Ticknor,' begon hij. 'Herkent u deze bladzijden die ik u net heb overhandigd?'

Ze keek er even naar en draaide ze om. 'Ja. Het zijn transcripties van de gesprekken die ik met de rechercheurs heb gevoerd.'

'Hebt u een kans gekregen om ze te lezen en te vergelijken met de originele op de band opgenomen verklaringen die u aan de politie hebt afgelegd?'

'Ja.'

'En zijn ze een volledig en compleet verslag van die gesprekken?'

'Ja, inderdaad.'

'Mevrouw Ticknor, u hebt zojuist tegen meneer Stier gezegd dat meneer Vogler de gedaagde chanteerde, nietwaar?'

'Correct.'

'En bent u daar absoluut zeker van?'

'Ja.'

'Nu, mevrouw Ticknor, zou ik graag willen dat u naar pagina twee kijkt en het gemarkeerde gedeelte aan de jury voorleest.'

Jansey keek omlaag, vond de passage en las met een beverige stem. '*Als hij haar chanteerde, had hij gewoon om opslag kunnen vragen, en dan had zij hem die moeten geven, toch?*'

'Dank u. Ten behoeve van de jury, mevrouw Ticknor, naar wie verwijzen de "hem" en "haar" die u gebruikt?'

'Dylan en Maya.'

'Goed. U stelde de rechercheurs dus een vraag over *als* Dylan Maya chanteerde, is het niet?'

'Ik denk het wel, maar...'

Hardy kapte haar af. 'Dus, mevrouw Ticknor, als het waar is dat u destijds wist dat Dylan Maya chanteerde, waarom moest u de rechercheur dan iets vragen wat u al wist?'

'Nou, ik...'

'Ik zal het u nogmaals vragen. Wist u zeker dat Dylan Maya chanteerde?'

'Nou, ik zie niet hoe hij...'

'*Mevrouw Ticknor*. Neem me niet kwalijk. Ja of nee? Wist u zeker dat Dylan Maya chanteerde?'

'Nou, ja, dat heeft hij me verteld.'

'Maar is het correct dat u geen verklaring hebt voor die passage in de transcriptie die u net hebt voorgelezen?'

'Nee. Ik denk dat ik gewoon verward was.'

'Dank u.' Hardy ging meteen door. 'Nu hebt u net getuigd dat Dylan u heeft verteld dat hij niet bang voor Maya was omdat hij haar man over hun affaire kon vertellen en zij hem voor de marihuanahandel nodig had. Is dat juist?'

'Nou, ja.'

'Dank u. Nu zou ik graag willen dat u nog een kort fragment van de transcriptie van hetzelfde gesprek voorleest. Pagina vier, alstublieft, het gemarkeerde gedeelte.'

De getuige vond ook ditmaal de passage en begon te lezen: '"*Maar u hebt gelijk dat hij niet bang was voor haar, of om de baan te verliezen.*"

"*Maar zei hij nooit waarom?*"

"*Het meeste wat hij ooit heeft gezegd is dat ze bij hem in het krijt stond.*"' Ze keek weer naar Hardy.

'"Het meeste wat hij ooit heeft gezegd is dat ze bij hem in het krijt stond." Zijn dat uw woorden?'

'Ja.'

'En u verwijst opnieuw naar Dylan en Maya, klopt dat?'

'Klopt.'

'U zegt dus dat het meeste wat Dylan ooit heeft gezegd over het feit dat hij niet bang was voor Maya, of zijn baan te verliezen, was dat ze bij hem in het krijt stond?'

Opnieuw een klaaglijke, onzekere knik. 'Ik denk het wel.'

'Dit is geen denkspelletje, mevrouw Ticknor. Nogmaals. U hebt dat gezegd of niet. Wat is het?'

'Oké, ik heb dat gezegd.'

'Het meeste wat Dylan heeft gezegd over het feit dat hij niet bang was voor Maya was dat ze bij hem in het krijt stond, is dat het?'

'Ja.'

'Ja.' Hardy draaide zich naar de jury om. 'Maar u hebt toch net getuigd dat hij veel meer dan dat heeft gezegd?'

'Ik weet niet wat u bedoelt.'

'U hebt net getuigd dat hij heeft gezegd dat hij haar om twee afzonderlijke redenen kon chanteren. Bent u het ermee eens dat dat iets anders is dan dat ze bij hem in het krijt stond? Bent u het daarmee eens of niet? Ja of nee?'

'Nou, dat bedoelde ik.'

'En hoe vaak voerde u deze gesprekken?'

'Heel vaak.' Ze richtte haar verweer rechtstreeks tot de jury. 'Gewoon wanneer we praatten. Het waren gewoon dingen die hij me vertelde.'

'Maar wanneer?' drong Hardy aan. 'Als u niets hierover wist toen u met de rechercheurs praatte en Dylan al dood was, wanneer had u er dan met hem over gepraat kunnen hebben?'

Jansey wierp een doodsbenauwde blik op Stier. 'Dat weet ik niet. Ik ben er niet zeker van. Maar we hebben wel gepraat. Ik ben er zeker van dat we gepraat hebben.'

Nu het punt duidelijk was gemaakt, stapte Hardy ervan af. 'Eén laatste korte lezing, als het mag. Het gemarkeerde gedeelte in het midden van pagina vijf.'

Inmiddels was haar stem bijna tot een fluistertoon gekrompen, maar ze vond haar passage. '"*Heeft hij gezegd waarom ze bij hem in het krijt stond?*"

"*Daar hebben we eigenlijk nooit over gepraat.*"'

'Het was niet zo dat jullie er ooit echt over praatten. Dat zouden u en Dylan zijn, correct?'

'Ja.'

'Nog één ding, mevrouw Ticknor. Vertel de jury wat de politie op de zolder van uw woning heeft gevonden.'

'Wat bedoelt u?'

'Ik bedoel marihuana met een waarde van ongeveer een kwart miljoen dollar. Dat bedoel ik.'

'Nou, ja, de marihuana bevond zich daar.'

'En dat is de marihuana waarvan u ons net heeft verteld dat Dylan die in Maya's zaak verkocht?'

'Ja.'

'Dus natuurlijk bent u gearresteerd en aangeklaagd wegens het voor de verkoop kweken van een zeer grote hoeveelheid marihuana in uw huis, nietwaar?'

'Nou, natuurlijk niet.'

'Maar u hebt ons net verteld dat u wist dat de marihuana zich daar bevond.'

'Ja.'

'In uw huis gekweekt?'

'Ja.'

'En het geld verschafte dat u en uw kind, in elk geval gedeeltelijk, onderhield?'

'Nou, ik heb nooit dopegeld aangenomen.'

'Maar het feit blijft dat u nooit bent gearresteerd of aangeklaagd wegens bezit van zo'n flinke hoeveelheid marihuana. Hebt u die mogelijkheid ooit met de politie besproken?'

'Nou, ja, ze zeiden dat ik niet in de problemen zou komen.'

'Laat me uw geheugen opfrissen, mevrouw Ticknor, wat betreft de volgorde waarin deze gesprekken plaatsvonden. Eerst hebt u de politie verteld dat u heel weinig wist over wat er gebeurd was, en niets over de marihuana op zolder. Correct?'

'Nou, dat was mijn eerste verklaring.'

'Vervolgens, meer dan een week later, nadat de politie u had verteld dat u voor een heel lange tijd naar de gevangenis kon gaan als ze u met Dylans marihuanahandel in verband brachten, herinnerde u zich informatie die belastend voor Maya Townshend was. En daarna vertelde de politie u dat u niet aangeklaagd zou worden voor de marihuana op zolder. Zo is het toch nagenoeg gegaan?'

'Nou, oké, maar wel anders dan u het laat klinken.'

'Dank u,' zei Hardy. 'Geen verdere vragen.'

32

De media hadden de belangstelling voor het proces bepaald niet verloren, en vanwege de getuigenis van vandaag haastten de schrijvers en de experts zich van de rechtszaal naar hun telefoons en toetsenborden om verslag te doen van de pas onthulde beschuldigingen van Maya's ontrouw, haar daaropvolgende afwijzing en het toegevoegde motief dat ze daardoor ongetwijfeld had gekregen om Dylan Vogler te vermoorden.

Dit alles verscheen bijvoorbeeld in het avondnieuws, waar Hardy en zijn vennoten, met een drankje, naar zaten te kijken op de enorme tv die ze in een smaakvolle kast tegen de achtermuur van het solarium hadden geplaatst. Hoewel Hardy meteen na afloop van de uitzending de televisie met de afstandsbediening uitzette. 'Het maakt niet uit dat niets daarvan gebeurd is,' zei hij, 'hoewel ik een hekel heb aan muggenziften.'

Farrell, die espresso dronk, was min of meer weer de oude geworden; hij was bij zijn vriendin Sam terug en liet zijn haar met enige regelmaat knippen. Omdat het na kantoortijd was, was Phyllis naar huis gegaan, dus voelde Wes zich genoeg op zijn gemak om naar beneden te komen met zijn hond en in zijn T-shirt, waarop vandaag stond: 'Eeuwig Leven: Roken of Niet-roken.'

'Je leeft om te muggenziften,' zei hij tegen Hardy. 'Muggenziften geeft je leven zin, zoals iedereen die jou kent ongetwijfeld zal bevestigen.'

Gina Roake nipte van haar Oban, zonder ijs. 'Weet je dat zeker?' vroeg ze. 'Is niets daarvan gebeurd?'

'Oké, in hun studietijd. Maar daarna niet. Sorry, maar ik geloof Maya.'

'Heeft Jansey dan meineed gepleegd?' vroeg Gina.

Alsof hij in de rechtszaal was, nam Hardy een slok van zijn fles water en knikte. 'Volledig.'

'Waarom?'

Wes grinnikte. 'Ik vind het geweldig als je dat vraagt, Gina. Alsof meineed een verrassing is.'

'Ik ben niet zozeer verrast als wel teleurgesteld dat het blijft gebeuren. En wat het Jansey oplevert is, denk ik, wat ik bedoel.'

'Ik denk, in de eerste plaats, voornamelijk,' antwoordde Hardy, 'dat ze in niemandsland is en dat ze er op deze manier uit kan komen. In het begin heeft Stier of Schiff of iemand anders waarschijnlijk iets tegen haar gezegd als: '"Wij zijn er niet in geïnteresseerd hoeveel je wist over Dylans dopehandel, of wat je daaruit hebt verkregen, of dat je er nog steeds in zit. Wij zijn geïnteresseerd in de vraag of Maya hem heeft vermoord, en als jij ons daarmee kunt helpen, zullen we gemakshalve de rest vergeten." Ze is dus zwaar gemotiveerd om hun iets te geven. En wat beter dan een aantal dingen die Dylan vermoedelijk tegen haar heeft gezegd, die niemand ooit kan controleren, laat staan weerleggen? Het is perfect. En zij denkt waarschijnlijk dat Maya het hoe dan ook heeft gedaan, als Jansey het tenminste zelf niet heeft gedaan...'

'Denk je dat dat mogelijk is?' vroeg Gina.

Hardy haalde zijn schouders op. 'Iemand heeft het gedaan. Janseys alibi is op zijn best zwak. Ze heeft al een nieuwe vriend, had hem waarschijnlijk daarvoor al. De kans is groot dat zij het vuurwapen in handen heeft gehad. Maar, hoewel ik dit niet graag zeg, Maya komt er ook nog steeds voor in aanmerking.'

'Bravo!' Farrell had altijd een sterk en, dat moest worden toegegeven, vaak terecht vooroordeel dat de cliënt altijd schuldig was. 'Je moet nu niet verslappen.'

'Maak je geen zorgen. Ik ben behoorlijk zeker, hoewel ik toegeef dat er een kleine kans bestaat dat ik nog aan het twijfelen kan worden gebracht.'

'Waardoor?' vroeg Farrell.

'O, dat weet ik niet. Een of twee nieuwe feiten.'

'Nou,' zei Farrell, 'dat zal niet gebeuren, niet in dit stadium.'

'Eigenlijk kan dat wel,' zei Hardy. 'In feite is dat misschien al gebeurd.' Hij vertelde hun over Edith Larsen, die nieuw was op Stiers getuigenlijst. 'Ik heb Wyatt al naar haar toe gestuurd, om te zien wat ze te zeggen heeft.'

'Wat staat er in de politierapporten?' vroeg Gina.

Een berouwvolle grimas. 'Het schijnt dat ze er nooit aan zijn toegekomen om het op te schrijven.'

'Je choqueert me,' zei Farrell.

'Dat weet ik,' beaamde Hardy. 'Het heeft mijn wereldvisie door elkaar geschud. Maar het feit blijft dat ze iets te zeggen moet hebben, anders zou Stier er niet zo'n drukte van maken om haar op de getuigenlijst te zetten. Zelfs als hij haar niet gaat oproepen. Hij hoopt ook dat ik haar zal negeren.' Hij glimlachte naar zijn beide vennoten. 'Maar ik ben bang dat ik hem daarin ga teleurstellen. In elk geval totdat ik weet wat ze heeft, of niet.'

's Avonds om halfacht zat Hardy in het kantoor, aan zijn bureau, de tijd te doden tot de verwachte komst van Craig Chiurco. Naar zijn gewoonte nam hij zijn dossiers door, in de hoop dat er iets in deze amorfe massa aanmaakpapier zou vonken. De dossiers besloegen nu vier dikke zwarte ordners, waarin hij, in een voor hem schijnbaar logische volgorde, forensische rapporten, politierapporten, gesprekstranscripties zoals die welke hij vandaag voor Jansey in de rechtszaal had gebruikt, foto's, persoonlijke notities van Schiff en Bracco had gepropt – de eindeloze aanwas van de procesvoering.

Nadat hij zijn notities over Janseys getuigenis – zevenenveertig bladzijden – voor de tweede keer had doorgenomen, deed hij de map eindelijk dicht en leunde hij achterover in zijn stoel. Hoewel een deel van hem ernaar smachtte om haar nogmaals in de getuigenbank te laten plaatsnemen en afzonderlijke elementen uit haar getuigenis te plukken die hij die middag niet had behandeld – wat per slot het meeste daarvan was – besefte hij ook dat hij in zijn hoofdtaak was geslaagd, namelijk haar in diskrediet brengen, zodat haar hele getuigenis verdacht was. Bovendien kon hij zijn innerlijke gevoel, zijn pure instinct, niet negeren dat er niets in haar meinedige verhaal was wat, als de waarheid bekend was, een jurylid van mening zou kunnen doen veranderen over Maya's schuld. De basisfeiten bleven – of Maya nu een affaire met hem had gehad of niet, Vogler had haar gechanteerd, ze had de chantage betaald (wat betekende dat ze schuldig was aan *iets*), ze was naar BBW en naar Levons woning gegaan.

Waarom? Waarom? Waarom?

Jansey loog ongetwijfeld, maar ze loog om al haar eigen, waarschijnlijk heel goede, redenen. Uiteindelijk geloofde hij dat niets van wat ze zei echt iets zou uitmaken.

Hardy stond op, liep eerst naar het raam, waar hij op Sutter Street neerkeek, en vervolgens naar een andere inbouwkast in de muur tegenover zijn bureau, waar zijn dartbord in zat. Hij deed de deuren van de kast open en schoof ze precies ver genoeg terug; daarna pakte hij zijn wedstrijdpijltjes uit hun gleuven en liep hij terug naar de donkere kersenhouten werplijn in zijn gepolijste witte eikenhouten vloer.

Twintig. Dubbel twintig. Vijf.
Van het bord naar de lijn.
Een. Vijf. Twintig. Daarna een, een, vijf. Nog eens vier of vijf verloren rondes – vreselijke, merkwaardige worpen – voordat hij eindelijk twintig, twintig, twintig registreerde.
Oké.
Hij liet die pijlen waar ze waren beland en hees zich weer op het bureau.

Chiurco, die zijn jas en das weer droeg, zat in een vleugelstoel tegenover Hardy op de meer informele van de twee zitplaatsen in het kantoor. Hij leek een klein beetje zenuwachtig, dus gaf Hardy het eerste zetje. 'Nou. Levon Preslee.'
'Oké.'
'Fris mijn geheugen even op. Hoe is zijn naam ook alweer bovengekomen?'
'Wyatt had mij op Dylans oude berovingsveroordeling gezet. Hij dacht dat er misschien een of ander verband zou zijn met datgene wat hij gebruikte om Maya te chanteren. Of, zelfs nog beter, misschien zouden we iemand anders vinden die hem wilde vermoorden.'
'Hoe ben je dan bij Preslee gekomen?'
'Ik heb gewoon op internet gezocht. Ik vond Vogler. Zo kwam ik bij de roofoverval in 1997. En zijn medegedaagde is Levon. Ik zoek hem dus op het internet op en ontdek dat hij voor het ACT werkt. U zult dit niet geloven, maar hij staat ook in de telefoongids. Aangezien hij in het theater werkt, ga ik ervan uit dat hij waarschijnlijk overdag thuis is, dus ben ik daarheen gereden. Ik wist niet eens dat Wyatt ook op hem was gestuit, totdat ik dat van jullie hoorde.'
'Heb je hem niet eerst gebeld?'
'Nee, meneer. Ik dacht dat voor het geval hij iets op zijn kerfstok had, ik misschien betere antwoorden zou krijgen als ik hem verraste.'
'En daarna?'
'Daarna ga ik zijn hal binnen, en daar staat een vrouw bij de deur.'
'Hoe wist je dat het Maya was? Had je haar eerder ontmoet?'
'Nee, maar ze is onze cliënt. Ik heb haar foto in de krant gezien. Zij was het.'
'Zoals blijkt, heb je gelijk.'
'Maar hoe dan ook, ik wist niet wat ze daar deed, of wat ik moest doen, dus stond ik daar gewoon een poosje.'

'En toen?'

'Nou, ze zei tegen me dat hij niet thuis was en liep langs me heen naar buiten. Meneer Hardy, eerlijk waar, ik denk dat ze aan de deurknop wrikte alsof ze probeerde binnen te komen, maar ik kwam daar een fractie van een seconde te laat, en ik kan er niet absoluut zeker van zijn. Maar echt, dat is wat ik denk te hebben gezien.'

'Nou, dan, als dat het beste is wat je voor ons kunt doen, dan zullen we het daarmee moeten doen. Het is tenminste iets. Als ik je oproep om te getuigen, probeer het dan niet te verbeteren. Dat is wat je moet zeggen. Begrepen?'

'Begrepen.'

'Oké, dan. Schrijf het precies zo op en onderteken het, want als ik besluit je op te roepen, zal ik het document aan de officier van Justitie moeten geven.'

'Cool.'

'Oké, dan. Nog een fijne avond.'

'U ook.'

'Ze is een oude dame,' zei Wyatt Hunt, 'maar ik weet niet hoe ze erbij komen dat ze seniel is.'

Hardy had zich herinnerd dat hij naar huis moest bellen om Frannie te zeggen dat hij niet wist wanneer hij thuis zou komen – tamelijk gewoon tijdens processen – maar tegelijkertijd had hij zich herinnerd dat hij ook vergeten had te eten. Dus toen Hunt zich na zijn ontmoeting met Edith Larsen had gemeld en had gezegd dat hij in zijn eigen kantoor was net om de hoek in Grant Street, de hoofdstraat van Chinatown, en op het punt stond bij de Chinees te gaan eten, had Hardy zichzelf uitgenodigd.

Nu zaten ze – de enige twee klanten – op hoge krukken aan een tafeltje bij het voorste raam garnalen en varkensvlees te eten, en er was geen souvlaki lo mein à la Lou de Griek te bekennen. Een goede zaak.

'Nou, wat is haar verhaal?'

Hardy kauwde en luisterde terwijl Hunt het uit de doeken deed. Ondanks de eenvoud ervan konden de implicaties enorm zijn, besefte Hardy – niets minder dan een complete herstructurering van de theorie van de zaak. Belangrijker – en wat Hardy's steeds zwakkere geloof in de schuld van zijn cliënte nog verder zou ondermijnen – was dat er geen feiten waren waarvan hij zich kon voorstellen dat die zouden stroken met Maya's betrokkenheid in dit twee-schotenscenario.

'Nee,' zei hij tegen Hunt, 'denk er eens over na. Er is maar één schot uit het vermoedelijke moordwapen afgevuurd, nietwaar? Juist. Wat heeft ze dus gedaan, één keer geschoten – waarop? Dylan? Een soort waarschuwingsschot? Onwaarschijnlijk. Maar de hoofdzaak is dat als dat tweede schot uit dat ene wapen is afgevuurd, dat betekent dat ze heeft herladen. En dat is absurd.'

'Stier zal zeggen dat het niet gebeurd is, punt uit. Hij zal zelfs jouw eigen argument gebruiken dat er geen bewijs is. Geen tweede huls, geen tweede kogel, niks. Het is niet gebeurd. Het was een terugslag.'

'Ja. Juist. Dat weet ik. Maar laten we even doen alsof.'

'Goed. Wat zie je dan?'

'Er moeten twee vuurwapens zijn.'

'Twee?'

Hardy, die zich erin verdiepte, legde zijn stokjes neer. 'Degene die Dylan kwam neerschieten had zijn eigen wapen en wist dat Dylan ook gewapend was, dus hield hij hem eerst vanwege het andere wapen onder schot.'

'Waarom? Waarom schoot hij hem niet gewoon neer, *pang*?'

'Hij kende hem. Misschien dacht hij eerst dat ze het konden uitpraten, wat hun meningsverschillen ook waren. Misschien probeerde Dylan hem op de een of andere manier aan het lijntje te houden.'

'Hadden ze dan een ontmoeting gepland? Ook met Maya erbij?'

Hardy schudde zijn hoofd. 'Daar ben ik nog niet uit. Hoe zou die vrouw, degene die je vanavond hebt gezien...'

'Edith...'

'Juist. Hoe zou zij in de getuigenbank zijn?'

'Behoorlijk goed, zou ik zeggen. Oprecht en slim. Ze wist de exacte tijdstippen van de schoten en herinnerde zich zelfs na al die tijd de dag en datum. Zij is geen uilskuiken, Diz.'

'Dus. Hoe zit het? Geloofde Stier haar gewoon niet? Ik bedoel, waarom zou je haar op voorhand buitensluiten in plaats van een of andere manier proberen te vinden om haar verhaal te verklaren? En het is trouwens vrij gemakkelijk te verklaren, zoals jij ongeveer een minuut geleden al hebt gedaan.'

'Misschien wist hij niet van haar bestaan af.'

'Tot wanneer?' Met een wijzende vinger bracht Hardy de gespannen lunchbijeenkomst bij Lou met Glitsky, Jackman en de rechercheurs in herinnering. 'Misschien vandaag tijdens de lunch, hè?'

'Die gedachte is door mijn hoofd gegaan, om eerlijk te zijn.'

'Dit zou de doorslag kunnen geven,' zei Hardy. 'Voor het vonnis, bedoel ik.'

Hunt pelde een garnaal. 'Misschien wel,' zei hij, waarna hij zijn hoofd scheef hield en vroeg: 'Is er nog iets anders? Naast het vonnis?'

'De echte dader, Wyatt. Als Maya het niet was. En als er twee vuurwapens waren...'

Bij dit idee schoof Hunt naar achteren op zijn stoel. 'Nou,' zei hij, en hij staarde door het raam naar de mistige straat. 'Wes zweert dat dat nooit in het echte leven gebeurt.'

'Dat weet ik. Hij zal er kapot van zijn, maar hij heeft al eerder ongelijk gehad.'

Na een poosje schoof Hunt weer naar voren, naar Hardy toe, met zijn ellebogen op de tafel. 'Maar ik wilde dolgraag weten wat je over die andere kwestie hebt ontdekt.'

'Welke andere kwestie?'

'Tess Granat? De aanrijding? Ik heb het na de lunch gegoogeld.'

'Goddank dat Google bestaat,' zei Hardy, die eigenlijk wilde dat Hunt dit niet opnieuw ter sprake had gebracht. 'Alles wat er ooit is gebeurd, is daar te vinden.'

'Behalve Dylan Vogler. Zijn vroege leven, in elk geval. Als je de hits naar aanleiding van zijn dood niet meetelt. Eerlijk gezegd denk ik dat hij de enige persoon is die niet door Google wordt gevonden.'

'Heb je gekeken?'

'Diz. Google is mijn halve leven, misschien wel driekwart. Daar kijk je het eerst. Wat ons terugbrengt bij Tess Granat, die heel echt en heel vaak geregistreerd was. Dus wat heb je ontdekt?'

Hardy pakte zijn thee op en blies erin. 'Niets.'

'Niets? Wilde ze niets zeggen, of hoe zit dat? Zelfs als ze er niet bij was betrokken, moet ze alles erover geweten hebben.'

Hardy zag in dat hij alleen maar voor de draad kon komen. 'Het was een gesprek onder geheimhouding, Wyatt. Ik mag er niet over praten.'

Hunt glimlachte. 'Diz. Knakker. Ik ben jouw detective. Ik val ook onder die geheimhouding.'

'Nou, alleen omdat ik het jou kan vertellen, wil het nog niet zeggen dat ik dat ook moet doen. Maar denk niet dat ik het niet hartverscheurend vind.' Hardy zette zijn kop neer en ging door. 'Maar luister, ik weet niet of we dat hoe dan ook nodig zullen hebben. Deze Edith Larsen, zoals ik al zei, kan het misschien wel helemaal in haar eentje af. We moeten haar laten dagvaarden.'

'Als onze getuige?'

'Absoluut. En zo snel mogelijk, denk ik.'

Hunt haalde een klein notitieboekje uit zijn jaszak en noteerde iets. 'Ik zal zorgen dat Craig morgenochtend bij je op kantoor langskomt.'

'Dat zal wel werken,' zei Hardy. 'Ik zal morgenochtend meteen een dagvaarding regelen en die bij Phyllis achterlaten. De jongen een zinvolle taak geven, zijn problemen verwerken.'

'Nou, ik hoop dat hij eroverheen is. Jongeren, weet je. Liefde.'

'Ik heb van allebei gehoord,' zei Hardy.

'Hoe dan ook, als Craig niet komt opdagen, kom ik wel. Maak je geen zorgen. En in elk geval heb ik Edith vanavond op de band gezet, voor wat dat waard is. Die band ligt in mijn kantoor, opgeborgen.'

'Uitstekend.' Hardy werkte het laatste hapje varkensvlees weg en keek op zijn horloge. Kwart voor tien. Hij ademde zwaar uit en schudde zijn hoofd. 'Soms denk ik dat ik te oud voor dit soort dingen word.'

'Processen?'

'Geen gewone processen. Moordprocessen.'

'Ik dacht dat die juist leuk waren, dat advocaten zich dan het levendigst voelden.'

Hardy keek hem aan. 'Uh huh. Alleen in de zin dat wanneer je lijdt, je tenminste weet dat je leeft.'

'Nou, zie je wel.'

'Zie je wel,' zei Hardy.

Maar plotseling besefte Hardy toen hij naar huis reed dat de samenloop van de twee nieuwe feiten die hij pas vandaag had ontdekt – het tweeschotenscenario in de steeg achter BBW en Maya's betrokkenheid bij de dood van Tess Granat – hem zeer tegen zijn wil en zijn zin niet alleen deed twijfelen aan de schuld van zijn cliënt, maar hem zelfs bijna de zekerheid gaf dat ze wel eens echt onschuldig kon zijn.

Het sleutelelement betreffende Tess Granat, waar hij en Hunt vandaag tijdens de lunch op hadden gezinspeeld, was eenvoudig en toch diep. Dylan Vogler had van het ongeluk geweten en had Maya ermee gechanteerd sinds hij uit de gevangenis was. Hardy kon geloven – en had ook echt geloofd – dat zijn cliënte alle motieven ter wereld had om Dylan te vermoorden. Ze had ook de middelen en de gelegenheid gehad.

Wat er was veranderd in het Tess Granat-scenario, dat het nogal belangrijke voordeel had dat het waar was, was dat het volgens Hardy

Levon Preslee compleet buiten beeld zette. Hij had zijn ene gunst, zijn baan, al van Maya gekregen, en misschien zelfs via Dylan. Maar dat was kennelijk genoeg geweest. Hij had iets aan die baan gehad, een nieuw begin van een ander leven. En in elk geval was die gunst, of wat het ook maar was, jaren daarvoor verleend. Er was nergens geregistreerd dat Maya hem in acht jaar gezien of gesproken had voordat ze plotseling naar zijn appartement ging op de dag dat hij werd vermoord.

Nogmaals – waarom?

Omdat Levon haar had gebeld?

Precies zoals Dylan haar had gebeld?

Of had iemand anders haar gebeld? Eén keer of beide keren?

Iemand die in het heden in contact stond met zowel Dylan als Levon, en die misschien ook in het verleden zaken met hen had gedaan?

Paco.

33

Om kwart over tien, lang nadat alle anderen behalve de bewakers van beneden het gebouw hadden verlaten, zat Harlen Fisk in zijn kantoor boven in het stadhuis met een halfautomatische Glock .40 kaliber, identiek aan het wapen van zijn zus, in zijn handen. Harlen had beide wapens tegelijkertijd gekocht, toen hij nog maar een paar jaar bij de politie zat. Toen Glock het nieuwe model uitbracht, hadden ze het zoals gebruikelijk met korting aangeboden aan politiemensen die in actieve dienst waren, in de hoop dat zij het wapen gunstig zouden beoordelen en dat hele steden het zouden bestellen als dienstwapen voor hun politiekorps. Eigenlijk had hij erop aangedrongen dit wapen voor Maya te kopen nadat BBW in het begin een keer was beroofd. Je had een wapen nodig als je een winkel in Haight had, ook al was je niet van plan het te gebruiken. Het was goed voor de gemoedsrust.

Indertijd leek Dylans periode in de gevangenis niet echt een weerslag op iedereen te hebben. Zelfs niet op een smeris als Harlen. Ze kenden elkaar allemaal toen Dylan en Maya studeerden, en Harlen, de oudere broer, was nog geen smeris. Soms rookten ze dope met zijn allen en hadden ze lol. Tot Dylan iets oerstoms had gedaan en werd gepakt. Maar hij had ervoor geboet, en nu deed hij geweldig werk voor Maya. Harlen had er nooit rekening mee gehouden dat hij weer de misdaad in zou gaan. Waarom zou hij? Hij had het niet nodig.

Hij had de wapens, de Glocks, dus gekocht. Harlen wist niets van de ballistische eigenaardigheid – en bekommerde zich daar ook niet om – dat uit dit model afgevuurde kogels gewoonlijk niet teruggevoerd konden worden naar een specifiek wapen, totdat hij er op het proces over had gehoord.

Harlens kantoor was niet groot, en het grootste deel ervan werd in beslag genomen door het ouderwetse bureau en het losstaande boekenrek langs de muur aan zijn rechterkant. Aan zijn linkerkant omvatte het uitzicht uit zijn grote ramen op Van Ness een prachtig stuk van de enigszins pompeuze architectuur van San Francisco – het Operagebouw, het

Centrum voor Uitvoerende Kunsten en het Oorlogsmonument. Achter hem bood een ingelijste fotogalerij waar hijzelf met diverse andere politici en beroemdheden poseerde – zijn tante Kathy natuurlijk, Bill en Hillary, Dianne Feinstein, Robin Williams, Dusty Baker in zijn Giantsuniform – een stille maar boeiende getuigenis van zijn eigen populariteit en succes.

Hij had, langs een ietwat kronkelige weg en over de meest moordende terreinen, bijna de top bereikt. In elk geval de top van de stad – en wie wist hoe ver hij daarna nog kon komen? Hij was nu zeven jaar toezichthouder nadat hij zeven jaar daarvoor meteen na de universiteit als klerk in Kathy's kantoor was begonnen. Dankzij de begeleiding en de invloed van zijn tante Kathy was hij als geüniformeerd agent bij de politie gegaan en klom hij snel op, uiteindelijk helemaal naar Moordzaken voor een paar maanden, voordat hij ontslag nam en naar de politieke kant overstapte, waar hij onder aan de ladder met gemeenschapswerk begon – enerzijds gaarkeuken en daklozenopvang; anderzijds verdediging van slachtofferrechten, wat hem met zijn politieachtergrond gemakkelijk afging. Dit werk combineerde hij met een paar taken in diverse besturen – de Nationale Nierstichting, Vrienden van de Openbare Bibliotheek van San Francisco – en een termijn in de schoolraad, en toen Kathy burgemeester werd, stelde hij zich kandidaat voor haar zetel in de Raad van Toezichthouders.

En nu zat hij, met het vuurwapen in zijn hand, zich hier af te vragen of het allemaal zou ophouden.

Het onmiddellijke probleem was Cheryl Zolotny. Nee, Biehl nu. Lieve lieve meid, en zeer, zeer aantrekkelijk toen ze jonger was. Eigenlijk was ze nog steeds een lust voor het oog, en in andere omstandigheden was hij misschien onder de lunch in die zwoele ogen weggezonken – ogen die hij ooit goed had gekend.

Maar vandaag niet.

Vandaag had haar getuigenis over al die jaren geleden met Maya Harlen simpelweg doen beseffen dat hij nog steeds een groot risico liep. Dit was een vrouw die hem niet alleen had gekend, maar ze had ook drugs met hem gebruikt. En oké, het was alleen maar marihuana geweest. De laatste tijd, en ondanks zijn langdurige steun aan de medische-marihuanawetten en -salons, was hij zich er bewust van geworden hoeveel problemen een beetje marihuana voor mensen kon veroorzaken.

Had Dylan die rugzak maar niet gedragen...

Maar dat had hij wel.

En nu was Cheryl plotseling, uit het niets, weer volledig in beeld verschenen. Niet dat ze, voorzover hij wist, eropuit was om hem op enige manier in de problemen te brengen. Eigenlijk had ze zich uitnodigend, zelfs ronduit flirterig gedragen, ondanks dat ze getrouwd was. Ze had laten merken hoe gevleid ze zich voelde dat hij – zo'n ontzettend belangrijke man nu, met zijn hoge positie – zich haar zelfs nog herinnerde van vroeger, toen ze een beetje hadden gerotzooid, toen ze nog maar een meisje was.

Maar wat als ze met iemand praatte, een of andere verslaggever, met wie dan ook? Wat Harlen betreft was er niets méér waar dan het feit dat je je niet kon verstoppen. Hij beschouwde het als een stelling die geen betoog behoefde en die net zo universeel was als de Wet van Murphy: een politicus met een schadelijk geheim is in zekere zin al een uitgerangeerde politicus. Het zou uitkomen – het feit dat hij Levon ook had gekend. Met hem was omgegaan.

Hij vroeg zichzelf telkens: nou en? Nou en?

En het simpele antwoord was dat hij de – geringe tot vergaande – gevolgen niet kende als de mensen die hem al belaagden over die verbeurdverklaringskwesties nog meer kregen om over na te denken. Het zou hoe dan ook meer krantenkoppen betekenen, dacht hij, en niet het goede soort. Een arme zwarte jongen na een tijd in de gevangenis aan een baan bij ACT helpen was één ding, maar het was heel wat anders om met hem en zijn dope gebruikende vrienden en je eigen van moord verdachte, dope dealende zus te hebben gefeest. En zelfs als het voor het algemene publiek geen carrièrebrekende kwestie was, zou het dat voor Kathy wel zijn.

Het kon zijn einde betekenen.

En Cheryl wist er alles van. En ja, ze had hem gezegd dat als het belangrijk voor hem was, ze al die oude dingen natuurlijk voor zich zou houden. Maar wat als...?

Wat als?

Hij keek naar het wapen in zijn hand. Wat dacht hij dat hij daarmee zou doen? Was hij hier gekomen met de gedachte dat zijn carrière, zijn leven, echt zo goed als voorbij was, dat hij misschien echt zelfmoord zou plegen? Hoe zat het met Jeannette en de kinderen? Wat zouden zij zonder hem moeten?

Hij moest zich ontspannen. Tenslotte was er nog niets gebeurd. Misschien zou er nooit iets gebeuren. En Cheryl had hem beloofd dat ze het geheim tussen hen voor altijd zou bewaren. Net als hun andere geheimen uit de tijd dat ze met elkaar omgingen. Ze zou hem nooit verraden. Ze begreep alles wat hij haar verteld had en was het met hem eens dat het belangrijk was.

Superbelangrijk, had ze eigenlijk gezegd. En het zouteloze, bekakte adjectief had nog een andere realiteit over Cheryl de ex-cheerleader in zijn herinnering teruggebracht. Ze was zonder twijfel zeer, zeer aantrekkelijk geweest, maar ook dom, dom, dom. Superdom.

Was ze te dom om te begrijpen wat ze wist? Of moest hij proberen om opnieuw contact met haar op te nemen? Een afspraak regelen.

Het duidelijker maken.

Robert Tripp trok zijn chirurgische handschoenen uit en liet ze in de vuilnisemmer in Janseys keuken vallen. 'Ik denk dat ik alles heb weggehaald.' Hij liet het water in de gootsteen stromen en zeepte zijn handen in. 'Maar dat was geen prettige klus.'

'Dank je,' zei ze. Ze zat aan de keukentafel, met een glas wijn voor zich. 'Je hebt wat van me te goed. Ik kon dat vanavond gewoon niet aan.'

Tripp draaide zich om. 'Wat als ik hier niet was geweest?'

'Dan had ik de badkamer in quarantaine gehouden en verboden om door te trekken totdat ik de loodgieter kon bellen.'

'Je zou het altijd zelf kunnen doen.'

Ze trok een gezicht. 'Ik doe wat een goede moeder moet doen, Robert. Echt waar. Maar mijn handen daarin steken...'

Tripp hield zijn handen omhoog. 'Handschoenen, daarna zeep. Doet wonderen.'

'Heeft hij de hele rol gebruikt, denk je?'

'Het meeste ervan. Zo leek het, tenminste.'

'Getver. Het spijt me. Maar, getver.'

'Gelukkig dat je mij hebt.' Hij droogde zijn handen af en ging tegenover haar zitten. 'Maar nu even afgezien van dat incident, mevrouw Lincoln, hoe vond u het toneelstuk?'

Ze dronk ongeveer haar halve glas leeg en schudde haar hoofd. 'Het is een zware dag geweest, als je dat wilt weten. Echt zwaar. Ik kijk naar Maya, die tegenover me zit, en ze ziet er zo onschuldig uit, zo zielig bijna. Ik denk dat ze gehuild heeft voordat ze de rechtszaal binnenkwam. Dan voel ik me zo'n monster, op de een of andere manier.'

Hij legde zijn hand op de hare. 'Zij heeft het gedaan, schat. Ik dacht dat we daar uit waren. Ongeacht hoe ze eruitziet.'

'Ik weet het. Ik weet het. Maar al die andere dingen zijn er ook nog.'

'Welke andere dingen?'

'Je weet wel. De verzekering, wanneer ze gaan uitbetalen, of de politie nog steeds achter me aan zal gaan voor iets over de zaak.'

'Zeiden ze niet dat ze dat niet zouden doen?'

'Nou,' zei ze schouderophalend. 'Als je hen gelooft. Maar ik heb nooit iets getekend, dus ik denk dat ze dat nog steeds kunnen doen.'

Tripp stond op, liep om de tafel heen en schoof een stoel naast haar. Hij sloeg zijn arm om haar schouders, trok haar naar zich toe, kuste haar in haar hals en hield haar even vast. 'Je maakt je gewoon zorgen. Ik hou van je.'

'Ik denk alleen: wat als zij het niet is?'

Hij maakte zich los. 'Maar zij is het wel. Wie zou het anders zijn?'

'Ik weet het. Ik weet het. Maar het was gewoon heel anders om haar echt aan te kijken en al die dingen hardop te zeggen. En ik weet ook – denk niet dat ik dat niet weet – dat het veel beter voor ons is als ze eenmaal veroordeeld is.'

'Hé,' zei hij zachtjes, 'wij zitten goed. We hoeven ons geen zorgen over onszelf te maken.'

'Maar ik wel. Ik bedoel, als hij me weer opbelt.'

'Wie?'

'Die advocaat. Meneer Hardy.'

'Wat is er met hem?'

'Nou, hij heeft niet eens naar ons gevraagd.'

'Waarom zou hij?'

'Nou, weet je, omdat...'

'Omdat wij iets met elkaar hebben?'

Ze draaide zich naar hem toe. 'Niet omdat wij nu iets met elkaar hebben, Robert. Omdat wij iets met elkaar hádden. Ik bedoel, toen. Dat is nooit bekend geworden, en als dat wel gebeurt...'

'Wat dan?'

'Geen idee. Maar iets, zou ik denken.'

'Waarom?'

'Omdat het mij een reden geeft...' Ze knipperde tegen de opwellende tranen.

Hij trok haar opnieuw naar zich toe, met zijn hand op haar nek, en fluisterde in haar oor: 'Je bent gewoon bekaf, Janz. Het is een lange ruk geweest, dat is alles. En het doet er niet toe of je alle reden ter wereld had om hem van kant te maken – en die had je trouwens...'

'Zeg dat niet!'

'Goed. Maar het feit blijft dat het er nog steeds niet toe doet, omdat ik heb gezegd dat jij hier was.'

'Maar ik wás hier ook.'

'Natuurlijk. Maar doordat ik het zeg ben je hier echt, met een heus alibi, zoals ze het noemen. Je weet wel wat ik bedoel.' Hij legde zachtjes zijn vinger onder haar kaak en tilde die zodanig op dat ze hem aankeek. 'We hebben hier al over gepraat. Heel vaak.'

'Ik weet het. Ik ben stom, denk ik.'

'Zo stom ook weer niet.' Hij kuste haar. 'Maar wel heel heel schattig, in al je ergernis.'

Ze trok een pruillip en schudde haar hoofd. 'Ik voel me niet schattig.'

'Ik wed dat ik dat in ongeveer vijf minuten in orde kan maken.'

Ze staarde langs hem heen door het raam naar de duisternis buiten. 'Hij heeft me helemaal niets over ons gevraagd,' zei ze.

'Dat komt omdat dit niet over ons gaat. Dit gaat over de moord op Dylan door Maya, en de aanklager helpen om dat te bewijzen. Daar gaat het alleen over.'

'Ben je daar echt zeker van?'

'Ja, schat. Absoluut zeker.'

Nu het programma op orde was en soepel liep, dacht Ruiz dat het volkomen onverantwoordelijk zou zijn geweest om de zaak op te geven alleen omdat Dylan er niet meer was, en zijn geregelde aanvoer van kwaliteitswiet ook niet meer. De andere werknemers met een langlopend contract bij BBW zouden waarschijnlijk geen andere baan vinden waarvoor ze een maandelijkse bonus kregen die ook maar in de buurt kwam van wat Dylan hun voor hun trouw en medewerking had betaald, en Ruiz was natuurlijk bereid om bijna onmiddellijk zodra de storm vlak na de schietpartij was geluwd, in het gat te springen.

Nu, tegen middernacht, stak Ruiz in zijn tien jaar oude Camaro Golden Gate Park's Panhandle bij Masonic Street over, onderweg naar de afspraak van vanavond met zijn nieuwe bron – eigenlijk zijn oude vriend Jaime Gutierrez, maar hij had nooit geweten dat hij wiet dealde – om een hoeveelheid van het product op te halen voor de komende week. Het was altijd op dinsdagavond, en eerder had Jaime een sms-bericht naar zijn mobieltje verstuurd met het steeds wisselende adres, zoals gewoonlijk.

Ruiz had BBW om tien uur gesloten en was naar zijn appartement in Parnassus gegaan, waar hij zijn achtduizend dollar had opgehaald, waarvan hij wist dat het normaal gesproken veel te veel was om mee rond te lopen, maar het was slechts één keer per week en het moest gebeuren. Ook pakte hij de oude eenvoudige zesschots revolver, die Jaime meteen na hun eerste deals aan hem had verkocht, en het had ernaar uitgezien dat het wapen het zou blijven doen.

Natuurlijk wist Ruiz dat Dylan niets aan een wapen had gehad, maar dat kwam omdat Dylan na verloop van tijd zelfgenoegzaam was geworden. Iedereen bij BBW wist waar hij het op het werk bewaarde en dat hij het in de binnenzak van zijn jasje droeg wanneer hij het product of geld of allebei vervoerde. En hij was echt, in wezen, een heel vriendelijke vent. Verdiende veel geld, gaf veel daarvan weg, een schat van een vent.

Ruiz was slimmer. Niemand bij BBW wist zelfs dat hij dit wapen had. Of wanneer hij het geld naar binnen of naar buiten bracht. Of, vooral, wanneer of waar hij zijn product scoorde.

Hoewel hij moest toegeven dat dit het gebied van de handel was waar Dylan een talent voor organisatie en controle had getoond, en Ruiz was van plan dat model te evenaren zodra hij een grotere stek kon vinden waar hij zijn eigen voorraad kon kweken, net zoals Dylan op zijn zolder had gedaan. Wat had betekend dat Dylan niet naar die wekelijkse aankopen hoefde te gaan, die altijd een beetje oppervlakkig voelden. Dylan had niet hoeven te kopen; hij verkocht alleen, en dat maakte alles zoveel helderder. Zelfs na al hun gezamenlijke jaren was Ruiz er nooit achter gekomen waar hij het geld in of rondom de winkel had opgeborgen. Niemand wist ooit wanneer hij met het product zou komen opdagen, of met geld zou weggaan, als hij dat deed, en dat moest hij wel hebben gedaan.

Dus, de les die je daaruit kon trekken: hou alle logistiek voor jezelf, zoals Dylan had gedaan. Waar je voor moest uitkijken, wist Ruiz, was als een van de andere mannen in de winkel ideeën kreeg dat hij het kon overnemen als Ruiz verdween. Net zoals Ruiz dat had gedaan. Dylan had die mogelijkheid nooit overwogen, of had het in elk geval nooit laten merken als hij dat wel had gedaan.

Nou ja, tijden veranderden. Levens veranderden.

En in zijn nieuwe leven parkeerde Ruiz nu in Turk Street bij Divisadero Street – het hele gebied was duister, aangezien deze buurt, Outer Fillmore, nogal onderbedeeld werd door het Departement van Openbare Werken. Straatlantaarns hadden hier niet de hoogste prioriteit – het was moeilijk te zeggen of er eigenlijk wel andere stedelijke prioriteiten waren.

Terwijl Ruiz de auto afsloot en keek of er voetgangers waren – nee – hoorde hij luide hiphop uit een straat of twee verderop. De wind was zwak, maar heel koud, en Ruiz trok zijn parka over zijn kin, stak zijn handen in zijn zakken, bij zijn revolver in de ene zak en zijn geld in de andere, en controleerde deuren totdat hij het adres bereikte en bleef staan.

Het was een ouderwets flatgebouw, drie verdiepingen. De hal glinsterde onder doffe tl-lichten, waarvan de kappen vergeeld waren door ouderdom en verwaarlozing. Ruiz probeerde de voordeur.

Die was open.

Hoe Jaime dit soort plekken vond, wist hij niet.

Pal onder de brievenbus zat een grote grijze kat in een kattenbak en vanwege de geur was Ruiz er vrij zeker van dat het niet het enige dier was dat vlakbij zijn behoefte had gedaan. Misschien zelfs wel een paar mensen.

Hij zocht 3F, dus drukte hij op de enige liftknop, maar die lichtte niet op. Hij wachtte maar zo'n twintig seconden voordat hij het opgaf en de trap nam. De eerste verdieping was schemeriger dan de hal, maar enigszins tot zijn opluchting was de tweede lichter. Zwetend nu van de zenuwen en de inspanning van de klim – hij *moest* zijn eigen kwekerij hebben – kwam hij het trappenhuis uit en liep hij naar 3F, waar hij twee keer en vervolgens één keer klopte.

Spionnengedoe. Hij grinnikte erom. Belachelijk.

En meteen ging de deur open en daar was Jaime, blij zoals altijd, handklappend, joviaal, compleet zorgeloos. Ruiz wierp een laatste blik achter zich op de overloop en stapte naar binnen; Jaime deed de deur achter hen dicht en op slot.

Een geschikte flat, zij het een tikje klein – misschien van Jaimes vriendin. Woonkamer, eetkamer, keuken. Met tweedehands meubels, maar niet slecht. Smaakvol.

Hun gebruikelijke protocol was dat ze een paar biertjes dronken en bijpraatten, geld uitwisselden voor het product, hun afspraak voor de volgende week bevestigden en afscheid namen, en dit deden ze nu ook. Het hele gebeuren duurde hooguit twintig minuten.

En nu namen ze afscheid. Ze haalden de deur van het slot en openden hem, toen die plotseling tegen hen aan knalde en ze achteruit werden gedreven door twee kerels die buiten hadden gestaan. Grote parka's, ieder met een wapen in de hand, met een verlengstuk op de loop. Maar ze werden niet lang achteruitgedreven, misschien een stap of twee.

Voordat de kerels het vuur openden.

34

'Ik weet dat je wakker bent. Neem op.'

Het was nog donker buiten, kwart voor zes, en Hardy zat zijn ochtendkoffie te drinken en over zijn dag in de rechtbank te lezen, gisteren, toen Jansey Ticknor zijn cliënte in een langdurige en, daar was hij zeker van, compleet valse affaire met Dylan Vogler had verwikkeld. Niet voor het eerst – en hoewel hij al een paar enigszins bruikbare antwoorden had – vroeg hij zich af waarom ze zo grondig meineed had gepleegd en of hij er iets bij te winnen had als hij haar opnieuw in de getuigenbank zou laten plaatsnemen en haar zou afbranden.

Maar toen hij Glitsky's stem hoorde, verdwenen deze overpeinzingen en hij boog zich voorover en pakte de hoorn. 'Dit is niet wat we een redelijke tijd noemen.'

'Je zit in een rechtszaak. Ik weet dat je op bent.'

'Frannie zit niet in een rechtszaak.'

'Die telefoon heb ik niet gebeld.'

'Jij hebt alle antwoorden.'

'Dat moet wel. Ik ben een smeris. Mensen rekenen op mij.'

'Eigenlijk ben ik blij dat je belt. Ik wilde vandaag contact met je opnemen over Edith Larsen.'

'Ik dacht wel dat je dat ooit zou doen, maar daar bel ik niet over. Weet je wie Eugenio Ruiz is?'

'Waarom vraag je dat?'

'Diz. Speel geen spelletjes met me, alsjeblieft. Natuurlijk weet je wie hij is, toch?'

'BBW. De nieuwe manager.'

'Juist. Behalve dat hij nu de nieuwe dode manager is.'

'O mijn god, arme Eugenio.'

'Dat weet ik niet, Maya. Misschien niet zo arm.'

'Wat betekent dit dan?' vroeg ze hem. Ze zaten naast elkaar aan de tafel in de door glasblokken omsloten bezoekruimte voor advocaten.

Het was een paar minuten voor acht in de ochtend. 'Behalve dat we de tent nu beslist sluiten als dit voorbij is. Dat hadden we al eerder moeten doen, maar Joel wilde zich tegen Haines opstellen. Je vertelt me dus dat ze nog steeds dope vanuit de zaak verkochten.'

'Dat lijkt er wel op. Eugenio in elk geval wel.' Hardy haalde zijn schouders op. Dit was in geen geval de belangrijkste kwestie van de dag, en ook niet de meest onverwachte. 'Dylan had het hele systeem opgezet en waarschijnlijk iedereen die daar werkte erbij betrokken. Het is logisch dat iemand het draaiende hield.'

'Hebben ze verdachten? Ik bedoel voor wie hem heeft doodgeschoten.'

'Nee. Daar is het veel te vroeg voor.'

'Ik hoop dat Joel een alibi heeft. Als hij erachter kwam dat Eugenio weer dealde na alles wat we hebben doorgemaakt, zou hij hem vermoord hebben.'

'Laten we dat aan niemand vertellen, oké? Maar Joel heeft het niet gedaan, zelfs zonder alibi. Er waren twee verschillende kaliber kogels, dus het lijkt erop dat er twee schutters waren. Het lijkt op een klassieke doperoof. Iemand volgde iemand anders naar de plek waar het geld en de dope van eigenaar wisselden en begon er gewoon op los te knallen.'

'Gebeurt dat om marihuana?'

'Iedere dag, Maya. Iedere dag.'

'Dat lijkt zo vreemd. Weet je nog toen we jonger waren?'

'Ik was niet jong toen jij jong was, maar ik begrijp wat je bedoelt.'

'Het is zo moeilijk om het je voor te stellen. Ik bedoel, een beetje wiet stelde helemaal niks voor, en nu kost het die mensen het leven.'

'Het is illegaal. Dus het is net als bij de drooglegging.'

'Ze zouden het gewoon moeten legaliseren.'

'Dat is een andere discussie, die ik graag eens met je zou willen voeren. Maar breng dat argument niet naar voren als je in de getuigenbank plaatsneemt. Wat vind je daarvan?'

Ze was duidelijk beledigd door het commentaar. 'Ik ben niet stom, Diz.'

'Bij lange na niet, Maya.' Hij duwde zijn stoel een stukje van de tafel af en sloeg zijn benen over elkaar. 'Maar je vroeg me wat de moord op Ruiz voor ons betekende. Ik zou graag denken dat Braun of misschien Stier dit zal zien als de volgende stap in een machtsoorlog die met Dylan en Levon is begonnen, en waarin jij niet verwikkeld kon zijn geweest, zodat ze gewoon zullen besluiten dat dit hele proces een vergissing is en jou laten gaan. Maar helaas gebeurt dat niet.'

'Dus. Wat blijft er over?'

'Er is nog ene Paco, die misschien door Eugenio geïdentificeerd had kunnen worden, maar dat kan nu absoluut niet meer.'

'Paco?'

'Gaat er een lampje branden?'

'Nou, eigenlijk wel, ja.'

Met een kleine huivering van verbazing en plezier leunde Hardy achterover. 'Vertel me dat je hem kent en waar hij woont en dat je hem kunt aanwijzen.'

Ze beet op haar lip. 'Dat kan ik allemaal niet, ben ik bang. Maar ik ken die naam wel. Hij was een vriend van Dylan. En ook van Levon.'

'Allemaal dode kerels nu. Wanneer kende Paco hen? In hun studietijd?'

Ze knikte. 'Toen ergens. Kennelijk vormden ze met zijn allen een kliekje voordat ik erbij kwam. Weet je, Dylan en zijn makkers deden altijd van die gekke, gevaarlijke dingen. En die soort legendarische vent die Paco heette.'

'Wat is er met hem gebeurd? Heb je hem nooit ontmoet?'

'Nee. Hij zou verdwenen zijn tegen de tijd dat ik verscheen.'

'Afgehaakt, overgeplaatst, wat?'

'Geen idee, eigenlijk. Misschien zat hij niet eens bij ons op de universiteit en was hij gewoon een soort parasiet. Maar weet je, ik ben er vrij zeker van dat Paco niet zijn echte naam was. Het was meer een *nom de guerre*. Soms kreeg ik het gevoel dat het iemand was die we allemaal echt kenden. Ik bedoel nog steeds kenden, en met wie we nog steeds omgingen. Het was typisch iets voor Dylan om het allemaal in een mysterie te hullen en degene te zijn die het grote geheim bewaarde. Klinkt dat vertrouwd?'

'Denk je dat Dylan hem misschien ook heeft gechanteerd?'

'Dat weet ik niet. Ik betwijfel het eigenlijk.'

'Waarom?'

'Nou, ten eerste denk ik dat hij dat niet hoefde te doen. Hij had mij. En ten tweede, als je niet te maken hebt met een zwak en door schuldgevoelens beheerst iemand zoals ik, kan chantage een beetje gevaarlijk zijn. Ik bedoel, je kunt maar beter weten wat voor vlees je in de kuip hebt. Je dreigt het verkeerde over de verkeerde vent te onthullen, en dan zegt die vent: "Eh, nee. Ik denk dat ik jou maar ga vermoorden." Begrijp je wat ik bedoel?'

'Ja. En was Paco niet zwak of door schuldgevoelens beheerst?'

'Kennelijk niet. Hij was legendarisch vanwege zijn stoerheid. Hij was een echte bink. Hij ging altijd met Dylan en Levon op stap, net als ik later, maar hij was... nou ja, hij was niet alleen maar een meeloper. Naar verluidt hebben ze een keer een drankwinkel overvallen en de bediende trok een pistool en Paco schoot hem dood.'

'Was dit een andere overval dan die waarvoor Dylan en Levon in de gevangenis zijn beland?'

'Ja. Nog voordat ik hen had leren kennen. Maar toen Dylan me erover vertelde, dacht ik dat hij gewoon aan het opscheppen was en het liet klinken alsof ze zulke romantische helden waren, onbevreesde Robin Hood-achtige kerels, die drankwinkels overvielen en met het geld dat ze daaruit meenamen onze dope kochten, die ze met iedereen deelden. Hoe ben ik ooit bij zulke lui betrokken geraakt? Ik weet gewoon niet hoe dat gebeurd is.'

'Heb je samen met hen winkels beroofd?'

'Dat heb ik nooit gedaan, maar ik wist alleen dat Dylan geen pistool wilde gebruiken in navolging van Paco. Hij zei dat je niet kon voorspellen wat er zou gebeuren en wilde niet nog een fout.'

'Vond Dylan het dan een fout? Een pistool gebruiken?'

'O ja, beslist. Hij zag het als de reden waarom Paco niet meer met hen omging. En daar baalde hij echt van. Eén vent minder over wie hij macht had.'

'Waarom kapte Paco dan met hen?'

'Misschien kreeg hij gewetensbezwaar over de vent die hij had doodgeschoten. Zoals ik het hoorde was Paco niet van plan geweest om iemand te doden. Het was allemaal een soort geintje dat plotseling misliep.' Ze keek Hardy wantrouwend aan. 'Zo ging dat met Dylan. Je begon met hem te rotzooien en steeds gekkere dingen te doen, totdat je iets vreselijks deed wat je helemaal niet wilde doen. Maar één moment van zwakte als je die kerels tegen het lijf loopt, en wat later ben je dan gewoon compleet op de verkeerde plek, waar je nooit echt wilde zijn. Tess en ik. Levon. Misschien die Paco, weet ik veel.'

Het leek erop dat Stier zich niet op een zijspoor liet zetten door de ontdekking van Edith Larsen of de moord op Eugenio Ruiz. Hij had voorlopig drie andere getuigen ingepland om voor het gerecht te verschijnen, wier getuigenis, wist Hardy, nauw aansloot op die van Cheryl Biehl over Maya's geheime verstandhouding met Dylan en Levon in de marihuanahandel op de universiteit.

Maar aangezien Stier rechtstreeks van Biehl naar Jansey Ticknor was overgesprongen, dacht Hardy dat hij waarschijnlijk zou afzien van iedere verdere discussie over Maya's verre verleden. Iedereen in de rechtszaal geloofde waarschijnlijk inmiddels dat zijn cliënt drugs had gedeald op de universiteit. Wat Stier vervolgens moest aantonen was haar huidige betrokkenheid bij Dylans operatie, en daartoe riep hij Michael Jacob Schermer op zodra Braun op de rechterstoel had plaatsgenomen.

Schermer, die halverwege de zestig was, had in zijn vroegere leven een atleet kunnen zijn geweest, of zelfs nog steeds een langeafstandsloper in zijn huidige leven. Hij was lang, slank, had wit haar, en was heel goed gekleed voor de rechtbank in een lichtgroen Italiaans pak; hij straalde een rustig zelfvertrouwen uit toen hij de eed aflegde en naar de getuigenbank liep.

'Meneer Schermer,' begon Stier. 'Wat is uw beroep?'

'Ik ben accountant.'

'En hoe lang zit u al in de accountancy?'

Schermer leunde joviaal achterover om van de ervaring van het getuigen te genieten, wat hij duidelijk al vele keren eerder had gedaan. Hij toonde een glimlachje dat hij met de jury deelde. 'Zo'n veertig jaar.'

'En hebt u in die jaren een specialisme ontwikkeld?'

'Ja. Dat wordt forensische accountancy genoemd.' Opnieuw betrok hij de jury erbij. 'Het is een soort superaccountantsonderzoek, met veel gecomputeriseerde analyses en andere toeters en bellen, als u het in lekentermen wilt stellen.'

'En bent u bevoegd op dit terrein?'

'Ja. Ik ben bevoegd en officieel erkend als gediplomeerd fraudeonderzoeker.'

'En wat doet u in deze branche?'

'Nou,' zei Schermer schouderophalend, 'zoals de naam al impliceert, ben ik voornamelijk opgeleid om frauduleuze zakenpraktijken of financiële transacties, verduisteringen, onwettige vermogensbestemmingen, twijfelachtige faillissementen enzovoort vast te stellen.'

'En hoe doet u dat?'

'Nou, het wordt een beetje ingewikkeld.' Hier wachtte hij even tot de jury en de tribune met hem mee grinnikten. 'Maar voornamelijk analyseer ik zowel materiële als gecomputeriseerde accountantsverslagen om I en U te documenteren om...'

'Neemt u mij niet kwalijk, meneer Schermer, wat is I en U?'

'O sorry. Ik leef in een wereld van jargon, ben ik bang. I en U is inkomsten en uitgaven. Ik analyseer dus voornamelijk I en U en vermogensbeweging. Ook reconstrueer ik I en U om verborgen of onwettige inkomsten te vinden. Dat soort dingen.'

'Geldwitwasserij?'

'Ja. Dat is min of meer mijn subspecialisme.'

'Goed. Dank u. Welnu, meneer Schermer, bent u in de gelegenheid geweest om de financiële verslagen van Bay Beans West voor de zes maanden tot een november van vorig jaar te onderzoeken?'

'Ja.'

'En hebt u boekhoudkundige onregelmatigheden ontdekt?'

'Ja.'

Hardy, die achteroverleunde in zijn stoel, wist dat dit geen hoogtepunt voor de verdediging zou worden. Zijn enige vroege hoop was geweest dat de financiële getuigenis zelf zo droog en technisch zou zijn dat de belangstelling van de jury na een minuut of vijf zou verslappen. Maar het leek erop dat Schermers informele en aangename stijl het materiaal zelf zou overtroeven. Een vlugge blik op de jury bevestigde deze zienswijze.

'Kunt u deze onregelmatigheden voor de jury samenvatten?'

'Nou, er was niet maar één soort.'

Hardy dacht dat hij net zo goed een kansje kon wagen, en hij maakte bezwaar. 'Geen antwoord op de vraag, edelachtbare.' En tot zijn grote verbazing kende Braun zijn bezwaar toe. Irrationeel opgebeurd door deze nietige uitspraak, ging hij rechtop in zijn stoel zitten en trok zijn gele blocnote naar zich toe. Hij was echter maar lichtjes opgefleurd.

Stier richtte zich weer tot de getuige. 'Kunt u, uitgaande van wat u als de belangrijkste onregelmatigheid beschouwt, de jury vertellen wat uw analyse aan het licht heeft gebracht?'

'Nou, ik begin in dit soort detailhandel altijd met het kasregister, omdat de voornaamste inkomstenbronnen daar zijn geregistreerd.'

Het grootste deel van de daaropvolgende twee uur gaf Schermer een behoorlijk boeiende cursus – compleet met kaarten en grafieken en regressieve analyses van kasstromen – die in Hardy's perspectief, en vast ook in dat van de jury, bewees dat BBW niet werd geleid, om het zachtjes uit te drukken, met strikte vasthouding aan gevestigde boekhoudkundige procedures. Het waren niet simpelweg de persoonlijke cheques die Maya had uitgeschreven om uitgaven of het tekort aan opspoorbare declareerbare kosten te dekken. In de loop van zijn getuigenis stelde Schermer niet minder dan zevenenzestig individuele transacties in de zes maanden voor de dood van Dylan Vogler vast – ingekomen of uitgegeven geld, verschillen in loonkosten, simpele controlefouten, voedsel- en drankkosten en gebruiksanalyse – die de zaak, en natuurlijk Maya als de eigenares ervan, op zijn best in een onflatteus licht afschilderden.

En op zijn slechtst, natuurlijk, als een verfijnde crimineel.

En dit alles voordat het persoonlijk werd. 'Meneer Schermer.' Stier had de laatste grafiek weggelegd en stond nu weer voor de getuige in het midden van de rechtszaal. 'Welk jaarsalaris ontving meneer Vogler als manager van BBW op het moment dat hij werd vermoord?'

'Negentigduizend dollar.'

Hoewel de juryleden eerder al in Stiers openingsverklaring van het salaris hadden gehoord, leken een paar leden bijna van hun stoelen te rollen, en ook bracht het een golf van rumoer op de tribune teweeg.

Stier, die wist dat hij een smeuïge getuigenis te pakken had, ging onverbiddelijk door. 'En wat waren de geschatte bruto-inkomsten van de koffieshop over het afgelopen belastingjaar?'

'Nou, afgaand op de belastinggegevens die de zaak heeft ingediend, heeft de winkel, bruto, vierhonderdeenenzestigduizendtweeënnegentig dollar en veertien cent ingebracht.'

'Welnu, meneer Schermer, was het salaris van meneer Vogler typerend voor andere werknemers met vergelijkbare banen in dezelfde bedrijfstak?'

'Nee. Het was ongeveer het dubbele van het stadsgemiddelde.'

'Het dubbele. En werden andere werknemers bij BBW op een vergelijkbare manier gecompenseerd, in termen van veelvouden van het stedelijk gemiddelde loon voor die banen?'

'Nee. Zij verdienden ongeveer de norm, in wezen een uurtarief dat net boven het minimumloon lag.'

'Laten we bijvoorbeeld de assistent-manager nemen, meneer Schermer, een werknemer met de naam Eugenio Ruiz. Werkte hij voor een uurtarief, of kreeg hij salaris?'

'Hij werkte voor een uurtarief en verdiende twaalf dollar en tachtig cent per uur, plus fooien. Ongeveer vijfhonderd dollar bij veertig uur per week.'

'Dus tweeduizend per maand, ongeveer vierentwintigduizend dollar per jaar? Tegenover de negentigduizend dollar van meneer Vogler?'

'Ja, dat klopt wel ongeveer.'

'Meneer Schermer, was het salaris van meneer Vogler, naar uw professionele mening, als percentage van de bruto-inkomsten van de koffieshop verdedigbaar als een uitvoerbare zakenpraktijk?'

Hardy wist dat hij bezwaar kon maken, maar hij wist ook dat hij er niets mee zou opschieten. Schermer, met de geloofsbrieven van een erkende getuige-deskundige, mocht zijn mening geven. De jury hoefde die niet te geloven, maar het hof zou de getuigenis toelaten. Hij zat met zijn hand op Maya's arm, en ze waren allebei ziedend.

'Nee,' zei Schermer. 'Het was een onregelmatigheid van een dramatische aard.'

'Zou het op de lange duur vol te houden zijn als de zaak op basis van dit model draait?'

'Naar mijn mening, nee. Niet met de bruto-inkomsten van de zaak en dit salaris als uitgangspunt.'

'En doet dit type onregelmatigheid bij u, als forensisch accountant, een alarmbel rinkelen dat er sprake is van een bepaald soort financieel wangedrag?'

'Ja, inderdaad.'

'En wat is dat dan?'

'Meestal zou dat geldwitwasserij zijn.'

'Kunt u de jury uitleggen hoe dat werkt?'

'Zeker.' Schermer draaide zich op zijn stoel naar de jury toe. 'Laten we zeggen dat er een ongemelde bron van onwettige inkomsten in een koffieshop zoals BBW is, zoals de verkoop van marihuana, bijvoorbeeld. Een werknemer kan een willekeurig aantal kopjes koffie op de kassa aanslaan zonder deze koffie daadwerkelijk in te schenken. Zodat je in de loop van de dag twee- of driehonderd dollar extra, of meer, of minder, in de geldla kunt hebben. Vervolgens zet je het geld eenvoudigweg op het register dat je van je onwettige handel hebt gemaakt en als reguliere koffie-inkomsten hebt geboekt, en zo wordt het onderdeel van de legitieme kasstroom van de zaak. Nu is het vuile geld zogenaamd schoon of witgewassen geld, en aangezien je de inkomsten kunt verklaren, kunnen ze worden herverdeeld als dividenden, winstdeling, of salaris.'

'Of salaris,' herhaalde Stier, die dit prachtig vond. En de jury ook, leek het. 'Welnu, meneer Schermer,' ging hij door, 'is er enige manier om het bestaan van zo'n soort geldwitwassysteem vast te stellen?'

'Ja. Dat houdt mijn werk in wezen in.'

'Kunt u het uitleggen?'

'Nou, ik denk dat we in ons eerder genoemde voorbeeld allemaal kunnen zien dat er in werkelijkheid minder koffie is geschonken dan er is geregistreerd. Dus door de hoeveelheid ruwe koffiebonen die daadwerkelijk door de zaak is gekocht te vergelijken met de inkomsten die door de verkoop van die koffie per kopje zouden worden voortgebracht, kunnen we behoorlijk nauwkeurig vaststellen of er een verschil is.'

'En hebt u in uw analyse van BBW zo'n verschil gevonden?'

'Ja.'

'En in hoeverre?'

'Nou, gebaseerd op de werkelijke hoeveelheid gekochte koffiebonen, per gewicht – dit hebben we op een van onze grafieken gezien, als u het zich nog herinnert – zouden de maximale bruto-inkomsten uit de verkoop van kopjes koffie over het afgelopen belastingjaar niet groter dan ongeveer driehonderdzeventigduizend dollar zijn geweest, terwijl er vierhonderdtweeënzestigduizend is geregistreerd.'

'Dus, een verschil van tweeënnegentigduizend dollar? Bijna precies het salaris van Dylan Vogler?'

'Dat is correct.'

'Dank u, meneer Schermer, geen verdere vragen.' Hij richtte zich tot Hardy. 'Uw getuige.'

Maar Braun interrumpeerde. 'Meneer Hardy, omdat het tegen het middaguur loopt, stel ik voor dat we uw kruisverhoor uitstellen tot na ons lunchreces. Vindt u dat aanvaardbaar?'

'Dat is prima, edelachtbare.'

'Goed, dan.' Braun tikte met haar hamer. 'Het hof is verdaagd tot halftwee.'

35

Stier kon dan wel eenvoudigweg besluiten om de moord op Ruiz te negeren als factor in Maya's zaak, maar als hoofd Moordzaken kon Glitsky dat niet doen, zelfs niet als hij zou willen. Wat zeer zeker niet het geval was.

In de afgelopen paar maanden, terwijl Abe voortdurend aan het piekeren was geweest over het ongeluk en de laatste prognose van zijn zoon en zijn eigen karma, was Hardy ongelukkigerwijs zozeer gewend geraakt aan zijn nieuwe, onverschillige persoonlijkheid dat hij – nu ze samen achter een gordijn in een afgezonderd zithoekje bij Sam zaten – de duidelijke woede die uit de houding van zijn vriend sprak misschien wel echt gevaarlijk vond. Voor Abes eigen gezondheid, wellicht, maar meer voor zijn rechercheurs, de bron van zijn woede.

'En, als je je het kunt voorstellen,' zei hij diep vanuit zijn keel, 'Schiff is nu helemaal uit haar hum omdat ik hen niet op Ruiz heb gezet. Na wat ze met Vogler en Preslee hebben gedaan, zouden ze blij moeten zijn dat ze niet naar Berovingen, of zelfs naar de patrouillewagen, zijn gedegradeerd. Om opnieuw een paar basisregels te leren.'

Hardy smeerde boter op een stuk zuurdesembrood. 'Misschien kun je in de rechtszaal langskomen als we hier klaar zijn en een paar van deze gedachten met Braun delen. Zij moet ze horen.'

'Ik zeg niet dat je cliënt onschuldig is, Diz.'

'Nee. Natuurlijk niet. Je hebt me gewoon gevraagd om hier in het geheim te komen praten omdat niemand anders met je wilde lunchen. En ik kan niet niet zeggen dat ik ze dat kwalijk neem. Hoewel ik een beetje verbaasd ben over Treya. Omdat zij je vrouw is en zo, zou je denken dat ze op zijn minst medelijden met je zou hebben.' Hij stak het brood in zijn mond. 'Waarom wilde Schiff de zaak-Ruiz hebben? En Bracco ook, neem ik aan.'

'Waarom denk je?'

'Kennelijk omdat het weer om BBW gaat. En als dat het geval is, hebben ze twijfels over Maya.'

'Nee, hoor. Zelfs niet de minste. Je hoeft het hun niet eens te vragen.'

'En hoe zit het met jou?'

'Niet zoveel twijfel over Maya, Diz.' Glitsky hield zijn glas water schuin en kauwde op een ijsblokje. 'Ik weet alleen niet hoe ze de zaak zelfs zo ver hebben doorgevoerd.'

'Jíj weet het niet? Ik wel. Het zijn Haines en Schiff. Zij hebben de hele zaak ontwricht. Als rechtmatige moord, laat staan twee, klopt het al vanaf het begin niet. Niet dat Maya die kerels niet daadwerkelijk van kant heeft kunnen maken, maar er is nooit een zaak geweest, wat het bewijs betreft. Dat weet je.'

'Nou, ik denk het in elk geval nu wel. Ik vraag me alleen af wat er nog meer zal opduiken, waardoor het team zelfs nog incompetenter zal lijken.'

'Je bedoelt bijvoorbeeld Edith Larsen?'

'Je zit aardig in de buurt. Heb je haar gesproken?'

'Nog niet, maar Wyatt Hunt wel. Ik heb haar op mijn getuigenlijst gezet, wat geweldig is voor de goeien, maar niet voor jou.'

'Schiff en Bracco wisten alles van haar en besloten dat ze niet belangrijk was.'

'Die indruk had ik al. Maar ik denk dat ze misschien wel belangrijk is.'

Glitsky leunde achterover toen de in smoking geklede, uiterst professionele ober het gordijn wegtrok en hun bestellingen opnam – voor Hardy de zandscharren die hij altijd nam als hij hier kwam en een Krab Louis voor Glitsky. Toen hij weer weg was, viel er een korte stilte, totdat Hardy zei: 'Dus. Je hebt me hier niet uitgenodigd om me te helpen vrijspraak voor Maya te krijgen.'

'Dat is waar.'

'Dus?'

'Dus de hoofdzaak is dat het erop begint te lijken dat we de zaak gaan verliezen. Zeker het Preslee-gedeelte.'

'Zoals het hoort.'

'Oké, toegegeven, misschien wel. Dat is het probleem als dingen zo slordig beginnen en helemaal politiek worden.'

'Daar ben ik me min of meer van bewust, Abe. Wat wil je?'

Glitsky wachtte even. 'Ik wil weten of jij iets hebt wat ik over Ruiz moet weten.'

'Zoals?'

'Als ik dat wist, zou ik het toch niet hoeven vragen?'

'Als ik inderdaad iets weet, wat zal mijn cliënt daar dan aan hebben?'

'Waarschijnlijk niets.'

Hardy grijnsde. 'Wauw, je maakt het echt verleidelijk. Wat heb je tot dusver?'

'In wezen, niets. Als hij niet bij BBW had gewerkt, zouden we op het absolute nulpunt zitten.' Glitsky kauwde op een ander ijsblokje. 'Zoals je misschien al vermoedde, gaat dit een stukje omhoog in de voedselketen.'

Hardy dacht even na, hield zijn gezicht strak in de plooi tegen de drang om zijn verbazing en plezier te tonen. 'Kathy?'

Een knik. 'Achter de schermen, natuurlijk, en altijd te ontkennen. Maar via Clarence, en daarna Batiste.' Respectievelijk de officier van Justitie en de politiechef. Serieuze druk van boven. 'Mevrouw de burgemeester heeft zich sterk gemaakt, vooral nadat ze over dat Edith Larsen-fiasco van gisteren had gehoord, dat Maya hoe dan ook in vrijheid zal worden gesteld door een degelijk onderzoek van een andere moord die met BBW in verband staat. Daar ben ik niet zo zeker van. Het zou kunnen helpen bij Vogler, hoewel ik denk dat ze dat verliest, en ze zal het niet nodig hebben bij Preslee. Maar hoe het ook zij, Kathy denkt dat Ruiz een deur zal openen, en ze heeft ons min of meer uitgedaagd om er iets mee te doen, en snel, anders zullen er een paar koppen rollen.'

'De jouwe?'

'Niet onmogelijk. Die van Frank ook. Die, weet je nog, in dienst staat van het plezier van de burgemeester.'

De ober klopte, opende de gordijnen en overhandigde hun borden. Toen het gordijn dichtging, zei Hardy tegen Glitsky: 'Waar waren we gebleven?'

'Kathy West en Eugenio Ruiz.'

Hardy prikte met zijn vork een hapje vis op; hij nam de tijd. Uiteindelijk nam hij een besluit en kwam hij met zijn antwoord voor de dag. 'Ik heb misschien wel iets.'

'Misschien wel. Dat bevalt me.'

'Dat wist ik wel. Vandaar mijn zorgvuldige uitdrukking. Ik heb misschien wel iets als jij iets te ruilen hebt.'

'Waarschijnlijk niet. Maar wat dan?'

'Als jij iets vindt wat gebaseerd is op wat ik jou geef, wil ik het ook.'

Glitsky aarzelde geen moment en schudde zijn hoofd heen en weer. 'Dat kan ik niet doen.'

'Prima.'

'Diz.'

'Geen discussie, Abe. Als je het niet kunt doen, kun je het niet doen.'

'Bedoel je als het je zaak baat?'

'Ik bedoel hoe dan ook.'

'Ik kan het niet. Je weet dat ik het niet kan.'

Hardy kauwde en slikte. 'Niet mijn zorg. Mijn zorg is mijn cliënt.'

'Wat als ze er niets aan heeft?'

'Dat beoordeel ik wel. Sorry, maar dat zijn de regels.' Hij aarzelde. 'Kijk, als je er iets aan hebt, geef het dan ook aan Stier. Ik zou het alleen niet graag zien verdwijnen, zoals Edith Larsen.'

Hoewel Hardy onverwachts hoop had gekregen door de mogelijkheid dat de hele politieafdeling zich voor hem zou inzetten, wilde hij niet aandringen. Hij had de kaarten in handen en Glitsky zou dat feit erkennen of niet. Hij nam een slokje van zijn sodawater en schoof een paar beboterde kappertjes op zijn vis.

'Dat zou ontdekt kunnen worden,' zei Glitsky.

Hardy schudde zijn hoofd. 'Daarvóór. Onder de tafel – onder deze tafel, zo je wilt – maar voordat het via Stier en co gaat. Uit wat je zegt maak ik op dat Jackman jou zal steunen en Batiste ook.'

'Het zijn mijn mensen,' zei hij. 'Bracco en Schiff. Ik ondermijn hun zaak...'

'Ik snap het. Hoewel je kunt aanvoeren dat die al ondermijnd is en dat ze verdienen wat er gebeurt. Maar nogmaals, Abe, niet mijn probleem. En wat ik heb stelt misschien wel niets voor.'

Terwijl Hardy enthousiast en schijnbaar voldaan aan het eten was – maar niets proefde – duurde het nog een volle minuut, misschien nog langer, voordat Glitsky eindelijk capituleerde. 'Wil je dat ik een attest teken, of is mijn woord goed genoeg?'

Hardy legde zijn vork neer en haalde adem om tot rust te komen. 'Er is een vent die al dan niet Paco heet, die Levon Preslee en Dylan Vogler allebei in hun studietijd kende en die van tijd tot tijd bij BBW kwam opdagen om zijn wiet te kopen. Maar sinds oktober niet meer.'

'Die al dan niet Paco heet.' En nu op smalende toon: 'Hebben we daarover zitten onderhandelen?'

Hardy haalde zijn schouders op. 'Dat is wat ik heb, Abe. Ruiz keek naar hem uit.'

'Hoe bedoel je?'

'Ruiz zou contact opnemen met Wyatt Hunt als hij weer in BBW kwam. En het lijkt er trouwens op dat al het personeel daar in het complot zat.'

'Ja, dat nemen we aan. Ditmaal zullen we met hen allemaal praten, in plaats van een paar geselecteerden. Maar staat deze Paco op Voglers lijst?'

'Nee.'

'Nee, natuurlijk niet,' zei Glitsky. 'Hoe ben je bij hem terechtgekomen?'

'Nou, eerst via Ruiz. Vervolgens via Maya.'

Glitsky's ogen versmalden zich. 'Zij kende hem ook.'

'Ze kende hem van naam. Op de USF. Hij ging met Vogler en Preslee om en heeft – misschien – iemand gedood in een drankwinkel die ze overvielen.'

Glitsky hield op met eten. 'Misschien.'

Hardy haalde zijn schouders op. Het was wat het was.

'Waar?'

'Dat weet ik niet. Maar het is waarschijnlijk halverwege de jaren negentig gebeurd – vijf- of zesennegentig.'

'Missschien heeft het in de kranten gestaan. Er zou een onderzoek zijn geweest. Misschien een verdachte.'

'Doe je best,' zei Hardy.

'Wist Paco dat Ruiz naar hem uitkeek?'

'Geen idee. Maar iedereen die daar werkte had het hem kunnen vertellen.'

Glitsky legde zijn vork neer. 'Verzin je dit niet?'

'Helemaal niet.'

Na de lunch stond Hardy op en liep hij naar de forensische accountant in de getuigenbank toe, die net zo ontspannen leek als hij de hele ochtend was geweest. 'Meneer Schermer,' begon hij, 'u hebt veel technische getuigenis gegeven over boekhoudkundige praktijken en het werken met getallen. Zijn deze getallen onderhevig aan een foutenmarge?'

'Nou, ja, natuurlijk. Sommige in grotere mate dan andere, maar over het algemeen, ja.'

'Verwijzend naar de analyse die u hebt gegeven van de bruto-inkomsten van BBW versus de in het laatste belastingjaar gekochte hoeveelheid ruwe bonen: zou dit een grotere of kleinere foutenmarge hebben dan sommige van de andere berekeningen die u hebt uitgevoerd en met de jury hebt gedeeld?'

'Eerder aan de hoge kant, zou ik denken. Het is tenslotte een schatting.'

'Een schatting, met een foutenmarge die eerder aan de hoge kant is. Ik begrijp het. En is er een industriestandaard die de foutenmarge in dit soort analyses bepaalt?'

Voor het eerst rimpelde Schermers gezicht zich nu tot zoiets als een frons. 'Ik weet niet zeker wat u bedoelt.'

'Nou, ik bedoel dat je een bepaalde gewichtshoeveelheid van een ruw product neemt – koffie in dit geval – en een analyse uitvoert die aantoont dat er, laten we zeggen, een pond koffie nodig is om een bepaalde hoeveelheid koppen te maken, en vervolgens leid je af dat het bedrijf niet genoeg ruwe koffie heeft gekocht om net zoveel koppen te maken als het beweerde te hebben verkocht. Is dat niet het basisidee?'

'In wezen wel, ja.'

'Nou, kunnen we dan aannemen dat dit type analyse een standaardinstrument in de industrie is?'

'In algemene zin, ja.'

'Met andere producten, bedoelt u?'

'Ja.'

'Hoe zit het met koffie? Is dit een test met een lange geschiedenis van analyses in vergelijking met andere soortgelijke tests?'

'Nou, nee. Dit was specifiek voor dit ene bedrijf. BBW.'

'Specifiek voor dit ene bedrijf? Bedoelt u dat andere bevoegde en officieel erkende forensische accountants zoals uzelf, en in feite de organisatie waartoe u behoort, geen maatstaven hebben ingesteld om de betrouwbaarheid van deze analyses te meten?'

'Nou, nee, eigenlijk niet, maar...'

'Nee is voldoende, dank u, meneer Schermer. Kunt u nu alstublieft de jury iets vertellen over de methodologie die u gebruikt hebt om de hoeveelheid koffie te meten die nodig is om bij BBW een kop te maken?'

Schermer, die eindelijk een kans kreeg om opnieuw gewoon over zijn specialisme te praten, leunde achterover in de bank en keek de jury aan. 'Nou, ik verzamelde informatie van andere koffieshops in de stad, zowel ketenwinkels als individuele winkels, en nam het gemiddelde van het aantal koppen koffie dat uit elke honderd pond bonen is geproduceerd.'

'Hoeveel koffieshops hebt u voor uw vergelijking gebruikt?'

'Tien.'

'En hoeveel verschillende soorten bonen waren in uw antwoord vertegenwoordigd?'

'Ik weet niet wat u bedoelt.'

'Nou, bonen komen uit veel verschillende gebieden. Zuid-Amerika, Afrika, Jamaica, enzovoort. Dus welke soorten bonen waren in uw steekproef vertegenwoordigd?'

'Zoals ik me herinner, kwamen de meeste ervan uit Colombia.'

'En is dat de enige bron van BBW's bonen, Colombia?'

'Nee, dat denk ik niet.'

'Ze kwamen vanuit de hele wereld, nietwaar?'

'Ja, dat geloof ik wel.'

'Goed. En weet u hoeveel zakken er in de loop van het belastingjaar vanuit de hele wereld aan BBW werden geleverd?'

'Dat weet ik niet precies. Honderden, in elk geval.'

'Maar minstens een paar duizend pond koffie, denkt u ook niet?'

'Ja, minstens.'

'En hebt u getest om er zeker van te zijn dat al die koffie dezelfde dichtheid had? Dat wil zeggen, het geschatte aantal bonen per pond?'

'Eh, nee.'

'Dus de representatieve steekproef die u voor uw analyse hebt gebruikt kan winkels hebben betroffen die meer of minder bonen gebruikten om een kop te maken, nietwaar?'

'Ik denk het wel. Ja.'

'En BBW was in feite een heel populair koffiehuis, niet?'

'Ja.'

'Kan die populariteit gebaseerd zijn geweest op de smaak van zijn koffie? Dat wil zeggen, dat zijn koffie sterker of milder was dan die van de winkels die u in uw steekproef hebt gebruikt?'

'Dat kan ik niet weten.'

'Goed, dan.' Hardy keek even naar de jury, van wie iedereen het kruisverhoor zonder de gangbare post-lunchtraagheid volgde. 'Laten we even praten, als het mag, over de koffie die van deze bonen wordt gemaakt. Is er een standaard die BBW voor diverse koffiesterktes gebruikt? Sterk? Medium? Slap?'

'Ik heb medium gebruikt, wat de sterkte van hun huismelange is.'

'Maar serveren ze andere koffies van verschillende sterktes?'

'Ja.'

'Zowel sterker als slapper?'

'Ja, daarom heb ik medium gebruikt, om ongeveer het gemiddelde te nemen.'

'Maar kent u feitelijk het percentage van de koffie die daar daadwerkelijk wordt gezet dat slap, medium of sterk is?'

Schermer haalde adem; hij vermaakte zich helemaal niet meer. 'Nee.'

'En hoe zit het met espresso?'

'Hoezo?'

'Het was een nogal groot percentage van de bij BBW verkochte koffie, nietwaar?'

'Ja, dat klopt.'

'Kent u het exacte percentage, meneer Schermer?'
'Nee.'
'En espresso wordt anders gebrand dan andere koffiemelanges, nietwaar?'
'Ja.'
Hardy, die genadeloos op de man inhamerde, besloot zich even terug te trekken voor het geval hij onwelwillend op de jury overkwam. Hij liep naar zijn tafel terug, nam een slokje water en knikte eerst half naar zijn cliënt en vervolgens naar Joel Townshend en Harlen Fisk, die naast elkaar op de voorste rij zaten. Hij trok zijn blocnote naar zich toe en deed alsof hij erin las; daarna draaide hij zich om en liep weer naar zijn plaats in het midden van de rechtszaal.
'Meneer Schermer, aan het begin van deze kruisverhoorgetuigenis hebt u gezegd dat uw analyse van gekochte ruwe koffie versus geserveerde koffie slechts een schatting met een foutenmarge was, nietwaar?'
'Ja.'
'Maar er is geen industriestandaard die een aanvaardbare foutenmarge voor een analyse van koffieshops bepaalt, wel? Niet voor deze specifieke vergelijking?'
'Correct.'
'Zou u nu voor de jury willen schatten, en na de vragen die ik u net heb gesteld, hoe hoog de foutenmarge kan oplopen bij een analyse zoals deze, met bonen met een verschillende dichtheid, en verschillende sterktes van diverse koffiedranken?'
'Ik weet niet of ik dat zou kunnen zeggen.'
'Tien procent? Twintig procent?'
Achter hem stond Stier op om bezwaar te maken. 'De getuige sarren, edelachtbare?'
'Nee, ik zal het toelaten,' zei Braun. 'Afgewezen.'
Hardy stelde de vraag meteen nog een keer. 'De foutenmarge, meneer Schermer? Kan die wel twintig procent zijn?'
'Ja. Ja, ik neem aan van wel.'
'Aangezien er geen industriestandaard voor deze foutenmarge bij deze specifieke test is, kan die zelfs nog hoger zijn, nietwaar?'
'In theorie kan dat, neem ik aan.'
'En vijftig procent? Kan de marge zo hoog zijn?'
'Nou, ik denk eigenlijk van niet.'
'U denkt van niet?' herhaalde Hardy met net genoeg nadruk op 'denkt' om zijn punt duidelijk te maken aan de jury.

'Dat is correct. Ik denk van niet.'

'Oké, laten we het dan houden op de twintig procent die zoals u toegeeft een mogelijke foutenmarge is. Als ik u nu mag vragen om even terug te keren naar de eigenlijke inkomstengetallen die u in uw directe getuigenis hebt gegeven.' Hardy liep snel weer naar zijn tafel en bracht ditmaal zijn gele blocnote mee terug. 'U hebt gezegd dat de hoeveelheid gekochte ruwe koffie inkomsten uit verkochte koffiedranken moest hebben voortgebracht van driehonderdzeventigduizend dollar, en in plaats daarvan toonden de boeken van BBW inkomsten van vierhonderdtweeënzestigduizend dollar, nietwaar?'

'Ja.'

'En bent u het ermee eens, meneer, dat twintig procent van driehonderdzeventigduizend dollar – de foutenmarge die we hebben besproken – vierenzeventigduizend dollar is?'

'Dat klinkt juist.'

'Het is juist, meneer. Wat betekent dat, volgens uw eigen berekeningen, BBW's koffiedrankinkomsten uit gekochte ruwe bonen gemakkelijk vierhonderdvierenveertigduizend dollar hadden kunnen zijn, of slechts achttienduizend dollar zonder de geregistreerde inkomsten, nietwaar?'

Schermer, inmiddels flink ontmoedigd, staarde naar de vloer voor hem. 'Zo klinkt het wel.'

'Nou, meneer Schermer,' zei Hardy. 'Vindt u nu, gezien het feit dat u in uw directe getuigenis zevenenzestig simpele boekhoudkundige fouten hebt geschetst, dat een verschil van achttienduizend dollar in brutoinkomsten van drie- tot vierhonderdduizend dollar noodzakelijkerwijs kenmerkend is voor geldwitwasserij?'

Stier kwam overeind, maar voordat hij bezwaar kon maken, antwoordde de getuige. 'Niet noodzakelijkerwijs, nee.'

De rechter aanvaardde het antwoord, en Hardy draaide zich glimlachend om. 'Geen verdere vragen.'

Stier liet het daarbij.

'Meneer Schermer,' zei Braun. 'U mag gaan. Meneer Stier, uw volgende getuige.'

Stier wierp een blik op Hardy, en keek weer naar de rechter. 'Edelachtbare, het OM staakt de bewijsvoering.'

Braun knikte eenmaal en keek op. 'Heel goed. Meneer Hardy, ik geloof dat u een verzoek wilt indienen?'

'Ja, edelachtbare.'

'Goed. Dames en heren van de jury. Ik zal u een langer reces geven dan gewoonlijk. Denkt u alstublieft aan mijn waarschuwing om geen mening over de zaak te vormen of te uiten of er met elkaar of iemand anders over te spreken totdat de kwestie aan u wordt voorgelegd. Kom over drie kwartier terug.'

Tien minuten later zat Braun weer op de rechterstoel en diende Hardy zijn verzoek in om de aanklachten voor zowel Vogler als Preslee niet-ontvankelijk te verklaren. Normaal gesproken is dit een pro-formaverzoek dat in ieder strafrechtelijk proces aan het eind van het requisitoir wordt ingediend. Maar Hardy dacht eigenlijk dat hij, in elk geval wat betreft de Preslee-aanklacht, wellicht iets zou hebben om over te praten.

'Edelachtbare,' zei hij, 'geen enkel redelijk jurylid kan mijn cliënt veroordelen, vooral niet voor de moord op Levon Preslee.'

Stier verdedigde de aanklachten. 'Ondanks het feit dat rechercheur Schiff het gebrek aan concreet bewijs in de moord op Preslee toegeeft, is er geen sprake van een concrete verandering in het requisitoir. Toegegeven, het concrete bewijs is mager, maar zoals u weet zijn er andere soorten bewijs, en die kunnen dwingend zijn. Ooggetuigenverklaringen, bijvoorbeeld. Schuldbewustzijn. Dit is indirect, maar dwingend bewijs.'

'Ja, edelachtbare. Maar de eisende partij heeft de bewijslast om aan te tonen dat Maya niet alleen in de hal was, maar dat ze ook binnen in het appartement was en, meer nog, dat ze toen ze daarbinnen was Levon Preslee heeft vermoord. Ze hebben niets wat daar ook maar enigszins bij in de buurt komt. Je veroordeelt niet zomaar degene met een motief die toevallig het dichtst bij de plaats delict is, vooral niet in een zaak als deze, waar je geen idee hebt wie er nog meer een motief zou kunnen hebben gehad. Of wie er nog meer binnen was geweest. Ik hoef niet te bewijzen dat Maya niet in dat appartement was. Meneer Stier moet bewijzen dat ze er wel was. En zulk bewijs is er simpelweg niet. Als je de jury het bewijs in dit onderdeel laat overwegen, zou dat niet alleen een fout zijn met betrekking tot de Levon Preslee-aanklacht, maar het zou ook elke uitspraak inzake de Vogler-aanklacht onvermijdelijk bezoedelen.'

Hardy zette behoorlijk wat druk op de ketel. Normaal gesproken kon een rechter denken dat als het bewijs echt zo zwak was als de verdediging beweerde, de jury simpelweg tot vrijspraak op dat onderdeel zou besluiten, en dan zou de verdediging niets te appelleren hebben. Maar Hardy ontnam Braun die uitweg. Door de aanklachten met elkaar te verbinden, redeneerde Hardy, zou de rechter elke uitspraak inzake Vogler bezoedelen, zelfs als de jury tot vrijspraak inzake Preslee besloot.

Braun zou dus daadwerkelijk deze beslissing moeten nemen of verwachten dat ze er later in hoger beroep over zou horen. Hardy had haar in een hoek gedreven en dat wist ze. Ze nam de situatie met een reptielachtige stilte in zich op, waarbij haar ogen zich tot spleetjes samenknepen. Ze wendde zich tot haar stenograaf en zei: 'Ann, ik hoop dat je dat allemaal hebt.'

'Ja, edelachtbare.'

'Meneer Stier. Commentaar?'

'Edelachtbare, de eisende partij verwerpt de pogingen van meneer Hardy om deze aanklachten zo met elkaar te verbinden. Elke aanklacht staat op zichzelf, elke aanklacht wordt gesteund door het bewijs, en zo zou het hof moeten beslissen.'

'Niemand heeft verklaard dat Maya in de woning was, edelachtbare,' zei Hardy. 'Je kunt de jury niet vragen te beslissen dat ze daar was als niets erop wijst dat ze daar was.'

'In mijn rechtszaal kan ik doen wat ik wil, meneer Hardy. Ik kan op mijn tafel klimmen en een tapdans uitvoeren als ik wil.'

'Ja, natuurlijk, edelachtbare, ik bedoelde niet dat u niet kon…'

'Dat hebt u gezegd, meneer Hardy.'

'Het spijt me, edelachtbare. Ik heb me versproken.'

'Verontschuldiging genoteerd.' En nu verraste Braun hem. 'Goed. Meneer Hardy, u brengt een aannemelijk punt ter sprake. Een moment, alstublieft.' Ze schoof naar voren en zette haar ellebogen op haar tafel, met haar vingers ineengestrengeld boven haar neus en haar ogen dicht. Uiteindelijk gingen haar schouders omhoog en richtte ze haar hoofd weer op. 'Deze kwestie is te complex om in een opwelling te beslissen. Het hof is nog anderhalf uur in reces. Ik zal een beslissing voor u hebben voordat de jury weer zitting heeft genomen.'

36

Hardy had een bericht op zijn mobiele telefoon dat Craig Chiurco buiten in de hal was, nadat hij Edith Larsen als hoffelijk gebaar naar de rechtbank had geëscorteerd – service met een glimlach van Freeman, Farrell, Hardy & Roake.

Nu het hof in reces was, liep Hardy via de tribune de zaal uit en nam hij felicitaties in ontvangst van Joel en Harlen en een paar van zijn compagnons die waren verschenen, zoals meestal wanneer een van de bazen aan een groot proces deelnam, om te zien hoe het moest. Iedereen was het erover eens dat hij flink de vloer had aangeveegd met Schermer, en na dat kruisverhoor, zijn lunch bij Sam met Glitsky, en Brauns onverwachte aandacht voor zijn verzoek tot niet-ontvankelijkverklaring, moest Hardy vechten om niet verwaand te worden.

Het zou toch nog altijd bij de jury terechtkomen, en zonder andere verdachte die ze ook maar in overweging konden nemen, bleef Maya in een onzekere situatie. Hardy moest Paco of iemand zoals hij op de een of andere manier in de getuigenis zien te krijgen, en nu Ruiz dood was, zou dat problematisch worden. Dat Maya de man beweerde te kennen was in elk geval een gerucht, en zelfs als dat niet zo was, kon ze hem zeker niet bij BBW of bij een van de slachtoffers plaatsen.

Buiten, in de hal, zat Chiurco met een witharige vrouw in een lichtblauw broekpak op een van de houten banken. De twee leken in een enigszins geanimeerd gesprek te zitten en van elkaars gezelschap te genieten, toen Hardy naderde. Toen Chiurco hem zag, stond hij op en gaf hem zijn getekende verklaring van hun gesprek van de vorige avond; daarna raakte hij de arm van de vrouw aan en stelde haar voor.

'Bedankt dat u op zo korte termijn bent gekomen,' zei Hardy.

'Dankzij deze jongeman die me heeft gebracht.'

Hardy grinnikte. 'Ik zal ervoor zorgen dat hij meteen opslag krijgt.'

'En zei u Dismas?' vroeg ze. 'Dismas? De goede dief?'

'Inderdaad, hoewel te weinig mensen dat schijnen te weten.'

'Ik geloof niet dat ik ooit echt een Dismas heb gekend.'

'Nou, nu kent u er wel een. Ik hoop dat het niet tegenvalt.'

'U bent leuk,' zei ze.

'U ook.' Hardy ging naast haar zitten. 'Heeft Craig uitgelegd waarover we graag met u willen praten in de rechtszaal?'

'Wat ik die ochtend heb gezien, of gehoord.'

'U herinnert zich de datum, toch?'

'Natuurlijk. 26 oktober 2007 om exact te zijn.'

'Exact is goed. Wij houden van exact.'

Haar ogen glansden van het avontuur. 'En twee schoten. Eentje om zes uur acht of negen en eentje om zes uur tien.'

'Heel goed.' Hij boog zich naar haar toe. 'Ik hoopte u vrijwel meteen als getuige op te roepen, als u dat goedvindt.'

'Natuurlijk vind ik dat goed. Daarom ben ik hier.'

'Mooi. Welnu, ik heb al gehoord wat u in uw gesprek met meneer Hunt hebt gezegd, en dat zal de basis van uw getuigenis zijn, maar als u er geen bezwaar tegen hebt, kunnen we misschien hier even een paar details doornemen voordat we naar binnen gaan?'

'Zeker, natuurlijk,' zei ze. 'Dat zou prima zijn.'

Ondanks het sprankje hoop dat hij over zijn verzoek tot niet-ontvankelijkverklaring was gaan koesteren, was Hardy niet bijzonder gechoqueerd, en zelfs ook niet zwaar teleurgesteld, toen Braun weer op de rechterstoel plaatsnam en zijn verzoek in zijn geheel afwees.

Toch werd hij opgebeurd door zijn geloof dat Edith Larsen een belangrijke en krachtige getuige zou zijn en een compleet alternatieve versie van de naakte feiten van de zaak zou bieden. Hij had enige aandacht besteed aan de fraseologie en de teneur van zijn openingsvragen, omdat hij niet alleen de informatie van deze getuige aan het licht wilde brengen, maar ook de jury attent wilde maken op de sluwe en verwerpelijke werkwijze van de rechercheurs Moordzaken.

Nu hij al een degelijke verstandhouding met haar had opgebouwd – waarvan hij hoopte dat de jury die als gelijkwaardig zou herkennen, dit in tegenstelling tot een jongeman te zien die mogelijk neerbuigend tegen een seniele getuige deed – begon hij aan zijn ondervraging. 'Mevrouw Larsen. Waar woont u?'

'Ik woon in een tweeverdiepingenflat in Ashbury Street hier in de stad, aan de westkant van de straat, vlak bij Haight. Het is ook,' voegde ze, gecoacht door Hardy, eraan toe, 'recht tegenover de steeg die achter Bay Beans West loopt.'

'Kunt u die steeg vanuit uw flat zien?'

'De eerste vijf of tien meter daarvan, uit de ramen van de woonkamer en de eetkamer, ja.'

'Welnu, mevrouw Larsen, herinnert u zich iets ongewoons en specifieks over de ochtend van zaterdag 27 oktober?'

'Ja.'

'En wat was dat?'

'Om een paar minuten over zes lag ik in bed achter in de flat, maar ik was al wakker, toen ik een luide knal hoorde, zoals een rotje, hoewel ik me om de een of andere reden herinner dat ik dacht dat het misschien een pistoolschot was. Ik stond dus op en was in de hal op weg naar de voorramen en toen – *pang!* – klonk er nog een. Ongeveer een minuut later.'

'En wat hebt u toen gedaan?'

'Ik liep naar het raam en keek omlaag de straat in en naar de steeg aan de overkant.'

'En zag u daar iets ongewoons?'

'Nee. Niets. Het was nog behoorlijk donker buiten.'

'Hebt u het alarmnummer gebeld?'

'Toen niet. Nee. Er leek geen noodgeval te zijn. Het waren alleen de twee geluiden. Hoewel ik, toen de politiewagens daar aankwamen, natuurlijk besefte dat er iets moest zijn gebeurd. Inmiddels was het te laat om het alarmnummer te bellen.'

'Maar u hebt uiteindelijk de politie gebeld, nietwaar?'

'Ja. Een paar dagen later.'

'En waarom was dat? Het uitstel, bedoel ik.'

'Nou, voornamelijk omdat de nieuwsberichten allemaal zeiden dat er maar één schot was geweest, en ik dacht dat ze wel wilden weten dat ik er twee had gehoord.'

'U hebt twee schoten gehoord?'

'Ja.' Edith, God zegene haar, voegde het door Hardy aanbevolen woord eraan toe. 'Beslist.'

Hij trok zijn wenkbrauwen op voor de jury en ging door. 'En dus hebt u de politie gebeld om hun over deze informatie te vertellen?'

'Ja.'

'En hebt u met een paar rechercheurs gesproken?'

'Ja. Twee van hen zijn in de flat langsgekomen en we hebben erover gepraat.'

'U hebt hun over de twee schoten verteld, nietwaar?'

'Ja, dat klopt.'

'En wat was hun eventuele commentaar daarop?'

'Ze bedankten me en zeiden dat de informatie misschien genoeg was om de hele theorie over de zaak te veranderen.'

'Ik begrijp het. En hebt u spoedig daarna iets van hen gehoord?'

'Nee.'

'Nee?' Een pauze voor het effect. 'Zelfs niet in november, toen ze de gedaagde hadden gearresteerd en ze zich op het vooronderzoek voorbereidden?'

'Nee.'

'En niet toen deze zaak voorkwam?'

'Nee.'

'Hmm. Hebben de rechercheurs, toen ze bij u thuis met u spraken, u verteld dat ze uw getuigenis of uw ooggetuigenverslag niet geloofden?'

'Bezwaar. Irrelevant.'

'Leidt naar de gemoedstoestand van de getuige, edelachtbare.' Dit sloeg nauwelijks ergens op, maar Hardy had van de getuigenis van Jansey Ticknor geleerd dat Braun geen echt goede grip had op wat deze geruchtenuitzondering betekende. Hij dacht dat als Stier het kon gebruiken om dingen binnen te brengen, hij het misschien ook zou kunnen.

Het werkte. 'Afgewezen.'

Hardy vroeg toestemming van de rechter, en herhaalde daarna zijn vraag. 'Mevrouw Larsen, hebben de rechercheurs u verteld dat ze uw getuigenis of uw ooggetuigenverslag niet geloofden?'

'Nee. Zoals ik al heb gezegd, zeiden ze juist dat het de theorie over de zaak kon veranderen.'

'En toch hebben ze u nooit teruggebeld, of u een dagvaarding gegeven, of u gevraagd om hier te komen en in de rechtszaal te getuigen, correct?'

'Bezwaar. Gevraagd en beantwoord.'

'Toegelaten.'

'Dank u, mevrouw Larsen. Ik heb geen verdere vragen.'

Stier stond al voordat Hardy weer bij zijn raadstafel was. 'Mevrouw Larsen,' begon hij. 'Hebben de rechercheurs met wie u hebt gesproken u gevraagd of u op de ochtend van meneer Voglers dood iets in de straat had gezien?'

'Ja.'

'En hebt u daadwerkelijk iets in de straat of in de steeg gezien?'

'Nee, zoals ik al heb gezegd.'

'Welnu, wat betreft de geluiden die u hebt gehoord. Bent u vertrouwd met het geluid van pistoolschoten?'

'Nee. Niet bepaald.'

'In uw getuigenis tegenover meneer Hardy hebt u gezegd dat terwijl u in bed lag, u een knal hoorde, en dit is een direct citaat, "zoals een rotje". Einde citaat. Dat is toch waar?'

'Ja. Ik dacht dat het misschien een rotje was geweest. Of een knallende uitlaat.'

'En toch hebt u tegen meneer Hardy gezegd dat u beslist twee pistoolschoten had gehoord, nietwaar?'

'Inderdaad.'

En nu maakte Stier, in zijn enthousiasme en gebrek aan respect voor de getuige, zijn grote fout. 'Ik wil u het volgende vragen. Hoe kon u weten dat het pistoolschoten waren?'

Hardy had mevrouw Larsen diezelfde vraag in de hal gesteld, en had vurig gehoopt dat Stier stom genoeg zou zijn om het voor de jury te vragen.

'Nou, het waren identieke geluiden. En we weten zeker dat het tweede een schot was uit de steeg aan de overkant van de straat, nietwaar? Toen werd meneer Vogler vermoord, toch? Op het moment dat ik de schoten hoorde.'

Regel Nummer Een, dacht Hardy – je praat zelf met iedere afzonderlijke getuige, iedere afzonderlijke keer. Hardy zag Stiers schouders zakken toen een paar juryleden zich vooroverbogen en het belang van deze getuigenis overkwam. Hij draaide zich aarzelend naar de jury toe, stopte, wendde zich weer tot de getuige. Uiteindelijk zei hij: 'Maar kunt u met zekerheid zeggen dat het tweede geluid daadwerkelijk een pistoolschot was, en geen knallende uitlaat, of zelfs een rotje?'

Ze dacht daar even over na. 'Ik kan met zekerheid zeggen dat de twee geluiden exact hetzelfde waren. Als het eerste een pistoolschot was, was het tweede een pistoolschot. En vice versa.'

Stier besloot te stoppen voordat hij het nog erger maakte. 'Dank u, mevrouw.'

Edith Larsen stond op in de getuigenbank. 'En ze klonken echt als pistoolschoten,' voegde ze eraan toe met een geloofwaardigheid en een oprechtheid die haar complete overwinning op De Grote Lelijkerd bekrachtigden.

De drie vennoten – Hardy, Farrell, Roake – en Wyatt Hunt waren na sluitingstijd in het Freeman-gebouw, waar ze rondom de grote ronde tafel van het solarium opties zaten te overwegen. De plafondverlichting brandde voluit tegen de mistige duisternis die achter de vensterruiten oprukte. Er stond een geopende fles rode wijn op de tafel, hoewel Gina voor haar Oban had gekozen en Hunt, naast haar, een Anchor Steam dronk.

Hardy kwam in tijdnood als hij de jury bewust wilde maken van een andere dader, Paco of iemand anders. Voordat Ruiz was vermoord, was hij half van plan geweest hem als getuige op te roepen voor zowel de Paco-kwestie als om de beweringen te weerleggen dat er ooit iets romantisch gaande was geweest tussen Dylan en Maya. Maar nu was die optie natuurlijk uitgesloten door de gebeurtenissen.

Er waren maar weinig andere eventuele getuigen voor Maya. Daarom had Hardy zich zo wanhopig aan Edith Larsen vastgeklampt. Nu had de jury tenminste een klein botje om aan te knagen. Maar Maya's alibi's waren flinterdun en onbevestigd. Niemand had gezien dat ze iemand vermoordde of iemand niet vermoordde. En de enorme en onopgeloste vragen waarom ze op beide moordlocaties was geweest, waren er nog steeds. De tijd, in Dylans geval, en de locatie, in Levons geval, sloten iedere overweging van het idee dat ze simpelweg in de respectievelijke buurten was geweest vrijwel uit. Ze was met opzet naar beide plaatsen gegaan, kennelijk ontboden, of om de slachtoffers erin te luizen. En als ze niet was langsgegaan om hen te vermoorden, waarom dan wel?

'Ik moet haar opvoeren,' zei Hardy. 'De jury moet haar verhaal horen.'

'Misschien mis ik iets,' zei Gina, 'maar wat is haar verhaal? Ik bedoel, heeft ze ook maar enige verklaring waarom ze op die plaatsen was?'

'Dylan belde haar, en daarna belde Levon haar.'

Gina nipte van haar drankje. 'En ze is gewoon gegaan? Zonder reden? Wanneer had ze Levon voor het laatst gezien?'

'Ik weet het,' zei Hardy. 'Het is zwak.'

'Je kunt het zwak noemen.' Farrell leunde achterover in zijn stoel. 'Misschien moet je gewoon maar gaan pleiten. Ik bedoel, de theorie is dat zij iets moeten bewijzen en jij niet.'

Hardy reikte naar zijn glas. 'Ik zou ze gewoon iets willen geven, maakt niet uit wat.'

'Nou,' zei Hunt, 'je had Edith.'

'En God hebbe haar lief,' antwoordde Hardy. 'Maar twee schoten leiden eigenlijk nergens naartoe zonder een ander verhaal dat ze begeleidt. En dat heb ik niet.'

'Hoe zit het met Glitsky?' vroeg Hunt.

Hardy had hen geïnformeerd over zijn hele lunchdeal met Abe, maar zoals al het andere dat met deze zaak te maken had, leek het erop dat alles wat Abe kon inbrengen als mosterd na de maaltijd zou komen. 'We zouden vanavond weer praten, maar als hij iets dringends had, zou ik het al wel gehoord hebben.'

'Misschien kun je de mensen van Moordzaken die Abe op Ruiz heeft gezet bellen,' opperde Gina. 'Over nog een met wiet in verband staande moord bij BBW, ditmaal terwijl Maya in de gevangenis zit en er niets mee te maken kon hebben gehad. Er is een element van twijfel. In elk geval is er iets anders gaande.'

'Dat is een reële gedachte,' zei Hardy. 'Hoewel Abe mij zou vermoorden als ik zijn mensen midden in deze zaak belde.'

'Ja, maar dan zou je tenminste vermoord worden door beroeps,' zei Farrell, 'zodat het niet veel pijn zou doen.' Hij ging door: 'Braun zou het toch niet toelaten. Er zit een halfjaar tussen Ruiz en onze slachtoffers. Dat is lastig te verkopen.' Hij nam een heilzame slok rode wijn. 'Ik ben weer bij het slotpleidooi. Je moet gewoon aanvoeren dat er geen bewijs is. Dat is het enige wat je kunt doen.'

'Nou, niet om pietluttig te doen,' zei Gina, 'maar er is wel bewijs. Namelijk Maya's pistool, haar vingerafdrukken erop, vingerafdrukken op Levons deurknop.' Ze haalde haar schouders op. 'Het is niet veel, toegegeven, maar het valt moeilijk weg te redeneren. Gezien de motieven, denk ik dat ze in ieder ander rechtsdistrict in de staat zou verliezen. Hier krijg je misschien je ene jurylid mee, maar op de bewijsvoering alleen zou ik mijn hoop niet vestigen.'

'Nou, op die vrolijke noot.' Hardy hield zijn wijnglas schuin en duwde zich van de tafel af. 'Ik ben de hele avond op al mijn telefoons bereikbaar als iemand ideeën krijgt.'

'De bediende, zou ik wedden,' zei Glitsky, 'heette Julio Gomez. Vierentwintig jaar oud toen hij in vijfennegentig overleed. De winkel was Ocean Liquors.'

Glitsky, die was omgereden om bij Hardy thuis langs te gaan, had zijn vriend onderbroken in de schijnbaar eindeloze bestudering van zijn procesmappen, en nu, even na negen uur, stonden ze in de keuken te wachten tot de magnetron voor Glitsky's thee zou piepen.

'Is er destijds een onderzoek geweest?'

'Nee,' zei Glitsky sarcastisch. 'Moordzaken besloot gewoon om deze specifieke moord niet te onderzoeken. Dat leek te veel werk.' Hij wachtte even. 'Natuurlijk hebben we een onderzoek ingesteld.'

'En?'

'En dat hebben we ongeveer een maand later afgesloten.'

'Geen verdachten?'

'Geen enkele.' Hij haalde een envelop uit de binnenzak van zijn jasje. 'Ik heb het dossier gekopieerd en het voor jou meegebracht, hoewel het zoals je kunt zien een beetje dun is.' Vervolgens gebaarde hij naar de eetkamer, waar Hardy's mappen op de tafel uitgespreid lagen, en zei hij: 'Niet dat het lijkt alsof je veel meer leesmateriaal nodig hebt. Ik neem aan dat dat je zaak is.'

'Wat ervan bestaat.' De timer van de magnetron klonk en Hardy liep erheen, haalde de kop eruit en overhandigde die aan zijn vriend. 'Santé. Hoe zit het met getuigen?'

'Getuige. Eén. Hij staat daarin. Oude Aziatische vent, kwam uit een bar aan de overkant van de straat, op een dinsdagnacht om halfeen. En het was kennelijk behoorlijk mistig. Bovendien had hij een paar slokjes op. Hoe dan ook, hij hoorde een schot, zag iemand de winkel uit rennen en in een auto stappen die wegreed.' Hij wees op de envelop. 'Het staat hier allemaal in.'

'Ja, maar een chauffeur dus? Meer dan één kerel? Twee kerels die in de auto zaten te wachten?'

'Dat zegt hij niet. En ik weet wat je denkt, dat dit die Paco van jou is.'

'Dat zou kunnen. Is dit de enige gewapende overval op een drankwinkel in die jaren?'

'Nee. Er zijn er feitelijk zes geweest, met dodelijke afloop. Maar geloof het of niet, we hebben vier daders te pakken gekregen, die allemaal solo optraden, hoewel ik eerlijk moet zeggen dat twee van hen zijn neergeschoten door kerels die ze achter de toonbank beschoten, wat het iets gemakkelijker maakte. De andere dader was een vrouw, die nooit gepakt is. Degene die die Gomez heeft gedood bleef dus over. Misschien toch wel die Paco van jou.'

Hardy knikte tevreden. 'Dat is behoorlijk grondig. Met dit soort werk zou je de kost moeten verdienen.'

Glitsky blies in zijn thee. 'Ik ben gemotiveerd. Maar voor de zaak-Ruiz hebben we niet veel aan deze oude geschiedenis.'

'Hebben jullie helemaal niets?'

'Nou, we hebben met de meeste werknemers van BBW gepraat. Dat gaat nog wel een tijdje door. Maar tot dusver niet veel, alleen dat iedereen gechoqueerd is omdat Ruiz bij drugs betrokken kon zijn geweest.'

Hardy grinnikte. 'Dat kan ik me voorstellen. Maar Maya heeft hier ook niets aan.'

'Dat had ik ook nooit verwacht.'

Hardy, die aan zijn eettafel zat en zijn mappen alweer helemaal had doorgeplozen tot hij dubbel zag, accepteerde rond halfelf een kus op zijn wang van zijn vrouw en zei tegen haar dat hij over een poosje naar boven zou gaan.

'Dit is binnenkort voorbij, niet?' vroeg Frannie.

'Hoe dan ook over een dag of twee.'

'Dat zou fijn zijn. Ik zat te denken dat het eigenlijk niet zo erg zou zijn om weer een man te hebben.'

'Dat weet ik.'

'Daarom ben ik met je getrouwd gebleven. Om een man te hebben.'

'Dat weet ik.'

Ze kuste hem opnieuw. 'Ik hou waarschijnlijk nog steeds van je.'

'Mooi. Dat zou mooi zijn.'

Maar in werkelijkheid hoorde hij haar amper, kuste hij de lucht voor haar gezicht, reikte hij weer naar een van de mappen.

Niets. Niets. Niets.

Hij deed de zwarte map dicht en stond op. In de keuken deed hij de koelkast open en weer dicht, verrekte hij zijn rug en zag hij Glitsky's envelop op de bar. Die Gomez, die dertien of veertien jaar geleden was vermoord, was zijn zaak niet. Glitsky had hem de samenvatting gegeven, en zelfs als het Paco was geweest, wat dan nog? Hij had de envelop dus laten liggen en was teruggegaan om een laatste poging te doen iets in zijn mappen te vinden.

Hij stond bij de bar en haalde het half dozijn bladzijden uit de envelop – incidentrapport, kopieën van een paar foto's van de overledene, autopsie, ballistiek, twee bladzijden met de getuigenis van meneer Leland Lee, nagenoeg zoals Glitsky het had beschreven.

Nog meer niets.

Hij nam de bladzijden opnieuw door, zijn routine, langzamer ditmaal. Met brandende ogen dwong hij zichzelf iedere regel te lezen.

Wacht even. Wacht.

Hij keerde terug naar het autopsierapport en vervolgens naar het ballistische rapport. De kogel die Julio Gomez had gedood was een .40 kaliber. Een handgeschreven, nauwelijks leesbare aantekening die door een anonieme ballistisch labwerker was opgekrabbeld, meldde: 'Waarschijnlijk Glock .40. Ballistische tekens niet identificeerbaar.'

Oké, hij moest enkele veronderstellingen maken, maar die leken gerechtvaardigd. En welke andere keus had hij trouwens? Op de een of andere manier vormden deze bijna onzichtbare gebeurtenissen en relaties van lang geleden, daar was hij zeker van, de kern van de zaak die zijn leven het afgelopen halfjaar had opgeslokt. Alles draaide misschien helemaal niet om Maya, maar zeker om Dylan en Levon en de onbekende Paco.

Toen hij weer achter de computer in zijn woonkamer zat, besefte hij plotseling dat hij, in tegenstelling tot Hunt en Chiurco, zich nooit echt had beziggehouden met de details van de roofoverval waarvoor Dylan en Levon waren veroordeeld.

En waarom had hij dat ook moeten doen? Het hield hoogstens oppervlakkig verband met Maya's situatie, in het verre verleden.

Maar nu besefte hij plotseling wat hij een paar dagen geleden had moeten overwegen, toen hij zich voor het eerst bewust was geworden van het bestaan van Paco – dat als er destijds een proces was geweest, of zelfs een schuldbekentenis in ruil voor strafvermindering, er zowel getuigen à charge als mogelijk ook vrienden à decharge zouden zijn geweest, vrienden en getuigen wier verbintenis met Dylan en Levon misschien verder terugging dan de tijd waarin Maya hen had leren kennen en met hen omging, toen Paco tot hun groep had behoord, en als een echt mens, geen *nom de guerre*.

In feite...

Hij trok zijn blocnote naar zich toe en noteerde dat hij, zodra hij hier klaar was met zijn computerspeurwerk, Wyatt Hunt moest bellen en een bericht voor hem moest inspreken met instructies voor morgen. Hij had net beseft dat Cheryl Biehl en de drie andere vrouwelijke getuigen die Stier nooit had opgeroepen wellicht in deze zelfde categorie pasten – van mensen die indertijd aan de USF studeerden en Dylan en Levon kenden. En die Paco misschien onder zijn echte naam kenden.

Maar ondertussen kon hij snel even zoeken naar de zaak waarbij Dylan en Levon betrokken waren, en gewapend met die informatie kon hij misschien de eigenlijke zaakdossiers, de betrokken politieagenten, andere getuigen, door Hunt of Chiurco laten identificeren.

Hij ging naar Google en tikte de naam van Dylan Vogler in; net toen de korte pagina verscheen, herinnerde hij zich dat Wyatt Hunt hem had verteld dat er op het internet weinig meer over Vogler werd vermeld dan de recentere details over zijn dood. Hij shiftte naar 'Californië Inmate Record Search', tikte Dylans naam opnieuw in en daar was hij: hij zat in 1997 voor een roofoverval in de Corcoran Staatsgevangenis. Ook Levon Preslee stond hier in het systeem; hij was twee maanden na Dylan in de gevangenis gekomen.

Betekenden deze feiten iets? Of had Hardy er op enige manier iets aan? Deze feiten vertelden hem zeker niets over het eigenlijke misdrijf dat ze samen hadden gepleegd. Hij zocht nog ongeveer een kwartier in de diverse criminele databanken waartoe hij toegang had. In verscheidene daarvan vond hij Dylan en Levon. Wat hij niet vond was enige aanwijzing dat ze hun misdrijf samen hadden gepleegd, of samen voor het gerecht waren verschenen. Die informatie was kennelijk in de nevelen van de tijd verdwenen.

En als dat het geval was...

Terwijl hij naar het scherm zat te staren, kwam de kwestie die hem dagenlang had gekweld plotseling haarscherp in beeld, en dit bracht een adrenalinestoot teweeg die zo krachtig was dat Hardy ademloos en met suizende oren op zijn stoel achterover schoot. Hij legde zijn hand op zijn hart.

Hij doordacht alles van het begin tot het eind. Het moest wel.

Het moest wel. Er was geen andere optie.

En hoewel het al laat was, pakte hij de telefoon.

37

Hardy wist niet of het vanwege haar recente, zij het clandestiene, interactie met de officier van Justitie en de politiechef was, maar wat de reden ook was, Kathy West zat met haar begeleidende entourage weer op de eerste rij van de tribune toen Hardy met zijn cliënt vanuit de cel de rechtszaal binnenkwam. Ze zat tussen Joel Townshend en Harlen Fisk in en had ook haar sliert verslaggevers meegebracht; de tribune was alweer stampvol.

In de ochtendkrant van deze vrijdag had de burgemeester haar verdenkingen openbaar gemaakt, totaal niet gesteund door enig bewijs dat Hardy had gezien of waarover hij had gehoord – en hij had inmiddels genoeg gehoord van Glitsky – dat de moord op Ruiz nauw verbonden was met de gebeurtenissen rondom Maya's proces en de dood van Dylan Vogler en Levon Preslee. En dit had natuurlijk het gevoel aangewakkerd dat er vandaag in de rechtszaal iets dramatisch zou plaatsvinden. Iets, misschien nieuw bewijsmateriaal, wat de met elkaar verbonden families Townshend, Fisk en West voorgoed aan de lasterpraatjes van de afgelopen maanden zou onttrekken.

En de burgemeester wilde daarbij zijn. Desnoods alleen maar om haar gezicht voor haar nicht te laten zien. Kathy West geloofde niet dat Maya iets verkeerds had gedaan, en ze zou ervoor zorgen dat de jury dat duidelijk begreep voordat ze gingen beraadslagen.

Maar Kathy's gewichtigheid in de stad was zodanig dat het gerucht alleen al, laat staan het eigenlijke feit, dat ze weer in de rechtszaal aanwezig was ook diende om een schare politiek betrokkenen, plotseling geïnteresseerden, beroepsmatig betrokkenen en gewoon nieuwsgierigen aan te trekken – officier van Justitie Clarence Jackman, politiechef Frank Batiste, federaal aanklager Jerry Haines, Glitsky, zelfs de aan een rolstoel gebonden *CityTalk*-columnist van de *Chronicle*, Jeffrey Elliott. Gina Roake zat in het midden naast Wyatt Hunt, met een lijkbleek gezicht en vermoedelijk net zozeer van slaap beroofd als Hardy zelf. Toen hij Hardy's vragende blik zag, maakte Hunt een korte, plechtige buiging met zijn hoofd. De hele tribune klonk als een racewagen in Hardy's oren, luid en ronkend aan de start. De jury leek collectief gemagnetiseerd door het energiepeil, de veranderende volumeniveaus, de intensiteit en de zenuwen die in de zaal speelden.

Aangezien ze haar getuigenverklaring al had gegeven en deze was toegelaten, had Stier Debra Schiff als morele steun weer naast hem aan de aanklagerstafel laten plaatsnemen, en zij waren samen in gesprek toen Hardy, Maya en de bode voor hen langs liepen. En toen, nadat ze voor de neus van de geïmponeerde en verdraagzame bode een paar verboden begroetingswoorden tot haar familieleden had gericht, zat Maya eindelijk op haar stoel. Hardy was zijn papieren aan het ordenen toen de griffier binnenkwam, zijn keel schraapte en luid sprak: 'Dames en heren, Afdeling Vijfentwintig van de Hogere Rechtbank van Californië houdt nu zitting, met rechter Marian Braun als voorzitter. Iedereen opstaan!'

Doordat hij drie nieuwe namen op zijn getuigenlijst wilde laten goedkeuren, was er vanochtend in de kamer van de rechter nog een kleine strijd met Braun en Stier ontstaan, maar uiteindelijk had Hardy aangevoerd dat hij nieuw bewijsmateriaal had ontdekt dat de jury in het belang van het recht zou moeten horen om tot de juiste uitspraak te komen.

Natuurlijk had deze aankondiging diepe argwaan en woede gewekt bij Stier, en hij wilde weten wat de kern van de toekomstige getuigenis was. Hardy erkende dat het in het eerste geval – Jessica Cunningham – vingerafdrukbewijs was; en in het tweede – Jennifer Foreman – had Stier al toegang gehad tot alles wat ze zou kunnen weten, aangezien ze op zijn oorspronkelijke getuigenlijst stond. Zij was een van de drie niet opgeroepen oude studievrienden van Maya.

Ten slotte had Hardy gezegd: 'U kent Chiurco. Hij is een van mijn detectives. En dit zal hij zeggen.' En hij overhandigde Chiurco's korte getekende verklaring aan de aanklager. Stier mopperde even dat hij deze getuigen aan het begin van het proces had moeten oproepen, maar iedereen wist dat dit nergens op sloeg. De getuigen zouden mogen getuigen. Maar, waarschuwde Braun hem, Hardy kon er maar beter zeker van zijn dat hij het over het inbrengen van nieuw bewijsmateriaal had, in plaats van veel tijd te besteden aan het hergebruiken van iets wat al in het requisitoir was bewezen.

Maar – de hoofdzaak – hij zou in staat zijn om het allemaal in te brengen. En nu tilde Hardy, met natte handpalmen en droge mond, zijn uitgeputte lichaam van zijn stoel. 'De verdediging zou Jessica Cunningham willen oproepen.'

De bode verdween door de achterdeur van de rechtszaal en kwam even later terug met een jonge vrouw in een politie-uniform. Ze liep door het middenpad, waarna ze de eed aflegde en zich vervolgens naar de getuigenbank begaf.

'Mevrouw Cunningham,' begon Hardy. 'Kunt u de jury vertellen wat u voor de kost doet, alstublieft?'

'Zeker.' Ze draaide zich naar de jury om. 'Ik ben technicus in het politielab hier in de stad.'

'Hebt u in die hoedanigheid een speciale expertise?'

'Ja. Ik doe vingerafdrukanalyses.'

'Mensen identificeren aan de hand van vingerafdrukken, klopt dat?'

'Ja.'

'En hoe lang doet u dat al?'

'Ongeveer zes jaar.'

Nog een poosje stelde Hardy Cunninghams geloofsbrieven als expert op dit terrein vast. Daarna bracht hij het dichter bij huis. 'Bent u verscheidene maanden geleden in de gelegenheid geweest om de vingerafdrukken te analyseren die zijn gevonden in de woning van een van de slachtoffers in deze zaak, Levon Preslee?'

'Ja.'

'Kunt u de jury vertellen wat u hebt gevonden?'

Natuurlijk was deze getuigenis al vluchtig behandeld in de getuigenis van Debra Schiff, maar nu had hij de labtechnichus zelf in de getuigenbank, met een compleet andere benadering. Cunningham knikte enthousiast en professioneel en praatte opnieuw rechtstreeks tegen de jury. 'Nou, zoals op de meeste locaties hebben we veel vingerafdrukken gevonden.'

'Hoeveel afzonderlijke afdrukken hebt u in totaal gelokaliseerd?'

'O, misschien vijftien of zo.'

'Hebt u een aantal daarvan kunnen identificeren?'

'Ja. Er kwamen er zes van het slachtoffer.'

'Hebt u een aantal van de andere acht of negen kunnen identificeren?'

'Een paar, ja.'

'Maar niet allemaal?'

'Nee.'

'Is het ongewoon om vingerafdrukken op een plaats delict te vinden die je niet met een individu in verband kunt brengen?'

'Nee.'

'En waarom is dat zo?'

'Omdat, ten eerste, niet iedereen zijn vingerafdrukken geregistreerd heeft staan. Ten tweede, soms of eigenlijk behoorlijk vaak zijn de vingerafdrukken niet duidelijk genoeg om met de computerregistraties te matchen. En ten slotte, er is een beperkt aantal databanken die we gebruiken om onze matches te proberen te krijgen. Meestal, bijvoorbeeld, proberen we een vingerafdruk met een bekende verdachte te matchen, en in dat geval is het een eenvoudige een-op-een-kruiscontrole.'

'Hebt u de vingerafdrukken van de gedaagde vergeleken met de resterende niet-geïdentificeerde vingerafdrukken in de woning van meneer Preslee?'

'Ja, natuurlijk.'

'Om te kijken of een aantal daarvan bij de gedaagde hoorde?'

'Juist.'

'En, om het even voor de jury te herformuleren, u hebt geen vingerafdrukken van de gedaagde in de woning van meneer Preslee gevonden, toch?'

'Nee.'

Hardy wierp een dankbare blik over zijn schouder naar Stiers tafel, waar hij en Schiff ongemakkelijk naast elkaar zaten. 'Welnu, mevrouw Cunningham, hebt u, voorzover u wist, in november toen u deze vergelijkingen deed, de onbekende vingerafdrukken vergeleken met anderen dan het slachtoffer, meneer Preslee, en de gedaagde, Maya Townshend?'

'Ja. Het andere slachtoffer, Dylan Vogler, en meneer Preslees vriend, Brandon Lawrence.'

'Dus nog twee mensen?'

'Ja.'

'Hebt u een aantal van uw onbekende afdrukken van de plaats delict kunnen identificeren met die mensen?'

'Ja. Twee van die vingerafdrukken kwamen van Brandon Lawrence.'

'Zodat u nog zeven niet-geïdentificeerde afdrukken overhield. Correct?'

'Correct.'

'Hebt u een aantal van uw resterende zeven afdrukken kunnen identificeren?'

'Eigenlijk hebben we vier daarvan geïdentificeerd omdat die in de criminele databank stonden, waar we voornamelijk gebruik van maken.'

'Er waren er dus drie die niet identificeerbaar bleven, klopt dat?'

'Ja.'

'Goed. Welnu, mevrouw Cunningham,' ging Hardy er nog verder op in, 'bent u onlangs in de gelegenheid geweest om de vingerafdrukken die u oorspronkelijk in de woning van meneer Preslee hebt aangetroffen opnieuw te bekijken?'

'Ja.'

'En wanneer was dat?'

'Vanochtend nog.'

Hardy voelde een golf van sonische energie door de tribune schieten, maar hij overstemde die. 'En hoe is dat gebeurd?'

'Inspecteur Glitsky van Moordzaken belde me vanochtend thuis op en vroeg me of ik wat eerder wilde komen om de niet-geïdentificeerde vingerafdrukken te vergelijken met een specifieke andere serie vingerafdrukken uit een andere databank om te zien of er een match was.'

'En was er een match?'

'Ja.'

'U bedoelt dat er een specifiek individu was dat zijn vingerafdrukken in de woning van meneer Preslee had achtergelaten, en dat dit pas vanochtend door dit onderzoek aan het licht is gebracht, klopt dat?'

'Dat is correct, ja.'

Braun hamerde het nu bijna constante, zij het lage gegons van de tribune neer. Nadat de rust was hersteld, richtte Hardy zich weer tot de getuige. 'Mevrouw Cunningham, heeft inspecteur Glitsky u gevraagd om vanochtend nog andere vingerafdrukvondsten opnieuw te bekijken?'

'Ja.'

'En welke waren dat?'

'Er was een gedeeltelijke vingerafdruk op de koperen kogelhuls die gevonden is op de plaats waar Vogler is vermoord.'

'Een gedeeltelijke vingerafdruk? Wat houdt dat in?'

'Eigenlijk zijn de meeste afdrukken gedeeltelijke afdrukken. Bij een forensisch monster is het zeldzaam om een hele vingerafdruk van iemand te krijgen. Maar deze afdruk was zelfs nog fragmentarischer dan de meeste andere.'

'En kan dat bruikbaar zijn om de identiteit vast te stellen?'

'Vaak niet.'

'En waarom niet?'

'Omdat het onvolledig is. Een computer kan het zeker niet lezen, dus moet je de bekende afdrukken van een individu hebben, moet je een manuele vergelijking doen en moet je genoeg identificatiepunten in het forensische monster vinden om met je bekende afdrukken te vergelijken.'

'Inspecteur Glitsky heeft u gevraagd om een manuele test uit te voeren met de bekende vingerafdruk van één individu wiens afdrukken in de woning van Levon Preslee waren aangetroffen, nietwaar?'

'Ja.'

'Hebt u een match gevonden?'

'Het spijt me. De test is niet voltooid. Zoals ik al zei, is het een heel klein monster en ik heb gewoon nog niet genoeg tijd gehad.'

Hardy had zijn linkerarm wel willen geven om de eindresulaten van deze test te weten. Maar dit was alles. Als hij deze val wilde laten dichtklappen, moest dat nu meteen gebeuren voordat iemand lucht kreeg van wat hij in zijn schild voerde. Hij moest doordrukken. 'Goed. Dus, mevrouw Cunningham, kunt u ons nu de naam geven van degene wiens vingerafdruk u in de woning van meneer Preslee hebt geïdentificeerd?'

'Ja.'

'En wiens vingerafdruk was het?'

'Van een van uw detectives, meneer Hardy. Ene Craig Chiurco.'

Terwijl de bode de volgende getuige ging halen, vroeg Stier aan Braun of er overlegd kon worden, en op haar ongeduldige bevel stonden beide juristen op en liepen ze naar de rechterstoel.

'Wat wilt u nu weer, meneer Stier?' vroeg Braun, duidelijk aan de grens van haar verdraagzaamheid.

'Edelachtbare,' begon Stier, 'ik heb geen idee wat meneer Hardy in zijn schild voert. Dit lijkt irrelevant, onbelangrijk, en gewoon ronduit tijdverspilling.'

'Ik ga dit binnen het uur afwikkelen, edelachtbare. Nog twee getuigen en ik ben klaar.' In de hoop een reeds opgefokte Stier te provoceren, draaide Hardy zich naar hem toe en glimlachte liefjes. 'Ik moet u inzage van de stukken geven, raadsman. Ik hoef het u niet uit te leggen.'

'Nu is het genoeg!' snauwde Braun bijna zo luid dat de jury het kon horen. 'Ik ben dit gekibbel zat. Meneer Hardy, u gaat uw getuigen oproepen en wij gaan deze kwestie afhandelen. Gaat u naar uw raadstafels terug.'

Zonder tijd te verspillen had Hardy zijn tweede getuige opgeroepen, en nu hij naar de getuigenbank liep, was zijn vermoeidheid compleet verdwenen. Jennifer Foreman was een van de USF-cheerleaders geweest – vroegere vriendinnen van Maya en Dylan – die Stier oorspronkelijk op zijn getuigenlijst had gezet, voordat hij besloot om hen niet op te roepen voor een directe getuigenis.

Gisteravond laat had Wyatt Hunt zijn magie laten werken en, ondanks het tijdstip, haar overgehaald om met hem te praten. Nu, in de getuigenbank, waar ze duidelijk met een serieus geval van zenuwen te kampen had, leek het haar niet echt te zijn gelukt om in de tussenliggende uren weer te slapen. Of misschien lag het aan het feit dat Hardy en Hunt haar hadden gevraagd om zich boven te melden en vervolgens bij Lou de Griek te wachten, vergezeld door Gina Roake, zodat ze niet met andere getuigen in contact zou komen tot ze werd opgeroepen.

Toch kwam ze over als evenwichtig, goed gekleed, competent en, altijd een pluspunt, heel aantrekkelijk, wat die ex-cheerleaders vaak waren. Een goede, degelijke getuige als Hardy haar in de gewenste richting kon sturen. Hardy stond anderhalve meter voor haar en glimlachte geruststellend naar haar. 'Mevrouw Foreman,' begon hij. 'U was halverwege de jaren negentig een studiegenote van de gedaagde, Maya Townshend, aan de USF, nietwaar?'

'Ja, dat klopt.'

'Zaten jullie in hetzelfde jaar?'

'Nee, ik zat twee jaar hoger dan zij.'

'Maar jullie waren vriendinnen, toch?'

'Ja, dat dacht ik wel. We waren samen cheerleader.'

'En ging u in de periode dat jullie cheerleaders waren ook om met beide slachtoffers in deze zaak, Dylan Vogler en Levon Preslee?'

'Ja.'

'Bent u er ooit persoonlijk getuige van geweest dat zij marihuana rookten?'

'Edelachtbare!' Stier stond op. 'Meneer Hardy heeft ons beloofd dat hij nieuw bewijsmateriaal heeft, maar dit is allemaal oud nieuws en irrelevant.'

Maar inmiddels, na de vorige getuige, was Braun volledig betrokken en geneigd om Hardy door te laten gaan, zelfs zonder strikte bewijsbasis. Hij had al dwingend vingerafdrukbewijs gepresenteerd dat Stier niet had kunnen leveren, en ook al was de betekenis daarvan nog dubieus, er bestond geen twijfel over de mogelijke relevantie ervan. 'Het bezwaar is afgewezen, raadsman. Ga uw gang, meneer Hardy.'

'Dank u, edelachtbare. Welnu, mevrouw Foreman, moet ik de vraag herhalen?'

'Nee. Ben ik er ooit getuige van geweest dat Dylan en Levon dope rookten? Ja, natuurlijk.'

'Vaak?'

Nu grinnikte mevrouw Foreman even. 'Vrijwel de hele tijd.'

Hardy liet het korte moment van lichtzinnigheid voorbijgaan. 'Mevrouw Foreman, hoe hebt u Dylan en Levon leren kennen?'

'We hadden een wederzijdse vriend in mijn jaar die door iedereen Paco werd genoemd. Hij scoorde voor mij een afspraakje met hen.' Ze haalde haar schouders op en voegde er voor de jury aan toe: 'Als u de uitdrukking wilt excuseren. Hij was min of meer de leider van de andere, jongere gozers.'

'En deze Paco, deze vriend en leider van Dylan en Levon, was naar uw weten ook een regelmatige marihuanagebruiker, nietwaar?'

'Ja.'

'Mevrouw Foreman, u hebt gezegd dat iedereen deze persoon Paco noemde. Maar was dat zijn echte naam?'

'Nee. Het was gewoon een soort straatnaam, iets wat hij cool vond.'

'En u kende zijn echte naam ook, nietwaar?'

'Ja.'

'En welke naam was dat?'

'Craig Chiurco.'

Opnieuw liet Hardy het aanzienlijke tumult bedaren voordat hij zijn longen met lucht vulde, een laatste keer naar de verzamelde menigte op de tribune keek en een blik op Stier wierp.

Die keek alsof het dak op hem was gevallen. Nu wist hij duidelijk wat er zou gebeuren, maar hij wist niet hoe hij het moest tegenhouden, niet eens of hij het wel moest proberen.

Hardy wendde zich tot de rechterstoel. 'De verdediging roept Craig Chiurco op, edelachtbare.'

Braun fronste even, zich afvragend hoe het met het decorum in haar rechtszaal zat, maar uiteindelijk sloeg ze haar ogen op naar de achterkant van de tribune. 'Bode, roep de getuige op,' zei ze tegen de functionaris die vlak voor de gesloten achterdeur stond, en ze opende die en verdween in de hal.

Na een voor Hardy kwellende halve minuut, genoeg tijd voor de tribune om opnieuw te beginnen met gonzen, kwam Chiurco in zijn kenmerkende jasje en dasje binnen; hij oogde zelfverzekerd en, in tegenstelling tot zijn bazen Hardy en Hunt, goed uitgerust. Hij had boven, op de afdeling Moordzaken, met Hunt zitten wachten op het teken dat het bijna tijd was en dat hij naar de gang buiten de rechtszaal moest gaan. Nu hij via de balie langs de tafel van de verdediging liep, bracht hij een snelle, stille groet aan Hardy, die al op zijn plek voor de getuigenbank stond.

Maar Hardy, die gespannen en in zichzelf verzonken was, keek niet op.

De griffier nam hem de eed af.

Craig keek verwachtingsvol naar Hardy, die hem zorgvuldig door de verklaring leidde die hij over hun bespreking van twee avonden eerder had voorbereid. Chiurco gaf duidelijk de indruk dat hij blij was te getuigen. 'Laten we nu even teruggaan, meneer Chiurco. Zonet hebt u de jury verteld dat u door uw werkgever, Wyatt Hunt, was aangesteld om Levon Preslee op te sporen, nietwaar?'

'Ja.'

'Had u daarvoor ooit van Levon Preslee gehoord?'

'Nee.'

'Had u hem, naar uw weten, ooit ontmoet?'

'Nee.'

'En u hebt Levon Preslee daadwerkelijk opgespoord, nietwaar?'

'Ja.'

'In een paar uur tijd?'

'Correct.'

Hardy liep naar zijn tafel terug en pakte een vel papier op. 'Ik geloof dat u ons verteld hebt hoe u meneer Preslee hebt gevonden. Hebt u niet net gezegd dat u op het internet had gezocht en had ontdekt dat meneer Vogler in 1997 voor een roofoverval was veroordeeld, en dat hij bij dat misdrijf een partner had die Levon Preslee heette? Klopt dat ongeveer?'

'Ja.'

'Met andere woorden, uw werkgever heeft u niet verteld dat meneer Voglers partner meneer Preslee was?'

'Nee.'

'En waarom niet, denkt u?' Technisch gezien kon hier bezwaar tegen worden gemaakt, maar zoals Hardy gehoopt en verwacht had, hield Stier zich stil, ervan overtuigd dat Braun niet zou interrumperen.

Chiurco's gezicht nam even een aarzelende uitdrukking aan – een moment van besluiteloosheid. Maar Hardy straalde bemoediging uit, en Chiurco gaf hem zijn antwoord. 'Dat wist hij niet, niet op dat moment.'

'Meneer Hunt kende meneer Preslees naam niet, bedoelt u?'

'Juist. We wisten alleen dat Vogler een partner had bij de overval die hij had gepleegd. We wisten niet wie dat was.'

'Dus nogmaals, hoe hebt u ontdekt dat deze partner meneer Preslee was?'

'Zoals ik al zei,' – Chiurco was nog steeds behulpzaam, maar er brak enige ergernis door het laagje vernis heen – 'heb ik op het internet gezocht.'

'Hebt u op Google of Yahoo gekeken?' vroeg Hardy. 'Dat soort dingen?'

'Ja. Ik herinner me niet precies welke.'

'Bedoelt u dat u zich niet herinnert welke zoekmachine u hebt gebruikt?'

'Ja. Er zijn er veel van. Gevangenisdatabanken, stads- en countyregisters enzovoort.'

'En toen u een van die databanken bekeek, vond u een site die u op de een of andere manier informeerde over het misdrijf waarvoor meneer Vogler en meneer Preslee waren veroordeeld, klopt dat?'

'Ja.'

'U moet dus eerst op meneer Voglers naam hebben gezocht?'

'Dat was de enige naam die ik had, dus ja.'

'En toen u meneer Vogler invoerde, vond u een gerelateerde site voor meneer Preslee, correct?'

'Ja.'

Knikkend liep Hardy opnieuw naar zijn tafel, pakte nog een paar vellen papier op en keerde naar de getuige terug. 'Welnu, meneer Chiurco, ik heb hier in mijn hand een kopie van de omslagpagina van de strafrechtelijke procedure die resulteerde in de veroordeling en het vonnis van meneer Vogler in 1997.' Hardy, die zijn gesternte dankte voor Glitsky en zijn toegang, stapte dichter naar de getuigenbank toe. 'Zou u alstublieft de titel van deze zaak voor de jury willen oplezen? Dat gedeelte daar dat tussen haakjes staat.'

Met beginnende tegenzin kwam Chiurco nu naar voren en nam het papier aan. '*Het Openbaar Ministerie van de Staat Californië v. Dylan Vogler*. Zaaknummer SC-137804.'

'Dank u.' Hardy stak zijn hand uit en Chiurco gaf hem zijn kopie terug. 'En zou u nu, alstublieft, de titel van deze andere zaak, die ten behoeve van de jury resulteerde in de veroordeling en het vonnis van meneer Preslee, willen oplezen?'

Chiurco, die zijn best deed om een schijn van hartelijkheid terug te winnen, pakte het volgende vel papier. '*Het Openbaar Ministerie van de Staat Californië v. Levon Preslee*. Zaaknummer SC-139504.'

Hardy pakte het papier weer terug. 'Zoals u kunt zien, meneer Chiurco, en zoals u net aan de jury hebt voorgelezen, zijn dit verschillende zaaknummers, nietwaar?'

'Ja. Blijkbaar.'

'Blijkbaar. Maar als deze zaken inderdaad afzonderlijk en niet met elkaar verbonden zijn, leidt dit tot de vraag hoe u de ene zaak hebt opgezocht en naar de andere bent geleid. Kunt u ons vertellen hoe u dat hebt gedaan?'

Chiurco leunde met een strak gezicht achterover en haalde zijn schouders een paar keer op. 'Dat herinner ik me niet precies. Ze kwamen samen tevoorschijn op een van de websites. Dat is alles wat ik u kan vertellen.'

'En zo bent u aan meneer Preslees naam gekomen en kon u vervolgens zijn adres vinden en naar zijn huis gaan, klopt dat?'

'Klopt.'

'Een huis waar u nooit eerder was geweest. Is dat correct?'

'Ja.'

'Een huis waar u zeker nooit in was geweest?'

'Klopt.'

'Een huis waar de politie nooit, in geen enkel geval, uw vingerafdrukken had kunnen vinden. Is dat correct?'

Chiurco's gezicht was nu duister geworden, en hij wendde zich tot de rechter en vervolgens weer tot Hardy. 'Waar gaat dit over? Wat hebben mijn vingerafdrukken ermee te maken?'

Nu stapte Hardy dichter naar de getuige toe. Hij was daar niet om vragen te beantwoorden, maar om ze te stellen. En na de eerdere twee getuigen was Braun duidelijk geneigd om hem de vrije teugel te laten. 'Meneer Chiurco,' zei hij, 'wist u niet al wie meneer Preslee was, en dat hij meneer Voglers handlanger was geweest bij de roofoverval waardoor ze allebei in de gevangenis belandden, toen u uw opdracht van meneer Hunt ontving?'

'Nee, dat wist ik niet.'

'Hebt u in feite niet om de opdracht van meneer Hunt gevraagd zodat u uw relatie met meneer Preslee voor meneer Hunt verborgen kon houden?'

'Nee, dat heb ik niet gedaan.'

'Bedoelt u dat u geen relatie met meneer Preslee had?'

'Ja, dat bedoel ik.'

'U was niet eerder als gast bij hem thuis geweest?'

'Dat klopt. Dat heb ik al gezegd.'

'Ja, inderdaad,' zei Hardy. 'Misschien kunt u dan de getuigenis verklaren waar we vanochtend naar hebben geluisterd, van agent Jessica Cunningham van het politielab van San Francisco, die uw vingerafdrukken in de woning van meneer Preslee heeft geïdentificeerd.'

Chiurco's ogen schoten langs Hardy en langs Hunt naar de achterdeur en de zijdeuren. 'Kennelijk heeft ze een fout gemaakt of ze heeft gelogen. Ik ben nooit in de woning geweest.'

Hardy deed nog een stap dichter naar hem toe. 'Vertelt u het hof dat u meneer Vogler en meneer Preslee niet samen hebt gezien in Bay Beans West in de laatste weken van hun leven?'

'Ik weet niet waar u dat vandaan haalt.'

'Als ik u zou vertellen dat er twee getuigen waren...'

'Nou, zij liegen ook, wie het ook maar waren.'

Hardy liet zijn hoofd nu hangen en even draaide hij zich met een onbewogen gezicht half naar de jury toe. 'Meneer Chiurco, is het niet waar dat u tussen 1992 en 1995 hebt gestudeerd aan de Universiteit van San Francisco?'

Bij deze zet rechtte Chiurco plotseling zijn rug en schokte zijn hoofd snel heen weer. Hoewel Hardy zich bewust was van het geroezemoes dat zich achter hem op de tribune begon te ontwikkelen, drukte hij de aanval door. 'Meneer Chiurco? Edelachtbare?'

Braun keek dreigend naar de tribune, met haar hamer in de aanslag. Vervolgens boog ze zich voorover op de rechterstoel. 'De getuige wordt verzocht de vraag te beantwoorden.'

Chiurco haalde zijn schouders op. 'Ja.'

'En kende u, in de periode dat u daar was, noch meneer Vogler noch meneer Preslee?'

Ditmaal hield Hardy strak oogcontact met Chiurco, terwijl de tribune achter hem helemaal losbarstte en Braun de menigte weer tot stilte hamerde.

'Meneer Chiurco?'

'Ik denk dat ze daar allebei waren toen ik daar was, ja.'

'En als we net gehoord hebben van een getuige, die zei dat ze jullie indertijd allemaal kende, dat u nauw bevriend was met allebei, zou die getuige dan de waarheid hebben verteld?'

Geen antwoord.

'Dat is toch de waarheid, Paco?'

Een en al strijdlust nu. 'Wie is Paco?'

'Dat bent u, meneer Chiurco, of dat was u, nietwaar?' Hardy bleef wachten tot de rechter tussenbeide zou komen om Chiurco op zijn zwijgrecht te wijzen, maar als zij dat niet ging doen, ging hij dat absoluut niet voor haar doen. Deze man had minstens twee mensen vermoord, waarschijnlijk drie, en had geprobeerd om zijn cliënt erin te luizen, en zijn rechten lieten Hardy volslagen koud.

Chiurco, die nog steeds geen antwoord gaf, trok aan zijn das, schraapte zijn keel.

Hardy liet enige seconden verstrijken tot het compleet rustig in de zaal was. 'Meneer Chiurco,' vroeg hij, 'waar koopt u uw koffie?'

'Overal.'

'Hebt u ooit koffie gekocht bij Bay Beans West in Haight Street?'

'Misschien wel. Dat kan ik niet met zekerheid zeggen.'

'Meneer Chiurco, hebt u uw werkgever, meneer Hunt, niet verteld dat u een vaste klant was van meneer Voglers marihuanahandel in Bay Beans West? Als u wilt, kunnen we meneer Hunt hier laten komen om daarover te getuigen.'

De getuige verroerde zich niet, sprak niet.

'Meneer Chiurco.'

'Ik hoef geen antwoord op die vraag te geven. Dat zou bezwarend voor mij kunnen zijn.'

'U beroept zich dus op het zwijgrecht?'

'Alleen wat betreft de vraag of ik wel of niet marihuana kocht, ja.'

'Goed,' zei Hardy. 'Laten we naar een ander onderwerp gaan. Bezit u een handwapen?'

Chiurco bracht zijn handen naar zijn mond, trok aan de zijkanten van zijn gezicht. 'Oké. Ik bezit een wapen. Nou en?'

'Wat voor soort wapen?'

Maar Chiurco schudde alleen zijn hoofd. 'Dat is alles. Ik zeg niets meer.'

De toch al drukkende stilte leek een beklemmend gewicht aan te nemen in de stampvolle rechtszaal. Chiurco staarde met een stalen gezicht in de ruimte tussen hem en Hardy.

'Ik geef geen antwoord,' zei Chiurco nogmaals. 'Ik beroep me op het zwijgrecht.'

Hardy knikte, deed nog een stap naar voren tot hij binnen spuugafstand van de getuige stond. 'Is het niet waar, meneer Chiurco, dat u diezelfde Glock .40 waarmee u tijdens een roofoverval in 1995 een drankwinkelbediende met de naam Julio Gomez doodde, hebt gebruikt om Dylan Vogler te vermoorden?'

Hierop barstte de tribune achter Hardy volledig los. En in dat tumult vond Stier eindelijk zijn stem weer. 'Bezwaar, edelachtbare. De getuige heeft zich op het zwijgrecht beroepen.'

Ze sloeg met haar hamer, telkens weer, en probeerde zich met geforceerde stem verstaanbaar te maken. 'Het bezwaar is toegewezen. Zo is het genoeg.' *Bam! Bam!* 'Toegewezen.' Nu stond ze op, boog zich voorover en zei luidkeels: 'Ik wil orde in deze rechtszaal! Orde!' En het geluid van de hamerslagen klonk telkens weer.

Eindelijk een schijn van stilte. Braun, die nog steeds stond, bevend van woede, deed nu haar gezag gelden door het ene bevel na het andere te geven. 'De jury moet zich terugtrekken in de beraadskamer. Bodes, ontruim de rechtszaal. Ontruim de rechtszaal! Meneer Chiurco, u blijft in de getuigenbank. Raadsman, blijf bij de raadstafel!'

De ontruiming van de tribune duurde bijna tien minuten; veel mensen maakten bezwaar en weigerden zelfs te verkassen, totdat Braun meer bodes uit naburige rechtszalen te hulp had geroepen.

Toen de laatste toeschouwer eindelijk was verwijderd, wees Braun naar Chiurco. 'Meneer, als getuige in deze rechtszaal hebt u zich op uw zwijgrecht beroepen. U moet met uw advocaat praten. U zult met de raadsman overleggen en komende maandag om negen uur 's ochtends in deze rechtszaal terugkomen.'

Maar Hardy, die nog steeds voor Chiurco stond, kon dat niet zomaar laten gebeuren. 'Edelachtbare, met alle respect, dat is onaanvaardbaar. Meneer Chiurco zou in hechtenis moeten worden genomen.'

Nu hief ze haar hamer op alsof het een wapen was. 'Dat is het toppunt, meneer Hardy. Hoe durft u mij te vertellen wat wel of niet aanvaardbaar is in mijn rechtszaal. Dit is het absolute toppunt.' En terwijl ze onnodig met haar hamer sloeg om iedere toon te benadrukken, voegde ze eraan toe: 'U... zult... deze... rechtszaal... niet... langer... verstoren!'

En Braun, die de situatie in haar domein eindelijk weer helemaal meester was, keek met een soort van verbluft ongeloof rond naar wat haar uitspraken teweeg hadden gebracht. 'Bodes,' zei ze op vlakke toon, 'de gedaagde gaat naar de cel. Meneer Chiurco, u gaat een advocaat zoeken. Raadslieden, naar mijn kamer. Nu meteen.' En met nog een blik op de lege tribune zei ze: 'Bodes, u mag de toeschouwers weer binnenlaten. Dit proces wordt over precies vijftien minuten hervat.'

In Brauns kamer kreeg Stier bijna een beroerte. 'Over geen bewijs gesproken! Ondanks al zijn zelfingenomen retoriek heeft meneer Hardy zojuist geen bewijs gepresenteerd, edelachtbare. Dat was allemaal slechts een schaamteloze poging om een handige zondebok te vinden om de jury af te leiden.'

'Belachelijk, edelachtbare. Vingerafdrukken op de plaats delict zijn bewijs, vooral wanneer degene van wie die vingerafdrukken zijn zegt dat ze daar niet konden zijn. Wat is uw theorie, meneer Stier? Heeft meneer

Chiurco zijn vingerafdrukken aan iemand uitgeleend? Hebben zijn handen zonder hem een wandeling gemaakt? Het feit is,' zei Hardy, 'dat ik vanochtend meer bewijs heb gepresenteerd dat mijn cliënt onschuldig is dan meneer Stier in zijn hele zaak tegen mijn onschuldige cliënt heeft gepresenteerd.'

'Zij is pas onschuldig als de jury dat zegt,' zei Stier.

Hardy maakte een verachtelijk handgebaar. 'Eigenlijk, edelachtbare, heeft meneer Stier het precies omgekeerd. Maya is onschuldig totdat de jury haar schuldig bevindt. Volgens mij wordt dit nog steeds aan de rechtenfaculteit in dit land onderwezen.'

Braun had eindelijk alle schijn van een rechterlijke houding verloren. 'Godverdomme! Hou op!'

Maar Stier ging door. 'Meneer Hardy kan een haarklover zijn, maar ik ben ervan overtuigd dat het hof begrepen heeft wat ik bedoelde, edelachtbare. En die getuigenis van mevrouw Foreman dat meneer Chiurco vroeger misschien Paco werd genoemd? Op welke planeet wordt dit tot bewijs verheven?'

'Dezelfde,' voegde Hardy hem toe, 'als die waarop u landde toen u Cheryl Biehl liet getuigen. Ik ben, eerlijk gezegd, gewoon verbluft dat u nog steeds een zaak denkt te hebben.'

Stier schraapte zijn keel. 'Integendeel, edelachtbare, aangezien meneer Chiurco onderzoekswerk verricht voor meneer Hardy's eigen advocatenfirma, zou ik hen ertoe in staat achten te hebben samengespannen om deze hele uitvoerige poppenkast op te zetten, zodat de jury een alternatieve verdachte zou moeten overwegen.' En rechtstreeks tegen Hardy: 'Nou, hoe doet u dat? Geeft u uw mannetje achteraf een bonus voor de overlast die u hem hebt bezorgd?'

'Dat is de meest belachelijke en beledigende beschuldiging die ik gehoord heb in al die tijd dat ik als advocaat werk, edelachtbare. Het is beneden alle peil.' Hardy, die eindelijk zijn grens bereikte, verhief zijn stem. 'Ik heb het volgende gedaan, Paul. Ik heb jouw politie betaald om zijn vingerafdruk op een moordlocatie te plaatsen en misschien op een patroonhuls op een andere moordlocatie. Wat voor soort bonus zou je aanbevelen voor iemand die bereid is zichzelf levenslang de gevangenis in te sturen?'

Braun sloeg met haar handpalm op haar bureau. 'Die woordenwisseling, heren, heeft u zojuist ieder duizend dollar gekost. Wilt u nog meer?'

Hardy, die duizelig was van de adrenaline, vocht om rationeel te blijven. 'Het simpele feit, edelachtbare, zoals ik in de rechtszaal zei, is dat Chiurco nu meteen in arrest zou moeten worden genomen. Hij is een gevaar voor zichzelf en voor het publiek. De politie moet zijn spullen onderzoeken op bloedspatten, en Preslees woning op zijn DNA. We moeten dit proces in elk geval tot volgende week voortzetten, of zelfs nog langer, om de politie eindelijk een echt onderzoek te laten leiden.'

Braun haatte deze hele zaak. Ze haatte Hardy's provocerende en geloofwaardige theorie. Ze haatte Stiers hele requisitoir, de zijdelingse betrokkenheid van Jerry Haines, Schiffs slordige onderzoek, de politieke vertakkingen, de getuigenis over dingen die maar liefst vijftien jaar geleden al dan niet waren gebeurd.

Bovenal haatte Braun het idee dat ze de jury misschien moest vertellen dat dit proces wellicht een week of zelfs meer zou worden verlengd. Ze kon in dit stadium absoluut niet akkoord gaan met een politieonderzoek naar een andere verdachte zonder de aanklachten tegen de huidige gedaagde niet-ontvankelijk te verklaren.

'Nou, heren,' begon ze ijzig, 'het lijkt erop dat we onszelf...'

Op dat moment echode het eerste schot ergens vlakbij, in het gebouw. En ze hoorden een vrouw gillen.

38

Chiurco bleef na zijn getuigenis een poosje in de getuigenbank zitten. Het was allemaal snel gegaan, maar de rechter had tegen hem gezegd dat hij mocht gaan, zolang hij in de buurt bleef. Hij hoorde de achterdeur van de rechtszaal achter hem opengaan en keek hoe Hardy en Stier plechtig langs hem heen naar buiten liepen. Nog steeds verroerde hij zich niet.

Uiteindelijk, echter, ging het geluidsniveau weer omhoog doordat het publiek en masse naar de tribune was teruggekeerd – in feite was de menigte, vanwege het nieuws van het drama, zo mogelijk nog groter geworden. De burgemeester en Fisk en Maya's man schoven naar voren op hun zitplaatsen en Maya had zich omgedraaid, terwijl de bode maar wat rondhing. Iedereen praatte over deze getuigenis, over wat er zojuist aan het licht was gekomen.

Glitsky en officier van Justitie Jackman stonden diep in gesprek hun rug te strekken. Debra Schiff zat voorovergebogen, met haar hoofd omlaag en haar vingers aan haar slapen, aan de aanklagerstafel. Zijn baas, Wyatt Hunt, was achter een groepje andere staande mensen verdwenen; iedereen was druk aan het praten praten praten.

Het was nu of nooit.

Met rechte schouders en een strak gezicht kwam Chiurco overeind. Geheel volgens zijn rechten stapte hij uit de getuigenbank en liep door de open rechtszaal heen. Hij opende het hek en stapte het middenpad van de tribune in, dat nu stampvol stond met mensen. Een verslaggever greep zijn elleboog vast en zei iets, maar de wereld was in een wazige tunnel veranderd, die zo'n tien meter voor hem bij de deuropening eindigde; hij schudde de verslaggever van zich af en baande zich vooruit.

Opzij van hem, in gesprek met Jeff Elliott, wiens verdomde rolstoel alles in het middenpad ophield, stonden Hunt en Gina Roake, die hem eerst nauwelijks opmerkten, maar nu hij passeerde, zag hij Hunts vertraagde reactie. En hoorde hij, als gedempt door water, Wyatts kreet: 'Abe!' Daarna luider: 'Abe!'

Chiurco gaf iemand een zet en duwde mensen uit de weg.

'Hé!'

Nu slaakte Hunt een echte schreeuw: 'ABE!'

Chiurco was er zo dichtbij, vijf of zes stappen, maar er waren nog steeds mensen die hem de weg versperden, die in de rij stonden om naar het toilet te gaan, iets te roken, te telefoneren, te roddelen.

Hij stond vast.

En dus duwde hij nog iemand weg, deed nog een stap, zette door.

Maar de deur was open; de ene kleine Aziatische vrouwelijke bode had haar post bij de metaaldetector verlaten en stond nu bij de deur. Chiurco probeerde zich langs een dikke man te wurmen, kon hem niet wegduwen, bespeurde enige activiteit in de rijen achter hem.

Hunt die zich ook een weg naar buiten baande? Hem probeerde tegen te houden?

En toen stond Glitsky plotseling op zijn stoel en drong zijn stem door alles heen. 'Bode! Pak die man! Hou die man tegen!'

De rechter mocht dan hebben bevolen dat Chiurco moest worden vrijgelaten, maar Glitsky was in zijn eentje gemachtigd om arrestaties te verrichten, en met de steun van Clarence Jackman, die naast hem zat, had hij besloten dat hij genoeg had gehoord om Chiurco in elk geval voor nader verhoor vast te houden.

Maar Chiurco nam de benen. Dat zou niet gebeuren.

Glitsky's raspende stem klonk opnieuw. 'Meneer Chiurco! Blijf staan! Bode!'

Ze was vanuit de hal binnengekomen om Chiurco's poging uit de rechtszaal te ontsnappen te verijdelen, maar nu probeerde dezelfde dikke man door de deur voor hem heen te komen en opeens stond ze pal voor hem en versperde ze hem de weg.

Chiurco draaide zich om en vanuit zijn ene ooghoek zag hij Hunt op zich afkomen, en vanuit zijn andere Glitsky; de inspecteur baande zich een weg uit zijn rij naar het pad, wees naar hem en zei met wanhoop in zijn stem: 'Die man! De laatste getuige! Hou hem daar!'

De dikke man was nog steeds binnen, maar ging voor Chiurco opzij; de bode, die de deur nu dichttrok, was het laatste obstakel. Maar zij was zo klein dat ze geen partij voor hem was. Chiurco haalde uit, gaf haar een zijwaartse nekslag, en ze zou meteen gevloerd zijn, ware het niet dat de dikke man zag wat er was gebeurd en haar ondersteunde.

Chiurco had geen keus.

Hoewel bodes in San Francisco geen vuurwapens droegen als ze dienst hadden in de rechtszaal, was zij wel gewapend vanwege haar dienst buiten de rechtszaal bij de metaaldetector. Nu trok Chiurco haar holster open, pakte haar wapen eruit, probeerde uit alle macht de dikke man en de bode aan de kant te duwen en schoot in het plafond.

Iemand schreeuwde: 'Bukken! Iedereen bukken!' En er gilde een vrouw.

Omdat die dikke rotvent nog in de weg stond, duwde Chiurco opnieuw; hij wist zijn hand op de deur te leggen en hoorde achter zich een vrouwenstem. 'Laat vallen! Laat het pistool nu vallen!'

Hij draaide zich om en zag Schiff bij de aanklagerstafel aan de andere kant van de balie; ze had haar eigen wapen nu getrokken en richtte boven de bukkende menigte. Zonder tijd om na te denken bracht hij het pistool omhoog, zijn handen samen, en vuurde snel achter elkaar twee schoten af, volgens het boekje. De rechercheur viel neer; haar pistool kletterde over de vloer.

Chiurco draaide zich om om eindelijk te ontsnappen, maar nog een schot bij de aanklagerstafel vandaan versplinterde het hout van de deur vlak boven zijn hoofd. En Chiurco, die naar links keek, opende het vuur opnieuw op de forse man in pak die in de voorste rij stond en misschien zojuist had geschoten, en die achterover over de balie op de vloer bij de aanklagerstafel viel.

En zo werd de eigenlijke tweede schutter zichtbaar, de andere bode, die met Schiffs pistool in zijn hand op de plek stond waar Maya Townshend geknield over haar neergeschoten broer gebogen zat en hem op de vloertegels beschermde. De bode loste nog een schot.

Met zijn handen al in de klassieke schiethouding schoot Chiurco nogmaals twee keer snel achter elkaar en de bode wankelde achteruit, liet Schiffs wapen vallen en viel neer.

En opeens greep iemand vanuit het niets Chiurco's schietarm vast en gaf er een venijnige slag tegen. De vrouwelijke bode, die hem opnieuw probeerde tegen te houden, haalde nog eens uit naar zijn gezicht, een schampende slag, en nu richtte hij zijn pistool op haar. Het ging per ongeluk af, waarop de dikke man naar zijn schouder greep, ronddraaide en naast hem op de grond neerviel.

Nu had Chiurco nog maar één stap nodig en dan zou hij buiten staan en vrij zijn, maar die verdomde vrouw klampte zich aan zijn been vast, dus sloeg hij zijn arm om haar nek en trok haar tegen zijn lichaam omhoog; terwijl hij haar zo vasthield, zwaaide hij dreigend met zijn pistool naar iedereen in de zaal die zijn of haar hoofd durfde op te richten.

Maar om de deur te openen had hij geen keus. Hij moest zijn gijzelaar loslaten of zijn wapen laten zakken.

Hij kon de gijzelaar echter niet loslaten. Dan zou ze hem weer aanvallen.

Hij moest het pistool laten zakken.

Waardoor Glitsky, die vijftien meter verder op zo'n kans stond te wachten, één keer en dan ook maar één keer gericht kon schieten.

Meer had hij niet nodig.

39

CityTalk
Door Jeffrey Elliott

Stadsfunctionarissen proberen nog steeds te reconstrueren hoe veiligheidsprocedures in het Paleis van Justitie zo fout hebben kunnen gaan dat de reeks gebeurtenissen mogelijk werd gemaakt die afgelopen vrijdag resulteerde in de dood van vier mensen, onder wie twee ordehandhavers en stadstoezichthouder Harlen Fisk, en de verwonding van een andere man in een van de rechtszalen van de stad.
Deze verslaggever was aanwezig tijdens de gebeurtenissen die zich hebben voorgedaan, en kan melden dat er zelfs nog voordat het hof die ochtend ter zitting werd geroepen, een tastbare spanning heerste in Afdeling 25, de rechtszaal van rechter Marian Braun, plaats van het moordproces van Maya Townshend. Zowel burgemeester Kathryn West, de tante van mevrouw Townshend, als Fisk, haar broer, was tot duidelijke steun van de gedaagde aanwezig, en door de bijkomende media-aandacht en geruchten over op het laatste moment opgeroepen verrassingsgetuigen à decharge zat de tribune stampvol.
Mevrouw Townshend was aangeklaagd voor de moorden op Dylan Vogler, de manager van de koffieshop Bay Beans West, die zij bezit, en een andere vroegere kompaan van haar, Levon Preslee. Het proces had zich tot op heden gericht op bewijs van mevrouw Townshends kennelijke motief voor deze moorden, en experts hadden gemeend dat het concrete bewijs tegen de gedaagde bijzonder zwak was. Dus toen advocaat Dismas Hardy's eerste getuige, een vingerafdrukspecialist in het politielaboratorium, vaststelde dat iemand van Hardy's eigen onderzoeksteam, Craig Chiurco, op de locatie was geweest waar Preslee is vermoord, en misschien een gedeeltelijke vingerafdruk had achtergelaten op de kogelhuls op de locatie waar Vogler is vermoord, zat men op de tribune in gespannen afwachting van wat er zou komen.
Dat liet niet lang op zich wachten, aangezien meneer Hardy een andere

getuige kort ondervroeg, die meneer Chiurco's eerdere en tot dan toe ononthulde relatie met zowel Vogler als Preslee vaststelde, en vervolgens meneer Chiurco opriep. Kennelijk had hij, niet wetend wat er in de rechtszaal plaatsvond, buiten in de hal zitten wachten om in de getuigenbank plaats te nemen. Meneer Hardy's vragen, en meneer Chiurco's antwoorden, werden steeds verhitter – en doorspekt met bezwaren van aanklager Paul Stier – naarmate Hardy zijn voormalige medewerker met deze misdrijven in verband probeerde te brengen.

Uiteindelijk, toen Chiurco zich op zijn zwijgrecht beriep om geen bezwarende verklaringen tegen zichzelf af te leggen, beschuldigde meneer Hardy hem regelrecht van deze moorden, en er brak een pandemonium in de rechtszaal los. Het kostte rechter Braun diverse minuten om de orde te herstellen. In plaats van haar bodes op te dragen om Chiurco aan de politie over te dragen, beval Braun hem een advocaat te raadplegen en beschikbaar te blijven voor eventueel verder onderzoek. Daarop verlieten de rechter en de twee hoofdadvocaten de zaal om in de kamer van rechter Braun te beraadslagen, en lieten ze Chiurco onbewaakt in de getuigenbank achter.

Even later werd de dwaasheid van Brauns beslissing duidelijk, toen Chiurco in de getuigenbank opstond en zich een weg begon te banen door de menigte die in het middenpad was samengedromd. Hij had de achterdeur bijna bereikt, toen inspecteur Glitsky, hoofd van de afdeling Moordzaken van de stad, een van de gerechtsbodes, Linda Gray, beval om Chiurco tegen te houden. Maar de wanhopige getuige – die nu plotseling als moordverdachte was onthuld – worstelde met de bode en slaagde erin om haar niet alleen te ontwapenen, maar ook haar dienstwapen in bezit te nemen en ermee in het plafond te schieten.

Toen de hel losbarstte, lieten mensen zich op de vloer van de tribune vallen of verscholen zich achter hun stoelen. Op dat moment vuurde brigadier-rechercheur Debra Schiff van Moordzaken, die aan de aanklagerstafel had gezeten, een schot op Chiurco af, die terugschoot en haar dodelijk verwondde. In de daaropvolgende paar seconden schoot een andere bode, Rolfe Hagen, vanuit de balie opnieuw op Chiurco, en als antwoord daarop loste Chiurco een salvo schoten waardoor zowel toezichthouder Fisk als bode Hagen per ongeluk dodelijk werden getroffen, voordat inspecteur Glitsky een kans zag en een laatste schot op Chiurco's borst afvuurde, dat hem doodde. Glitsky is met automatisch administratief verlof gestuurd, wat gebeurt na iedere schietpartij waarbij een politieagent is betrokken.

Maar het geweld dat met zulke tragische gevolgen zelfs in een bewaakte rechtszaal kon uitbarsten en ook werkelijk is uitgebarsten, laat voor functionarissen een hoop vragen achter om over na te denken: Moeten gerechtsbodes in San Francisco niet gewapend zijn, zoals in ieder ander rechtsdistrict in Californië? Of, aan de andere kant, moeten vuurwapens, zelfs in de handen van politiepersoneel, sowieso ooit in rechtszalen worden toegestaan? Zijn er voldoende aantallen bodes in de rechtszalen van San Francisco? Is rechter Braun nalatig geweest door een potentiële moordverdachte de gelegenheid te geven om te ontsnappen en/of gijzelaars te nemen?

Bovenal, waarom is er een onschuldige vrouw voor twee moorden gearresteerd en voor het gerecht gebracht in een rechtszaal in San Francisco, op basis van een onderzoek dat, op zijn best, beschreven kan worden als incompetent, en op zijn slechtst als grotesk nalatig.

Het bewijs van Maya Townshends onschuld bevond zich tijdens dit hele onderzoek pal voor de neus van de politie en de aanklager. Toch kozen zij ervoor om het te negeren vanwege iets wat de critici als het voeren van een politieke vendetta zouden omschrijven. Naar de mening van deze verslaggever is het een aanfluiting dat het ooit is toegestaan deze zaak voor het gerecht te brengen.

40

'Eigenlijk,' zei Glitsky, 'geniet ik van het verlof. Nu kan ik qualitytime met mijn kleine rat doorbrengen.' Zachary, de rat in kwestie, droeg zijn helm nog steeds, maar verder leek en gedroeg hij zich net zo gezond als ieder normaal kind terwijl hij met zijn zus in de zandbak in Glitsky's achtertuin speelde. 'De band weer aanhalen.'

'Hou jezelf niet voor de gek. Je hebt de band nooit verbroken.'

'Misschien niet, maar zo voelde het wel. De band met de wereld verbroken.'

'Ja, nou...' Ze zaten op de bovenste tree, hun gebruikelijke plek, over de achtertuin en het groen van het Presidio daarachter uit te kijken. 'Je bent net op tijd teruggekomen, dus ik zou mezelf er niet mee kwellen.'

'Dat doe ik ook niet. Ik dacht dat ik je dat al gezegd had. Ik heb het gehad met zelfkwelling.'

Hardy wierp een zijdelingse blik op hem. 'Als dat waar is, hoe moet ik je dan herkennen? Je zult wel iets anders vinden om jezelf mee te kwellen, let maar op. Zo ben je gewoon. Verknipt, maar waarschijnlijk wel de moeite waard om te redden. Marginaal. Op de lange duur.'

'Dank je.'

'Graag gedaan. Maar eigenlijk,' voegde Hardy eraan toe, 'niet dat ik niets beters te doen heb op een zondagmiddag, maar je hebt gebeld.'

'Inderdaad.'

'En ik moet zeker weer raden?'

'Als je wilt, of ik kan je gewoon vertellen wat we bij Chiurco thuis hebben gevonden.'

'Bedoel je behalve bloedspatten op... wat... zijn schoenen?'

'Schoenen, klopt.'

'En een semiautomatische Glock .40 met een hexagonale loop?'

'Nee, maar wel drie scherpe patronen en een schoonmaakset die bij dat wapen zouden passen. En wat nog meer?'

'Ik geef het op. Nee, wacht. Wiet.'

'Goed zo. Wil je raden hoeveel?'

'Nee. Ik kap wanneer ik voor sta. Wiet is goed genoeg. Maar wat nog meer?'

'Je zult het wel leuk vinden. Wil je nog een paar seconden?'

'Oké.' Bijna een minuut lang viel er een aangename stilte, totdat Hardy uiteindelijk zei: 'Wat nog meer?'

'Krantenknipsels. Oude.'

'Julio Gomez.'

'Juist.'

'Daar had ik op kunnen komen als ik iets langer zou hebben nagedacht.'

'Net zoals je erop bent gekomen dat Chiurco Preslee kende.'

'Nee. Dat had ik al veel eerder moeten zien. Ik bedoel, Wyatt heeft me verteld dat Dylan tot voor kort niet op Google stond, dus hoe kon Craig Levon dan hebben gevonden? Het antwoord was dat hij dat niet kon. Op geen enkele manier. Vooral toen ik besefte dat ze afzonderlijk hadden terechtgestaan. Hij moet Levon dus al eerder hebben gekend. En ik wist zelfs dat Craig op de USF had gezeten en Dylan kende en op zijn wietlijst stond. Ik bedoel, overal vlaggen en ik zag ze niet.'

'Ja,' zei Glitsky, 'jij bent een beetje traag. Het is verbazingwekkend dat je nog steeds cliënten krijgt.'

'Daar verwonder ik me zelf ook over. Maar toch...' Hardy slaakte een zucht. 'Wat een fiasco was dat daar aan het eind.'

'Klopt. Hoewel dat een van de dingen is waarmee ik mezelf niet ga kwellen. Ik heb een besluit genomen.'

'Waarschijnlijk slim. Je had geen keus.'

'Echt waar. Geen enkele.'

'Dat weet ik. Ik geloof je. Je vraagt je soms alleen af hoe het zover kan komen. Ik bedoel, waarom is Maya überhaupt aangeklaagd? En daardoor is Harlen dood. En Schiff. En zelfs Ruiz. Om nog maar te zwijgen over Chiurco en die arme bode. Waar slaat dat op? Al die slachtoffers.'

'En toch blijft iedereen het een misdrijf zonder slachtoffers noemen, nietwaar?'

'Dat ligt aan het onderdeel "misdrijf",' zei Hardy. 'Haal het misdrijf weg, maak het spul legaal...' Hij keek zijdelings naar zijn vriend. 'Maar aangezien jij een smeris bent, neem ik niet aan dat dat jouw probleem wordt, wel?'

'Goed geraden.' Glitsky kauwde op zijn wang. 'Maar wat betreft de vraag hoe het zover heeft kunnen komen, lag dat, om eerlijk te zijn, deels aan mij. Ik verzaakte het werk. Ik maakte me zorgen om Zack.'

'Dat zou dan een heel klein deel zijn geweest. Maar ik ben er trots op te zien dat jij jezelf al weer gaat kwellen.' Hardy keek op zijn horloge. 'Je hebt er ongeveer vijfenveertig seconden over gedaan, een nieuw record, denk ik.'

'Nee. Ik weet dat het voornamelijk aan Schiff lag, en God weet dat ze ervoor heeft geboet.'

'Hoe zit het met Bracco? Heb je hem gesproken?'

'Niet meer sinds vlak daarna.'

'Hoe gaat het met hem?'

Glitsky slaakte een zucht. 'Over zelfkwelling gesproken. Hij zei dat hij wist dat hij naar voren had moeten komen, iets had moeten zeggen, maar hij wilde loyaal aan zijn partner zijn.'

'Smerissen en loyaliteit, hè?'

'Moet je mij vertellen. Ik hoop alleen dat hij zo overtuigend kan praten dat hij mag aanblijven, maar daar durf ik niet om te wedden. Aan de andere kant, Treya had laatst leuk nieuws dat je misschien nog niet hebt gehoord.'

'Ze is weer zwanger.'

Glitsky keek hem quasi-boos aan. 'Maak daar zelfs geen geintje over. Denk aan het kantoor van de officier van Justitie.'

'Clarence stapt op en zij neemt het over.'

'Onjuist. Denk aan Paul Stier.'

'De Grote Lelijkerd?'

Glitsky knikte. 'De Grote, nu even Werkloze, Lelijkerd. In elk geval totdat hij iets kan regelen met Haines of iemand anders.'

'Ik weet het niet. Ik denk dat meneer Haines de laatste tijd zo zijn eigen problemen heeft. Hij heeft het tegen de burgemeester opgenomen, heeft al deze bagger naar boven gehaald en is eigenlijk met weinig soeps op de proppen gekomen. Het wemelt van de geruchten. En nu we het daar toch over hebben, het gerucht gaat dat jij volgende week weer in het zadel zit.'

'Misschien wel. Misschien niet.'

'Laat me raden. Je kwelt jezelf er niet mee?'

Glitsky knikte. 'Aardig in de buurt.'

Tamara Dade wist dat de geschokte en ongelovige ouders van Craig Chiurco zijn as onder de Golden Gate Bridge hadden uitgestrooid. Ze had zich niet aan hen willen opdringen in hun eigen uren van verdriet; en bovendien was ze bij lange na niet vergeten dat zij en Craig uit elkaar waren gegaan. Een serieuze en volgens haar gevoel onherroepelijke breuk. Ze was dus niet bij de familie, en wilde dat ook niet.

Maar ze moest haar eigen verdriet zien te verwerken.

Nu, vier dagen na de herdenkingsdienst, was ze op de pier achter het Veergebouw, waar ze weer in de rij op de boot naar Sausalito stond te wachten. Sinds de dag van de schietpartij was ze niet naar het werk gegaan en had ze ook niet gebeld. In plaats daarvan ging ze sinds vier dagen geleden hierheen na haar voornamelijk huilend doorgebrachte slapeloze nachten, en voer ze de baai over, ging in haar eentje op de pier van Sausalito zitten en nam om ongeveer twaalf uur de veerboot terug. 's Middags herhaalde ze de trip en ging ze naar de stad terug nadat de duisternis was neergedaald.

Vandaag was het grauw, winderig en bitter koud. Toen de veerboot de beschutting van de wal verliet, stapelden witgekuifde golven zich op en wierpen hun schuim over het open voordek. Hier stond Tamara graag, maar op deze dag was het, zelfs met haar regenjas aan, te nat, te ellendig. Ze draaide zich om en ging weer naar binnen, kocht een kop warme chocolademelk en vond een zitplaats aan een van de vastgeschroefde tafels bij een raam, waar ze naar buiten kon kijken en...

Wat?

Zich voorstellen hoe het leven met Craig zou zijn geweest? Zich afvragen waarom ze nooit tot een toegewijde relatie waren gekomen? Proberen te begrijpen wat hij had gedaan, en waarom? En wat was er, simpelweg, in de rechtszaal gebeurd?

Het ging haar allemaal boven de pet. Ze vond het bijna onmogelijk om de grimmige werkelijkheid te bevatten dat hij Dylan Vogler en Levon Preslee had vermoord, en kennelijk jaren geleden ook nog een drankwinkelbediende. Dat hij ermee had kunnen leven om Maya Townshend helemaal voor het gerecht te laten komen.

Wie was hij al die tijd geweest, en waarom had ze dat niet gezien?

Ze had geen antwoorden. Behalve dat het een hele poos zou duren voordat ze haar romantische instincten, of zelfs haar fundamentele menselijke instincten, weer zou vertrouwen. Misschien wel eeuwig, dacht ze. Ze staarde naar de door de wind opgezwiepte, grijsgroene, witgetopte golfslag.

'Is deze plaats bezet?'

De vertrouwde stem deed haar opschrikken en ze draaide snel haar hoofd om de aanwezigheid van haar baas, Wyatt Hunt, te verifiëren. Nadat ze dat had gedaan, draaide ze zich weer naar het raam toe en slaakte een lange zucht, waarbij haar schouders omhoog- en weer omlaag gingen. 'Hoe heb je me gevonden?'

'Ik ben een privédetective, Tam. Mensen vinden is mijn werk. Als je niet wilt dat ik ga zitten, zoek ik wel een andere plek.'

Ze draaide zich weer naar hem toe. 'Nee. Het is prima. Je mag hier wel zitten.' Toen hij zat, zei ze: 'Ik weet niet of ik weer aan het werk kan gaan.'

'Oké. Daarom ben ik hier niet. Ik wilde weten of het goed met je ging.'

Haar lippen krulden een beetje omhoog en ze liet een droge, eentonige half-lach, half-snik horen. 'Ik weet niet wat dat betekent, "goed". Niet meer. Ik kan niet geloven dat Craig er niet meer is. Sterker nog, misschien kan ik niet geloven wat Craig was.'

Hunt knikte. 'Daar heb ik zelf ook problemen mee.'

'Waren we dan allebei blind?'

'Dat weet ik niet. Ik neem aan van wel. Hoewel, hoe zouden we dat moeten weten? Wat heeft hij ons laten zien dat ons had kunnen waarschuwen?'

'Dat weet ik niet. Maar ik blijf denken dat ik het had moeten weten. Ik had iets moeten zien. Ik bedoel, ik wist dat hij in de war was, en hij had zijn slechte momenten, maar hij was bijna altijd aardig voor me. Voor iedereen, eigenlijk.'

'Je hebt hem nooit bedreigd. Godzijdank.'

Ze slaakte nog een diepe zucht. 'Hij heeft het dus echt gedaan? Ik bedoel Vogler en Preslee.'

'Ik denk niet dat daar enige twijfel over bestaat, Tam.'

Ze wendde zich van hem af en keek uit het raam naar de schuimende baai en, in de verste hoek van het gezichtsveld, de spookachtige vorm van Alcatraz, de oude, verlaten gevangenis met zijn vervallen gebouwen. 'Ik weet echt niet wat ik moet doen, Wyatt. Wat het werk betreft, bedoel ik.'

'Als je nu eens een poosje niet hoeft te beslissen?'

'Dan nog. Ik weet het niet. Het is alsof de wereld helemaal anders is. Misschien moet ik een ander werkterrein zoeken, met andere mensen om me heen.'

'Misschien wel.'

'Zou jij me dan niet haten?'

Hij legde zijn hand op de hare. 'Jij kunt niets doen waardoor ik jou zou kunnen haten, Tam. Dat moet je weten.'

Ze draaide zich weer naar hem toe en probeerde te glimlachen. 'Ik heb niet het gevoel dat ik nog iets weet, Wyatt. Ik heb het gevoel dat hij mijn onschuld of zoiets heeft gestolen. Ik blijf gewoon wachten op een opening in deze wolken, maar ik weet niet zeker of dat wel gaat gebeuren.'

'Behalve dat dat eerder altijd gebeurd is.'

'Nee,' zei ze. 'De wolken zijn nooit eerder zo dik geweest. En daar haat ik hem echt om.'

Hunt streelde haar hand. 'Tijd,' zei hij.

Ze deed nog een poging tot een flauwe glimlach. 'God, ik hoop het.'

Op de derde vrijdag na de laatste dag van Maya's proces zoemde de telefoon bij Hardy's elleboog in zijn kantoor, en hij drukte op de knop om met Phyllis te praten. 'Yo.' Terwijl hij even een onvolwassen binnenpretje had om de geërgerde zucht van zijn receptioniste – oudere advocaten nemen de telefoon niet informeel op omdat dat een verstoring van de machtsverhouding veroorzaakt – zag hij dat het inderdaad halfvijf was en hij maaide Phyllis opnieuw het gras voor de voeten weg toen hij eraan toevoegde: 'Stuur de Townshends meteen naar binnen.'

Het stel kwam hand in hand binnen. Maya zag er zo stralend en lieftallig uit dat hij haar op straat voorbij had kunnen lopen zonder haar te herkennen. Haar haar en haar wangen glansden. Het extra gewicht dat ze door het gevangenisvoedsel had gekregen was ze kwijtgeraakt, evenals de bajesbleekheid. Joel, op zijn beurt, straalde een gevoel van gemak uit, zelfvertrouwen, en droeg een ongedwongen glimlach die Hardy nooit eerder had opgemerkt.

Niet dat er in de afgelopen zes of zeven maanden veel redenen om te glimlachen waren geweest, maar iets in de onderlinge lichaamstaal van het stel sprak van een hernieuwde band, een ongedwongenheid, een ware verstandhouding. Niet langer de rijke, succesvolle man en de onderdanige, thuisblijvende vrouw, maar echte partners nu. Je kon veel denken van een eerste indruk, maar Hardy besloot te geloven dat het waar was.

De aanleiding – eindafrekening voor zijn juridische diensten – had met een cheque per post afgehandeld kunnen worden, maar ze wilden langskomen om het bedrag persoonlijk af te leveren, en hij was dankbaar voor de gelegenheid om hen weer te zien, in deze omstandigheden, nu hun beproeving achter de rug was. Hij bood koffie en zijn deelneming met het verlies van Harlen aan, die ze allebei aanvaardden, en ze babbelden even, totdat ze alle drie in het formele zitgedeelte bij Hardy's bureau zaten.

Toen stak Joel zijn hand in zijn binnenzak en haalde een envelop tevoorschijn waar zijn bedrijfslogo op was gedrukt.

'Maak hem gerust nu maar open, als je wilt,' zei Maya.

'Het is wel goed.' Hardy grijnsde even. 'Ik vertrouw erop dat het ongeveer klopt.'

'Misschien niet.' Maya, die zelf ook een ondeugende glimlach toonde, liet het als een uitdaging klinken.

Dus Hardy haalde zijn schouders op, maakte de envelop open, haalde de cheque eruit en keek met enige verbazing op. 'Dit is, eh... Ik herinner me de laatste keer niet meer dat ik met de mond vol tanden stond.'

'Het is een bonus,' zei Joel.

Maya straalde nu helemaal. 'We vonden Dylans jaarsalaris wel een mooi symmetrisch bedrag.'

'Het is veel meer dan symmetrisch,' zei Hardy. 'Weten jullie zeker dat dit... Ik ben bang dat ik gewoon een beetje overweldigd ben. Dit is meer dan extreem royaal.'

Maya knikte. 'Jij hebt mijn leven gered, Dismas. In veel opzichten.' Ze legde haar hand op de knie van haar man. 'Dat heb ik hem verteld.'

'Goed zo,' zei Hardy. En tegen Joel: 'En ik wed dat jij niet eens in de verleiding werd gebracht om haar te verlaten.'

Hij legde zijn hand op de hare. 'In de verste verte niet. Dat zou ik nooit doen. Wat er ook gebeurt. Ik weet niet of ze dat ooit eerder echt geloofde. Maar we maken allemaal fouten, hè. Doen dingen waar we ons voor schamen, en nog erger.'

'Ik weet dat dat mij is overkomen,' zei Hardy. 'Maar als jullie dat in deze kamer zouden willen houden, zou ik dat waarderen. Mijn vennoten zouden geschokt en ontzet zijn.'

'In elk geval,' zei Maya, 'wilde ik... wilden wij je heel hartelijk bedanken. Het is zo'n zware last geweest waarmee ik iedere dag zo lang heb geleefd en nu hoeft dat niet meer. Ik voel me een ander mens.'

Joel had haar hand niet losgelaten. 'Hetzelfde mens, alleen gelukkiger. En beter.'

Ze keek voldaan naar hem. '*Arrête un peu.*' In het Frans. Hou even op. Maar niet te lang. Daarna richtte ze zich weer tot Hardy en zei met een zucht: 'Hoe dan ook... als je het niet erg vindt, heb ik nog één laatste dingetje dat jij zou kunnen verklaren; ik wilde het begrijpen, maar dat kan ik gewoon echt niet.'

'Als ik het kan, zal ik het verklaren.'

Ze slaakte een zuchtje. 'Waarom ik?'

'Hoezo, waarom jij?'

'Ik bedoel, met Craig Chiurco. Waarom heeft hij mij uitgekozen om erin te luizen? Ik heb hem nooit ontmoet, ik had zelfs nooit van hem gehoord, en plotseling kiest hij me zomaar uit en probeert hij mijn leven te verwoesten. Ik begrijp gewoon niet wat er gebeurd is. Hoe dat gebeurd is.'

Hardy pakte zijn koffie op en nam een slokje. Hij wist dat het een uitstekende vraag was, en dat ze een antwoord verdiende. Maar er was geen duidelijk antwoord. Craig was dood, en niemand zou het ooit echt zeker weten. Hardy hoopte alleen dat het antwoord dat hij had – en hij had er veel over nagedacht – goed genoeg voor haar was.

'Nou,' begon hij, 'het zit volgens mij zo. Dylan zat in de chantagehandel, en hij was een hebzuchtige man. Een tijdlang was hij blij dat hij jou beduvelde, zijn dope verkocht en zijn klantenlijst bijhield. Maar vergeet niet dat hij ook wist dat Craig die Gomez-jongen had vermoord. Welnu, het feit dat hij dat gedaan had in verband met een roofoverval waarbij ze allebei betrokken waren, maakte het een beetje bizar aangezien ze juridisch-technisch gesproken allebei schuldig aan die moord zouden zijn, wie de trekker ook had overgehaald.

'Maar Dylan hield ervan om grenzen te verleggen. En wat er volgens mij is gebeurd, is dat ze die dag, een paar weken voordat hij werd vermoord, allemaal samen bij BBW waren, en dat Dylan het weer ter sprake bracht. En net nu Craig, die al die jaren al op het rechte pad is, zijn privédetectivevergunning wil halen en denkt dat zijn verleden helemaal achter hem ligt, verhoogt Dylan de inzet. Op de een of andere manier. Vertelt hem wat hij met jou heeft gedaan, misschien zonder specifieke details, maar genoeg om Craig duidelijk te maken dat jij ook alle reden hebt om Dylan uit de weg te willen ruimen.

'Dus besluit hij Dylan te vermoorden, en het enige wat hij nodig heeft is dat jij gauw daarna komt opdagen.'

'Hij heeft me dus gebeld? Was hij dat?'

'Dat weet ik niet zeker. Maar Dylan had een Brooklyn-accent, dat niet zo moeilijk na te bootsen is. Craig belt jou 's avonds laat en houdt het kort en bondig, zegt dat het een noodgeval is waar hij nu niet over kan praten... Nou, jij bent ernaartoe gerend. Hij wist om hoe laat Dylan iedere dag in de steeg kwam. Hij wist dat hij jouw pistool bij zich zou hebben. In elk geval is het allemaal gelukt. Als je mijn mening wilt, heb je verdomd veel geluk dat hij niet heeft staan wachten om jou ook te vermoorden.'

'Daar heb ik aan gedacht. Het verbaast me eigenlijk dat hij dat niet heeft gedaan.'

Hardy schudde zijn hoofd. 'Twee doden, terwijl de politie op zoek was naar degene die hen had vermoord? Te veel om te orkestreren. Hij wilde het simpel houden.'

'En hoe zit het met Levon?'

'Levon zou zich het gesprek bij BBW hebben herinnerd, hun ruzie waar Eugenio Ruiz getuige van was, weet je nog? Hij gaat dus naar Levons woning, trekt zijn pistool, laat Levon jou met zijn mobieltje bellen om je te vragen langs te komen, gaat achter hem staan en... nou, de rest weet je.'

'Hij kende mij dus helemaal niet, en heeft dat zomaar gedaan?'

'Dat denk ik,' zei Hardy.

'Dat heb ik haar ook ongeveer verteld,' voegde Joel eraan toe. 'Ze zei alleen dat dat als de essentie van het kwaad klonk. Ze wil niet geloven dat mensen echt zo slecht kunnen zijn, in hun ziel.'

'Ik bedoel,' zei ze, 'natuurlijk maken we allemaal fouten. Zelfs vreselijke. Maar dit was geen simpele fout. Dit was een bewuste beslissing om gewoon iemand kapot te maken die hij helemaal niet kende.'

Hardy knikte. 'Dat klopt.'

'Ik wil niet geloven dat mensen echt zo kunnen zijn,' zei ze.

'Niet allemaal. En gelukkig misschien niet te veel. Maar beslist wel een paar,' zei Hardy. 'Beslist wel een paar.'

Dankwoord

Ik kan me bijna niet voorstellen dat dit mijn twintigste boek is! En dus gaat mijn eerste dank uit naar jullie allemaal, mijn lezers, die in al die jaren mijn werk zo enthousiast hebben gesteund. Ik vergeet nooit dat ik mijn succes – nooit in deze mate verwacht, en enorm gewaardeerd – te danken heb aan degenen van jullie die deze boeken kopen, ze aan jullie vrienden en familieleden doorgeven, ze op het werk en thuis bespreken, ze in jullie hart sluiten. Het is een van de opwindendste dingen van een schrijversleven om zo'n toegewijde lezerskern te hebben, en ik ben ieder van jullie nederig dankbaar. Bedankt. Bedankt. Bedankt.

Dit boek begon tijdens een e-maildiscussie met een van mijn correspondenten, dokter Jack Crary, die geïntrigeerd was door een aantal medische kwesties in enkele van mijn eerdere boeken – met name het effect van traumatisch letsel op familieleden van degenen die dat hadden opgelopen. Die correspondentie leidde mij tot de reactie van Abe Glitsky op het ongeluk van zijn zoon, en bracht mij op gang in hoofdstuk 1. Bedankt, Jack.

Toen het verhaal vaart kreeg, stuitte ik zoals gewoonlijk op een groot tekort in mijn kennis over de zaken waarover ik hoopte te schrijven. Voor inzichten in zakelijke perspectieven die mij vreemd waren zou ik mijn buren (en medevissers) Tim Lien en Tim Cronan willen bedanken. Deze heren hebben mij in contact gebracht met een federale advocaat in San Diego, Bruce Smith, die een toeschietelijke en gulle bron was voor de gebruiken van verbeurdverklaring in verband met de drugshandel. Nadat de eerste schets voltooid was, wendde ik me tot een zeer getalenteerde schrijver en auteur, John Poswall, en een paar collega's van hem die liever anoniem blijven, voor verder inzicht in staatsprocessen en procedures van onderzoeksjury's.

Geen van mijn boeken zou zijn wat het is zonder de voortdurende hulp en de suggesties voor de revisie van de eerste schets van mijn dierbare vriend Al Giannini, assistent-officier van Justitie in San Mateo, wiens algemene expertise over alle strafrechtelijke dingen, voortreffelijke smaak en verfijnde oordeel geweldig aan het eindproduct bijdragen. Als niemand anders is Al een ware medewerker in de Dismas Hardy/Abe Glitsky-serie, en de dank die ik hem verschuldigd ben kan niet worden gemeten.

Natuurlijk heeft ieder boek zijn leven aan zijn uitgever te danken, en ik ben gezegend dat ik nu voor de laatste negen boeken met geweldig personeel bij Dutton heb gewerkt. Dit is een fantastische groep enthousiaste, pientere, betrokken mensen – te beginnen bij de uitgever Brian Tart, marketingwonders Lisa Johnson en Beth Parker, Erika Imranyi, Trena Keating, Kara Welsh, Claire Zion, Rick Pascocello, Susan Schwartz, en de geweldige coverkunstenaar en ontwerper Rich Hasselberger. Om het meest persoonlijke voor het laatst te bewaren: ik sta versteld van de stijl, smaak en talenten van mijn redacteur, Ben Sevier. Zijn steun in vele gesprekken was cruciaal gedurende het hele wordingsproces van het boek, en toen we in de buurt van een definitief manuscript kwamen, waren zijn opmerkingen en suggesties consequent pittig, pertinent en kritisch. Ben is een uitstekende redacteur, en ik zie het als een zegen om met hem te kunnen werken.

Mijn schrijvende leven zou niet half zo productief zijn zonder het aandeel van mijn assistente Anita Boone. Behalve dat zij een van de evenwichtigste en zonnigste karakters ter wereld heeft (een groot pluspunt als je met soms chagrijnige auteurs werkt), is zij waarlijk de rechterhand en majordomus bij heel veel aspecten van mijn leven in het schrijversvak, en zonder haar zou ik niet kunnen doen wat ik doe.

Zoals velen hebben bevestigd, kan het leven van een schrijver erg eenzaam zijn. Zonder hechte vrienden om perspectief te houden op de andere dingen die belangrijk zijn, en die hopelijk helpen om het schrijven fris te houden, zou de creativiteit niet bloeien en zou de ervaring niet vreugdevol zijn. En om de stemming erin te houden, proost ik op de eeuwige getuige, Don Matheson; op auteur/bon-vivant Max Byrd; Frank en Gina Seidl; Sandy en Peter S. Diedrich, M.D., M.P.H.; en mijn twee kinderen, Justine en Jack.

Verscheidene personages in dit boek danken hun namen (maar geen fysieke of karaktertrekken, die allemaal fictief zijn) aan individuen wier bijdragen aan diverse liefdadigheidsinstellingen vooral gul zijn geweest. Deze mensen, en hun respectievelijke liefdadigheidsinstellingen, zijn: Stacy en Mark Wegzyn, Holy Family School; Katherine (Kay) Hansen, Thrillerfest (Internationale Thrillerschrijvers); Michael J. Schermer, de Stichting Openbare Bibliotheek Sacramento; en Deborah L. Dunham en Chuck Cunningham, de Kamer van Koophandel van Davis, Californië.

Ten slotte is mijn literair agent Barney Karpfinger de rots van mijn carrière en van mijn professionele leven. Barney, een grote vriend, een onvermoeibare pleitbezorger, een baken van smaak en intelligentie, is simpelweg de beste ter wereld in wat hij doet, en ik ben eindeloos dankbaar voor mijn relatie met hem. Bedankt voor alles wat je doet, Barney – jij bent een geweldig en fantastisch mens.

Ik hoor heel graag van mijn lezers, en nodig jullie allemaal uit om mij te bezoeken op mijn website, www.johnlescroart.com, met opmerkingen, vragen, of interesses.